→ to Bree

Barrow
→ to Barrow Downs
Downs

A long expected party

When N

When Bilbo, son of Bungo of the family
of Baggins, proposed to celebrated his seventieth 71th
birthday there was for a day or two some talk in the
neighbourhood. He had once had a little fleeting
fame among the people of Hobbiton and Bywater —
he had disappeared after breakfast one April 30th
and not reappeared until lunchtime on June 22nd in
the following year. A very odd proceeding for which
he had never given any good reason, and of which
wrote a nonsensical account. After that he returned
...nal ways; and the shaken confidence of the district
...radually restored, especially as Bilbo seemed by some
...ained method to have become more than comfortabl...
...not positively wealthy. Indeed it was the m...
of the party rather than the fleeting fam...
caused the talk — after all that other odd b...
...ed some twenty years before and was becomi...
forgotten.
The magnificence of the prep...

CB005533

ORTHANC (I)

A HISTÓRIA
DA TERRA-MÉDIA
VI
O RETORNO DA SOMBRA

J.R.R. TOLKIEN

A HISTÓRIA
DA TERRA-MÉDIA
VI

O RETORNO DA SOMBRA

Editado por CHRISTOPHER TOLKIEN

Tradução de
REINALDO JOSÉ LOPES

Rio de Janeiro, 2024

Copyright © The Tolkien Trust e C.R. Tolkien, 1987
Edição original por George Allen & Unwin, 1986
Todos os direitos reservados à HarperCollins Publishers.
Copyright da tradução © 2024 por Casa dos Livros Editora LTDA. Todos os direitos reservados.

Título original: *The Return of the Shadow*

Todos os direitos desta publicação são reservados à Casa dos Livros Editora LTDA. Nenhuma parte desta obra pode ser apropriada e estocada em sistema de banco de dados ou processo similar, em qualquer forma ou meio, seja eletrônico, de fotocópia, gravação etc., sem a permissão dos detentores do copyright.

® e TOLKIEN® são marcas registradas da The Tolkien Estate Limited.

Copidesque	Jaqueline Lopes
Revisão	Eduardo Boheme Kumamoto, Letícia Oliveira e Camila Reis
Design de capa	Alexandre Azevedo
Diagramação	Sonia Peticov

Dados Internacionais de Catalogação na Publicação (CIP)
(Câmara Brasileira do Livro, SP, Brasil)

Tolkien, J.R.R. (John Ronald Reuel)
O Retorno da Sombra / J.R.R. Tolkien; tradução: Reinaldo José Lopes. – 1. ed. – Rio de Janeiro, RJ: HarperCollins Brasil, 2024.

Título original: The Return of the Shadow.
ISBN 978-65-5511-563-5

1. Ficção de fantasia. 2. Terra-média (lugar imaginário). 3. Tolkien, J.R.R. (Joh Ronald Reuel), 1892-1973. Senhor dos Anéis – Crítica, textual. I. Lopes, José Reinaldo. II. Título.

05-2024/89 CDD-823.912

Índice para catálogo sistemático: 823.912
Bibliotecária responsável: Aline Graziele Benitez CRB-1/3129

HarperCollins Brasil é uma marca licenciada à Casa dos Livros Editora Ltda.
Todos os direitos reservados à Casa dos Livros Editora LTDA.

Rua da Quitanda, 86, sala 601A - Centro,
Rio de Janeiro/RJ - CEP 20091-005
Tel.: (21) 3175-1030
www.harpercollins.com.br

Para
RAYNER UNWIN

Encontrei várias coisas no caminho que me surpreenderam. Tom Bombadil eu já conhecia; mas eu nunca havia estado em Bri. Passolargo sentado no canto da estalagem foi um choque, e eu não tinha mais ideia de quem ele era do que Frodo. As Minas de Moria tinham sido um mero nome; e sobre Lothlórien notícia alguma havia chegado aos meus ouvidos mortais até que eu lá chegasse. Longe dali eu sabia que havia os Senhores-de-cavalos nos confins de um antigo Reino de Homens, mas a Floresta de Fangorn foi uma aventura inesperada. Jamais havia ouvido falar da Casa de Eorl nem dos Regentes de Gondor. O mais inquietante de tudo é que Saruman jamais havia se revelado a mim, e fiquei tão perplexo quanto Frodo por Gandalf não conseguir aparecer em 22 de setembro.

J.R.R. Tolkien em carta a W.H. Auden, 7 de junho de 1955

Sumário

A TERCEIRA FASE

A HISTÓRIA QUE PROSSEGUE

Prefácio

Como é bem sabido, os manuscritos e textos datilografados de *O Senhor dos Anéis* foram vendidos por J.R.R. Tolkien para a Universidade Marquette, em Milwaukee, alguns anos depois da publicação do livro, juntamente com os de *O Hobbit* e *Mestre Giles D'Aldeia*, e também os de *Sr. Boaventura*. Muito tempo se passou entre o envio desses últimos documentos, que chegaram à universidade em julho de 1957, e os correspondentes a *O Senhor dos Anéis*, que só chegaram no ano seguinte. A razão para isso foi que meu pai se comprometeu a classificar, anotar e datar os vários manuscritos de *O Senhor dos Anéis*, mas achou impossível, na época, realizar o trabalho necessário para isso. Está claro que ele nunca o fez e, no fim das contas, deixou os documentos serem enviados como estavam; notou-se, quando chegaram a Marquette, que eles estavam "sem organização nenhuma". Se tivesse terminado essa tarefa, ele certamente teria percebido, naquela época, que, por maior que fosse a coleção de manuscritos, ainda assim ela estava incompleta.

Sete anos depois, em 1965, quando trabalhava na revisão de *O Senhor dos Anéis*, ele escreveu ao Diretor das Bibliotecas de Marquette, perguntando se um certo esquema de datas e eventos na narrativa poderia estar entre os materiais enviados para os EUA, já que meu pai "nunca tinha feito nenhuma lista ou relação completa dos documentos transferidos para vocês". Nessa carta, ele explicava que a transferência ocorrera numa época em que seus manuscritos estavam dispersos, alguns na sua casa em Headington (Oxford) e outros nos seus aposentos no Merton College. Disse também que acabara de descobrir que ainda estava de posse de um "material escrito" que "deveria estar com vocês": quando terminasse a revisão de *O Senhor dos Anéis*, examinaria a questão. Mas não chegou a fazer isso.

Esses documentos ficaram comigo na época da morte dele, que se deu oito anos depois; mas, embora Humphrey Carpenter fizesse referência aos textos em sua *Biografia* (1977) e citasse algumas notas antigas presentes neles, eu os deixei de lado por muitos anos, absorto que estava no longo trabalho de traçar a evolução das narrativas dos Dias Antigos, as lendas de Beleriand e Valinor. A publicação do Volume III de "A História da Terra-média" já estava se aproximando antes que eu tivesse qualquer ideia de que a "História" poderia abranger também um relato sobre o processo de escrita de *O Senhor dos Anéis*. Durante os últimos três anos, no entanto, empreendi, de forma intermitente, a decifração e análise dos manuscritos de *O Senhor dos Anéis* que estão comigo (uma tarefa que ainda está longe de ser completada). Com base nesse trabalho, descobri que os documentos que ficaram para trás em 1958 correspondem, em larga medida, às fases mais antigas da composição do livro, embora, em alguns casos (e mais notadamente no caso do primeiro capítulo, que foi reescrito muitas vezes), as versões sucessivas que se encontram em meio a esses manuscritos chegam até uma fase avançada da narrativa. Em geral, entretanto, foram só as anotações iniciais e os primeiros esboços, com esquemas prevendo o curso seguinte da narrativa, que ficaram na Inglaterra, enquanto o grosso dos documentos foi para a Universidade Marquette.

Eu, é claro, não sei o que aconteceu para que esses manuscritos específicos fossem deixados de fora da remessa para Marquette; mas acho que uma explicação em termos gerais pode ser encontrada com relativa facilidade. Considerando que meu pai era imensamente prolífico ("Percebi que não ser capaz de usar uma caneta ou um lápis é para mim tão frustrante quanto seria a perda do bico para uma galinha", escreveu ele para Stanley Unwin em 1963, quando estava sofrendo de um problema de saúde que afetava seu braço direito), constantemente revisando, reutilizando, começando de novo, mas sem nunca jogar fora nada do que escrevia, seus documentos se tornaram inextricavelmente complexos, desorganizados e dispersos. Não parece provável que, no momento da transferência dos manuscritos para Marquette, ele teria se preocupado muito com os primeiros esboços, ou que teria alguma lembrança precisa desses textos, alguns dos quais suplantados e ultrapassados até vinte anos antes; e, sem dúvida, havia muito tempo que tinham sido deixados de lado, esquecidos e soterrados.

Seja como for, é evidentemente desejável que os manuscritos separados fiquem juntos novamente, preservando o corpus inteiro em um só lugar. Essa deve ter sido intenção do meu pai no momento da venda original; e, portanto, os manuscritos atualmente sob meus cuidados serão entregues à Universidade Marquette.

A maior parte do material citado ou descrito neste livro se encontra nos manuscritos que ficaram para trás; mas a terceira seção do livro (chamada de "A Terceira Fase") constituiu um problema difícil, porque nesse caso os manuscritos foram divididos. A maioria dos capítulos dessa "fase" da composição foi para Marquette em 1958, mas partes substanciais de vários deles ficaram. Essas últimas tinham ficado separadas dos demais textos porque meu pai as rejeitara, usando então o restante desse material como elementos constituintes de novas versões. A interpretação dessa parte da história teria sido completamente impossível sem a total cooperação da Universidade Marquette, e essa ajuda eu recebi em abundância. Acima de tudo, o sr. Taum Santoski se dedicou com grande habilidade e cuidado a uma operação complexa, na qual, ao longo de muitos meses, ficamos enviando um ao outro cópias anotadas desses textos; e foi possível, dessa maneira, determinar a história textual e reconstruir os manuscritos originais que meu pai desmembrara há quase meio século. Registro com prazer e profundo agradecimento a assistência generosa que recebi dele, bem como do sr. Charles B. Elston, arquivista da Biblioteca Memorial em Marquette, do sr. John D. Rateliff e da srta. Tracy Muench.

Esta tentativa de apresentar um relato dos primeiros estágios da escrita de *O Senhor dos Anéis* foi afetada por outras dificuldades além do fato de que os manuscritos estavam separados por uma distância tão grande. Falo de dificuldades que afetaram principalmente a interpretação da sequência da escrita, mas também a apresentação dos resultados num livro impresso.

Resumidamente, a escrita foi avançando em uma série de "ondas" ou (como as chamei neste livro) "fases". O primeiro capítulo foi, ele próprio, remontado três vezes antes que os hobbits deixassem a Vila-dos-Hobbits, mas a história prosseguiu por todo o caminho até Valfenda antes que o impulso inicial fraquejasse. Meu pai então principiou de novo desde o começo (a "segunda fase"), e depois o fez novamente (a "terceira fase"); e, conforme novos elementos narrativos e novos nomes e relações entre os personagens apareciam, eles iam sendo inseridos nos esboços anteriores, em momentos diferentes. Partes de um texto eram retiradas e usadas em outro lugar. Versões alternativas foram sendo incorporadas ao mesmo manuscrito, de modo que a história podia ser lida de mais de uma maneira, de acordo com as instruções dadas. Quase não é possível determinar a sequência desses movimentos extremamente complexos com exatidão demonstrável em todos os pontos. Uma ou duas datas que meu pai inseriu são insuficientes e têm utilidade apenas limitada, e as referências à progressão da escrita em suas cartas são pouco claras e difíceis de interpretar. Diferenças de letra podem ser muito enganosas. Assim, determinar a história da composição é algo que deve se basear, em grande medida, nas pistas fornecidas pela evolução de nomes e motivos dentro da própria narrativa; mas nisso há grande possibilidade de perdermos o fio da meada confundindo as datas relativas de acréscimos e alterações. Exemplos desses problemas serão encontrados ao longo do livro. Não suponho nem por um instante que tenha conseguido determinar a história corretamente em todos os pontos: de fato, permanecem vários casos em que as evidências parecem ser contraditórias e para os quais não consigo oferecer nenhuma solução. A natureza dos manuscritos é tal que eles provavelmente sempre admitirão diferentes interpretações. Mas a sequência de composição que proponho, depois de muita experimentação com teorias alternativas, parece-me ser a que melhor se ajusta às evidências.

Os esquemas da trama e os esboços de narrativas mais antigos muitas vezes mal são legíveis e foram se tornando mais difíceis de ler conforme o trabalho prosseguia. Usando qualquer pedaço do papel de má qualidade dos anos de guerra que lhe caísse nas mãos – às vezes escrevendo não apenas no verso de folhas de prova, mas também no meio das próprias respostas – meu pai costumava rabiscar de forma elíptica suas ideias para as partes seguintes da história, e suas primeiras formulações da narrativa, numa velocidade estonteante. Na letra que ele usava para esboços e rascunhos rápidos, que não tinham sido feitos para durar muito tempo, só até que ele voltasse a eles e lhes desse uma forma mais apropriada, as letras têm formas tão vagas que uma palavra que não pode ser deduzida ou inferida pelo contexto ou a partir de versões posteriores pode acabar se revelando totalmente indecifrável depois de um longo exame; e se ele usava um lápis de ponta macia, como era comum, boa parte do texto acabou ficando borrada e fraca. É preciso ter isso em mente o tempo todo: os esboços mais antigos eram colocados de forma urgente no papel assim que as primeiras palavras lhe vinham à mente e antes que a ideia se dissolvesse, enquanto o texto impresso (excetuando-se algumas reticências e interrogações diante de trechos ilegíveis) inevitavelmente transmite um ar de composição calma e ordenada, com fraseado sopesado e intencional.

Passando agora à maneira como o material é apresentado neste livro, o problema mais intratável tem a ver com o desenvolvimento da história ao longo de esboços sucessivos, sempre mudando, mas sempre estreitamente dependente do que os precedera. No caso bastante extremo do capítulo de abertura, "Uma Festa Muito Esperada", neste livro existem seis textos principais a serem considerados, e uma série de aberturas de capítulo abandonadas. Uma apresentação completa de todo o material para esse capítulo quase constituiria um livro por si só, para não falar de uma massa de repetições (ou quase isso). Por outro lado, uma sucessão de textos reduzidos a extratos e citações curtas (mostrando onde as versões diferem significativamente das anteriores) não é fácil de acompanhar, e, se o desenvolvimento for rastreado de perto, esse método também ocupa muito espaço. Não há solução realmente satisfatória para esse dilema. O editor deve assumir a responsabilidade de selecionar e enfatizar aqueles elementos que considera mais interessantes e significativos. Em geral, apresento a narrativa mais antiga em sua forma completa, ou quase completa, em cada capítulo, como a base a partir da qual podemos fazer referências a respeito dos desenvolvimentos seguintes. O tratamento diferente dos manuscritos exige um arranjo diferente dos elementos editoriais: onde os textos são apresentados mais ou menos na íntegra, há um grande emprego de notas numeradas (que podem constituir uma parte importante da apresentação de um texto complexo), mas, onde isso não ocorre, o capítulo está organizado mais como uma discussão acompanhada de citações.

Meu pai despendeu imenso esforço na criação de *O Senhor dos Anéis*, e minha intenção foi a de que este registro de seus primeiros anos de trabalho nessa obra refletisse tais esforços. A primeira parte da história, antes que o Anel deixasse Valfenda, exigiu, de longe, a maior labuta para ser completada (daí o tamanho deste livro em relação ao todo da história); e as dúvidas, indecisões, idas e vindas, reestruturações e falsos inícios estão todos descritos. O resultado é, necessariamente, algo extremamente intrincado; mas, embora fosse possível recontar essa história de uma forma enormemente reduzida e abreviada, estou convencido de que omitir detalhes difíceis ou simplificar demais os problemas e as explicações eliminaria o interesse essencial por trás deste estudo.

Meu objetivo foi apresentar um relato da *escrita* de *O Senhor dos Anéis*, exibir o sutil processo de mudança que era capaz de transformar o significado dos eventos e a identidade das pessoas enquanto, ao mesmo tempo, preservava essas cenas e as palavras que eram ditas desde os primeiros rascunhos. Portanto, decidi investigar em detalhes (por exemplo) a história dos dois hobbits que finalmente acabaram se transformando em Peregrin Tûk e Fredegar Bolger, mas só depois das mais extraordinárias permutações e coalescências de nome, personalidade e função; por outro lado, abstenho-me de todas as discussões que não sejam diretamente relevantes para a evolução da narrativa.

Levando em conta a natureza do livro, meu ponto de partida é que o leitor esteja familiarizado com *A Sociedade do Anel*, já que o tempo todo são feitas comparações com a obra publicada. As referências às páginas de *A Sociedade do Anel* (abreviada como SA) correspondem à edição de capa dura em três volumes de *O Senhor dos Anéis* (SdA) publicada pela editora George Allen and Unwin (hoje Unwin Hyman)* e pela Houghton Mifflin Company, sendo essa a edição comum à Inglaterra e aos EUA, mas creio que ficará claro, na verdade, que quase todas essas referências podem ser prontamente rastreadas em qualquer edição, uma vez que o ponto preciso citado na forma final da história se torna quase sempre evidente com base no contexto.

Na "primeira fase" da escrita, na qual a história chegou a Valfenda, a maioria dos capítulos não tinha título e, posteriormente, houve muitas mudanças na divisão da narrativa em capítulos, com variação de títulos e números. Achei melhor, portanto, evitar confusões, dando a muitos dos meus capítulos títulos descritivos simples, como "Da Vila-dos-Hobbits até a Ponta do Bosque", indicando o

* Na tradução, as páginas citadas são da edição de capa dura em três volumes publicada pela HarperCollins Brasil em 2019. [N.T.]

conteúdo, em vez de relacioná-los com os títulos dos capítulos em *A Sociedade do Anel.* No caso do nome do livro, pareceu apropriado usar um dos títulos sugeridos por meu pai para o primeiro volume de *O Senhor dos Anéis*, mas que foram abandonados. Numa carta para Rayner Unwin, datada de 8 de agosto de 1953 (*As Cartas de J.R.R. Tolkien*, n. 139), ele propôs *O Retorno da Sombra.*

Este livro não apresenta nenhum relato sobre a história da escrita de *O Hobbit* até sua publicação original em 1937, ainda que, por causa da relação desse livro com *O Senhor dos Anéis*, haja constantes referências a ele aqui. Essa relação é curiosa e complexa. Meu pai expressou várias vezes sua visão sobre o tema, mas o fez da forma mais completa e (na minha opinião) mais precisa num trecho de uma longa carta a Christopher Bretherton, escrita em julho de 1964 (*Cartas*, n. 257).

> Voltei para Oxford em jan. de 1926 e, quando *O Hobbit* apareceu (1937), essas "histórias dos Dias Antigos" estavam em uma forma coerente. *O Hobbit* não foi escrito com a intenção de ter qualquer coisa a ver com elas. Enquanto meus filhos ainda eram novos, eu tinha o hábito de inventar e contar oralmente, às vezes de escrever, "histórias infantis" para o divertimento particular deles [...] *O Hobbit* foi escrito com a intenção de ser uma delas. Não possuía uma relação necessária com a "mitologia", mas naturalmente foi atraído em direção a essa construção dominante em minha mente, fazendo com que a história se tornasse maior e mais heroica conforme prosseguia. Ainda assim, ele realmente podia ficar separado, exceto pelas referências (desnecessárias, embora deem uma impressão de profundidade histórica) à Queda de Gondolin, aos ramos da raça élfica e à contenda do Rei Thingol, pai de Lúthien, com os Anãos [...].
>
> O anel mágico era a única coisa óbvia em *O Hobbit* que poderia ser relacionada com minha mitologia. Para ser o tema principal de uma história grande, teria de ser de suprema importância. Liguei-o então à referência (originalmente) deveras casual ao Necromante, cuja função dificilmente era mais do que fornecer uma razão para Gandalf ir embora e deixar Bilbo e os Anãos para se defenderem sozinhos, o que foi necessário para a história. De *O Hobbit* também são derivadas a história dos Anãos, Durin, seu

ancestral primordial, e Moria; e Elrond. A passagem no Cap. 3 que o relaciona aos Meio-Elfos da mitologia foi um feliz acidente, devido à dificuldade de constantemente inventar bons nomes para novos personagens. Dei-lhe o nome Elrond casualmente, mas como este vem da mitologia (Elros e Elrond, os dois filhos de Eärendel), tornei-o meio-elfo. Apenas em *O Senhor* ele foi identificado com o filho de Eärendel e, assim, o bisneto de Lúthien e Beren, um grande poder e um Portador de Anel.

A maneira como meu pai enxergava *O Hobbit* – especificamente em relação a "O Silmarillion" – na época de sua publicação aparece de forma clara na carta que ele escreveu a G.E. Selby em 14 de dezembro de 1937:

> Eu mesmo não aprovo muito *O Hobbit*, e prefiro minha própria mitologia (que é apenas tangenciada), com sua nomenclatura consistente — Elrond, Gondolin e Esgaroth escaparam de lá — e sua história organizada, a essa turba de anãos com nomes édicos tirados da Völuspá, a modernos hobbits e gollums (inventados numa hora ociosa) e runas anglo-saxãs.

A importância de *O Hobbit* na *história da evolução* da Terra-média, portanto, é o fato de que, nessa época, o livro tinha sido publicado e havia demanda para uma sequência dele. O resultado é que, por conta da natureza de *O Senhor dos Anéis* conforme o livro evoluía, *O Hobbit* foi *atraído para dentro* da Terra-média – e a transformou; mas, no contexto de 1937, o primeiro livro não era parte dela. A significância da obra para a Terra-média tinha a ver com os efeitos que provocaria, e não com o que ela era.

Mais tarde, *O Senhor dos Anéis*, por sua vez, afetou o próprio texto de *O Hobbit* em revisões publicadas e não publicadas (essas, muito mais abrangentes); mas é claro que tudo isso ainda correspondia ao futuro distante no ponto que esta História alcançou até agora.

Nos manuscritos de *O Senhor dos Anéis,* há uma inconsistência extrema em elementos tais como o uso de letras maiúsculas e hífens e a separação de elementos em nomes compostos. Na minha representação desses textos, não impus nenhuma padronização nesses casos, embora use sempre as mesmas formas nas discussões escritas por mim.

A PRIMEIRA FASE

1

Uma Festa Muito Esperada

(i)
A Primeira Versão

O ponto de partida original de *O Senhor dos Anéis* a ser escrito – o "primeiro gérmen", como meu pai rabiscou no texto muito tempo depois – foi preservado: um manuscrito de cinco páginas intitulado *Uma festa muito esperada*. Acho que deve ter sido a esse texto (em vez de a um segundo esboço inacabado que veio logo depois) que meu pai se referiu quando, em 19 de dezembro de 1937, ele escreveu para Charles Furth, da Allen and Unwin: "Escrevi o primeiro capítulo de uma nova história sobre Hobbits — 'Uma festa muito esperada'" Apenas três dias antes disso, ele escrevera o seguinte em carta a Stanley Unwin:

> Acredito estar claro que [...] uma continuação ou sucessor para O Hobbit seja necessário. Prometo dar atenção a essa questão. Mas tenho certeza de o senhor entenderá quando digo que a construção de uma mitologia (e dois idiomas) elaborada e consistente ocupa por demais a mente, e as Silmarils estão no meu coração. De modo que só Deus sabe o que acontecerá. O Sr. Bolseiro começou como um conto cômico entre convencionais e inconsistentes anãos de contos de fadas dos Grimm, e acabou atraído para a borda disso — de maneira que até mesmo Sauron, o terrível, espiou por cima da borda. E o que mais hobbits podem fazer? Eles podem ser cômicos, mas sua comédia é suburbana, a menos que seja colocada junto de coisas mais elementares.

Com base nisso, parece claro que, no dia 16 de dezembro, ele não apenas não tinha começado a escrever como, muito provavelmente, não tinha nem mesmo cogitado qual seria a substância de "uma nova história sobre Hobbits". Não muito antes, ele tinha enviado o manuscrito da terceira versão de *O Silmarillion* para a Allen and Unwin; estava inacabado, e ele ainda se sentia profundamente imerso nesse trabalho. Num pós-escrito a essa carta para Stanley Unwin, de fato, ele avisou que tinha recebido de volta *O Silmarillion* (e outros textos) num momento posterior daquele dia. Mesmo assim, ele deve ter começado a escrever a nova história logo depois.

Quando começou a pôr suas ideias no papel, ele escreveu, usando letras grandes, "Quando M", mas parou antes de completar a segunda perna do M e, em vez disso, escreveu "Quando Bilbo...". O texto começa com uma caligrafia bonita, mas a escrita vai se tornando cada vez mais rápida e, no final, acaba se deteriorando num rabisco veloz que nem sempre é legível. Há uma boa quantidade de alterações no manuscrito. O texto que se segue representa a forma original, segundo minha avaliação, embora eu reconheça que não há como distinguir de forma perfeita aquilo que é "original" e aquilo que não é. Pode-se ver que algumas mudanças foram feitas no momento da escrita, e essas foram incorporadas ao texto; mas outras são antecipações características das versões seguintes, e portanto foram ignoradas. De qualquer modo, é altamente provável que meu pai tenha escrito as versões do capítulo de abertura em rápida sucessão. Notas a respeito dessa versão são apresentadas imediatamente após o fim do texto (p. 27).

Uma festa muito esperada[1]

Quando Bilbo, filho de Bungo, da família dos Bolseiros, [tinha celebrado >] se preparou para celebrar seu septuagésimo aniversário, houve certo falatório na vizinhança durante um dia ou dois. Tempos antes ele tivera um pouco de fama passageira entre o povo da Vila-dos-Hobbits e de Beirágua – tinha desaparecido depois do desjejum num certo dia 30 de abril e só tinha reaparecido na hora do almoço de 22 de junho do ano seguinte. Um comportamento muito esquisito, para o qual nunca dera nenhuma boa razão, e sobre o qual escrevera um relato sem sentido. Depois disso, voltou aos modos normais; e a confiança abalada do distrito foi sendo gradualmente restaurada, especialmente porque Bilbo parecia, por algum método não explicado, ter se tornado mais do que confortavelmente bem de vida, se não positivamente rico. De fato, foi a magnificência da festa, e não a fama passageira, que causara o falatório, de início – afinal de contas, todo aquele negócio esquisito acontecera uns vinte anos antes, e estava ficando decentemente esquecido. A magnificência dos preparativos, é o que eu deveria dizer. O campo ao sul da porta da frente de Bilbo estava sendo recoberto de pavilhões. Convites iam sendo enviados para todos os Bolseiros e todos os Tûks (parentes dele do lado da mãe), e para os Fossadores (que só tinham relações remotas com Bilbo); e para os Covas, os Boffins, os Roliços e os Pés-Soberbos: nenhum dos quais tinha parentesco algum com ele, até onde alcançava a memória dos historiadores locais – alguns deles viviam do outro lado do condado; mas todos eles, é claro, eram hobbits. Até os Sacola-Bolseiros, primos de Bilbo do lado do pai, não foram esquecidos. Tinha acontecido uma contenda entre eles e o Sr. Bilbo Bolseiro, como alguns de vocês talvez lembrem. Mas ficara tão esplêndido o convite, todo escrito em ouro, que eles foram induzidos a aceitar; além disso, o primo deles andara se especializando em boa comida por muito tempo, e a mesa de Bilbo tinha uma reputação elevada até mesmo naquela época e naquele local, quando a comida ainda era o que devia ser e era abundante o suficiente para que toda a gente conseguisse aproveitá-la.

Todos esperavam um banquete agradável; porém estavam um tanto apreensivos com o discurso de seu anfitrião depois do jantar. Ele costumava incluir fragmentos do que chamava de poesia, e até aludir, depois de um copo ou dois, às aventuras absurdas pelas quais dizia ter passado muito tempo antes, durante seu desaparecimento ridículo. O banquete tinha sido *muito* agradável: de fato, um entretenimento que os absorveu. As compras de suprimentos caíram quase a zero no condado inteiro durante a semana posterior; mas, como o abastecimento do Sr. Bolseiro tinha esvaziado todas as lojas, adegas e depósitos num raio de milhas, isso não importava muito. Então veio o discurso. A maioria dos hobbits ali reunidos agora estava com o humor tolerante, e seus medos anteriores foram esquecidos. Estavam dispostos a escutar qualquer coisa e a dar vivas a cada ponto final. Mas não estavam preparados para ficar espantados. Mas ficaram – espantaram-se de maneira completa e sem precedentes; alguns até tiveram indigestão.

"Minha cara gente", começou o Sr. Bolseiro. "Ouçam, ouçam!", responderam em coro. "Meus caros Bolseiros", prosseguiu ele, ficando agora de pé na cadeira, de modo que a luz das lanternas que iluminavam o enorme pavilhão faiscou nos botões de ouro de seu colete bordado, para que todos o vissem. "E meus caros Tûks, e Fossadores, e Roliços, e Covas, e Boffins, e Pé-Soberbos."[2] "Pés-Soberbos!", gritou um hobbit de certa idade lá atrás. Seu nome, claro, era Pé-Soberbo, e merecido; seus pés eram grandes, excepcionalmente peludos e estavam ambos sobre a mesa. "E também meus caros Sacola-Bolseiros, a quem finalmente volto a dar as boas-vindas em Bolsão", continuou Bilbo. "Hoje é meu septuagésimo aniversário." "Viva, viva, e muitos anos de vida!", gritaram eles. Esse era o tipo de coisa que gostavam: curto, óbvio, sem controvérsias.

"Espero que todos estejam se divertindo como eu." Vivas ensurdecedores, gritos de sim (e não) e barulho de trompas e apitos. Havia uma grande quantidade de jovens presentes, já que os hobbits eram liberais com seus filhos, especialmente se surgia uma chance de refeição extra. Centenas de bombinhas musicais tinham sido estouradas. A maioria delas tinha o rótulo "Fabricado em Valle". O que isso significava só Bilbo e alguns de seus sobrinhos Tûks sabiam; mas eram bombinhas realmente maravilhosas. "Chamei todos aqui", prosseguiu Bilbo quando os últimos aplausos foram parando, e algo na voz dele fez com que os ouvidos de alguns dos Tûks ficassem atentos. "Em primeiro lugar, para lhes dizer que gosto imensamente de vocês, e que setenta anos é um tempo curto demais para viver entre hobbits tão excelentes e encantadores" – "é isso aí!" "Não conheço a metade de vocês a metade do que gostaria, e menos da metade de vocês a metade do que merecem." Nada de vivas, algumas palmas – a maioria deles estava tentando entender aquilo. "Em segundo lugar, para celebrar meu aniversário e o vigésimo ano do meu retorno" – pessoas se remexendo, embaraçadas. "Finalmente, para fazer um *Anúncio*." Disse isso com voz muito alta, e todos aqueles que podiam se ergueram nos assentos. "Adeus! Vou embora depois do jantar. E também vou me casar."

Bilbo se sentou. O silêncio era de estupefação. E foi rompido apenas pelo Sr. Pé-Soberbo, que derrubou a mesa com um chute; a Sra. Pé-Soberbo se engasgou no meio de um drinque.

Então foi isso. A cena serve simplesmente para explicar que Bilbo Bolseiro se casou e teve muitos filhos, porque vou contar a vocês uma história sobre um de seus descendentes, e, se vocês leram apenas as memórias dele até a data da visita de Balin – pelo menos dez anos antes dessa festa de aniversário –, podem ter ficado confusos.[3]

Na verdade, Bilbo Bolseiro desapareceu em silêncio e sem ser notado – o anel estava na mão dele no exato momento em que fazia seu discurso – no meio da explosão confusa de conversas que se seguiu ao silêncio estupefato. Nunca mais foi visto de novo na Vila-dos-Hobbits. Quando as carruagens chegaram para levar os convidados, não havia ninguém de quem eles pudessem se despedir. As carruagens foram saindo, uma após a outra, repletas de hobbits de barriga cheia, mas estranhamente insatisfeitos. Vieram jardineiros (já contratados) e tiraram dali, em carrinhos de mão, aqueles que inadvertidamente tinham ficado para trás. A noite veio e foi embora. O sol nasceu. Vieram pessoas para remover os pavilhões, e as mesas, e as cadeiras, e as lanternas, e as mudas de árvores em flor nas caixas, e as colheres e facas e pratos e garfos, e as migalhas, e a comida que não tinha sido consumida – no total, muito pouca. Um monte de outras pessoas veio também. Bolseiros e Sacola-Bolseiros e Tûks, e gente que tinha ainda menos a ver com a história. No meio da manhã (quando até os mais bem alimentados já tinham saído de casa), havia uma multidão considerável em Bolsão, que não fora convidada, mas não era inesperada. A palavra ENTREM estava pintada numa grande placa branca do lado de fora da grande porta da frente. A porta estava aberta. Havia etiquetas amarradas em todos os objetos lá dentro. "Para Mungo Tûk, com amor, de Bilbo"; "Para Semolina Bolseiro, com amor, de seu sobrinho", num cesto de lixo – ela costumava mandar para ele uma porção de cartas (em geral, com bons conselhos). "Para Caramella Tûk, com lembranças carinhosas de seu tio" num relógio no salão de entrada. Embora não fosse pontual, ela tinha sido uma sobrinha de quem Bilbo gostava bastante, até que, ao chegar tarde para o chá certo dia, ela declarara que o relógio do tio estava adiantado. Os relógios de Bilbo nunca ficavam atrasados ou adiantados, e ele não esqueceu o comentário. "Para Obo Tûk-Tûk, de seu sobrinho-neto" numa cama de penas; Obo raramente estava acordado antes do meio-dia ou depois do chá, e roncava. "Para Gorboduc Fossador, com os melhores desejos de B. Bolseiro" – numa caneta-tinteiro dourada – Gorboduc nunca respondia cartas. "Para o uso de Angélica" num espelho – ela era uma jovem Bolseiro e se considerava muito formosa.[4] "Para

Inigo Fossador-Tûk" num serviço de jantar completo – Inigo era o hobbit mais guloso da história registrada. "Para Amalda Sacola--Bolseiro, *como presente*" num estojo de colheres de prata. Ela era a esposa do primo de Bilbo, a que ele achara anos antes, no dia de seu retorno, medindo a sala de jantar de Bolsão (talvez você se lembre das suspeitas dele sobre as colheres desaparecidas; de qualquer modo, nem Bilbo nem Amalda tinham se esquecido disso).[5]

É claro que havia mil e uma coisas na casa de Bilbo, e todas tinham etiquetas – a maioria delas com um significado preciso (que era percebido depois de um tempo). Toda a mobília da casa foi doada, mas nem um só centavo de dinheiro, nem um único item de latão de joias, podiam ser vistos. Amalda foi a única Sacola-Bolseiro a ser lembrada numa etiqueta – mas, até aí, havia um aviso no saguão dizendo que o Sr. Bilbo Bolseiro entregava a desejável propriedade ou toca de habitação conhecida como Bolsão Sotomonte, junto com todas as terras a ela pertencentes ou anexas, a Sago Sacola-Bolseiro e sua esposa Amalda, para que as tenham, possuam, ocupem ou tratem como bem quiserem, a seu bel-prazer e vontade, a partir do dia 22 de setembro próximo. Era então o dia 21 de setembro (sendo o aniversário de Bilbo no dia 20 daquele mês agradável). Assim, os Sacola-Bolseiros foram morar em Bolsão, afinal de contas – embora tivessem de esperar uns vinte anos. E, aliás, tiveram uma bela de uma dificuldade para se livrar de todas as coisas etiquetadas – certas etiquetas foram rasgadas ou trocadas, e algumas pessoas tentaram fazer trocas no saguão, e outras tentaram afanar coisas que [não estavam] sendo vigiadas com cuidado; e vários sujeitos enxeridos começaram a abrir buracos nas paredes e a cavar nas adegas antes que fosse possível expulsá-los. Ainda estavam pensando no dinheiro e nas joias. Como Bilbo teria rido. E, na verdade, estava rindo – tinha previsto como tudo aquilo ia se desenrolar e estava se divertindo com a brincadeira de modo privado.

Aí está, imagino que esteja tudo bastante claro. O fato é que, apesar do discurso depois do jantar, Bilbo de repente ficara muito cansado de todos eles. O lado Tûk (não que, é claro, todos os Tûks tivessem muito dessa característica imprevisível) tinha voltado à vida de novo, de modo bastante repentino e desconfortável. E também outro segredo – depois de ter esbanjado seus últimos cinquenta ducados na festa, *não tinha mais nenhum dinheiro ou joias*, com exceção do anel e dos botões de ouro em seu colete.

Tinha gastado tudo em vinte anos (até o que conseguira com suas lindas .... que ele tinha vendido alguns anos antes).[6]

Então, como poderia se casar? Não é que ele fosse fazer isso naquela hora – simplesmente disse "Vou me casar". Não sei dizer bem o porquê. Veio-lhe à cabeça de repente. E também pensou que era um fato que podia acontecer no futuro – se viajasse de novo em meio a outros povos, ou encontrasse uma raça mais rara e mais bela de hobbits em algum lugar. Além disso, era como se fosse um tipo de explicação. Os hobbits tinham um hábito curioso quanto a seus casamentos. Eles mantinham um segredo completo (oficialmente, sempre, e muitas vezes também de fato) sobre com quem iam se casar, mesmo quando sabiam. Então, de repente, lá iam se casar e sumiam sem deixar um endereço por uma semana ou duas (ou até mais). Quando Bilbo desapareceu, foi isso o que os vizinhos dele pensaram de início. "Lá foi ele se casar. Então, com quem será? – ninguém mais desapareceu, até onde a gente sabe." Mesmo depois de um ano, eles ficariam menos surpresos se ele tivesse voltado com uma esposa. Durante muito tempo, algumas pessoas acharam que Bilbo estava escondendo alguma mulher, e por alguns anos circulou até uma lenda sobre a coitada da Sra. Bilbo, que era feia demais para ser vista em público.

Assim, Bilbo acabou dizendo, antes de desaparecer: "Vou me casar". Ele pensou que aquilo – junto com toda a bagunça envolvendo a casa (ou toca) e a mobília – manteria todos ocupados e satisfeitos por muito tempo, de modo que ninguém se daria ao trabalho de ir atrás dele no começo. E estava certo – ou quase certo. Porque ninguém jamais se deu ao trabalho de ir atrás dele. Decidiram que tinha ficado doido e saíra correndo até topar com uma lagoa, um rio ou uma ribanceira, e lá se fora mais um Bolseiro. A maioria deles, quer dizer. Alguns de seus amigos mais jovens sentiam muita falta dele, é claro (... Angélica e Sar ......). Mas não tinha sido a última vez que ele os vira – oh, não. Isso é fácil de explicar.

NOTAS

1 O título foi inserido mais tarde, mas, sem dúvida, antes que o capítulo fosse terminado, já que meu pai se referiu a ele com esse nome na carta de 19 de dezembro de 1937 (p. 21).

2 Depois de "Covas" havia também "e Val-Carvalhos", mas esse segundo sobrenome foi riscado, quase certamente no momento da escrita. "Pé-Soberbos" foi escrito originalmente como "Pés-Soberbos", tal como anteriormente no

capítulo, mas, como a frase seguinte indica, o sobrenome foi alterado no momento da escrita.

[3] A referência é à conclusão de *O Hobbit*, quando Gandalf e Balin visitaram Bolsão "alguns anos mais tarde".

[4] Nesse ponto, há uma menção a um conjunto de escovas de cabelo dado como presente a Inigo Bolseiro, mas ela foi riscada, evidentemente quando a passagem foi escrita, já que logo depois vem o presente dado a outro Inigo (Fossador-Tûk).

[5] Várias alterações foram feitas nos nomes e outros detalhes dessa passagem, nem todas incorporadas na terceira versão (a segunda termina antes desse ponto). O presente de Mungo Tûk (um guarda-chuva) foi especificado; e Caramella Tûk deixou de ser sobrinha e passou a ser prima de Bilbo. Gorboduc Fossador se tornou Orlando Fossador. Entre as alternativas escritas a lápis para o nome da Sra. Sacola-Bolseiro, substituindo Amalda, estão Lonicera (Madressilva) e Griselda, e o marido dela, Sago (citado no parágrafo seguinte do texto) passou a ser Cosmo.

[6] Cf. o final de *O Hobbit*: "Seu ouro e sua prata foram gastos, na maior parte [*alterado depois para* em grande parte], com presentes, tanto úteis como extravagantes". A palavra ilegível nesse ponto poderia ser *armas*, mas não é o que parece, e cf. a mesma passagem em *O Hobbit*: "Sua cota de malha foi arrumada num suporte no salão de entrada (até que ele a emprestou a um Museu)".

❧

Ao escrever sobre esse rascunho em sua *Biografia*, Humphrey Carpenter afirma (p. 254):

> A razão para seu desaparecimento nesse primeiro rascunho é que Bilbo "não tinha mais nenhum dinheiro ou joias" e estava partindo em busca de mais ouro de dragões. Nesse ponto a primeira versão do capítulo de abertura se interrompe, inacabada.

Mas pode-se argumentar que, na verdade, a primeira versão estava concluída, pois o esboço completo seguinte desse capítulo (o terceiro – já que o segundo certamente parece inacabado e se interrompe num trecho muito anterior) só termina muito pouco depois na narrativa (p. 48), e, logo antes do fim, diz:

> Mas nem todos tinham se despedido dele de vez. Isso é fácil de explicar, e o será em breve.

E a explicação não é dada nesse momento, mas fica guardada para o capítulo seguinte. Também não fica tão explícito no primeiro esboço que Bilbo "estava partindo em busca de mais ouro de dragões". Não há dúvidas de que a falta de dinheiro foi um dos motivos para que ele saísse de casa, mas um súbito desgosto tipicamente Tûk em relação à pasmaceira e convencionalidade dos hobbits também é enfatizado; e, na verdade, não há uma única pista sobre o que Bilbo estava planejando fazer. Pode muito bem ser que, em 19 de dezembro de 1937, meu pai não fizesse ideia mesmo. A conclusão do texto, escrita rapidamente, sugere fortemente uma direção incerta da história (e, de fato, ele dissera no início do capítulo que a história seria sobre um dos descendentes de Bilbo).

Mas, embora não haja nem sinal de Gandalf, a maioria dos pontos essenciais e muitos dos detalhes da festa propriamente dita, da maneira como ela é descrita em *A Sociedade do Anel* (SA), aparecem logo no início, e até algumas frases foram mantidas. Os Roliços, os Boffins e os Pé-Soberbos já aparecem – sendo que as famílias chamadas Covas e Fossador já tinham sido mencionadas no final de *O Hobbit*, no caso dos nomes dos leiloeiros da venda de Bolsão; e a terra dos hobbits é chamada pela primeira vez de "o condado" (ver, porém, a p. 45). Mas os prenomes dos hobbits ainda estavam só no início de suas variações camaleônicas – designações como Sago e Semolina acabariam sendo vistas como inadequadas, outras (Amalda, Inigo, Obo) perderiam seu lugar nas genealogias finais, e ainda outras (Mungo, Gorboduc) seriam dadas a pessoas diferentes; apenas a vaidosa Angélica Bolseiro sobreviveu.

(ii)
A Segunda Versão

O manuscrito seguinte, embora se baseie de perto no primeiro, introduziu muitos materiais novos – mais notadamente a chegada de Gandalf e os fogos de artifício. Essa versão termina com as palavras "A manhã prosseguiu" (SA, p. 84).

O manuscrito recebeu diversas emendas, e é muito difícil distinguir as mudanças feitas no momento da composição daquelas que aconteceram mais tarde: em todo caso, a terceira versão, sem dúvida, veio logo depois da segunda, suplantando-a antes que fosse completada. Apresento esse segundo texto também na forma completa, até o ponto ao qual chegou, mas, nesse caso, incluo virtualmente todas as emendas feitas a ele (em alguns casos, a versão original é apresentada nas notas que vêm depois do texto na p. 37).

Capítulo 1

Uma festa muito esperada

Quando Bilbo, filho de Bungo, da respeitável família dos Bolseiros, preparava-se para celebrar seu septuagésimo primeiro aniversário, houve um pouco de falatório na vizinhança, e as pessoas aproveitaram para resgatar algumas memórias.[2] Bilbo certa vez tivera uma breve notoriedade entre os moradores da Vila-dos-Hobbits e de Beirágua – tinha desaparecido após o desjejum certo dia 30 de abril e não reaparecera até a hora do almoço em 22 de junho do ano seguinte. Um proceder muito estranho, que ele nunca tinha explicado satisfatoriamente. Bilbo escreveu um livro a respeito, é claro: mas mesmo aqueles que o tinham lido nunca levaram a história a sério. Não adianta falar com hobbits sobre dragões: ou eles não acreditam em você, ou ficam com uma sensação desconfortável; e, em ambos os casos, tendem a evitar você mais tarde. O Sr. Bolseiro, entretanto, logo voltou às suas maneiras mais ou menos normais; e, embora a confiança abalada da região nunca tenha sido totalmente restaurada, com o tempo os hobbits concordaram em perdoar o passado dele, e Bilbo voltou a ser aceito como visita por todos os seus parentes e vizinhos, exceto, é claro, os Sacola-Bolseiros. Por um lado, Bilbo parecia, por algum método inexplicável, ter se tornado mais do que bem de vida – na verdade, ficara positivamente rico. De fato, foi a magnificência dos preparativos para sua festa de aniversário, muito mais do que sua fama breve e antiga, que deu o que falar. Afinal de contas, aqueles outros negócios estranhos tinham acontecido uns vinte anos atrás e estavam quase esquecidos; a festa ia acontecer naquele mesmo mês de setembro. O tempo estava bom, e falava-se de uma exibição de fogos de artifício tal como não se via desde os dias do Velho Tûk.

O dia ia se aproximando. Carroças de aspecto estranho com pacotes de aspecto estranho começaram a subir com esforço a Colina até Bolsão (a residência do Sr. Bilbo Bolseiro). Foram chegando à noite, e os moradores, espantados, ficavam na porta de casa olhando para elas com pasmo. Algumas das carroças eram conduzidas por uma gente bizarra cantando estranhas canções, elfos ou anãos de grandes capuzes. Veio um carro de boi enorme, rangendo, com grandes Homens corpulentos e de cabelo loiríssimo em cima dele, que causou uma comoção e tanto. Tinha como emblema uma grande letra B debaixo de uma coroa.[3] O carro de boi não conseguiu atravessar a ponte perto do moinho, e os Homens levaram sua carga nas costas colina acima – pisoteando a estrada dos hobbits feito elefantes. Toda a cerveja da estalagem desapareceu como se vazasse por um ralo quando eles desceram a colina mais uma vez. Mais tarde naquela semana, uma carroça chegou aos trotes em plena luz do dia. Um velho a conduzia sozinho. Usava um alto chapéu azul pontudo e um comprido manto cinzento. Os meninos e meninas hobbits correram atrás da carroça até o alto da colina. O veículo trazia um carregamento de fogos de artifício, que eles conseguiram ver quando o velho começou a descarregar a carroça: eram grandes maços de fogos, marcados com um G vermelho.

"G de grandioso", gritavam; e foi um chute tão bom quanto possível no que dizia respeito ao significado da letra. Não foram muitos os seus parentes mais velhos que deram um chute melhor; os hobbits têm memórias bastante curtas, via de regra. Quanto ao velhinho,[4] ele desapareceu porta da frente adentro e não reapareceu mais.

Pode ter havido alguns resmungos sobre "comércio local"; mas, de repente, pedidos começaram a jorrar de Bolsão, chegando a todas as vendas da vizinhança (mesmo se essa vizinhança fosse medida de forma ampla). Foi então que as pessoas deixaram de se sentir apenas curiosas e ficaram entusiasmadas. Começaram a marcar os dias no calendário até a data do aniversário de Bilbo, e começaram a ficar de olho no carteiro, na esperança de receber convites.

Então os convites começaram a jorrar, e a agência do correio na Vila-dos-Hobbits teve de ser bloqueada, e a agência do correio em Beirágua ficou soterrada, e foram convocados carteiros voluntários. Havia um fluxo constante deles subindo a Colina rumo a Bolsão, carregando cartas que continham centenas de variações polidas da frase "obrigado, irei com certeza". Durante todo esse tempo, ao longo de dias e mais dias, e na verdade desde o dia [10 >] 8 de setembro, Bilbo não foi visto fora de casa por ninguém. Ou não atendia à campainha ou vinha até a porta e gritava

"Perdão – Ocupado!" sem abri-la totalmente. Achavam que ele só estava escrevendo convites, mas não acertaram de todo.

Finalmente, o campo ao sul da porta da frente de Bilbo – o qual, de um lado, fazia divisa com o jardim da cozinha e, do outro, com a estrada da Colina – começou a ficar coberto de tendas e pavilhões. As três famílias hobbits da Rua do Bolsinho, logo embaixo, ficaram imensamente empolgadas. Havia um pavilhão especialmente grande, tão grande que a árvore que havia naquele campo estava dentro dele, de pé bem no meio da estrutura.[5] Ela estava coberta de lanternas penduradas. Ainda mais promissora foi a montagem de uma enorme cozinha num canto do terreno. Um enxame de cozinheiros chegou. A animação chegou ao auge. Então o tempo ficou nublado. Isso foi na sexta-feira, a véspera da festa. A ansiedade se fez intensa. Então o sábado, [20 >] 22[6] de setembro, acabou amanhecendo mesmo. O sol nasceu, as nuvens desapareceram, bandeiras foram desenroladas e a diversão começou.

O Sr. Bolseiro chamava aquilo de festa – mas eram várias festas embrulhadas e misturadas numa só. Praticamente todo mundo que morava perto foi convidado por um motivo ou outro – muito poucos foram esquecidos (por acidente), e, como apareceram de qualquer jeito, isso não teve importância. Bilbo recebeu os convidados (e os agregados) no portão em pessoa. Entregou presentes a toda a gente e mais alguns – esses últimos eram os que saíram pelo portão de trás e voltaram pelo da frente de novo para uma segunda rodada. Começou presenteando os mais jovens e os menores, e voltou rapidamente aos menores e mais jovens. Os hobbits costumam dar presentes para outras pessoas quando fazem aniversário: nada muito caro, é claro. Mas não era um mau sistema. Na verdade, na Vila-dos-Hobbits e em Beirágua, já que todo dia do ano era o aniversário de alguém, isso significava que todo hobbit ganhava um presente (e às vezes mais) em quase todos os dias de sua vida. Mas não ficavam cansados de ganhá-los. Nessa ocasião, a meninada hobbit estava loucamente empolgada – havia ali brinquedos de um tipo que nunca tinham visto antes. Como você adivinhou, eles vinham de Valle.

Depois que entraram na propriedade, os convidados se entretiveram com canções, danças, jogos – e, claro, comida e bebida. Houve três refeições oficiais: almoço, lanche e jantar (ou ceia); mas o almoço e o lanche se destacaram principalmente pelo fato de que, nessas horas, todo mundo estava sentado e comendo ao mesmo tempo. A bebida nunca deixou de ser servida. Já a comida ficou disponível de modo contínuo das onze às seis, quando começaram os fogos de artifício.

Os fogos de artifício, é claro (como você, de qualquer modo, já adivinhou) eram obra de Gandalf, trazidos por ele em pessoa e lançados por ele – os principais: houve uma distribuição generosa de busca-pés, traques, estrelinhas, tochas, velas-anânicas, chafarizes-élficos, latidos-de-gobelins e ribombos. Eram soberbos, é claro. A arte de Gandalf, naturalmente, ficava cada vez melhor quanto mais o tempo passava. Havia foguetes feito uma revoada de aves cintilantes cantando com vozes suaves; havia árvores verdes com troncos de fumaça retorcida: as folhas delas se abriam feito uma primavera inteira que se desdobrava em poucos minutos, e seus ramos luzentes deixavam cair flores fulgurantes sobre os hobbits assombrados – só para desaparecer, deixando uma suave fragrância, antes que atingissem cabeças, chapéus ou toucas. Havia fontes de borboletas que saíam voando pelo meio das árvores; havia pilares de fogos coloridos que se transformavam em águias planando, ou em navios a vela, ou em revoadas de cisnes; havia tempestades rubras e borrifos de chuva amarela; havia uma floresta de lanças de prata que se erguiam de repente no ar com um grito, tal como uma tropa que atacava, e desabavam sobre o Água com um chiado feito uma centena de serpentes abrasadas. E houve também uma última coisa, na qual Gandalf meio que exagerou – afinal de contas, ele conhecia bastante os hobbits e suas crenças. As luzes se apagaram, ergueu-se uma grande fumaça, tomou forma de montanha, começou a brilhar no topo, explodiu em chamas escarlates e verdes, dali saiu voando um dragão rubro-dourado (não de tamanho natural, é claro, mas que parecia terrivelmente vivo): saía fogo de sua boca, seus olhos chamejavam, ouviu-se um rugido e ele passou zunindo três vezes em volta da multidão. Todos se abaixaram, e alguns se jogaram no chão. O dragão passou feito um trem expresso e estourou acima de Beirágua com uma explosão ensurdecedora.

"Isso significa que é hora do jantar", disse Gandalf. Uma observação afortunada, porque o desconforto e o susto desapareceram como num passe de mágica. Agora nós realmente precisamos nos apressar com a história, porque tudo isso não é tão importante quanto parecia. Havia uma ceia para todos os convidados.

Mas também havia um jantar muito especial no grande pavilhão em volta da árvore. Para esse jantar os convites tinham sido limitados a doze dúzias, ou uma grosa (além de Gandalf e do anfitrião), composta por todos os principais hobbits e seus filhos mais velhos, de quem Bilbo era aparentado ou com quem tinha alguma relação, ou por quem ele tinha sido bem-tratado em qualquer época, ou por quem ele sentia alguma afeição especial. Quase todos os Bolseiro[s] tinham sido convidados; uma boa quantidade de Tûks (parentes de Bilbo por parte de mãe); certo número de Fossadores (ligados ao avô dele), dezenas de Brandebuques (ligados à avó dele), e vários Roliços e Covas e Boffins e Pés-Soberbos – alguns dos quais não tinham ligação nenhuma com Bilbo, até onde alcançava a memória dos historiadores locais; alguns até viviam do outro lado do Condado; mas todos eram, é claro, hobbits. Até os Sacola-Bolseiros, primos de primeiro grau dele do lado paterno, não foram esquecidos. Tinha havido certa frieza entre eles e o Sr. Bolseiro, como talvez você se recorde, remontando a uns 20 anos antes. Mas tão esplêndido era o convite, escrito todo em dourado, que eles acharam que era impossível recusar. Além do mais, o primo deles andara se especializando em boa comida por muitos e muitos anos, e a mesa dele tinha uma reputação elevada até mesmo naquela época e naquele país, quando a comida ainda era tudo o que devia ser, e abundante o suficiente para que todo mundo praticasse a seletividade e alcançasse a satisfação.

Todos os 144 convidados especiais esperavam uma festa agradável; porém estavam um tanto apreensivos com o discurso de seu anfitrião depois do jantar. Ele costumava incluir fragmentos do que chamava de "poesia"; e às vezes, depois de um copo ou dois, fazia alusões às aventuras absurdas que afirmava ter enfrentado muito tempo antes – durante seu desaparecimento ridículo. Nem um só dos 144 se desapontou: tiveram um banquete *muito* agradável, de fato, um entretenimento que os absorvera: rico, abundante, variado e prolongado. A compra de suprimentos caiu para quase zero por todo o distrito durante a semana seguinte; mas, como a festa de Bilbo tinha esvaziado a maioria das lojas, adegas e depósitos num raio de várias milhas, isso não importava muito.

Após o banquete (mais ou menos) veio o Discurso. A maioria dos hobbits reunidos ali já estava com um humor tolerante – naquele estágio delicioso que eles chamavam de encher os "cantinhos" (bebericando algumas de suas bebidas favoritas e mordiscando seus doces favoritos): seus medos anteriores tinham sido esquecidos. Estavam dispostos a escutar qualquer coisa e a dar vivas a cada ponto final. Mas não estavam preparados para ficar sobressaltados. Mas sobressaltados é o que certamente ficaram: de fato, completamente assombrados – alguns até tiveram indigestão.

Minha cara gente, começou o Sr. Bolseiro, ficando de pé em seu lugar.

"Ouçam, ouçam, ouçam!", responderam eles em coro, e pareciam relutantes na hora de seguir seu próprio conselho. Enquanto isso, Bilbo saiu de seu lugar e se pôs de pé numa cadeira debaixo da árvore iluminada. A luz das lanternas lhe caía sobre o rosto radiante; os botões de ouro brilhavam em seu colete bordado de flores. Todos conseguiam vê-lo. Uma de suas mãos estava no bolso. Ele ergueu a outra.

Meus caros Bolseiros! recomeçou ele. *E meus caros Tûks e Brandebuques, e Fossadores e Roliços, e Covas e Justa-Correias e Boffins e Pé-Soberbos.*

"*Pés*-Soberbos!", gritou um hobbit de certa idade lá de trás. O nome dele, é claro, era Pé-Soberbo, e merecido: seus pés eram grandes, excepcionalmente peludos, e ambos estavam sobre a mesa.

E também meus bons Sacola-Bolseiros a quem finalmente volto a dar as boas-vindas em Bolsão. Hoje é meu septuagésimo primeiro aniversário!

"Viva, viva! Muitos Anos de Vida!", gritaram eles, martelando as mesas com alegria. Bilbo estava se saindo esplendidamente. Era desse tipo de coisa que gostavam: curto, óbvio, sem controvérsias.

Espero que todos estejam se divertindo como eu. Vivas ensurdecedores. Gritos de Sim (e Não). Barulho de cornetas e trompas, apitos e flautas, bem como outros instrumentos musicais. Havia muitos hobbits jovens presentes ali, pois esse povo era liberal com seus filhos em termos de ficarem acordados até tarde – especialmente quando havia chance de lhes conseguir uma refeição extra de graça (criar jovens hobbits exigia uma bela quantidade de mantimento). Centenas de bombinhas musicais tinham sido estouradas. A maioria delas trazia a marca *Valle* em um ou outro lugar, dentro ou fora. O que isso significava só Bilbo e alguns de seus amigos próximos sabiam (e você também, é claro); mas eram bombinhas tremendamente maravilhosas. Continham instrumentos pequenos, mas de fabricação perfeita e timbre encantador. De fato, em um canto, alguns dos Tûks e Brandebuques mais jovens, supondo que Bilbo tivesse terminado seu discurso (já tendo dito tudo o que era necessário), agora tinham montado uma orquestra improvisada e começaram a tocar uma melodia alegre de dança. O jovem Próspero Brandebuque[7] e Melba Tûk subiram numa mesa e começaram a dançar o flipe-flape, uma coreografia bonitinha, ainda que bastante vigorosa. Mas Bilbo *não* tinha terminado.

Agarrando uma corneta de uma das crianças, ele emitiu três notas muito altas. O barulho amainou. *Não vou tomar muito do seu tempo*, exclamou. As palmas irromperam de novo. *MAS chamei todos aqui com um Propósito.*

Algo na voz dele fez com que alguns dos Tûks ficassem de ouvidos atentos. *Na verdade, com três Propósitos. Primeiro de tudo, para lhes dizer que gosto imensamente de todos vocês; e que setenta e um anos é um tempo curto demais para viver entre hobbits* tão excelentes e admiráveis.

Tremenda explosão de aprovação.

Não conheço a metade de vocês a metade do que gostaria, e menos da metade de vocês a metade do que merecem.

Sem vivas dessa vez: era um tanto difícil demais. Houve alguns aplausos esparsos: mas nem todos eles já tinham tido tempo de entender a frase e ver se, no fim das contas, ela era um elogio.

Em segundo lugar, para comemorar meu aniversário, e o vigésimo ano do meu retorno. Sem aplausos; alguns dos convivas se remexiam de modo desconfortável.

Por fim, para fazer um Anúncio. Disse isso tão alto, e tão de repente, que todos os que podiam se ergueram nos assentos. *Lamento anunciar que – apesar de, como eu já disse, 71 anos serem um tempo curto demais para passar junto de vocês – este é o FIM. Estou indo embora. Vou partir depois do jantar. Adeus!*

Desceu da cadeira. Cento e quarenta e quatro hobbits estupefatos reclinaram-se emudecidos. O Sr. Pé-Soberbo tirou os pés da mesa. A Sra. Pé-Soberbo engoliu um grande chocolate e engasgou. Então houve um completo silêncio por umas quarenta piscadas, até que, de repente, todos os Bolseiros, Tûks, Brandebuques, Roliços, Fossadores, Covas, Justa-Correias, Boffins e Pés-Soberbos começaram a falar ao mesmo tempo.

"Aquele hobbit é doido. É o que eu sempre disse. Mau gosto para piadas. Tentando puxar os pelos dos nossos dedos do pé (expressão idiomática hobbit). Estragando um bom jantar. Cadê o meu lenço. Não vou beber à saúde dele agora. Vou beber à minha. Cadê aquela garrafa. Ele vai casar? Não com ninguém que está aqui hoje. Quem ia aceitá-lo? Por que adeus? Para onde ele poderia *ir*? O que vai deixar?" e assim por diante. Por fim, ouviu-se o velho Rory Brandebuque[8] (de barriga cheia, mas ainda bem esperto) gritar: "Onde ele está agora, de qualquer jeito? Cadê o Bilbo?"

Não havia sinal do anfitrião deles em lugar nenhum.

Na verdade, Bilbo Bolseiro desaparecera silenciosamente e sem ser notado no meio de toda aquela conversa. Enquanto estava falando, ficara mexendo num pequeno anel[9] no bolso da calça. Quando desceu da cadeira, colocou-o no dedo – e nunca mais foi visto de novo na Vila-dos-Hobbits.

Quando as carruagens vieram pegar os convidados, não havia ninguém de quem se despedir. As carruagens foram indo embora, uma depois da outra, cheias de hobbits estufados, mas estranhamente insatisfeitos. Vieram jardineiros (já contratados para isso) e levaram embora, em carrinhos de mão, os que inadvertidamente tinham ficado para trás, dormindo ou imóveis. A noite caiu e passou. O sol nasceu. Os hobbits se levantaram um tanto mais tarde. A manhã prosseguiu.

NOTAS

1 *septuagésimo primeiro* é uma emenda de *septuagésimo*; mas *septuagésimo primeiro* é o que aparece no discurso de despedida de Bilbo em sua forma original.

2 Nesse ponto, o que meu pai escreveu de início foi:

> Ele tinha sido o assunto das notícias locais duas vezes antes disso: um feito raro para um Bolseiro. A primeira vez foi quando ficou órfão, não tendo nem quarenta anos, por causa da morte prematura da mãe e do pai (num acidente de barco). A segunda vez foi mais notável.

A ideia de que tal destino aguardasse Bungo Bolseiro e sua esposa parece muito improvável à luz das palavras do primeiro capítulo de *O Hobbit*:

> Não que Beladona Tûk jamais tenha se metido em aventuras depois que se tornou a Sra. Bungo Bolseiro. Bungo, que era o pai de Bilbo, construiu para ela a toca de hobbit mais luxuosa [...] e ali permaneceram juntos até o fim de seus dias.

Eles parecem um casal improvável quando o assunto é "ficar brincando com barcos", como diz o Feitor Gamgi, e o reconhecimento desse fato foi, sem dúvida, a razão pela qual meu pai imediatamente riscou essa passagem; mas o acidente com o barco não foi esquecido, e acabou se tornando a sina de (Rollo Bolger >) Drogo Bolseiro e sua esposa da família Brandebuque, Prímula, para quem esse seria um fim menos improvável (ver pp. 52–2).

[3] Nesse estágio, apenas 20 anos separavam a aventura de Bilbo em *O Hobbit* de sua festa de despedida, e meu pai claramente pretendia que a letra B na carroça representasse o nome de Bard, Rei de Valle. Mais tarde, quando os anos desse intervalo foram prolongados, seria Bain, filho de Bard, o governante de Valle nesse momento.

[4] No *Hobbit* original, Gandalf, em sua primeira aparição, é descrito como "um velhinho", mas mais tarde o diminutivo foi retirado da descrição. Ver a p. 388.

[5] A árvore isolada no campo abaixo de Bolsão já estava na ilustração da Vila-dos--Hobbits que foi usada como frontispício de *O Hobbit*, assim como o jardim da cozinha de Bilbo e as tocas dos hobbits da Rua do Bolsinho (embora esse nome apareça pela primeira vez aqui).

[6] O dia 20 de setembro era a data do aniversário de Bilbo na primeira versão (p. 26).

[7] Próspero Brandebuque, de início, era Orlando Brandebuque, o segundo a ter esse nome: na lista de presentes de Bilbo na primeira versão (p. 28, nota 5), Gorboduc Fossador teve o nome alterado para Orlando Fossador.

[8] Uma passagem muito semelhante, reproduzindo os comentários indignados dos convidados, foi acrescentada ao manuscrito do esboço original neste ponto, mas nela é Inigo Fossador-Tûk quem grita ""Onde ele está agora, de qualquer jeito?". Foi o guloso Inigo Fossador-Tûk que recebeu o serviço de jantar (p. 26), e, quanto a esse detalhe, ele sobreviveu na terceira versão do capítulo.

[9] *um pequeno anel*: emenda de *seu famoso anel*.

Apresentei esse texto na íntegra porque, quando analisado em conjunto com o primeiro, ele fornece uma base de referência para descrever os que vieram depois, dos quais apenas excertos serão apresentados. Mas ficará claro que a Festa – os preparativos, os fogos de artifício, o banquete – já tinha alcançado a forma que ela ainda tem em SA (pp. 71–84), exceto quanto a algumas características bastante secundárias da narrativa (e, aqui e ali, em seu tom). Isso é ainda mais impressionante quando percebemos que, nessa fase, meu pai ainda tinha pouquíssima ideia de para onde estava indo com a história: era um começo sem um ponto de chegada (mas ver pp. 59–60).

Certas alterações feitas no manuscrito mais para o final não foram incorporadas no texto acima. No discurso de Bilbo, suas palavras "Em segundo lugar, para comemorar meu aniversário, e o vigésimo ano do meu retorno", bem como o comentário "Sem aplausos; alguns dos convivas se remexiam de modo desconfortável", foram retirados, e a seguinte passagem expandida foi inserida nesse ponto:

> *Em segundo lugar, para comemorar NOSSOS aniversários: o meu e o de meu honrado e valente pai.* Silêncio desconfortável e apreensivo. *Sou só metade do homem que ele é: tenho 72 anos, ele tem 144. O número de vocês foi escolhido para honrar cada um de seus honrados anos.* Isso era realmente terrível – um enigma daqueles, e alguns dos convidados se sentiram insultados, feito dias extras enfiados num calendário para compor o ano.

Essa alteração tem toda a aparência de ter uma relação estreita com o momento da escrita do manuscrito: foi claramente escrita a tinta e parece diferente dos vários rabiscos a lápis. Mas as aparências enganam. Por que Bilbo haveria de se referir daquela maneira ao velho Bungo Bolseiro, que caíra no esquecimento por tantos anos? Bungo era um Bolseiro puro, "sólido e acomodado" (como é descrito em *O Hobbit*), e decerto morreu solidamente em sua cama em Bolsão. Chamá-lo de "valente" parece estranho, e as afirmações de Bilbo – "Sou só metade do homem que ele é" e "ele *tem* 144 [anos]" – parecem invencionices de mau gosto.

A explicação, na verdade, é simples: não foi Bilbo quem disse essas coisas, mas seu filho, Bingo Bolseiro, que só aparece na terceira versão de "Uma Festa Muito Esperada". Não valeria a pena mencionar esse detalhe textual aqui, se ele não fosse um exemplo tão marcante da maneira como meu pai usava um manuscrito como matriz da versão seguinte, mas sem corrigi-lo de forma coerente ao longo de todo o texto: assim, nesse caso, ele não fez alterações estruturais na parte anterior da história, mas escreveu a lápis o nome "Bingo" ao lado de "Bilbo" nas últimas páginas do manuscrito e (para grande confusão inicial do editor) cuidadosamente reescreveu uma passagem do discurso de Bilbo, dando a impressão que ele tinha perdido o juízo. Está claro, creio eu, que foi o súbito surgimento dessa nova ideia radical que o levou a abandonar essa versão.

Outras mudanças apressadas incluem a alteração de "septuagésimo primeiro" para "septuagésimo segundo" e "71" para "72" em todas as ocorrências, e elas também estão ligadas à nova história que estava surgindo. Neste texto, a idade de Bilbo na frase de abertura era de 70 anos, como na primeira versão, mas foi alterada para 71 no decorrer do capítulo (nota 1 acima). O número de convidados no jantar já era de 144 no texto quando escrito inicialmente, mas esse número não tem uma função especial; o fato de que foi escolhido por uma razão específica só aparece na passagem expandida do discurso apresentada acima: "Tenho 72 anos, ele tem 144. O número de vocês foi escolhido para honrar cada um de seus honrados anos". Parece claro que a mudança de 71 para 72 foi feita porque 72 é a metade de 144. O número de convidados veio primeiro, quando a história ainda tinha Bilbo como protagonista, e, a princípio, não tinha significado além de ser uma dúzia de dozenas, uma grosa.

Alguns outros pontos podem ser destacados. Gandalf estava presente no jantar; o Feitor Gamgi ainda não havia surgido, mas o "velho Rory Brandebuque" faz sua primeira aparição (no lugar de Inigo Fossador-Tûk, conforme a nota 8 acima); e Bilbo não desaparece após um lampejo cegante. Em cada um dos estágios, o número de clãs de hobbits citados vai aumentando: assim, é aqui que surgem os Brandebuques, e os Justa-Correias são inseridos a lápis, aparecendo desde o início na terceira versão.

(iii)
A Terceira Versão

O terceiro esboço de "Uma Festa Muito Esperada" está completo e é um manuscrito claro e bonito, com relativamente poucas correções posteriores. Nesta seção, as notas numeradas aparecem novamente no final (p. 49).

A discussão sobre a mudança feita no discurso de Bilbo na segunda versão já indicou a novidade central do terceiro texto: a história agora *não fala de Bilbo, mas de seu filho*. Sobre essa troca, Humphrey Carpenter observou o seguinte (*Biografia*, p. 254):

> Tolkien ainda não tinha uma ideia clara do tema da nova história. No final de *O Hobbit*, afirmara que Bilbo "permaneceu muito feliz até o fim de seus dias, e esses foram extraordinariamente longos". Assim, como o hobbit podia viver novas aventuras dignas desse nome, sem contradizer essa afirmativa?

E ele não explorara a maior parte das possibilidades do caráter de Bilbo? Então, Tolkien decidiu introduzir um novo hobbit, filho de Bilbo – e lhe dar o nome de uma família de coalas de brinquedo pertencente a seus filhos, "Os Bingos".[1] Riscou então "Bilbo" no primeiro rascunho e por cima escreveu "Bingo".[2]

Essa explicação é plausível. No primeiro rascunho, porém, meu pai escreveu que a história da festa de aniversário "serve simplesmente para explicar que Bilbo Bolseiro se casou e teve muitos filhos, *porque vou contar a vocês uma história sobre um de seus descendentes*" (na segunda versão, não recebemos nenhuma indicação do que iria acontecer depois da festa – embora haja possivelmente uma sugestão de algo semelhante nas palavras da p. 33, "Agora nós realmente precisamos nos apressar com a história, porque tudo isso não é tão importante quanto parecia"). Por outro lado, há declarações explícitas nas primeiras anotações (pp. 56–7) dizendo que, por algum tempo, realmente seria Bilbo quem enfrentaria a nova "aventura".

A primeira parte da terceira versão é quase totalmente diferente das duas anteriores, e eu a apresento aqui na íntegra, incorporando umas poucas alterações iniciais.

Uma festa muito esperada

Quando Bingo, filho de Bilbo, da conhecida família Bolseiro, preparou-se para celebrar seu [quinquagésimo quinto >] septuagésimo segundo[3] aniversário, houve alguma falação na vizinhança, e as pessoas tiraram a poeira de suas memórias. Os Bolseiros eram razoavelmente numerosos naquelas partes, e normalmente respeitados; mas Bingo pertencia a um ramo da família que era um tanto peculiar, e havia algumas histórias esquisitas a respeito deles. O pai de Bingo, como alguns ainda recordavam, certa vez causara bastante rebuliço na Vila-dos-Hobbits e em Beirágua – ele tinha desaparecido certo dia 30 de abril depois do desjejum e não reapareceu até a hora do almoço de 22 de junho no ano seguinte. Um proceder muito esquisito, e que ele nunca explicara satisfatoriamente. Ele escreveu um livro a respeito, é claro; mas mesmo os que o tinham lido nunca o levaram a sério. Não adianta falar com hobbits sobre dragões: ou eles não acreditam em você, ou ficam com uma sensação desconfortável; e, em ambos os casos, tendem a evitar você depois disso.

Bilbo Bolseiro, é verdade, logo voltara a seus modos normais (mais ou menos), e, embora sua reputação nunca se recuperasse de todo, ele se tornou uma figura aceita pela vizinhança. Talvez nunca tenha sido considerado um "hobbit confiável" de novo, mas era, sem dúvida, um hobbit "caloroso". De algum modo misterioso, parecia ter se tornado mais do que bem de vida; na verdade, ficara positivamente rico; assim, naturalmente, costumava visitar todos os seus vizinhos e parentes (exceto, é claro, os Sacola-Bolseiros). Fez mais duas coisas que levaram as más-línguas a se remexerem: casou-se aos setenta e um anos (um pouco tarde, mas não tarde demais para um hobbit), escolhendo a noiva no outro lado do Condado e dando uma festa de casamento de esplendor memorável; ele desapareceu (junto com sua esposa) pouco antes de seu onzentésimo primeiro aniversário e nunca mais foi visto. O pessoal da Vila-dos-Hobbits e Beirágua ficou sem ver o funeral (não que eles esperassem o dele por muitos anos ainda), então tiveram muito o que falar. Sua residência, riqueza, posição (e a reputação duvidosa na vizinhança) foram herdadas por seu filho Bingo, pouco antes do aniversário dele próprio (que calhava de ser o mesmo de seu pai). Bingo, é claro, era um mero jovem de 39 anos, cujos dentes do siso mal tinham nascido; mas, de imediato, ele começou a adquirir a reputação de esquisitice de seu pai: nunca ficou de luto pelos genitores e dizia que não achava que eles estivessem mortos. Diante da pergunta óbvia: "Onde eles estão, então?", simplesmente piscava. Vivia sozinho e saía de casa com frequência. Passeava um bocado com os membros menos comportados da família Tûk (parentes de sua avó e amigos de seu pai), e também gostava de alguns dos Brandebuques. Eram parentes de sua mãe. O nome dela era Prímula Brandebuque,[4] dos Brandebuques da Terra-dos-Buques, atravessando o Rio Brandevin, do outro lado do Condado e na beira da Floresta Velha – área de reputação duvidosa.[5] O pessoal da Vila-dos-Hobbits não sabia muito sobre a região, nem sobre os Brandebuques; embora alguns tivessem ouvido dizer que eles eram ricos, e seriam ainda mais ricos se não fosse por uma certa "imprudência" – generosidade, quer dizer, se fosse vantajosa para quem falava.

De qualquer modo, Bingo tinha vivido em Bolsão Sotomonte fazia agora uns [16 >] 33 anos[6] sem causar escândalo nenhum. As festas dele às vezes eram um pouco barulhentas, talvez, mas os hobbits não se importam com esse tipo de barulho de vez em quando. Gastava seu dinheiro livremente e, em geral, localmente. Agora, a vizinhança percebera que ele estava planejando algo bastante incomum quando o assunto era festa. Naturalmente, as memórias dos vizinhos se reacenderam e suas línguas ficaram atiçadas, e a riqueza de Bingo, mais uma vez, passou a ser estimada e recalculada ao pé de todas as lareiras. De fato, a magnificência dos preparativos ficou bastante obscurecida pelas histórias do pessoal idoso sobre os desaparecimentos do pai dele.

"Afinal", como comentou o velho Feitor Gamgi, da Rua do Bolsinho,[7] "as bagunceiras desse povo são assunto velho e acabado; essa tal de festa vai acontecer esse mês já". Era começo de setembro, e com o tempo mais bonito que se poderia desejar. Alguém começou a espalhar um boato sobre fogos de artifício. Bem depressa, virou ponto pacífico que haveria fogos de artifício, daqueles que não se viam fazia mais de um século, desde a morte do Velho Tûk.

É interessante observar o aparecimento dos números 111 e 33, embora, mais tarde, o texto chegue a eles de maneira diferente: aqui, Bilbo tinha 111 anos quando deixou o Condado, e Bingo viveu em Bolsão por 33 anos antes de sua festa de despedida; depois disso, 111 é a idade de Bilbo na época da festa - quando ela voltou a ser a festa dele – e 33 anos é a de Bingo (Frodo) na mesma época.

Nessa passagem também vemos o aparecimento de elementos muito importantes em termos de topografia e toponímia: a Terra-dos-Buques, o Brandevin e a Floresta Velha. Sobre os nomes escritos inicialmente aqui, ver a nota 5.

Para o relato nesta versão sobre os preparativos da Festa, acerca da própria Festa e suas consequências imediatas, meu pai seguiu extremamente de perto a segunda versão corrigida (pp. 29–37), acrescentando um detalhe aqui e ali, mas, em geral, pouco mais do que copiando o texto anterior (e, claro, trocando "Bilbo" por "Bingo" quando necessário). Apresento aqui uma lista de alterações interessantes – embora, em sua maioria, correspondentes a detalhes menores – na nova narrativa. As referências correspondem às páginas da segunda versão.

(31–2) "letra B debaixo de uma coroa" no carro de boi conduzido pelos Homens passa a ser "letra B pintada em amarelo", e o "B" foi emendado para "V" no texto (isto é, "Valle").

Quando os Homens descem a Colina novamente, há um acréscimo dizendo que "os elfos e anãos não voltaram"; e que "o enxame de cozinheiros" que chegou estava ali para "se somar aos elfos e anãos (que pareciam estar hospedados em Bolsão, fazendo um monte de trabalhos misteriosos)".

O aviso recusando visitantes na porta de Bolsão agora aparece na história, e "uma entrada especial foi aberta na encosta que levava à estrada; degraus largos e um grande portão branco foram construídos" (como em SA). O Feitor Gamgi é citado de novo: "ele até parou de fingir que estava trabalhando no jardim";

O dia da festa ainda era um sábado (22 de setembro).

Muitos dos brinquedos ("alguns obviamente mágicos") que vieram de Valle eram "de genuína fabricação anânica".

(33–4) É Bingo, e não Gandalf, que, quando terminam os fogos de artifício, diz "Esse é o sinal do jantar!"; e, embora se afirme de início, tal como na segunda versão, que o total de 144 convidados não incluía o anfitrião e Gandalf, isso foi riscado (ver p. 134, nota 12).

Um novo sobrenome hobbit aparece na lista de convidados: "e vários Covas, Valeiros, Justa-Correias, Boffins e Pé-Soberbos"; mas "Valeiros" foi alterado então para "Corneteiros", sobrenome também acrescentado ao texto em pontos seguintes do capítulo. Os Bolgers aparecem em acréscimos a lápis e estão presentes desde o início na quarta versão. Em sua carta ao jornal *Observer*, publicada em 20 de fevereiro de 1938 (*Cartas*, n. 25), meu pai disse: "A lista completa de suas famílias mais abastadas é: Bolseiro, Boffin, Bolger, Justa-Correia, Brandebuque, Covas, Roliço, Fossador, Corneteiro, Pé-Soberbo, Sacola e Tûk." – Os Fossadores, ligados ao avô de Bingo, passaram a ser, após uma alteração a lápis, uma família ligada à avó dele; e os Roliços, numa mudança no sentido contrário, primeiro foram descritos como uma família ligada à avó e depois ao avô dele.

No ponto onde a primeira e a segunda versão dizem que alguns dos hobbits da festa tinham vindo "do outro lado do condado", agora se afirma que alguns deles "nem mesmo viviam naquela comarca", frase trocada por "naquele Condado"; e "naquele Condado" foi a formulação mantida na quarta versão. O uso de "naquele", em vez de "no", sugere que o emprego posterior do termo (cf. o Prólogo do SdA, p. 43: "Os Hobbits a chamavam de Condado, como região da autoridade de seu Thain") ainda estava passando por um processo de consolidação.

A frieza entre os Bolseiros de Bolsão e os Sacola-Bolseiros tinha passado a durar não 20 anos, como nas duas primeiras versões, mas "uns setenta e cinco anos ou mais": esse número vem de 111 (a idade de Bilbo quando ele finalmente desapareceu) menos 51 (ele tinha "uns cinquenta anos de idade" na época de sua grande aventura, de acordo com *O Hobbit*), mais os 16 anos em que Bingo residiu sozinho em Bolsão. "Setenta e cinco" foi emendado para "noventa" (um número redondo), junto com a alteração de 16 para 33 (p. 43).

(34) Bingo costumava aludir às "aventuras absurdas de seu 'valente e famoso' pai".

(35) Os dois jovens hobbits que subiram na mesa e se puseram a dançar ainda são Próspero Brandebuque e Melba Tûk, mas o nome de Melba foi trocado a lápis para Arabella e depois para Amanda.

Bingo agora diz, tal como Bilbo em SA (p. 75), "*Gosto* de menos da metade de vocês a metade do que merecem".

O "segundo propósito" de Bingo é expresso exatamente com as palavras da segunda versão (ver p. 39): "para comemorar NOSSOS aniversários: o meu e o de meu honrado e valente pai. Sou só metade do homem que ele é: tenho 72 anos, ele tem 144" etc.

As palavras finais de Bingo, "Vou partir depois do jantar", foram corrigidas no manuscrito para "Estou partindo agora".

(36–7) A coleção de comentários depois da fala final de Bingo agora começa da seguinte maneira: "Esse hobbit é maluco. Eu sempre disse isso. O pai dele também. Faz 33 anos que ele morreu, eu sei. 144 anos, tudo bobagem". E Rory Brandebuque grita: "Cadê o Bilbo – caramba, Bingo, quero dizer. Cadê ele?"

Depois de "nunca mais foi visto de novo na Vila-dos-Hobbits", foi acrescentada a frase: "O anel tinha sido o presente de despedida de seu pai".

A partir do ponto em que a segunda versão termina, com as palavras "A manhã prosseguiu", a terceira toma como base o esboço original (p. 24) e o segue de perto até quase o fim, usando praticamente as mesmas frases e mantendo, em larga medida, a lista original (conforme foi emendada, p. 28, nota 5) dos nomes e das etiquetas para os destinatários dos presentes de Bolsão – sendo que agora esses presentes, é claro, estavam sendo dados pelo filho de Bilbo, Bingo.

Semolina Bolseiro é descrita como "uma tia, ou prima de primeiro grau com uma geração de diferença";

Caramella Tûk (sobrenome alterado depois para *Bolger*) "era uma das mais queridas entre os primos mais jovens e mais distantes [de Bingo]";

Obo Tûk-Tûk, que recebeu uma cama de penas, continuou sendo um tio-avô, mas o nome *Obo* foi emendado no manuscrito para *Rollo*;

Gorboduc (> *Orlando*) *Fossador*, citado no primeiro esboço e presenteado com uma caneta-tinteiro dourada, passa a ser *Orlando Covas*;

Mungo Tûk, *Inigo Fossador-Tûk* e *Angélica Bolseiro* continuam no texto; e dois novos presenteados aparecem antes da Sra. Sacola-Bolseiro no fim da lista:

Para a coleção de Hugo Justa-Correia, de um contribuidor: em uma estante (vazia) de livros. Hugo era um grande tomador de livros emprestados, mas modesto na hora de devolvê-los.

Para Cosimo Roliço, use como se fosse seu, Bingo: no barômetro. Cosimo costumava bater nele com seu enorme dedo gorducho quando vinha visitá-lo. Tinha medo de se molhar e usava cachecol e sobretudo o ano inteiro.

> *Para Grimalda* [> *Lobélia*] *Sacola-Bolseiro, como presente*: num estojo de colheres de prata. Bilbo Bolseiro acreditava que ela carregara muitas de suas colheres enquanto ele estava longe – uns noventa anos antes. Bingo herdara essa crença, e Grimalda [> Lobélia] sabia disso.

Também se afirma que "Bingo tinha tido muito cuidado ao distribuir seus tesouros: livros, quadros e uma coleção de brinquedos. Para seus vinhos, ele achou um lar muito bom (ainda que temporário). A maioria deles ficou com Marmaduque Brandebuque" (predecessor de Meriadoc). O esboço original é seguido muito de perto no que diz respeito à ausência de qualquer tipo de dinheiro ou joias, e no aviso legal sobre a entrega de Bolsão aos Sacola-Bolseiros (mas o primo de Bilbo agora passa a ser Otho, e a chegada deles está prevista para começar em 24 de setembro) – "e eles ficaram com Bolsão, afinal, embora tivessem de esperar 93 anos a mais do que tinham imaginado de início": 111 menos 51 mais 33, ver as pp. 44–5.[8] Sancho Pé-Soberbo aparece, escavando a despensa num lugar onde ele achava que havia um eco (tal como em SA, p. 88); atacado fisicamente por Otho Sacola-Bolseiro, ele só foi expulso, no fim das contas, pelos advogados, primeiro designados como "Fossador e Covas", como em *O Hobbit*, e depois "Srs. Iago Fossador e Folco Covas (advogados de Bingo)".

Apresento na íntegra a conclusão da terceira versão.

O fato é que o dinheiro de Bingo tinha virado uma lenda, e todo mundo estava intrigado e ansioso – embora ainda esperançoso. Como ele riria de tudo isso. Na verdade, ele estava tão perto de rir quanto ousava fazê-lo naquele exato momento, pois estava dentro de um grande armário, do lado de fora da porta da sala de jantar, e ouviu a maior parte do estardalhaço. Estava ali dentro, é claro, não para se esconder, mas para evitar que trombassem nele, já que tinha ficado totalmente invisível. Teve de rir em particular e em silêncio, mas mesmo assim estava apreciando a brincadeira: o resultado era muito parecido com as suas expectativas.

Suponho que agora a situação esteja ficando muito clara para todo mundo, com exceção dos hobbits esganados e de mão-leve. O fato é que (apesar de certas coisas que disse em seu discurso após o jantar), Bingo de repente ficara cansado de todos eles. Um ataque violento de espírito Tûk tomara conta dele – não, claro, que todos os Tûks tivessem muito dessa qualidade imprevisível, sendo que suas mães eram dos Roliços, Corneteiros, Bolgers, Justa-Correias, Fossadores e outras famílias; mas os Tûks eram, no geral, os mais jocosos e inesperados dos hobbits. Também posso lhe dizer mais uma coisa, caso você não tenha adivinhado: Bingo não tinha mais nenhum dinheiro ou joias! Praticamente nenhum, quer dizer. Nada que valesse a pena se a ideia era esburacar uma boa toca de hobbit só por isso. O dinheiro demorava um tempo prodigioso para ser gasto naqueles dias, e dava para conseguir muitas coisas sem ele; mas Bingo tinha esbanjado seus últimos 500 ducados na festa de aniversário. Isso foi uma atitude bem Brandebuque da parte dele. Depois disso, não tinha mais nada além dos botões do colete, uma pequena bolsa com moedas de prata e seu anel. No decorrer daqueles 33 anos, tinha dado um jeito de gastar todo o resto – isto é, o que tinha sido deixado pelo pai dele, que tivera alguns gastos ao longo de cinquenta anos[9] (e precisara fazer algumas despesas de viagem).

Bem, aí está. Todas as coisas chegam ao fim. A noite veio. O Bolsão ficou vazio e tristonho. As pessoas foram embora – pechinchando e discutindo, a maioria delas. Dava para ouvir as vozes delas chegando ao alto da Colina no lusco-fusco. Muito poucas chegavam a pensar em Bingo. Decidiram que tinha enlouquecido e saíra correndo, e que era um Bolseiro a menos no mundo, e fim de papo. Estavam irritados com a história do dinheiro lendário, é claro, mas, enquanto isso, o chá estava esperando por eles. Havia alguns, é claro, que lamentavam seu súbito desaparecimento – alguns de seus amigos mais jovens ficaram realmente aflitos. Mas nem todos tinham se despedido dele de vez. Isso é fácil de explicar, e o será em breve.

Bingo saiu do armário. Estava ficando escuro. Segundo o relógio dele, eram seis horas. A porta estava aberta, já que tinha guardado a chave no bolso. Saiu, trancou a porta (deixando a chave) e olhou para o céu. As estrelas estavam saindo.

"Vai ser uma bela noite", disse ele. "Que divertido! Bem, é melhor não deixá-los esperando. Agora vamos embora. Adeus!" Desceu o jardim no trote, pulou a cerca, e entrou nos campos, e passou como um farfalhar invisível no capim.

NOTAS

[1] Acho difícil acreditar nisso, mas, se esse fato não é verídico, a coincidência é estranha. Se Bingo Bolseiro não obteve seu nome dessa fonte, só posso supor que o caráter demoníaco (composto de uma mistura de despotismo religioso monomaníaco e desejo de destruição por meio de fortes explosivos) do principal dos Bingos (para não falar de sua esposa horrorosa), traços deles que minha irmã e eu recordamos agora, desenvolveram-se um pouco mais tarde.

[2] A troca não foi feita no primeiro esboço, mas em correções a lápis no fim da segunda versão (p. 39).

[3] A alteração de "cinquenta e cinco" para "setenta e dois" foi feita no mesmo momento em que os 16 anos durante os quais Bingo morou em Bolsão após a partida de seus pais foram alterados para 33 anos (nota 6). Essas mudanças foram feitas antes que o capítulo fosse terminado, pois mais tarde, no discurso de despedida de Bingo, os números revisados estão presentes desde a primeira redação do texto. Quando, no início, ele escreveu "quinquagésimo quinto aniversário" e "16 anos", meu pai presumivelmente pretendia se livrar da ideia, que aparece na reescrita da segunda versão (ver p. 39), de que o número de 144 convidados foi escolhido por uma razão interna, já que, no aniversário de 55 anos de Bingo, seu pai, Bilbo, teria 127 anos (tendo deixado o Condado 16 anos antes, com 111, quando Bingo tinha 39).

[4] O nome *Prímula* foi escrito inicialmente como *Amalda*. Na primeira versão (p. 26), Amalda era o nome da Sra. Sacola-Bolseiro. Na quarta versão de "Uma Festa Muito Esperada", na qual Bilbo voltou ao seu estado de solteiro, Prímula Brandebuque, que não era mais sua esposa, continuou sendo a mãe de Bingo.

[5] Meu pai escreveu aqui, de início: "os Brandebuques de Vila-do-Bosque-Leste, do outro lado do condado, na beira do Buquebosque – uma área de reputação duvidosa". Primeiro, ele trocou (certamente no momento em que escrevia) o nome do reduto Brandebuque, de Vila-do-Bosque-Leste, em inglês *Wood Eaton* (nome de uma aldeia no vale do rio Cherwell, perto de Oxford) para *Bury Underwood*, Burgo-sob-o-Bosque (em que a palavra "Bury" é um elemento muito comum em nomes de lugares ingleses, derivado do inglês antigo *byrig*, o dativo de *burg*, "local fortificado, vila"); depois disso, ele inseriu o nome do rio, trocou Burgo--sob-o-Bosque por Terra-dos-Buques e Buquebosque por Floresta Velha.

[6] Essa alteração foi feita ao mesmo tempo que a troca de "55" por "72" no caso da idade de Bingo no dia da festa de aniversário; ver nota 3.

[7] Esta é a primeira aparição do Feitor Gamgi, morando na Rua do Bolsinho (mencionada pela primeira vez na segunda versão, p. 32).

[8] Conforme mencionado na nota 3, os números posteriores – a troca de 55 por 72 como a idade de Bingo nesse aniversário, e a de 16 por 33 como o número de anos em que ele continuou morando sozinho em Bolsão após a partida de Bilbo, que aparecem como emendas na parte inicial do texto – estão presentes na parte posterior do capítulo desde a primeira fase da escrita.

[9] Seria de se esperar "sessenta" (111 menos 51): ver pp. 45, 314.

Nota sobre nomes dos hobbits

Ficará claro que o deleite com os nomes e os parentescos das famílias dos hobbits do Condado, a partir do qual surgiriam as genealogias ramificadas do livro, era algo que estava presente desde o começo. Em nenhum outro aspecto da obra meu pai fatiou e alterou elementos de forma mais copiosa. Até agora já encontramos, além de Bilbo e Bungo Bolseiro e Beladona Tûk, que apareceram em *O Hobbit*:

Bolger: Caramella (substituindo Caramella Tûk)
Bolseiro: Angélica; Inigo; Semolina
Brandebuque: Amalda > Prímula; Marmaduque; Orlando > Próspero; Rory
Covas: Folco; Orlando (substituindo Orlando Fossador)
Fossador: Gorboduc > Orlando; Iago
Fossador-Tûk: Inigo
Justa-Correia: Hugo
Pé-Soberbo: Sancho
Roliço: Cosimo
Sacola-Bolseiro: Amalda > Lonicera ou Griselda > Grimalda > Lobélia; Sago > Cosmo > Otho
Tûk: Caramella; Melba > Arabella > Amanda; Mungo
Tûk-Tûk: Obo > Rollo

(iv)
A Quarta Versão

Duas alterações adicionais, incorporando uma importante reformulação, foram feitas no manuscrito da terceira versão. As alterações foram realizadas com cuidado, usando tinta vermelha, mas mudanças concomitantes em partes posteriores do texto não foram feitas. Na primeira frase do capítulo (p. 41), "Bingo, filho de Bilbo" foi alterado para "Bingo Bolger-Bolseiro"; e, na terceira frase, "pai de Bingo" foi alterado para "tio (e responsável por Bingo), Bilbo Bolseiro".

Chegamos agora, portanto, a um novo estágio da escrita, no qual a "festa muito esperada" ainda é de Bingo, não de Bilbo, mas Bingo é o sobrinho dele, não seu filho, e o casamento de Bilbo (conforme era inevitável, creio eu) foi rejeitado.

A quarta versão é um texto datilografado pelo meu pai. Recebeu muitas emendas mais tarde, mas essas mudanças correspondem à segunda fase da escrita de *A Sociedade do Anel*, e vou ignorá-las aqui. As alterações na terceira versão, às quais acabei de me referir, agora foram incorporadas ao texto (o qual, portanto, agora começa: "Quando Bingo Bolger-Bolseiro, da conhecida família Bolseiro, preparou-se para celebrar seu septuagésimo segundo aniversário..."), mas de resto, ele prossegue como uma cópia exata da terceira versão até "costumava visitar todos os seus vizinhos e parentes (exceto, é claro, os Sacola-Bolseiros)" (p. 42). Nesse ponto, o texto começa a divergir do anterior.

Mas o pessoal não o incomodava muito. Saía com frequência. E, se estivesse em casa, você nunca sabia quem encontraria junto com ele: hobbits de famílias bastante pobres, ou gente de vilarejos distantes, anãos e até mesmos elfos às vezes.

Ele fez mais duas coisas que levaram as más-línguas a se remexerem. Na idade de noventa e nove anos, adotou seu sobrinho – ou, para ser mais exato (Bilbo distribuía os títulos de sobrinho e sobrinha de um jeito bastante descuidado), seu primo de primeiro grau com uma geração de diferença, Bingo Bolger, um rapaz de vinte e sete anos. Tinham ouvido falar muito pouco dele, e esse pouco não era lá muito bom (diziam). De fato, Bingo era filho de Prímula Brandebuque (e Rollo Bolger, que era bem desimportante); e ela era filha de Mirabela Tûk (e Gorboduc Brandebuque, que era bem importante); e Mirabela era uma das três impressionantes filhas do Velho Tûk, que fora por muito tempo o chefe dos hobbits que viviam do outro lado d'O Água. E, assim, os Tûks apareciam de novo na história – sempre um elemento que bagunçava as coisas, especialmente quando misturado com os Brandebuques. Pois Prímula era uma Brandebuque da Terra-dos-Buques, atravessando o Rio Brandevin, do outro lado do Condado e na beira da Floresta Velha – uma área de reputação duvidosa. O pessoal da Vila-dos-Hobbits não sabia muito sobre a região, nem sobre os Brandebuques; embora alguns tivessem ouvido falar que eles eram ricos, e seriam ainda mais ricos se não fossem descuidados. O que acontecera com Prímula e seu marido não se sabia ao certo na Vila-dos-Hobbits. Havia rumores sobre um acidente durante um passeio de barco no Rio Brandevin – o tipo de coisa que os

Brandebuques gostavam de fazer. Alguns diziam que Rollo Bolger tinha morrido jovem, de tanto comer; outros, que o peso dele é que afundara o barco.

De qualquer modo, Bilbo Bolseiro adotou o Mestre Bolger, anunciou que faria dele seu herdeiro, mudou o nome do rapaz para Bolger-Bolseiro e ofendeu ainda mais os Sacola-Bolseiros. Então, pouco antes de seu aniversário de cento e onze anos, Bilbo finalmente desapareceu e nunca mais foi visto na Vila-dos-Hobbits. Seus parentes e vizinhos perderam a chance de ir ao funeral, e o falatório entre eles foi geral. Mas não fez diferença nenhuma: a residência de Bilbo, sua riqueza, sua posição (e reputação duvidosa entre os hobbits mais influentes) foram herdadas por Bingo Bolger-Bolseiro.

Bingo era um mero jovem de trinta e nove anos, e seus dentes do siso mal tinham nascido; mas, de imediato, pôs-se a manter a reputação de esquisitice de seu tio. Recusou-se a vestir luto e, depois de uma semana, deu uma festa de aniversário – para si mesmo e para o tio (os aniversários dos dois calhavam de ser no mesmo dia). No começo, as pessoas ficaram chocadas, mas ele manteve o costume ano após ano, até que se acostumassem. Dizia que não achava que Bilbo Bolseiro estivesse morto. Quando lhe faziam a pergunta óbvia, "Onde ele está, então?", simplesmente piscava. Vivia sozinho e, com frequência, saía de casa. Passeava um bocado com os membros menos comportados da família Tûk (parentes de sua avó); e também gostava dos Brandebuques (parentes de sua mãe).

De qualquer modo, Bingo Bolger-Bolseiro tinha sido senhor de Bolsão Sotomonte havia já trinta e três anos sem fazer nada escandaloso. As festas dele às vezes eram um pouco barulhentas...

> Com a presença de Gorboduc Brandebuque e de Mirabela Tûk (uma das "três impressionantes filhas do Velho Tûk" que tinham sido mencionadas em *O Hobbit*), a genealogia agora passa a ser a do SdA, exceto pelo fato de que o marido de Prímula Brandebuque (Bilbo, na terceira versão) passa a ser Rollo Bolger, não Drogo Bolseiro; e o acidente de barco reaparece (ver as pp. 37–8, nota 2).
>
> Desse ponto em diante o texto datilografado segue a terceira versão (já emendada) muito de perto, e há pouco a acrescentar. Bilbo passa a ser o "tio" de Bingo em todo o texto, é claro; Bingo costumava aludir "às aventuras absurdas de seu 'valente e famoso' tio"

(ver a p. 45). Mas, com essa mudança, os comentários de Bingo em seu discurso sobre as idades dele mesmo e de seu tio e sobre o número de convidados na festa permanecem exatamente os mesmos, e "O anel tinha sido o presente de despedida de seu tio" (*ibid.*).

Pequenas mudanças de formulação conduzem o texto rumo à forma final em SA; por exemplo, no ponto da terceira versão em que Rory Brandebuque é descrito como "de barriga cheia, mas ainda mais esperto do que muitos ali", agora o que se diz a respeito dele é que "sua perspicácia nem a idade avançada, nem a surpresa, nem um jantar enorme chegavam a embotar". Mas detalhar mesmo que fosse só uma porção de tais desenvolvimentos na expressão do texto entre versões proximamente aparentadas seria, obviamente, bastante impraticável. Existem, entretanto, algumas transições narrativas menores que vou apontar nas notas a seguir, com referências de páginas indicando onde podem ser encontradas as passagens relevantes nas versões anteriores.

(43) O Feitor Gamgi tinha um pouco mais a dizer:

> "... É um gentil-hobbit muito simpático e de boa fala, o Sr. Bolger-Bolseiro, como eu sempre disse." E isso era perfeitamente verdadeiro; pois Bingo sempre tinha sido muito polido com o Feitor Gamgi, chamando-o de Sr. Gamgi e debatendo sobre batatas com ele junto à sebe.

(32, 44) O dia da festa agora passa a ser quinta-feira (não sábado), 22 de setembro (uma alteração feita no texto datilografado, de forma cuidadosa, por cima de um trecho apagado, e que claramente corresponde ao momento em que aquela passagem foi escrita).

(44) Não há mais referências a Gandalf no capítulo, após os fogos de artifício.

(36, 45) Os jovens hobbits que dançaram na mesa são Próspero Tûk e Melissa Brandebuque.

(46–7) Vários nomes entre os destinatários de presentes em Bolsão são alterados. Caramella (Tûk >) Bolger se torna Caramella Roliço; o dorminhoco Rollo Tûk-Tûk passa a ser Fosco

Bolger (tornando-se tio de Bingo); Inigo Fossador-Tûk, o glutão, que tinha sobrevivido desde o primeiro esboço, agora é Inigo Fossador; e Cosimo Roliço, aquele que dava pancadas em barômetros, agora é Cosimo Corneteiro.

(47) Entre os acréscimos ao texto, ficamos sabendo que "Os hobbits mais pobres se deram muito bem, especialmente o velho Feitor Gamgi, que recebeu cerca de meia tonelada de batatas"; que Bingo tinha uma coleção de brinquedos *mágicos*; e que ele e seus amigos beberam quase todo o vinho, enquanto o restante ainda ficou com Marmaduque Brandebuque.

(26, 47) O aviso judiciário no salão de entrada de Bolsão foi ampliado e passou a ser seguido por uma passagem nova:

Bingo Bolger-Bolseiro, Cav., que está de partida, por meio desta estabelece doações e entrega para usufruto sem custos a desejável propriedade e domicílio ou toca-de-habitação conhecida como Bolsão Sotomonte, com todas as terras pertencentes e anexas à dita propriedade, para Otho Sacola-Bolseiro, Cav., e sua esposa Lobélia, para que juntos a tenham, administrem, possuam, ocupem, aluguem para outrem ou dela disponham de outros modos, a seu bel-prazer, a partir de vinte e quatro de setembro do septuagésimo segundo ano de idade do dito Bingo Bolger-Bolseiro e do centésimo quadragésimo quarto ano de Bilbo Bolseiro, os quais, como legítimos proprietários anteriores, por meio desta abrem mão de quaisquer reivindicações à propriedade supracitada a partir da data supracitada.

O aviso estava assinado *Bingo Bolger-Bolseiro, em seu nome e em nome de seu tio*. Bingo não era advogado, e só tinha escrito daquele jeito para agradar Otho Sacola-Bolseiro, que era advogado. Otho certamente gostou, mas é difícil dizer se foi mais pela linguagem ou pela propriedade. De qualquer modo, assim que leu o aviso, ele deu um grito: "É nossa, finalmente!". Então imagino que estivesse tudo certo, pelo menos de acordo com os critérios legais dos hobbits. E foi assim que os Sacola-Bolseiros ficaram com Bolsão no fim das contas, embora tivessem de esperar noventa e três anos a mais pela casa do que tinham imaginado de início.

(47) Os advogados que expulsaram Sancho Pé-Soberbo não aparecem.

Foi feito um acréscimo à passagem que descreve o caráter dos Tûks: "e, já que eles tinham herdado do Velho Tûk tanto uma enorme riqueza quanto uma coragem nada pequena, de vez em quando eles eram bem arrogantes".

(48) A referência ao fato de que Bilbo "tivera alguns gastos ao longo de cinquenta anos" foi alterada: o texto agora afirma: "isto é, do que tinha sido deixado pelo Tio dele; pois Bilbo tivera alguns gastos na época dele".

"Uns poucos ficaram incomodados com seu desaparecimento repentino; uma ou duas pessoas não ficaram incomodadas, porque estavam por dentro da história – mas essas pessoas não estavam em Bolsão."

Assim, nunca se explica por que Bingo (ou Bilbo, na primeira versão), para quem a falta de dinheiro agora tinha virado um problema sério (e uma das razões para sua partida) simplesmente entregou a "a desejável propriedade conhecida como Bolsão" para os Sacola-Bolseiros "para usufruto sem custos".

Haveria ainda mais reviravoltas pela frente nessa evolução incrivelmente sinuosa antes de a estrutura final ser alcançada, mas foi assim que ficou o capítulo de abertura durante algum tempo, e Bingo Bolger-Bolseiro, "sobrinho" ou, mais propriamente, primo de primeiro grau (com uma geração de diferença) de Bilbo Bolseiro, está presente ao longo de toda a versão original do Livro I de *A Sociedade do Anel*. Apresento brevemente aqui as principais mudanças e estágios encontrados até agora.

Uma festa muito esperada

Versão I: *Bilbo* dá a festa, aos 70 anos. ("Vou contar a vocês uma história sobre um de seus descendentes")

Versão II: *Bilbo* dá a festa, aos 71 anos.

Versão III: Bilbo se casou e desapareceu da Vila-dos-Hobbits com sua esposa (Prímula Brandebuque) quando tinha 111 anos. *Seu filho, Bingo Bolseiro, dá a festa*, aos 72 anos.

Versão IV: Bilbo, solteiro, adotou seu jovem primo Bingo Bolger (filho de Prímula Brandebuque), mudou seu nome para Bingo Bolger-Bolseiro e desapareceu da Vila-dos-Hobbits quando tinha 111 anos.
Seu primo adotivo Bingo Bolger-Bolseiro dá a festa, aos 72 anos.

(v)
"A História que Está se Formando"

Foi à quarta versão que meu pai se referiu em uma carta para Charles Furth, datada de 1º de fevereiro de 1938 (anotações escritas no texto datilografado mostram que ela foi enviada para a Allen and Unwin), seis semanas depois de começar o novo livro:

> Seria possível perguntar ao Sr. Unwin se seu filho [Rayner Unwin, então com doze anos de idade], um crítico muito confiável, se importaria de ler o primeiro capítulo da continuação de *O Hobbit*? Datilografei-o. Não tenho confiança no texto, mas se ele achar que é um começo promissor, eu poderia acrescentar a ele a história que está se formando.

O que seria a "história que está se formando"? Os textos de "Uma Festa Muito Esperada" não dão nenhuma pista sobre isso, exceto pelo fato de que o fim da terceira versão (p. 48) deixa claro que, quando Bingo deixou Bolsão, ele ia se encontrar com alguns de seus amigos mais jovens e viajar com eles – e já há indicações disso no fim do primeiro esboço (p. 27); na quarta versão, isso se repete, e "um ou dois" de seus amigos estavam "por dentro" e "não estavam em Bolsão" (p. 55). Além disso, também fica claro que Bilbo não está morto; e (sabendo do que estava por vir) podemos considerar que as referências à Terra-dos-Buques e à Floresta Velha (pp. 42, 51) também contam como pistas.

Mas há alguns rabiscos dessa mesma época, escritos dos dois lados de uma única folha de papel, que trazem algumas indicações do que estava "se formando". O primeiro deles diz o seguinte:

Bilbo parte com 3 sobrinhos da família Tûk: Odo, Frodo e Drogo [alterado para Odo, Drogo e Frodo]. Ele tem apenas um pequeno saco de dinheiro. Eles caminham a noite toda – Leste. Aventuras:

semelhante ao troll: casa de bruxa a caminho de Valfenda. Elrond novamente [*acrescentado*: (por conselho de Gandalf?)]. Uma história na casa de Elrond.

Onde está G[andalf] pergunta Odo – disse que eu já era velho e tolo o suficiente agora para cuidar de mim mesmo, disse B. Mas arrisco dizer que ele vai aparecer, é o jeito dele.

> Segue-se uma nota indicando que, embora Odo acreditasse em não mais do que um quarto do conteúdo das "histórias de B.", Drogo era menos cético, e Frodo acreditava nelas "quase completamente". O caráter desse último sobrinho foi estabelecido desde cedo, embora o personagem estivesse destinado a desaparecer (ver p. 91): ele *não* é o precursor de Frodo em SdA. Tudo isso parece ter sido escrito de uma vez só. Pelo que sabemos, as anotações devem estar ligadas à segunda versão (inacabada) de "Uma Festa Muito Esperada", já que é Bilbo quem "parte" (mais tarde, meu pai colocou entre colchetes as palavras "Bilbo parte com 3 sobrinhos da família Tûk" e escreveu "Bingo" em cima do nome). A implicação disso é presumivelmente que, quando Bilbo partiu com seus sobrinhos, Gandalf não estava mais presente.
>
> Segue-se, a lápis, o seguinte texto: "Fazer da devolução do anel um motivo." Isso, sem dúvida, é uma referência à afirmação de que "O anel tinha sido o presente de despedida de seu pai [ou seja, do pai de Bingo]" (p. 46).
>
> Depois de uma nota sugerindo que um dragão viria até a Vila-dos-Hobbits e que eles teriam um papel mais heroico na história, sugestão que foi rejeitada com um "Não" escrito a lápis, segue-se este trecho, aparentemente escrito de uma só vez (mas com um título a lápis inserido posteriormente, "Diálogo entre Bingo e Bilbo"):

"Ninguém", disse B., "consegue escapar totalmente ileso dos dragões. O único jeito é evitá-los (se você puder), feito os vilahobbitenses, embora não ne[cessariamente] não acreditar neles (ou se recusar a lembrar deles), como os v[ilahobbitenses]. Agora gastei todo o meu dinheiro, que antes parecia ser até demais para mim, e o meu foi atrás [*sic*]. E eu não gosto de ficar sem nenhum depois de [?ter] – na verdade, estou sendo atraído. Bem, duas vezes um nem sempre é dois, como dizia meu pai. Mas, de qualquer modo, acho que prefiro vagar como um sujeito pobre a ficar sentado e tremendo. E a Vila-dos-Hobbits meio que pega no seu pé depois de 20 anos, você não acha? Pega tanto no seu pé que fica difícil de aguentar, quero dizer. De qualquer jeito, estamos na estrada – e é outono. Eu gosto de vagar por aí quando é outono."

Pergunta a Elrond o que ele pode fazer para curar seu desejo de dinheiro e sua inquietação. Elrond conta a ele sobre uma ilha. Grã-Bretanha? No extremo oeste, onde os Elfos ainda reinam. Viagem até ilha perigosa.

Eu quero contemplar de novo um dragão vivo.

O personagem mencionado é certamente Bilbo, e a passagem (embora não, é claro, o título a lápis) precede a terceira versão, como mostra a referência ao período de "20 anos" (ver pp. 34, 45). No pé da página estão os seguintes rabiscos fracos, feitos a lápis:

Bingo vai procurar seu pai.

Você disse que .... terminar seus dias em contentamento – é o que espero

A palavra ilegível poderia ser "quer". No outro lado da página há a seguinte passagem concatenada, escrita à tinta:

O Anel: qual a sua origem. Necromante? Não muito perigoso, quando usado com bom propósito. Mas cobra seu preço. Ou você o perde, ou perde *a si mesmo*. Bilbo não conseguiu se forçar a perdê-lo. Ele sai de férias [*riscado*: com sua esposa], entregando anel a Bingo. Mas ele desaparece. Bingo preocupado. Resiste a desejo de ir procurá-lo – embora viaje bastante pelos arredores em busca de notícias. Não se livra de anel porque sente que, no fim, ele vai levá-lo até seu pai.

Por fim, ele encontra Gandalf. Conselho de Gandalf. Você precisa fingir sua *desaparição*, e então o anel pode ser enganado para que deixe você seguir um caminho parecido. Mas você tem de *desaparecer realmente* e abandonar o passado. Daí a "festa".

Bingo se abre com seus amigos. Odo, Frodo e Vigo (?) insistem em ir também. Gandalf tem muitas dúvidas. Vocês vão partilhar do mesmo destino de Bingo, diz ele, se desafiarem o anel. Vejam o que aconteceu com Prímula.

Algumas alterações a lápis foram feitas nessa anotação: em cima de "Vigo(?)", meu pai escreveu "Marmaduque", e colocou entre parênteses a última frase. Uma vez que aqui Bingo é filho de Bilbo, essa nota corresponde à terceira versão. Mas a morte aquática de Prímula Brandebuque (que não é mais a esposa de Bilbo, mas ainda é a mãe de Bingo) está registrada pela primeira vez na quarta versão (p. 51), e o Anel não teria como estar associado a esse evento; assim, a referência a "Prímula" aqui deve estar ligada a outra coisa da qual não existe nenhum outro vestígio.

Particularmente digna de nota é a sugestão de que a ideia da Festa surgiu do conselho dado por Gandalf a Bingo sobre o Anel. É, de fato, algo marcante que, já nessa fase da história, quando meu pai ainda estava trabalhando no capítulo de abertura, tantos elementos da natureza do Anel já estivessem presentes de forma embrionária. As duas notas finais foram feitas a lápis. A primeira diz:

Bilbo vai até Elrond para curar o anseio-do-dragão e se estabelece em Valfenda. Daí as frequentes ausências de Bingo. O anseio-do--dragão acomete Bingo. E também a atração-do-anel.

Sobre as "ausências frequentes" de Bingo, cf. "ele saía de casa com frequência", frase da terceira versão (p. 42), e "Resiste a desejo de ir procurá-lo – embora viaje bastante pelos arredores em busca de notícias" na nota sobre o Anel apresentada acima. Eis a última nota:

Seguem para regiões dúbias – Floresta Velha a caminho de Valfenda. Ao sul do Rio. Eles se desviam para chamar Frodo Br[andebuque] [*escrito acima*: Marmaduque], ficam perdidos e são pegos por Homem-Salgueiro e por Cousas-tumulares. T. Bombadil aparece.

A palavra "sul" substituiu "norte", e o termo "leste" está escrito na margem da página.

Numa página separada (aliás, no verso do mais antigo mapa do Condado feito por meu pai que chegou a sobreviver) há um breve "esquema" que tem uma associação próxima com essas últimas notas: no alto, meu pai escreveu depois *Gênese de "Senhor dos Anéis"*.

B.B. parte com 2 sobrinhos. Eles viram para o s[ul] para pegar Frodo Brandebuque. Ficam perdidos na Floresta Velha. Aventura com Homem-Salgueiro e Cousas-Tumulares. T. Bombadil.

Alcançam Valfenda e acham Bilbo. Bilbo tivera um desejo repentino de visitar o Ermo de novo. Mas encontra Gandalf em Valfenda. Fica sabendo de [*sic; aqui, presumivelmente, a ideia da narrativa muda*] Gandalf tinha aparecido em Bolsão. Bilbo conta a ele sobre desejo pelo Ermo e por ouro. Maldição do dragão está operando. Ele vai para Valfenda, entre os mundos, e sossega.

Anel em algum momento tem de voltar para Criador, ou atrai você até ele. Dá-lo embora é meio que um truque sujo?

É interessante constatar a ideia, já presente, de que Bingo e seus companheiros desviar-se-iam do caminho para "pegar" ou "convocar" outro hobbit, primeiro chamado de Frodo Brandebuque, nome depois alterado para Marmaduque (Brandebuque). Frodo Brandebuque também aparece nos esboços iniciais do segundo capítulo (p. 62) como um dos três companheiros de Bingo em sua partida da Vila-dos-Hobbits. Existem várias maneiras de combinar todas essas referências aos três (ou dois) sobrinhos, de modo a apresentar uma série de formulações sucessivas, mas os nomes e os papéis deles ainda eram inteiramente fluidos e efêmeros, e nenhuma certeza é possível. Apenas no primeiro texto integral do segundo capítulo a história fica clara (por algum tempo): Bingo parte com dois companheiros, Odo Tûk e Frodo Tûk.

Deve-se notar que Tom Bombadil, o Homem-Salgueiro e as Cousas-tumulares já existiam anos antes de meu pai começar a escrever *O Senhor dos Anéis*; ver pp. 146–7.

∽

Em 11 de fevereiro de 1938, Stanley Unwin contou a meu pai que o filho dele, Rayner, tinha lido o primeiro capítulo e se deliciara com a história. Em 17 de fevereiro, meu pai escreveu para Charles Furth, da Allen and Unwin:

> Dizem que o primeiro passo é o mais difícil. Não o considero difícil. Tenho certeza de que eu poderia escrever infinitos "primeiros capítulos". Escrevi muitos, na verdade. A continuação de O Hobbit continua onde estava, e tenho apenas as noções

> mais vagas de como prosseguir. Sem jamais pretender uma continuação, temo que eu tenha gastado todos os meus "temas" e personagens favoritos no "Hobbit" original.

E, no dia seguinte, ele respondeu a missiva de Stanley Unwin:

> Fico muito grato a seu filho Rayner; e sinto-me encorajado. Ao mesmo tempo, acho muito fácil escrever capítulos iniciais — e por enquanto a história não está se desenrolando. Infelizmente tenho pouquíssimo tempo, encurtado ainda mais por um recesso natalino bastante desastroso. Desperdicei tanto no "Hobbit" original (o qual não pretendia que tivesse uma continuação) que é difícil encontrar alguma coisa nova naquele mundo.

Mas, em 4 de março de 1938, em uma longa carta endereçada a Stanley Unwin que tratava de outro assunto, ele observou:

> A continuação de *O Hobbit* progrediu agora até o final do terceiro capítulo. Mas histórias tendem a sair de controle, e essa tomou uma direção não premeditada. O Sr. Lewis e meu filho mais novo a estão lendo em partes como um folhetim. Hesito em incomodar seu filho, embora eu aprecie as críticas dele. De qualquer modo, se quiser lê-la em forma de folhetim, ele pode fazê-lo.

A "direção não premeditada", sem dúvida alguma, foi o aparecimento dos Cavaleiros Negros.

2

Da Vila-dos-Hobbits até a Ponta do Bosque

Os esboços manuscritos originais do segundo capítulo de *O Senhor dos Anéis* não constituem uma narrativa completa, ainda que tosca, mas, em vez disso, são partes desconexas do capítulo, em alguns pontos correspondentes a mais de uma versão, conforme a história se expandia e mudava enquanto ia sendo escrita. O fato de que meu pai tinha datilografado o primeiro capítulo no dia 1º de fevereiro de 1938 (p. 56), mas, ao mesmo tempo, escreveu em 17 de fevereiro (pp. 60–1) que, embora os primeiros capítulos "saíssem" com facilidade, "a continuação de O Hobbit continua onde estava", sugere fortemente que o rascunho original deste segundo capítulo se seguiu à escrita da quarta versão de "Uma Festa Muito Esperada" na máquina de escrever.

Depois disso veio um texto datilografado, com o título "Três não é Demais e Quatro Mais Ainda"; essa versão será apresentada na íntegra, mas, antes disso, os estágios anteriores da história (um deles de altíssimo interesse) devem ser examinados.

O primeiro manuscrito menos cuidadoso começa com Odo e Frodo Tûk (mas o nome de Frodo foi imediatamente trocado por Drogo) sentados num portão à noite e conversando sobre os eventos em Bolsão naquela tarde, enquanto "Frodo Brandebuque estava sentado em uma pilha de mochilas e sacolas, olhando para as estrelas". Frodo Brandebuque, ao que parece, foi inserido aqui com base no papel preparado para ele nas notas apresentadas nas pp. 59–60, em uma das quais ele foi substituído por Marmaduque (Brandebuque). Bingo, vindo por trás deles, silencioso e invisível, empurrou Odo e Drogo para fora do portão; e, depois das brincadeiras que se seguiram, o esboço continua:

"Vocês três têm alguma ideia de para onde estamos indo?", disse Bingo.

"Nenhuma mesmo", respondeu Frodo, " – isso se você quer dizer, onde a gente vai acabar desembarcando no fim das costas. Com tal capitão, seria completamente impossível estimar isso. Mas todos nós sabemos para onde estamos indo de início."

"O que não sabemos", palpitou Drogo, "é quanto tempo vai demorar para a gente chegar lá a pé. Você sabe? Normalmente você vai de pônei."

"De pônei não é muito mais rápido, embora seja menos cansativo. Deixe-me ver – eu nunca fiz essa viagem com pressa antes, e geralmente leva cinco semanas e meia (com descanso de sobra). Na verdade, eu *sempre* enfrentei algum tipo de aventura, das mais ou menos amenas, toda vez que tive de pegar a estrada para Valfenda."

"Muito bem", disse Frodo, "vamos cobrir um pouco desse caminho hoje à noite. Dá uma alegria ficar debaixo das estrelas, e está fresco."

"Melhor dormir logo e sair cedo amanhã", disse Odo (que gostava de uma cama). "Vamos chegar mais longe amanhã se sairmos com a cabeça fresca."

"Eu apoio o conselheiro Frodo", disse Bingo. Portanto, eles partiram, com mochilas nas costas e segurando cajados compridos. Seguiram, muito silenciosos, passando por plantações, ao longo de sebes e franjas de pequenos bosques, até que a noite caiu, e, com seus mantos [?verde-]escuros ficavam bastante invisíveis mesmo sem nenhum anel. E, é claro, sendo Hobbits, ninguém os ouvia – nem mesmo outros Hobbits. Por fim, a Vila-dos-Hobbits ficou muito para trás, e as luzes das janelas da última casa de fazenda ficaram cintilando no alto de uma colina, bem ao longe. Bingo se virou e acenou com a mão num adeus.

Na base de uma colina modesta, eles pegaram a estrada principal para o Leste – ela se desenrolava feito um fio cinza-pálido escuridão adentro, entre sebes altas e árvores escuras, balançadas pelo vento. Então se puseram a marchar dois a dois; conversando um pouco, às vezes cantarolando, com frequência mantendo o ritmo durante mais ou menos uma milha sem dizer nada. As estrelas giravam acima de suas cabeças, e a noite foi avançando.

Odo deu um grande bocejo e diminuiu o ritmo. "Estou com tanto sono", disse ele, "que hei de despencar na estrada. Que tal um lugar para passar a noite?"

Aqui termina o rascunho de abertura original. Vale notar que os hobbits estão partindo expressamente para Valfenda, e que Bingo já esteve lá várias vezes antes; cf. a nota apresentada na p. 59: "Bilbo ... se estabelece em Valfenda. Daí as frequentes ausências de Bingo". Mas não há nenhuma indicação nesse momento, nem apareceu outra antes, de por que eles deveriam estar com alguma pressa especial.

É claro que, quando os hobbits atingiram a Estrada Leste, eles a seguiram e caminharam no rumo leste ao longo dela. Nessa fase, não há indicação de um atalho para a Terra-dos-Buques, nem, de fato, a de que a Terra-dos-Buques desempenhou qualquer papel nos planos do grupo.

Depois disso veio um início revisado. Drogo Tûk foi descartado, deixando Odo e Frodo como companheiros de Bingo (Frodo, agora, muito provavelmente é um Tûk). A passagem sobre Valfenda foi retirada e, em vez disso, o plano de ir primeiro "pegar Marmaduque" aparece. A descrição da caminhada a partir da Vila-dos-Hobbits agora é muito mais completa e atinge, em grande medida, a forma do texto datilografado (pp. 68–9); é interessante observar aqui o ponto em que surge a estrada para a Terra-dos-Buques:

Depois de descansarem em um barranco, debaixo de algumas bétulas com pouca folhagem, eles partiram novamente, até que desembocaram numa estrada estreita. Ela seguia rolando, com um tom cinza-pálido no escuro, para cima e para baixo – mas o tempo todo ia subindo suavemente para o sul. Era a estrada para a Terra-dos-Buques, subindo da Estrada Leste principal no Vale do Água e se afastando em meandros além dos sopés das Colinas Verdes em direção ao canto sudeste do Condado, a Ponta-do-Bosque, como os hobbits a chamavam. Seguiram marchando pela estradinha, até que ela mergulhou entre sebes altas e árvores escuras que farfalhavam suas folhas secas gentilmente nos ares da noite.

A comparação desse trecho com a descrição da Estrada Leste no primeiro esboço ("ela se desenrolava feito um fio cinza-pálido escuridão adentro, entre sebes altas e árvores escuras, balançadas pelo vento") mostra que o segundo trecho deriva do primeiro. Talvez por isso, o resultado é que a travessia da Estrada Leste acaba sendo omitida; menciona-se apenas que a estrada da Terra-dos-Buques se separava dela (comparar com SA, pp. 129-30).

Depois das palavras de Odo (texto datilografado, p. 69), "Ou vocês vão dormir de pé?", temos:

A Estrada segue sempre avante
da porta onde é seu começo:
longe de nós já está, constante,
e atrás nós vamos, sem tropeço;
seguindo-a com pés morosos,
outra estrada havemos de achar,
onde há encontros numerosos,
e depois? – não vamos adivinhar.[A]

Não há indicação no manuscrito, da forma que ele está escrito, de quem declamou os versos (em relação aos quais também há uma grande quantidade de trabalho preliminar); no texto datilografado (p. 72), eles são atribuídos a Frodo e colocados num ponto posterior da narrativa.

O segundo esboço então dá um salto para o dia seguinte e retoma a narrativa no meio de uma frase.

... no terreno plano, em meio a árvores altas que cresciam de maneira espalhada no terreno gramado, quando Frodo disse: "Posso ouvir um cavalo que vem pela estrada atrás de nós!"

Olharam para trás, mas as curvas da estrada esconderam o viajante.

"Acho melhor a gente sair de vista", sugeriu Bingo; "ou vocês, camaradas, saírem, pelo menos. É claro que isso não é muito importante, mas eu preferiria que ninguém que conhece a gente me encontrasse."

Eles [*escrito em cima no mesmo momento*: Odo & F.] correram depressa para a esquerda, descendo para uma pequena depressão ao lado da estrada, e ficaram deitados no chão. Bingo colocou seu anel e se sentou a algumas jardas do caminho. O som dos cascos se aproximava. Virando uma curva, veio um cavalo branco, e em cima dele estava sentada uma trouxa de roupa – ou era o que parecia: um homem pequeno inteiramente enrolado em um grande manto e capuz, de modo que só seus olhos ficavam de fora, assim como suas botas nos estribos mais abaixo.

O cavalo parou quando emparelhou com Bingo. A figura descobriu o nariz e fungou; e depois se sentou, quieta, como se estivesse escutando. De repente, uma risada saiu de dentro do capuz.

"Bingo, meu garoto!", gritou Gandalf, jogando de lado os panos enrolados. Você e seus rapazes estão por aqui em algum lugar. Agora vamos, apareça, quero dar uma palavrinha com você!" Ele fez seu cavalo virar e foi direto até a depressão onde Odo e Frodo estavam deitados. "Alô! alô!", disse. "Mas já se cansaram? Não vão viajar mais por hoje?"

Naquele momento, Bingo reapareceu. "Bem, fui abençoado!", exclamou ele. "O que está fazendo por estas bandas, Gandalf? Achei que tinha voltado para os elfos e anãos. E como soube onde estávamos?"

"Fácil", respondeu Gandalf. "Sem mágica. Vi vocês do alto da colina e sabia a que distância estavam. Assim que fiz a curva e vi que o trecho de reta na minha frente estava vazio, soube que tinham virado para algum lado aqui por perto. E vocês abriram uma trilha na grama alta que eu consigo ver, pelo menos se eu estiver tentando achá-la."

Aqui termina esse rascunho, no pé de uma página, e, se meu pai o continuou além desse ponto, o manuscrito está perdido; mas acho muito mais provável que ele o tenha abandonado porque abandonou a ideia de que o cavaleiro fosse Gandalf assim que escreveu essa passagem. É curiosíssimo perceber quão diretamente a descrição de Gandalf levou à do Cavaleiro Negro – e que a farejada original partiu de Gandalf! De fato, a transformação de um personagem em outro foi realizada pela primeira vez por meio de alterações a lápis no texto do esboço, assim:

Virando uma curva, veio um cavalo branco [> negro], e em cima dele estava sentada uma trouxa de roupa – ou era o que parecia: um homem pequeno [> baixo] inteiramente enrolado em um grande manto [*acrescentado:* negro] e capuz, de modo que só seus olhos ficavam de fora [> de modo que seu rosto estava inteiramente na sombra] ...

Se a descrição de Gandalf no rascunho for comparada com a do Cavaleiro Negro no texto datilografado (pp. 73–4), ficará claro que, com mais refinamento, um ainda continua sendo baseado muito de perto no outro. A nova direção na história foi, de fato, "não premeditada" (p. 61).

Mais rascunhos começam novamente com os esboços da música *Há fogo rubro na lareira* e continuam até o segundo aparecimento do Cavaleiro Negro e a chegada dos Elfos no final do capítulo. Esse material foi seguido muito de perto, de fato, no texto datilografado, e não precisa mais ser considerado (um ou dois pontos menores de interesse no desenvolvimento da narrativa são mencionados nas Notas). Há, no entanto, uma seção separada, em forma de manuscrito, que não foi incorporada ao texto datilografado, e essa passagem muito interessante será apresentada separadamente (ver p. 95).

Apresento aqui o texto datilografado – que se tornou um documento extremamente complexo e, agora, muito danificado. Fica claro que, assim que o terminou, ou mesmo antes, meu pai começou a revisá-lo, em alguns casos datilografando de novo certas páginas (embora as páginas rejeitadas fossem mantidas) e também inserindo muitas outras mudanças aqui e ali, a maioria delas sendo alterações muito pequenas de fraseado.[1] No texto a seguir, incorporo essas revisões sem especificá-las, mas algumas variantes anteriores que são de interesse estão detalhadas nas Notas no fim do texto (p. 86 e seguintes).

2

Três não é Demais e Quatro Mais Ainda[2]

Odo Tûk estava sentado num portão, assobiando baixinho. Seu primo, Frodo, estava deitado no chão ao lado de uma pilha de sacolas e mochilas, olhando para as estrelas e inalando o ar fresco do crepúsculo de outono.

"Espero que Bingo não tenha ficado trancado no armário, ou algo assim", disse Odo. "Ele está atrasado: já passou das seis."

"Não precisa se preocupar", respondeu Frodo. "Ele vai aparecer quando achar que é hora. Pode ter pensado em alguma última brincadeira irresistível, ou algo assim: ele é cheio das brandebuquices. Mas certamente vai vir; no fim das contas, é bem confiável esse Tio Bingo."

Ouviu-se uma risada atrás dele. "Folgo em saber", disse Bingo, tornando-se visível de repente; "pois esse tal de Fim das Contas vai ser comprido. Bem, companheiros, estão prontos para partir?"

"Não é justo chegar de fininho com esse anel no dedo", criticou Odo. "Um dia vai acabar ouvindo o que *eu* acho de você, e não vai ficar tão contente.

"Isso eu já sei", disse Bingo, rindo, "e ainda assim continuo bastante animado. Cadê minha mochila e meu bastão?"

"Estão aqui!", respondeu Frodo, ficando de pé de um salto. "Essa é a sua trouxa: mochila, sacola, manto, bastão."

"Tenho certeza de que você me deu a bagagem mais pesada", bufou Bingo, enrolando-se com as alças. Ele era um pouco cheinho.

"Olhe lá!", advertiu Odo. "Não comece com esse jeito de Bolger. Não tem nada aí além do que você nos pediu para colocar na bagagem. Vai sentir menos peso depois de andar um pouco com isso sozinho."

"Seja bondoso com um pobre hobbit arruinado!", riu-se Bingo. "Vou estar fino feito uma vara de salgueiro, tenho certeza, antes que a semana termine. Mas, por ora, e aí? Vamos reunir o conselho! O que havemos de fazer primeiro?"

"Achei que isso estava acertado", observou Odo. "Decerto temos de ir pegar o Marmaduque, antes de mais nada?"

"Ah, sim! Não foi o que eu quis dizer!", respondeu Bingo. "Eu quis dizer: e aí, e quanto a esta noite? Vamos caminhar um pouco ou um bocado? A noite inteira ou de jeito nenhum?"

"É melhor a gente achar algum cantinho confortável num palheiro, ou em algum outro lugar, e desmaiar logo", propôs Odo. "Havemos de andar mais amanhã se começarmos descansados."

"Vamos cobrir um pouco da estrada nesta noite", disse Frodo. "Quero me afastar da Vila-dos-Hobbits. Além disso, dá uma alegria andar debaixo das estrelas, e está fresco."

"Eu voto com o Frodo", concordou Bingo. E assim eles começaram a viagem, colocando suas mochilas nas costas e balançando seus bastões robustos. Seguiam muito quietos por campos, ao longo de sebes e bordas de capoeiras, até que a noite caiu. Com seus mantos cinza-escuros, ficavam invisíveis sem a ajuda de nenhum anel mágico, e, já que eram todos hobbits, o pouco barulho que faziam nem outros hobbits conseguiriam ouvir (ou, na verdade, nem mesmo criaturas selvagens nas matas e nos campos).

Algum tempo depois atravessaram O Água, a oeste da Vila-dos-Hobbits, onde o rio não era mais do que uma serpenteante fita de cor negra, ladeada de amieiros inclinados. Estavam agora na Terra-dos-Tûks; e começaram a subir até a Terra das Colinas Verdes, ao sul da Vila-dos-Hobbits.[3] Podiam ver a aldeia piscando lá embaixo, no suave vale d'O Água. Logo ela desapareceu nas dobras da paisagem escurecida e foi seguida por Beirágua junto à sua lagoa cinzenta. Quando a luz da última casa de fazenda ficou muito para trás, espiando entre as árvores, Bingo se virou e acenou com a mão num adeus.

"Agora fomos embora mesmo", disse ele. "Pergunto-me se ainda vamos olhar para o vale lá embaixo outra vez."

Depois de terem caminhado por umas duas horas, fizeram um descanso. A noite estava clara, fresca e estrelada, mas fiapos enfumaçados de névoa estavam subindo pelas colinas, vindos dos rios e prados fundos. Bétulas com pouca folhagem, balançando numa brisa fria acima de suas cabeças, formavam uma teia negra contra o céu pálido. Comeram uma janta muito frugal (para o padrão dos hobbits), e depois seguiram adiante de novo. Odo estava relutante quanto a isso, mas o resto do conselho observou que aquela encosta nua não era lugar para passar a noite. Logo deram com uma estrada estreita. Ela seguia rolando para cima e para baixo até ir sumindo, acinzentada, na escuridão crescente. Era a estrada para a Terra-dos-Buques, subindo da Estrada Leste principal no Vale-do-Água e serpenteando pelos sopés das Colinas Verdes em direção ao canto sudeste do Condado, a Ponta do Bosque, como os hobbits a chamavam. Não havia muitos deles morando naquelas partes.

Ao longo dessa estrada eles continuaram marchando. Ela logo mergulhou numa trilha com um talho fundo, entre árvores altas cujas folhas secas farfalhavam na noite. Estava muito escuro. No começo conversaram ou cantarolaram uma melodia juntos, baixinho: depois seguiram marchando em silêncio, e Odo começou a ficar para trás. Por fim, parou e deu um grande bocejo.

"Estou com tanto sono", comentou ele, "que logo vou despencar na estrada. Que tal um lugar para passar a noite? Ou vocês vão dormir de pé?"[4]

"Quando Marmaduque espera que a gente chegue?", perguntou Frodo. "Amanhã à noite?"

"Não", disse Bingo. "Não devemos chegar lá amanhã à noite, mesmo com uma marcha forçada, a menos que a gente continuasse por muito mais milhas agora. E devo dizer que não estou com vontade. Já está chegando perto da meia-noite. Mas tudo bem. Eu disse ao Marmaduque para nos esperar depois de amanhã à noite; portanto, não há pressa."

"O vento está no Oeste", disse Odo. "Se descermos do outro lado deste morro que estamos subindo, devemos encontrar um ponto razoavelmente seco e abrigado."

No topo da colina sobre a qual a estrada corria, eles chegaram a um pequeno bosque de abetos, seco e com aroma de resina. Deixando a estrada, entraram na escuridão profunda do bosque e juntaram galhos secos e pinhas para fazer uma fogueira. Logo obtiveram alegres estalidos de chamas ao pé de um grande abeto, e se sentaram ao redor da fogueira por algum tempo, até que começaram a cabecear de sono. Então, cada um deles num canto das raízes da grande árvore, enrodilharam-se nas capas e nos cobertores e logo estavam dormindo profundamente.

Não havia perigo, pois ainda estavam no Condado. Umas poucas criaturas vieram até ali e os observaram depois de o fogo se apagar. Uma raposa que passava pela floresta em seus próprios afazeres parou por alguns minutos e farejou. "Hobbits!", pensou ele. "Bem, e o que mais? Já ouvi muitas histórias sobre rolos esquisitos neste Condado; mas nunca ouvi falar de um hobbit dormindo ao relento embaixo de uma árvore! Três deles! Há algo muito esquisito demais por trás disso." Tinha toda a razão, porém nunca descobriu nada mais a respeito.

A manhã chegou, bastante pálida e úmida. Bingo acordou primeiro e descobriu que uma raiz de árvore tinha feito um furo nas suas costas, e que tinha um torcicolo. Aquilo não parecia tão divertido quanto no dia anterior. "Por que será que eu fui dar aquele lindo colchão de penas para o pudim velho do Fosco?"[5], pensou ele. "As raízes de árvores teriam sido muito mais adequadas para ele." "Acordem, hobbits!", gritou. "A manhã está linda!"

"O que tem de linda?", resmungou Odo, espiando sobre a beira de seu cobertor com um olho só. "Você já esquentou a água do banho? Apronte o desjejum para as nove e meia."

Bingo arrancou o cobertor dele e o empurrou para cima de Frodo; depois, deixou os dois se empurrando e caminhou até a borda do bosque. Longe no leste, o sol se erguia vermelho das névoas que jaziam espessas sobre o mundo. Tocadas de ouro e vermelho, as árvores outonais ao longe pareciam navegar sem raízes em um mar sombreado. Pouco abaixo dele, à esquerda, a estrada descia íngreme para uma cavidade e sumia.

Quando voltou, os outros dois tinham acendido uma boa fogueira. "Água!", gritaram. "Cadê a água?"

"Não levo água nos bolsos", respondeu Bingo.

"Achei que você tinha ido buscar", observou Odo. "É melhor ir agora."

"Por quê?", perguntou Bingo. "Tinha sobrado o suficiente para o desjejum da noite passada; ou foi o que achei."

"Bem, você achou errado", retrucou Frodo. "Odo bebeu a última gota, eu o vi bebendo."

"Então ele pode ir procurar um pouco mais de água, em vez de jogar isso nas costas do Tio Bingo. Há um regato no pé da encosta; a estrada o atravessa logo abaixo do ponto onde nós viramos na noite passada.

No fim, é claro, todos eles foram para lá com seus cantis e a chaleirinha que tinham trazido consigo. Encheram tudo no regato, no ponto onde ele caía um ou dois pés, passando por cima de um pequeno afloramento de rocha cinzenta que cortava seu caminho. A água estava gelada; e Odo fez ruídos engraçados enquanto lavava o rosto e as mãos. Por sorte, hobbits não têm barba (e não se barbeariam se as tivessem).

Quando o desjejum estava terminado, e as mochilas, afiveladas de novo, já era pelo menos dez horas, e o dia começava a ficar ainda mais bonito e mais quente do que o do aniversário de Bingo, que já parecia ter sido muito tempo antes. Desceram a encosta, atravessaram o riacho e subiram a encosta seguinte, e, nessa altura, os mantos, cobertores, água, comida, mudas de roupa e outros equipamentos já estavam parecendo carga pesada. A marcha daquele dia seria bem diferente de um passeio no campo.

Depois de algum tempo, a estrada deixou de rolar para cima e para baixo: subiu ao topo de uma encosta íngreme, de um jeito exausto e serpenteante, e depois aprestou-se a descer pela última vez. Diante deles, podiam ver as terras mais baixas, pontilhadas com pequenos capões, que se desfaziam ao longe, até virarem matas esparsas de um castanho impreciso. Olhavam por cima da Ponta do Bosque na direção do Rio Brandevin. A estrada fazia curvas diante deles como um pedaço de barbante.

"A estrada segue sempre avante", disse Odo, "mas eu não consigo sem descansar. É mais do que hora do almoço."

Frodo se sentou na margem junto à estrada e fitou a névoa, longe no leste, além da qual estava o Rio, e o fim do Condado onde passara toda a sua vida. De repente ele falou, meio como se consigo mesmo:

A Estrada segue sempre avante
Da porta onde é seu começo.
Já longe a Estrada vai, constante,
Vamos por ela sem tropeço,
Seguindo-a com pés ansiosos,
Pois outra estrada ela há de achar
Onde há encontros numerosos.
Depois? Não vamos adivinhar.[6,B]

"Isso soa como um pedaço das rimas do velho Bilbo", disse Odo. "Ou é uma das imitações de Bingo? Não soa lá muito animador."

"Não, *eu* fiz os versos, ou, de qualquer jeito, eles me ocorreram", respondeu Frodo.

"Nunca ouvi o poema antes, com certeza", observou Bingo. "Mas me lembra muito Bilbo nos últimos anos, antes de ele ir embora. Muitas vezes ele costumava dizer que só havia uma Estrada em toda parte; que ela era como um grande rio: suas nascentes estavam em cada soleira, e cada trilha era seu afluente. 'É um negócio perigoso, Bingo, sair pela sua porta', costumava dizer. "Você dá um passo na Estrada e, se não cuidar dos seus pés, não há como saber para onde pode ser arrastado. Você se dá conta de que esta é a própria trilha que atravessa Trevamata e, se você deixar, ela poderá levá-lo até a lugares mais distantes e piores do que a Montanha Solitária?" Ele costumava dizer isso na trilha junto à porta da frente de Bolsão, especialmente depois de voltar de uma caminhada."

"Bem, a Estrada não vai me arrastar para nenhum lugar por uma hora, pelo menos", disse Odo, tirando a mochila. Os outros seguiram seu exemplo, apoiando as mochilas na encosta e esticando as pernas na estrada. Depois de algum descanso, almoçaram (frugalmente) e descansaram um pouco mais.

O sol estava começando a ficar mais baixo, e a luz da tarde cobria a região, quando desceram a colina. Até então não tinham encontrado vivalma na estrada. Aquele caminho não era muito usado, e o caminho mais comum para a Terra-dos-Buques era pela Estrada

Leste, até o encontro do Água e do Rio Brandevin, onde havia uma ponte, e depois pelo sul, ao longo do Rio. Haviam prosseguido por uma hora ou mais quando Frodo parou por um instante, como quem escuta. Já estavam em solo plano, e a estrada, depois de muitas voltas, estendia-se reta à frente através de capinzais salpicados de árvores altas, isoladas da floresta que se avizinhava.

"Posso ouvir um cavalo ou um pônei que está vindo pela estrada lá atrás", avisou Frodo.

Eles olharam naquela direção, mas a curva da estrada não os deixava enxergar longe.

"Acho melhor sairmos da vista", disse Bingo; "ou que vocês dois saiam, de qualquer jeito. Não é muito importante, é claro, mas tenho a sensação de que preferiria não ser visto por ninguém neste momento."

Odo e Frodo correram rapidamente para a esquerda, descendo para uma pequena depressão não muito longe da estrada, e se deitaram no chão. Bingo deslizou o dedo para dentro do anel e se pôs detrás de uma árvore. O som de cascos chegou mais perto. Virando a curva veio um cavalo negro, que não era nenhum pônei de hobbit, mas um cavalo crescido; e em cima dele estava sentada uma trouxa, ou era o que parecia: um homem de ombros largos e atarracado, completamente enrolado em um grande manto e capuz negros, de modo que só as botas nos estribos apareciam do lado de baixo: seu rosto estava na sombra, invisível.

Quando emparelhou com Bingo, o cavalo parou. O vulto montado mantinha-se bem imóvel, como se estivesse escutando. De baixo do capuz veio um ruído como de alguém que fareja para apanhar um odor fugidio; a cabeça virou-se de um lado da estrada para o outro. Por fim, o cavalo se mexeu de novo, andando devagar no início e depois passando para um trote suave.

Bingo foi de mansinho até a beira da estrada e ficou observando o cavaleiro, até que ele foi sumindo ao longe. Não podia ter certeza absoluta, mas teve a impressão de que subitamente, antes que desaparecessem de vista, o cavalo e o cavaleiro viraram e entraram no meio das árvores.

"Bem, eu digo que isso é muito esquisito, e até um pouco perturbador", comentou Bingo consigo mesmo, enquanto caminhava de volta para onde estavam seus companheiros. Eles tinham ficado colados ao capim e nada tinham visto; assim, Bingo lhes descreveu o cavaleiro e seu comportamento estranho. "Não sei dizer o porquê, mas me senti perfeitamente certo de que ele estava me procurando ou me *farejando*: e também senti muito claramente que não queria que ele me descobrisse. Nunca vi ou senti nada que fosse semelhante a isso no Condado antes."

"Mas o que alguém do Povo Grande tem a ver conosco?", disse Odo. "E o que ele está fazendo nesta parte do mundo, aliás? Exceto por aqueles Homens de Valle no outro dia,[7] eu não vejo alguém daquela Gente no nosso condado faz anos."[8]

"Mas eu vi", contou Frodo, que ouvira atentamente a descrição do cavaleiro negro feita por Bingo. "Isso me lembra de algo que eu tinha quase esquecido. Eu estava caminhando lá no Pântano do Norte – você sabe, bem na fronteira norte do Condado – no começo da primavera passada, quando um cavaleiro semelhante me encontrou. Ele estava cavalgando para o sul e parou para conversar comigo, embora não parecesse ser capaz de falar nossa língua muito bem; ele me perguntou se eu sabia onde ficava um lugar chamado Vila-dos-Hobbits, e se havia gente com o nome de Bolseiro por lá. Achei aquilo muito esquisito na época; e tive uma sensação esquisita e desconfortável também. Não dava para ver rosto nenhum debaixo do capuz dele. Nunca ouvi falar se ele apareceu na Vila-dos-Hobbits ou não. Se não contei isso para você, pretendia contar."

"Você não me contou, e gostaria que tivesse contado", disse Bingo. "Eu teria falado com Gandalf a respeito disso; e provavelmente teríamos tomado mais cuidado na estrada."

"Então você sabe ou supõe alguma coisa sobre o cavaleiro?", disse Frodo. "O que ele é?"

"Não sei e não quero adivinhar", disse Bingo. "Mas, de algum modo, não acredito que nenhum desses cavaleiros (se houver dois) era realmente alguém do Povo Grande, não como os Homens de Valle, quero dizer. Gostaria que Gandalf estivesse aqui; mas agora vai demorar até que a gente consiga achá-lo. De certa forma, imagino que eu deveria estar satisfeito; mas não estou exatamente preparado para aventuras ainda, e não estava esperando nenhuma em nosso próprio Condado. Vocês dois desejam continuar a Jornada?"

"Claro!", exclamou Frodo. "Eu não vou dar meia-volta, mesmo que apareça um exército de gobelins."

"Hei de ir aonde o Tio Bingo for", comprometeu-se Odo. "Mas qual é a próxima coisa a fazer? Devemos continuar de uma vez, ou ficar aqui e comer alguma coisa?[9] Eu gostaria de um bocado e de um gole de algo, mas, de algum modo, acho que é melhor irmos embora daqui. Sua conversa sobre cavaleiros farejadores com narizes invisíveis me deixou bastante incomodado."

"Acho que seguiremos em frente agora", concordou Bingo; "mas não na estrada, caso aquele cavaleiro volte ou outro o siga. Devíamos fazer mais uma boa caminhada hoje; a Terra-dos-Buques ainda está a milhas daqui."

As sombras das árvores eram longas e estreitas no capim quando partiram outra vez. Mantinham-se agora a uma pedrada de distância, à esquerda da estrada, mas seu ritmo era lento, pois o capim era espesso e em tufos, e o chão era irregular. O sol se pusera, vermelho, detrás das colinas às costas deles, e a tardinha ia vindo na hora em que chegaram ao final do trecho reto. Ali a estrada fazia uma curva para o sul e começava a serpentear de novo conforme entrava em um bosque de antigos carvalhos espalhados.[10]

Perto da estrada, toparam com o enorme vulto de uma árvore envelhecida.[11] Ainda estava viva e tinha folhas nos raminhos que emitira ao redor dos tocos quebrados dos galhos caídos muito tempo atrás; mas era oca, e podia-se entrar nela por uma grande fenda do outro lado. Os hobbits entraram e se sentaram no assoalho formado por folhas velhas e madeira apodrecida. Ali descansaram e fizeram uma refeição, conversando em voz baixa e tentando escutar os sons em volta.

Tinham acabado de comer e estavam pensando em seguir viagem quando ouviram claramente o som de cascos que andavam devagar pela estrada. Não se mexeram. Os cascos pararam, até onde eles podiam estimar, na estrada ao lado da árvore, mas foi só por um instante. O barulho recomeçou e foi se distanciando – seguindo pela estrada, na direção da Terra-dos-Buques. Quando Bingo finalmente saiu de fininho da árvore e observou a estrada nas duas direções, não havia nada para ser visto.

"Que coisa mais peculiar!", disse ele, voltando até onde estavam os outros. "Eu acho que é melhor nós esperarmos aqui dentro um pouco."

Ficou quase escuro dentro do tronco da árvore. "Eu realmente acho que vamos ter de ir em frente agora", disse Bingo. "Andamos muito pouco hoje, e não vamos chegar à Terra-dos-Buques amanhã à noite nesse ritmo."

O crepúsculo os envolveu quando se esgueiraram para fora. Não havia nenhum som de coisas vivas, nem mesmo um canto de pássaro na floresta. O vento Oeste silvava nos galhos. Foram para a estrada e examinaram os dois sentidos dela de novo.

"É melhor a gente arriscar a estrada", observou Odo. "O chão é irregular demais fora dela, especialmente com pouca luz. Provavelmente a gente está fazendo muito barulho por nada. É muito possível que seja só um forasteiro errante que se perdeu; e, se ele nos encontrasse, simplesmente perguntaria o caminho para a Terra-dos-Buques ou para a Ponte do Brandevin e continuaria cavalgando."

"Espero que você esteja certo", ponderou Bingo. "Mas, de qualquer maneira, não dá para fazer outra coisa a não ser seguir pela estrada principal. Por sorte, ela serpenteia bastante."

"E se ele nos parar e perguntar se sabemos onde o Sr. Bolger-Bolseiro mora?", indagou Frodo.

"É só dar a resposta verdadeira: *Em lugar nenhum*", disse Bingo. "Avante!"

Agora estavam entrando na Ponta do Bosque, e a estrada começou a descer, suave mas constantemente, indo para o sudeste em direção às terras baixas do Rio Brandevin. Uma estrela surgiu no Leste que escurecia. Caminhavam lado a lado, com o mesmo ritmo de passadas, e seu ânimo melhorou; a sensação desconfortável desapareceu, e eles não ficavam mais tentando ouvir o som de cascos. Depois de uma ou duas milhas, começaram a cantarolar baixinho, como é do feitio dos hobbits quando o crepúsculo fica cerrado e as estrelas saem. No caso da maioria dos hobbits, é uma melodia de ir para a cama ou de cear; mas aqueles hobbits cantarolavam uma melodia de caminhada (mas não, é claro, sem mencionarem a cama ou a ceia). Bilbo Bolseiro escrevera a letra (a música era tão antiga quanto as colinas) e a ensinara a Bingo quando andavam nas alamedas do Vale-do-Água e conversavam sobre Aventuras.

Há fogo rubro na lareira,
E um leito sob a cumeeira;
Mas inda correm nossos pés,
Na curva achamos, de través,
Pedra fincada ou tronco estranho

Que só nós vimos desde antanho.
Bosque e flor, folha e capim,
Passem sim! Passem sim!
Morro e água a rolar,
Deixe estar! Deixe estar!

Virando a esquina espera quieto
Nova estrada, portão secreto,
E, se ao vê-los, vamos adiante,
Não esquecemos um instante,
Buscando a trilha oculta e nua
Que vai pro Sol ou para a Lua.
Noz, maçã, abrunho, espinho,
A caminho! A caminho!
Lago, vale, pedra e areia,
Vamos, eia! Vamos, eia!

O lar pra trás, o mundo à frente,
E muitas trilhas para a gente
Por sombra pela noite bela,
Até que raie cada estrela.
O mundo atrás, à frente o lar,
À casa e ao fogo já tornar!
Névoa, nuvem, sombra, escuro
Esconjuro! E esconjuro!
Fogo e luz, e carne e pão,
À cama então! À cama então![12,C]

A canção terminou. "À cama *agora*! À cama *agora*!", cantou Odo com voz forte. "Quieto!", disse Frodo. "Acho que estou ouvindo cascos outra vez."

Pararam de repente e se mantiveram silenciosos como sombras de árvores, escutando. Ouviu-se um som de cascos na estrada um pouco mais atrás, porém chegando devagar e nítido na quietude do anoitecer. Rápidos e em silêncio, deslizaram para fora da estrada e correram para a sombra mais profunda sob os carvalhos.

"Não vamos longe demais!", ordenou Bingo. "Não quero ser visto, mas quero ver o que for possível desta vez."

"Muito bem!", assentiu Odo; "mas não se esqueça das fungadas!"

Os cascos se aproximaram. Os hobbits não tiveram tempo de encontrar nenhum esconderijo[13] melhor do que a escuridão geral embaixo das árvores; assim, Odo e Frodo se deitaram atrás de um grande tronco de árvore, enquanto Bingo deslizava o dedo para dentro do anel e avançava alguns passos em direção à estrada. Esta aparecia cinza e pálida, uma linha de luz esmaecida através do bosque. Acima dela, numerosas estrelas agora estavam saindo no lusco-fusco do céu, mas não havia lua.

O som de cascos parou. Enquanto Bingo observava, viu algo escuro passar pelo espaço mais claro entre duas árvores e depois estacar. Parecia a sombra negra de um cavalo conduzido por uma sombra negra menor. Essa segunda sombra negra parou perto do ponto onde haviam deixado a estrada e balançou de um lado para o outro. Bingo pensou ouvir o som de fungadas. A sombra se inclinou para o chão e depois começou a engatinhar na direção dele.

Nesse momento ouviu-se um som como canção e riso mesclados. Vozes claras e belas iam e vinham no ar estrelado. A sombra negra levantou-se e recuou.[14] Montou no cavalo obscuro e pareceu sumir do lado oposto da estrada, na treva da outra beira. Bingo voltou a respirar.

"Elfos!", disse Frodo em um sussurro empolgado atrás dele. "Elfos! Que maravilhoso! Sempre quis ouvir elfos cantando sob as estrelas; mas não sabia que alguns deles viviam no Condado."

"Ah, sim!", concordou Bingo. "O velho Bilbo sabia que havia alguns lá na Ponta do Bosque. É que eles não moram aqui de verdade; mas muitas vezes cruzam o rio na primavera e no outono. Estou muito contente que o façam!"

"Por quê?", perguntou Odo.

"Você não viu, é claro", respondeu Bingo; "mas aquele cavaleiro negro (ou outro do mesmo tipo) parou bem aqui e estava mesmo engatinhando na nossa direção quando a música começou. Assim que ouviu as vozes, ele escapuliu."

"Ele ficou farejando?", perguntou Odo.

"Ficou", disse Bingo. "É um negócio misterioso, desconfortavelmente misterioso."

"Vamos achar os elfos, se pudermos", sugeriu Frodo.

"Ouça! Estão vindo para cá", disse Bingo. "Só precisamos esperar ao lado da estrada."

O canto se aproximou. Uma voz clara se erguia acima das outras. Parecia estar cantando na língua secreta dos elfos, de que

Bingo só conhecia pouca coisa, e os outros, nada, mas o som das palavras, mesclando-se à melodia, parecia se transformar em palavras no próprio pensamento dos hobbits ouvintes, palavras que eles só entendiam em parte. Frodo e Bingo, mais tarde, concordaram que a canção era mais ou menos assim:

Neve-alva! Neve-alva! Clara Dama!
Rainha além do Mar do Oeste!
Ó Luz dos que vamos sob a rama
Das árvores do mundo agreste!

Gilthoniel! Ó Elbereth!
De olhos puros e hálito frio és!
Neve-alva! Neve-alva! O canto vós
De uma terra do Oceano empós!

Ó astros que na Era Obscura
Ela plantou com mão luzente,
Em campos ao vento, clara e pura,
Vossa prata-flor vemos nascente!

Ó Elbereth! Gilthoniel!
Lembramos, a vagar ao léu,
Em terra longe de selva agreste,
Tua luz d'estrelas no Mar do Oeste.[15,D]

Os hobbits ficaram sentados na sombra junto à estrada. Logo depois os Elfos vieram descendo a estrada rumo ao vale. Passaram devagar, e os hobbits podiam ver a luz das estrelas rebrilhando em seus cabelos e seus olhos.[16] Não traziam lanternas, porém, ao caminharem, um tremeluzir, como a luz da lua acima da beira das colinas antes que ela nasça, parecia cair em torno de seus pés. Tinham parado de cantar e, quando o último elfo passou, ele se virou, olhou na direção dos hobbits e riu.

"Salve, Bingo!", disse. "Estás fora de casa tarde – ou quiçá estás perdido?" Então deu um grito na língua-dos-elfos, e toda a companhia parou e se reuniu em volta dos hobbits.

"Ora! Não é maravilhoso?", diziam. "Três hobbits numa floresta à noite! Qual é o significado disto? Não víamos nada semelhante desde que nosso caro Bilbo foi embora."

"O significado disto, meus bons Elfos", respondeu Bingo, "é que simplesmente parece que estamos indo na mesma direção que vós. Fui criado por Bilbo e por isso gosto de caminhar, até mesmo sob as estrelas. E posso aturar Elfos, por falta de outra companhia!"

"Mas não temos necessidade nenhuma de outra companhia, e os hobbits são tão enfadonhos", riram-se eles. "Vinde agora, contai-nos tudo a esse respeito! Vemos que estais deveras inchados de segredos que nos agradaria ouvir. Embora alguns deles já saibamos, é claro, e outros podemos adivinhar. Nossos parabéns por ontem – já ouvimos tudo a esse respeito, é claro, do povo de Valfenda."[17]

"Então quem sois, e quem é vosso senhor?", perguntou Bingo.

"Eu sou Gildor", respondeu o Elfo que o saudara. "Gildor Inglorion da casa de Finrod. Somos exilados, uma das poucas companhias que ainda permanecem a leste do Mar, pois nossa gente voltou para o Oeste há muito tempo. Somos Elfos-sábios, e os elfos de Valfenda são de nossa parentela."[18]

"Ó Povo Sábio!", disse Frodo, "contai-nos sobre o Cavaleiro Negro!"

"O Cavaleiro Negro!", exclamaram eles em voz baixa. "Por que perguntas sobre o Cavaleiro Negro?"

"Porque três Cavaleiros Negros nos ultrapassaram hoje, ou um deles fez isso três vezes",[19] explicou Bingo; "e só alguns momentos atrás um deles escapuliu quando vos aproximastes."

Os Elfos não responderam de imediato, mas conversaram entre si sem erguer a voz na língua-élfica. Por fim, Gildor se virou para os hobbits: "Não falaremos mais disso aqui", sentenciou. "Achamos melhor que venhais conosco. Como sabeis, não é nosso costume; mas, como um favor a Bilbo, vamos levar-vos por nosso caminho, e haveis de hospedar-vos conosco esta noite, se desejardes."

"Agradeço-te deveras, Gildor Inglorion", disse Bingo com uma mesura. "Ó Belo Povo! Esta é uma boa sorte acima da minha maior esperança", acrescentou Frodo. Odo também se curvou, mas não disse nada em voz alta. "Até que demos sorte?", sussurrou ele para Bingo. "Imagino que conseguiremos uma boa cama e boa ceia, não é?"

"Poderás estimar tua sorte pela manhã", observou Gildor, como se tivessem falado com ele. "Faremos o que pudermos, embora tenhamos ouvido dizer que hobbits são difíceis de satisfazer."

"Mil perdões", gaguejou Odo. Bingo riu: "Você precisa ter cuidado com os ouvidos élficos, Odo!". "Já sabemos da nossa sorte", disse então aos Elfos; "e acho que descobrireis que somos muito fáceis de agradar (para o padrão dos hobbits)." Acrescentou então, na língua-dos-elfos, uma saudação que Bilbo lhe havia ensinado: "As estrelas brilham sobre a hora de nosso encontro".

"Acautelai-vos, amigos!", gritou Gildor, rindo. "Não digais segredos! Eis aqui um estudioso do latim-élfico.[20] Bilbo, de fato, foi um bom mestre! Salve!, amigo-dos-elfos", disse ele, inclinando--se diante de Bingo, "agora vinde e juntai-vos à nossa companhia![21] Melhor será que caminheis no meio, para não vos desviardes. Podereis estar exaustos antes que paremos."

"Por quê? Aonde ides?", perguntou Bingo.

"Para os bosques perto da Vila-do-Bosque no vale. Ainda faltam algumas milhas; mas isso abreviará vossa jornada para a Terra-dos--Buques amanhã."

Seguiram marchando em silêncio e iam passando feito sombras e luzes débeis; pois tanto os elfos quanto os hobbits conseguiam andar, quando desejavam, sem barulho algum. Não cantaram mais canções. Odo começou a se sentir sonolento e tropeçou uma ou duas vezes; mas, em ambos os casos, um elfo alto ao seu lado estendeu o braço e o salvou de cair.

As matas de ambos os lados ficaram mais densas; as árvores eram mais jovens e mais frondosas, e, à medida que a estrada descia, apareciam muitos aglomerados de aveleiras. Por fim, viraram à direita da estrada: um caminho verde se estendia ali, quase invisível no meio dos arbustos. Seguiram esse caminho até que, de repente, chegaram a um amplo espaço coberto de relva, cinzento naquela hora da noite. A mata o circundava de três lados; mas, no leste, o terreno descia, íngreme, e as copas das árvores escuras, crescendo na depressão lá embaixo, estavam na altura dos pés deles. Depois dessas árvores, as terras baixas se estendiam, escuras e planas, sob as estrelas. Mais perto, havia um cintilar de luzes: a aldeia de Vila-do-Bosque.

Os elfos se sentaram na grama e pareceram não prestar mais atenção nos hobbits. Conversavam entre si com vozes suaves. Os hobbits se enrolaram em capas e cobertores, e a sonolência foi tomando conta deles. A noite avançou, e as luzes do vale se apagaram. Odo pegou no sono, aninhado num montículo liso.

Da névoa, ao longe no leste, uma pálida luz dourada foi subindo. A lua amarela nasceu; saltando rapidamente das sombras e depois escalando o céu, redonda e lenta. Todos os elfos irromperam em canção. De repente, sob as árvores de um lado, uma fogueira surgiu com luz vermelha.

"Vinde!", disseram os elfos aos hobbits. "Vinde! É hora de conversação e divertimento."

Odo se sentou e esfregou os olhos. Teve um calafrio. "Vem, pequeno Odo!", disse um elfo. "Há uma fogueira no salão, e um pouco de comida para hóspedes famintos."

No lado sul do gramado verde, a floresta estava mais perto. Ali havia um espaço com chão verde, mas totalmente sombreado por grandes árvores. Seus troncos corriam feito pilastras de ambos os lados, e seus galhos entrelaçados formavam um teto acima deles. No meio ardia uma fogueira; nas laterais das pilastras arbóreas queimavam com constância tochas de luzes douradas e prateadas, sem fumaça. Os Elfos estavam sentados ao redor do fogo, na grama ou nos anéis serrados de troncos velhos. Alguns iam e vinham levando taças e servindo bebida; outros traziam comida em bandejas e pratos repletos dela, colocando-os na relva.

"É alimento modesto", disseram aos hobbits; "pois estamos alojados na floresta verde, longe de nossos paços. Se chegardes a vos hospedar em nossa casa tratar-vos-emos melhor.

"Parece-me bom o bastante para uma festa de aniversário", elogiou Bingo.

Na verdade, foi Odo quem comeu menos, no fim das contas. A bebida em sua taça parecia doce e fragrante; ele a esvaziou e sentiu que todo cansaço ia embora, e ainda assim o sono lhe sobreveio suavemente. Já estava meio envolvido em sonhos calorosos enquanto comia; e, mais tarde, não conseguiu se lembrar de nada além do sabor do pão – aliás, um pão que era semelhante ao melhor pão-hobbit jamais assado (e isso era Pão com P maiúsculo), comido depois de um longo jejum – só que esse pão era ainda melhor. Frodo, mais tarde, recordou pouco a respeito da comida e da bebida, pois sua mente estava repleta da luz sob as árvores, dos rostos-élficos, do som de vozes tão variadas e tão belas que ele se sentia num sonho acordado. Mas se lembrava de tomar uma bebida que tinha o calor de uma tarde dourada de outono e o frescor de uma fonte límpida; e se lembrava também do sabor das frutas, doces como bagas selvagens, mais ricas que as frutas cultivadas nos jardins-hobbits (e essas aí são frutas com F maiúsculo).

Bingo se sentou e comeu e bebeu e conversou, e se lembrava simplesmente de ter experimentado um pouco de todas as comidas das quais mais gostava; mas sua cabeça estava concentrada principalmente na conversa. Sabia algo da língua-dos-elfos e escutava com avidez. Vez por outra, falava com aqueles que o serviam e agradecia na língua deles. Sorriam para ele e diziam, rindo: "Eis aqui uma joia entre os hobbits!"[22]

Depois de algum tempo, Odo e Frodo caíram num sono profundo e foram erguidos e levados para alcovas debaixo das árvores; foram postos ali em leitos macios e dormiram a noite inteira. Mas Bingo continuou conversando com Gildor, o líder dos Elfos.[23]

"Por que escolheste este momento para partir", perguntou Gildor.

"Bem, na verdade o momento escolheu a si mesmo", respondeu Bingo. "Eu tinha gastado todo o meu tesouro. Ele sempre tinha me impedido de empreender a Jornada que metade do meu coração desejava seguir, desde que Bilbo tinha ido embora; mas agora o tesouro se foi. Então eu disse à minha metade caseira: 'Não há nada que prenda você aqui. A Jornada *pode* lhe trazer mais algum tesouro, como aconteceu com o velho Bilbo; e, de qualquer modo, na estrada você vai ser capaz de viver mais facilmente sem nenhum dinheiro. É claro que, se quiser ficar na Vila-dos-Hobbits e ganhar a vida como jardineiro ou carpinteiro, também pode fazer isso'. A metade caseira se rendeu: não queria fazer as cadeiras ou plantar as batatas de outras pessoas. Era a minha metade molenga e gorducha. Acho que a Jornada vai fazer bem a ela. Mas é claro que a outra metade não está realmente procurando tesouro, mas sim Aventura – melhor mais tarde, e não tão cedo. Neste momento ela também é molenga e gorducha e acha que caminhar pelo Condado é mais do que suficiente."

"Sim!", riu Gildor. "Ainda *aparentas* ser só um hobbit comum!"

"Ouso dizer que sim", concordou Bingo. "Mas meu aniversário, anteontem,[24] já parece ter acontecido faz muito tempo. Ainda assim, um hobbit é o que sou, e um hobbit é o que sempre hei de ser."

"Falei só do que *aparentas* ser", respondeu o Elfo. "Tu me pareces ser, por dentro, um hobbit peculiaríssimo, diria tão peculiar quanto Bilbo; e creio que coisas estranhas acontecerão contigo e com teus amigos. Quem sai à procura de Aventuras em geral acha tantas aventuras quanto é capaz de enfrentar. E amiúde ocorre que, quando pensa que elas estão à frente, elas lhe sobrevêm inesperadamente de trás."

"É o que parece", concordou Bingo. "Mas não as esperava pela frente ou por trás tão cedo – não dentro do nosso próprio Condado."

"Mas o Condado não é só vosso, nem o será para sempre", ponderou Gildor. "O Vasto Mundo está em todo vosso redor. Podeis vos cercar do lado de dentro, mas não tendes meios de deixá-lo cercado do lado de fora."

"De todo modo, é algo perturbador", insistiu Bingo. "Quero chegar a Valfenda, se puder – embora tenha ouvido falar que a estrada não ficou mais fácil nos últimos anos. Podes me dizer algo que me guie ou me ajude?"

"Não creio a estrada parecer-te-á dura demais. Mas, se estás pensando naquele que chamas de Cavaleiro Negro, isso é outra matéria. Já me contaste todas as tuas razões para ir embora em segredo? Gandalf não te contou nada?"

"Ele não me deu nem uma só pista, pelo menos nenhuma que eu entendesse. Eu o vi pouco depois que Bilbo foi embora, duas vezes por ano no máximo. E o vi na primavera passada, quando apareceu inesperadamente, certa noite; e contei a ele sobre o plano que eu estava começando a fazer para a Jornada. Pareceu gostar e me disse para não deixar a viagem para depois do outono. Veio de novo para me ajudar com a Festa, mas então estávamos ocupados demais para conversar muito, e ele partiu com os anãos e os elfos de Valfenda assim que os fogos de artifício terminaram. Chegou a mencionar que eu poderia encontrá-lo de novo em Valfenda e sugeriu que eu fosse para lá primeiro."

"Não deixar para depois do outono!", exclamou Gildor. "É curioso. Mesmo assim, pode ser que ele não soubesse que eles estavam no Condado; contudo, Gandalf sabe mais sobre eles do que nós. Se ele não te contou mais nada, não me sinto inclinado a fazê-lo, por medo de que fiques apavorado quanto à Jornada. Porque creio que está claro que a tua Jornada não começou nem de longe cedo demais; pelo que parece ser uma boa sorte estranha, partiste na hora exata. Deves continuar e não dar meia-volta, embora já tenhas encontrado aventura, e perigo, muito antes do que esperavas. Deves seguir rapidamente; mas deves ter cuidado e olhar não só para a frente, mas também para trás, e mesmo, quiçá, para ambos os lados também."

"Quisera que falasses de modo mais claro", lamentou Bingo. "Mas estou feliz que me digas que devo continuar; pois isso é o que quero fazer. A única coisa é que agora me pergunto bastante se deveria levar Odo e Frodo comigo. O plano original era só o de uma Jornada, uma espécie de férias prolongadas (e talvez permanentes) da Vila-dos-Hobbits, e estou certo de que não esperava nenhuma outra aventura, durante muito tempo, além de ficar molhado e com fome. Não tínhamos ideia de que seríamos *perseguidos*."

"Ora, vamos! Eles deviam saber que quem pretende sair vagando do Condado rumo ao Vasto Mundo tem de estar preparado para qualquer coisa. Não me parece que faça tanta diferença que *alguma coisa* tenha acontecido um tanto cedo. Eles não estão dispostos a continuar?"

"Sim, é o que dizem."

"Então que continuem![25] Têm sorte de ser teus companheiros; e tens sorte de estarem contigo. São uma grande proteção para ti."

"O que queres dizer?"

"Creio que os Cavaleiros não sabem que estão contigo, e a presença deles confundiu a trilha de cheiro e os atrapalhou."

"Valha-me! É tudo muito misterioso. É como responder adivinhas. Mas sempre ouvi dizer que conversar com os Elfos é assim."

"Assim é", riu Gildor. "E os Elfos raramente dão conselhos; mas, quando o fazem, o conselho é bom. Aconselhei-te a ir para Valfenda com celeridade e cuidado. Nada mais que eu pudesse te contar faria com que esse conselho ficasse melhor.[26] Temos nossos próprios assuntos e nossos próprios pesares, e esses têm pouco a ver com os caminhos dos hobbits ou de outras criaturas. Nossas trilhas pouco cruzam tais caminhos, e mormente por acidente. Em nosso encontro há talvez algo mais do que acidente, porém não tenho certeza de que eu deveria interferir. Mas acrescentarei outro pequeno conselho: se um Cavaleiro te achar ou falar contigo, não respondas e não digas teu nome. Além disso, não uses de novo o anel para escapar dele. Não sei ao certo,[27] mas imagino que o uso do anel ajuda a eles mais do que a ti."

"Cada vez mais misterioso!", exclamou Bingo. "Não consigo imaginar que informação poderia me apavorar mais do que tuas alusões; mas suponho que saibas mais do que eu."

"De fato sei", concordou Gildor, "e não direi mais nada."

"Pois muito bem!", respondeu Bingo. "Agora me sinto todo atarantado; mas sou muito grato a ti."

"Sê de bom ânimo!", exortou Gildor. "Dorme agora! Pela manhã teremos partido; mas enviaremos nossas mensagens por toda a terra. As Companhias errantes hão de saber de ti e de tua Jornada. Nomeio-te amigo-dos-elfos e desejo teu bem. Raramente temos tal deleite com estranhos; e é prazenteiro ouvir palavras de nossa própria língua nos lábios de outros viandantes no Mundo."

Bingo sentiu que o sono o acometia enquanto Gildor terminava sua fala. "Vou dormir agora", disse. Gildor o conduziu para uma alcova ao lado de Odo e Frodo e ele se jogou num leito, e mergulhou de imediato num sono sem sonhos.

NOTAS

1 Para corrigir o texto datilografado nessa fase, meu pai usava tinta preta. Foi uma escolha afortunada porque, do contrário, a reconstrução histórica da criação do texto dificilmente seria possível: em uma fase posterior do trabalho, ele voltou a esse texto e o cobriu de correções em tinta azul e vermelha, giz azul e lápis. Em um dos casos, no entanto, um acréscimo feito com tinta preta pertence comprovadamente à fase posterior. É possível, portanto, que algumas das emendas que adotei no texto na verdade sejam posteriores; mas nenhuma me parece corresponder a essa categoria e, em todo caso, todas as mudanças com alguma importância narrativa são detalhadas nas notas a seguir.

2 O significado desse título não está claro. A frase "Três não é demais e quatro mais ainda", entretanto, é usada por Marmaduque Brandebuque durante a conversa na Terra-dos-Buques, na qual ele afirma que certamente vai ser um dos membros do grupo durante a jornada (pp. 131–2). É concebível, portanto, que meu pai tenha dado esse título ao segundo capítulo original porque acreditava que ele se estenderia até a chegada na Terra-dos-Buques. Posteriormente, ele riscou as palavras "e Quatro Mais Ainda", mas não é possível dizer quando isso foi feito.

3 Na segunda redação da abertura do capítulo, que havia chegado praticamente à forma do texto datilografado nessa passagem, o cruzamento da Estrada Leste foi omitido, e a omissão permanece aqui (ver pp. 64–5).

4 No texto de rascunho, o poema *A Estrada segue sempre avante* é inserido aqui (ver p. 65).

5 Fosco Bolger, tio de Bingo: ver pp. 53–4.

6 Em SA (p. 132), o poema usa a primeira pessoa do singular nos versos 4 e 8, mas de resto é idêntico; no livro publicado originalmente, no entanto, os versos são um eco do momento em que Bilbo os cantarola no Capítulo 1 (SA, p. 83). Para a forma mais antiga, ver a p. 65; ver ainda a p. 308, nota 18.

7 *Homens de Valle*: ver as pp. 31, 43–4.

8 A próxima parte da narrativa, de *"Mas eu vi", disse Frodo* até o final da canção *Há fogo rubro na lareira* (pp. 76–7), foi datilografada de novo para substituir

duas páginas do original escrito a máquina, e uma alteração e expansão substanciais da história foram introduzidas (ver notas 9 e 11).

[9] Essa primeira parte da seção redatilografada (ver nota 8) não foi muito alterada em relação à forma anterior. Na primeira versão, Frodo descreve seu encontro com um Cavaleiro Negro "lá nos Pântanos do Norte" na primavera anterior usando quase exatamente as mesmas palavras; mas a resposta de Bingo é um pouco diferente:

> "Isso torna tudo ainda mais esquisito", disse Bingo. "Estou feliz porque me deu na telha não ser visto na estrada. Mas, de alguma forma, não acredito que nenhum desses cavaleiros fosse alguém do Povo Grande, não de um tipo semelhante ao dos Homens--de-Valle, quero dizer. Fico me perguntando: o que será que eles eram? Gostaria muito que Gandalf estivesse aqui. Mas, claro, ele foi embora imediatamente depois dos fogos de artifício com os elfos e anãos, e vai demorar um tempão antes que o vejamos de novo."
>
> "Vamos continuar agora ou ficar aqui e comer alguma coisa?", perguntou Odo...

Nas versões posteriores de *Uma Festa Muito Esperada,* não há referência a Gandalf após os fogos de artifício (ver pp. 44, 53; 84).

[10] *Ali a estrada fazia uma curva para o sul*: no mapa do Condado em SA, a estrada não faz uma curva para o sul "ao final do trecho reto"; ela se curva para a esquerda, ou para o norte, enquanto uma estrada lateral segue para Vila-do--Bosque. Mas nessa fase havia apenas uma estrada, e, no local onde os hobbits encontraram os elfos, ela ia descendo constantemente, "indo para o sudeste em direção às terras baixas do Rio Brandevin" (p. 76). Certamente por descuido, a presente passagem foi preservada com poucas mudanças na edição original de SA (p. 136–7):

> O sol se pusera vermelho nas colinas atrás deles, e a tardinha chegou antes que retornassem à estrada no final do longo trecho plano que ela percorrera reta. Naquele ponto ela dobrava um pouco para o sul e começava a serpentear de novo, conforme entrava numa floresta de velhos carvalhos.

Foi só na segunda edição de 1966 que meu pai alterou o texto para que ele casasse com o mapa:

> Naquele ponto ela dobrava *à esquerda* e descia para a planície da Baixada, rumando para Tronco; mas *uma alameda saía para a direita*, serpenteando por uma floresta de velhos carvalhos a caminho da Vila-do-Bosque. "Esse é o caminho para nós", comentou Frodo.
>
> Não muito longe *da confluência das estradas*, eles deram com o enorme vulto de uma árvore...

Esse também é o motivo da mudança, na segunda edição, de "estrada" para "alameda" (e também "trilha", "caminho") em quase todas as muitas ocorrências subsequentes em SA, p. 136–42: era na "alameda" para Vila-do-Bosque que eles estavam, e não na "estrada" para Tronco.

[11] A passagem inteira depois de "Perto da estrada, toparam com o enorme vulto de uma árvore envelhecida" é uma expansão, no texto datilografado substituto (ver nota 8), de poucas frases da versão anterior:

> Dentro do enorme tronco oco de uma árvore envelhecida, rachada e cheia de tocos, mas ainda viva e com folhas, eles descansaram e fizeram uma refeição. O crepúsculo os envolveu quando saíram e se preparam para prosseguir de novo. "Vou arriscar a estrada agora", disse Bingo, que tinha batido os dedos do pé várias vezes em raízes ocultas e pedras na grama. "Provavelmente estamos fazendo muito barulho por nada."

Embora a descrição ampliada da árvore oca tenha sido preservada em SA (p. 137), a segunda passagem de um Cavaleiro Negro não foi, e a árvore, mais uma vez, não tem nenhuma importância além de ser o cenário da refeição dos hobbits. No terceiro capítulo, Bingo, conversando com Marmaduque na Terra-dos-Buques, refere-se a essa situação do Cavaleiro que eles ouviram enquanto estavam sentados dentro da árvore (p. 131); ver também a nota 19 abaixo.

[12] A versão da canção no texto datilografado rejeitado (ver a nota 8) tem a segunda e a terceira estrofes com a seguinte forma:

O lar pra trás, o mundo à frente,
E muitas trilhas para a gente;
E virando a esquina espera quieto
Nova estrada, portão secreto,
E busca a trilha oculta e nua
Que vai pro Sol ou para a Lua.
Noz, maçã etc.

Acima e abaixo a estrada vai
Da aurora até o dia que cai,
Por sombra pela noite bela,
Até que raie cada estrela; etc.[E]

[13] Nos esboços iniciais dessa passagem, Bingo propõe que eles guardem suas cargas no oco de um velho carvalho rachado e depois subam na árvore, mas isso foi rejeitado assim que o texto foi escrito. Sem dúvida foi aí que o motivo da "árvore oca" apareceu pela primeira vez.

[14] No esboço original, meu pai escreveu primeiro aqui o seguinte: "De repente se ouviu um som de risos e um ranger de rodas na estrada. A sombra se levantou e recuou". Esse trecho logo foi substituído, sem que o ranger das rodas fosse explicado; mas isso sugere que ele tinha em mente uma intervenção diferente da dos Elfos.

[15] Essa foi outra porção que acabou sendo datilografada de novo. A passagem imediatamente anterior à canção dos Elfos era diferente em sua forma inicial:

Parecia ser um canto na língua secreta dos elfos, e, contudo, conforme escutavam os sons, ou os sons e a melodia somados, eles pareciam se transformar em palavras estranhas no próprio pensamento deles, as quais eles só entendiam em parte. Frodo, mais tarde, disse que pensou ter escutado palavras semelhantes a estas:

A canção também continha certas diferenças, incluindo uma segunda estrofe que foi rejeitada.

Ó Elbereth! Ó Elbereth!
Ó Rainha além do Mar do Oeste!
Luz pro viandante és
Nas árvores do mundo agreste!

Ó Astros que na Era Obscura
Ela inflamou com mão d'argento,
Noite de Medo que ela abjura
E faz fugir co' olhar atento!

Ó Elbereth! Gilthonieth!
De olhos puros e hálito frio és! etc.[F]

Na última estrofe, a forma é *Gilthoniel*. Esboços muito extensos também foram preservados, nos quais o primeiro verso da canção também aparece como *Ó Elberil! Ó Elberil!* (e o terceiro é *Ó Luz dos que vagam a fio*); com base nesses esboços também é possível elucidar o significado da expressão *Era Obscura*, já que meu pai escreveu, de início, *Era das Floradas* (uma referência às Duas Árvores; ver o *Quenta Silmarillion*, parágrafo 19, V.251). Parece que foi aqui que o nome *Elbereth* foi aplicado pela primeira vez a Varda, tendo designado anteriormente um dos filhos de Dior, Herdeiro de Thingol: ver V.423.

16 No rascunho original foi acrescentada nesse ponto a afirmação de que os Elfos "estavam coroados com folhas vermelhas e amarelas"; a frase foi rejeitada, sem dúvida, porque estava escuro e eles não carregavam lanternas.

17 Em um ponto anterior do capítulo (p. 71), o texto datilografado dizia "um dia ainda mais bonito e mais quente do que no dia anterior (o do aniversário de Bingo, que já parecia ter sido um bocado de tempo antes)." Claro que foi na noite do dia seguinte à festa de aniversário que Bingo e seus companheiros partiram, e meu pai, dando-se conta disso, simplesmente trocou "anterior" por "dia do aniversário" e retirou os parênteses, conforme o texto impresso. Aqui, no entanto, ele esqueceu de alterar a palavra "ontem" (ver também a nota 24). Esses deslizes são estranhos, mas não parecem ter nenhum significado especial.

Posteriormente, fica claro como esses elfos poderiam ter ficado sabendo de "tudo a esse respeito do povo de Valfenda", pois Bingo conta a Gildor (p. 84) que Gandalf "partiu com os anãos *e os elfos de Valfenda* assim que os fogos de artifício terminaram". O encontro entre eles é, de fato, mencionado mais tarde (p. 129).

[18] O texto datilografado prossegue direto de *ouvimos tudo a esse respeito, é claro, do povo de Valfenda* até *"Ó Povo Sábio", disse Frodo,* e a passagem que começa *"Então quem sois, e quem é vosso senhor?", perguntou Bingo* é um acréscimo. No texto datilografado, quando foi posto no papel, o líder dos Elfos não é citado por nome até mais perto do fim do capítulo, trecho no qual, depois de os hobbits terem comido, "Bingo continuou conversando com Gildor, o líder dos Elfos" (p. 83); todas as referências a *Gildor* antes disso são correções feitas à tinta.

[19] No texto datilografado original, Bingo dizia: "Porque hoje vimos dois Cavaleiros Negros, ou um deles duas vezes". O texto alterado acompanha a história do Cavaleiro que parou um instante ao lado da árvore oca (ver a nota 11).

[20] Sobre o "latim-élfico" (*Qenya*), ver o *Lhammas*, parágrafo 4, V.203.

[21] Essa passagem é uma alteração do texto quando foi datilografado, o qual dizia:

> ... somos muito fáceis de agradar (para o padrão dos hobbits). De minha parte, posso apenas dizer que o prazer de encontrar-vos já fez deste um dia de gloriosa Aventura."
>
> "Bilbo foi um bom mestre", disse o Elfo, curvando-se. "Vinde, pois, juntai-vos à nossa companhia e seguiremos. Melhor será que caminheis no meio..."

[22] Essa frase substituiu a seguinte:

> "Acautelai-vos, amigos", disse um deles, rindo. "Não digais segredos! Aqui está um estudioso do latim-élfico e de todos os dialetos. Bilbo foi de fato um bom mestre."

Ver a nota 21 e a passagem alterada a que ela se refere.

[23] Essa é a primeira ocorrência do nome *Gildor* no texto datilografado original; ver a nota 18.

[24] No lugar de *meu aniversário, anteontem,* o texto original trazia *ontem*; ver a nota 17.

[25] A conversa entre Bingo e Gildor até este ponto, que começa com *Podeis vos cercar do lado de dentro, mas não tendes meios de deixá-lo cercado do lado de fora* (p. 84), é a última das páginas datilografadas que substituíram as originais. As diferenças em relação à forma anterior são, de fato, muito leves, exceto nos seguintes pontos. Bingo não afirma que Gandalf lhe dissera para não adiar a viagem para depois do outono, mas simplesmente "Ele me ajudou e pareceu achar que era uma boa ideia"; e a resposta de Gildor, portanto, começa de um jeito diferente: "É curioso. Pode ser que ele não soubesse que eles estavam no Condado; porém, Gandalf sabe mais sobre eles do que nós". E Bingo diz que Odo e Frodo "sabem apenas que estou fazendo uma Jornada – uma espécie de férias prolongadas (e possivelmente permanentes) da Vila-dos-Hobbits; e que estou indo para Valfenda, de início".

[26] Frase riscada do texto datilografado aqui: "e poderia te impedir de segui-lo".

[27] Frase riscada do texto datilografado aqui: "(pois essa matéria não se inclui nas preocupações de Elfos tais como nós)".

❧

É característico que, embora as *dramatis personae* não sejam as mesmas, e a história ainda não possua nada da dimensão, da seriedade e da sensação de um vasto perigo transmitida pelo segundo capítulo de *A Sociedade do Anel*, boa parte de "Três não é Demais" já existia; pois, uma vez iniciada a jornada, não apenas a estrutura da narrativa final mas também muitos dos detalhes já estão presentes, embora incontáveis modificações de expressão estivessem por vir, e em várias passagens substanciais o capítulo mudou pouquíssimo mais tarde.

Enquanto "Bingo" é diretamente equiparável com o futuro personagem "Frodo", as outras relações entre os hobbits são mais complexas. É verdade que, comparando o texto, tal como ele era nesse estágio, com a forma final em SA, pode-se dizer simplesmente que "Odo" se tornou "Pippin", enquanto Frodo Tûk desapareceu: das falas individuais nesse capítulo que foram mantidas em SA, quase todas as observações feitas por Odo foram posteriormente atribuídas a Pippin. Mas a maneira como isso aconteceu foi, na verdade, estranhamente tortuosa, e não se deu de forma alguma como simples substituição de um nome por outro (ver também as pp. 399–400). Frodo Tûk é visto como alguém menos limitado e mais perceptivo do que Odo, mais suscetível à beleza e alteridade dos elfos; é ele quem declama *A Estrada segue sempre avante*, e é a ele que a recordação da letra da canção em honra a Elbereth é atribuída de início (nota 15). Pode-se dizer que alguns elementos dele foram preservados em Sam Gamgi (o qual, claro, confere um ar novo e inteiramente distinto à forma mais desenvolvida do capítulo); foi Frodo Tûk que, com a respiração suspensa, sussurrou *Elfos!* quando as vozes deles foram ouvidas pela primeira vez descendo a estrada.

O mais notável é o fato de que, quando a história do início do Jornada, da chegada dos Cavaleiros Negros e do encontro com Gildor e sua companhia foi escrita – e escrita de tal modo que seu conteúdo, no essencial, não seria alterado depois –, Bingo não tem a menor ideia do que os Cavaleiros querem com ele. Gandalf não lhe disse nada. Ele não tem razão nenhuma para associar os Cavaleiros com seu anel, e nenhuma razão para considerá-lo como algo mais do que um dispositivo mágico altamente conveniente – ele o põe no dedo toda vez que um Cavaleiro passa, naturalmente.

É claro que o fato de Bingo ignorar totalmente a natureza da ameaça que o persegue, ficando completamente perplexo em relação aos ginetes negros, não implica que meu pai também ignorava tudo isso. Há várias sugestões de que novas ideias tinham surgido em segundo plano, não explicitamente transmitidas na narrativa, mas deliberadamente reduzidas às sombrias alusões de perigo nas palavras de Gildor (esse fato será exposto mais claramente no início do próximo capítulo). Pode ser que tenha sido a transformação "não premeditada" do cavaleiro camuflado e todo encoberto que os alcançou na estrada – de Gandalf para um "cavaleiro negro" (pp. 66–7) –, combinada à ideia já presente de que o anel de Bilbo tinha origem sombria e propriedades estranhas (pp. 58–60), a responsável pelo impulso ligado às novas concepções.

Com base na reescrita inicial da conversa entre Gildor e Bingo (ver p. 85 e nota 25), surge a ideia de que Gandalf havia alertado Bingo a não atrasar sua partida para depois do outono (embora, aparentemente, sem lhe dar qualquer razão para o aviso), e, em ambas as formas do texto, Gildor evidentemente sabe algo sobre os Cavaleiros, diz "pelo que parece ser uma boa sorte estranha, partiste na hora exata", e os associa ao Anel. Ele alerta Bingo contra a intenção de usá-lo novamente para escapar deles e sugere que o uso do objeto "ajuda a eles mais do que a ti". (O Anel não tinha sido mencionado nessa conversa, mas podemos supor que Bingo tinha dito a Gildor anteriormente que ele o usara quando os Cavaleiros apareceram).

As ideias acerca dos Cavaleiros e do Anel sem dúvida estavam evoluindo conforme meu pai escrevia. Acho muito possível que, quando ele descreveu pela primeira vez as paradas dos ginetes negros ao lado dos hobbits escondidos, imaginava que eles eram atraídos apenas pelo cheiro (ver a p. 97); e não está claro, em todo caso, de que maneira o uso do Anel "ajuda a eles mais do que a ti". Como eu disse, é profundamente característico que essas cenas tenham emergido de imediato na forma clara e memorável que nunca foi alterada, mas que seu impacto e significância tenham sido enormemente aumentados. O "evento" (poder-se-ia dizer) foi fixado, mas seu significado estava sujeito a uma extensão indefinida; e isso é confirmado, várias e várias vezes, como uma marca primordial da escrita de meu pai. Em SA, desde o capítulo anterior, *A Sombra do Passado*, temos alguma noção de qual era o outro sentimento que contrariava o desejo de Frodo de se esconder, do porquê de Gandalf tê-lo proibido tão urgentemente de usar o Anel, e de por que ele sentia o impulso irresistível de colocá-lo no dedo;

e, quando continuamos a ler, sabemos o que teria acontecido se Frodo tivesse cedido. As cenas aqui, em comparação, são vazias, mas são as mesmas cenas. Até comentários rápidos como "Não sei e não quero adivinhar", frase dita por Bingo (p. 74) – naquele contexto, uma mera expressão de dúvida e desconforto, mesmo se com uma sugestão de que Gandalf devia ter dito *algo*, ou, antes, que meu pai estava começando a achar que Gandalf devia ter dito algo – sobreviveram e assumiram uma significância muito mais ameaçadora em SA (p. 136), em que temos uma ideia muito boa do que Frodo escolheu não adivinhar.

A história de Frodo Tûk sobre seu encontro com um Cavaleiro nos pântanos do Norte do Condado na primavera anterior é a antecessora da recordação repentina de Sam de que um Cavaleiro tinha ido até a Vila-dos-Hobbits e conversado com o Feitor Gamgi na véspera da partida do grupo; mas parece estranho que o começo da caçada ao "Bolseiro" acontecesse tanto tempo antes (ver as pp. 96–7 e a nota 4).

A exclusão das palavras de Gildor, "pois essa matéria não se inclui nas preocupações de Elfos tais como nós", é um detalhe interessante. De início, creio eu, meu pai imaginava que o grupo de Gildor era formado por "Elfos-escuros"; mas depois decidiu que eles (e também os Elfos de Valfenda) de fato eram "Altos Elfos do Oeste" e fez um acréscimo às palavras de Gildor a Bingo na p. 80 (ver a nota 18): eles eram "Elfos-sábios" (Noldor ou Gnomos), "uma das poucas companhias que ainda permanecem a leste do Mar", e ele próprio era Gildor Inglorion da casa de Finrod. Quanto a essas palavras de Gildor, cf. o *Quenta Silmarillion*, parágrafo 28, em V.398:

> Porém, nem todos os Eldalië estavam dispostos a abandonar as Terras de Cá, onde longamente sofreram e habitaram; e alguns se demoraram por muitas eras no Oeste e no Norte ... Mas sempre, conforme as eras passavam e o Povo-dos-Elfos se esvanecia na terra, ainda içavam vela ao anoitecer das costas do oeste deste mundo, como ainda fazem, quando agora se demoram poucas em qualquer lugar de suas companhias solitárias.

Nessa época, Finrod era o nome do terceiro filho de Finwë (primeiro Senhor dos Noldor). Esse nome foi alterado posteriormente para Finarfin, quando Inglor Felagund, filho dele, passou a ter o nome de Finrod (ver I.60–1), mas meu pai não alterou a expressão "da casa de Finrod" aqui (SA, p. 141) para "da casa de Finarfin" na segunda edição de *O Senhor dos Anéis*. Ver também a p. 235 (fim da nota 9).

A geografia do Condado agora estava assumindo uma forma mais substancial. Neste capítulo surge(m) o(s) Pântano(s) do Norte; a Terra das Colinas Verdes ao sul da Vila-dos-Hobbits; o Lago de Beirágua (descrito, em rascunhos rudimentares da passagem, como um "laguinho"); a Estrada Leste que vai até a Ponte do Brandevin, onde o Água se junta ao Brandevin; a estrada que saía dela na direção ao sul e levava em linha reta até a Terra-dos--Buques; e a aldeola de Vila-do-Bosque, na Ponta do Bosque.

3

De Gollum e o Anel

Já sugeri antes que, nesse estágio da escrita, meu pai sabia muito mais sobre os Cavaleiros e o Anel do que Bingo sabia, ou do que ele permitiu que Gildor contasse; e evidências disso estão presentes no rascunho manuscrito citado nas pp. 66–7. Esse texto começa, de qualquer forma, como um esboço de parte da conversa entre Bingo e Gildor, mas a conversa nele passa a abordar assuntos que meu pai retirou da versão datilografada (pp. 83–6). Na verdade, Gildor ainda não tinha recebido esse nome e, de fato, foi aparentemente nesse texto que ele apareceu como indivíduo: a princípio, a conversa é entre Bingo e "eles", um plural indiferenciado.

A passagem começa com uma frase aparentemente desconexa: "Já que ele não contou a seus companheiros o que descobriu, acho que não vos contarei". (Será que isso se refere ao que Bingo descobriu falando com os Elfos?) Depois, o texto prossegue da seguinte maneira:

"Claro", disseram eles, "sabemos que estás em busca de Aventura; mas muitas vezes acontece que, quando pensas que ela está à frente, ela surge inesperadamente por trás. Por que escolheste este momento para partir?"

"Bem, o momento era realmente inevitável, como sabeis", respondeu Bingo. "Eu tinha chegado ao fim do meu tesouro. E, vagando, pensei que *pudesse* achar mais algum tesouro, como fez o velho Bilbo, e que pelo menos seria capaz de viver mais facilmente sem nenhum. Também achei que poderia ser bom para mim. Estava ficando bastante molenga e gorducho."

"Sim", riram-se os Elfos, "*aparentas* ser só um hobbit comum".

"Mas, embora eu consiga fazer algumas coisas – como carpintaria e jardinagem –, eu não me sentia lá muito inclinado a fazer as cadeiras de outras pessoas, ou plantar as verduras delas, para sobreviver. Suponho que um pequeno toque da maldição-do-dragão tenha me afetado. Tenho uma preguiça-de-ouro."

"Então Gandalf não te contou nada? Não estavas realmente escapando."

"O que quereis dizer? Escapar do quê?"

"Bem, esse cavaleiro negro", responderam.

"Não consigo entendê-los de jeito nenhum."

"Então Gandalf não te contou nada?"

"Não sobre eles. Ele advertiu Bilbo sobre o Anel muito tempo atrás, é claro.[1] 'Não o use demais!', costumava dizer. 'E use-o apenas para propósitos adequados. Quero dizer, não o use exceto para brincadeiras, ou para escapar de perigos e aborrecimentos – não o use para causar dano, ou para descobrir os segredos de outras pessoas, e, claro, nem para roubos ou coisas piores. Porque ele pode acabar controlando você.' Eu não entendia aquilo.

Pouco vi Gandalf depois que Bilbo foi embora. Mas, cerca de um ano atrás, ele apareceu certa noite, e contei a ele sobre o plano que estava começando a fazer para deixar Bolsão. 'E quanto ao Anel?', perguntou ele. 'Você está sendo cuidadoso? Seja muito cuidadoso: caso contrário, será dominado por ele.' Na verdade, quase nunca o usava – e não o usei novamente depois daquela conversa, até a minha festa de aniversário."

"Alguém mais sabe do anel?"

"Não tenho certeza; mas acho que não. Bilbo mantinha total segredo a respeito. Ele sempre me disse que eu era o único que sabia (no Condado).[2] Nunca contei a ninguém, exceto a Odo e Frodo, que são meus melhores amigos. Tentei ser para eles o que Bilbo foi para mim. Mas, mesmo para eles, nunca falei sobre o Anel até concordarem em vir comigo nesta Jornada alguns meses atrás. Não seriam capazes de contar a ninguém – embora muitas vezes conversemos a respeito entre nós. Bem, o que pensais disso tudo? Posso ver que estais repletos de segredos, mas não consigo adivinhar nenhum deles."

"Bem", disse o elfo. "Não sei muito a esse respeito. Deves encontrar Gandalf o mais rápido que puderes – Valfenda, creio eu, é o lugar para onde precisas ir. Mas minha crença é a de que o Senhor do Anel[3] está à procura de ti."

"Isso é bom ou ruim?"

"Ruim; mas quão ruim não posso dizer. Já é ruim o suficiente se ele quiser apenas o anel de volta (o que é improvável); pior, se ele quiser pagamento; muito ruim, deveras, se ele também quiser te capturar (o que é bastante provável). Imaginamos que, por fim, depois de muitos anos, ele deve ter descoberto que Bilbo o tinha. Daí estarem perguntando sobre um certo Bolseiro.[4] Mas, de alguma forma, a busca por esse Bolseiro fracassou, e então algo deve ter sido descoberto a teu respeito. Mas, por uma estranha sorte, deves ter dado a tua festa e desaparecido bem quando descobriram onde vivias. Tu os despistaste; mas agora eles estão seguindo as pistas de perto."

"Quem são eles?"

"Serviçais do Senhor do Anel – [?pessoas] que passaram através do Anel."

> Esse trecho está no final de uma folha, e a folha seguinte não continua o texto da anterior; mas, da maneira como foram encontradas entre os papéis de meu pai, elas foram postas juntas, e em ambas ele escreveu (mais tarde) "Sobre Espectros-do-Anel". A segunda passagem também faz parte de uma conversa, mas não há indicação de quem é a pessoa que está falando (seja lá quem for, obviamente está conversando com Bingo). O texto foi escrito muito rapidamente e é extremamente difícil de ler.

Sim, se o Anel sobrepuja você, você mesmo se torna permanentemente invisível – e é uma sensação horrenda e fria. Tudo se torna muito tênue, como imagens-fantasma cinzentas contra o pano de fundo negro no qual você vive; mas você consegue sentir cheiros com mais clareza do que ouve ou vê.[5] Entretanto, você não tem o poder que um Anel tem de tornar outras coisas invisíveis: passa a ser um espectro-de-anel. Consegue usar roupas. [> você é só um espectro-de-anel; e suas roupas ficam visíveis, a não ser que o Senhor lhe empreste um anel.] Mas você fica sob as ordens do Senhor dos Anéis.[6]

Imagino que um (ou mais) desses Espectros-do-Anel tenham sido enviados para tirar o anel das mãos dos hobbits.

Nos dias muito antigos, o Senhor-do-Anel fez muitos desses anéis: e os enviou pelo mundo para apanhar pessoas. Ele os enviou para todos os tipos de gente – os Elfos tinham muitos, e agora há muitos espectros-élficos no mundo, mas o Senhor-do-Anel não é capaz de regê-los; os gobelins receberam muitos, e os gobelins invisíveis são muito malignos e estão totalmente sob o controle do Senhor; os anãos eu não creio que tenham recebido algum; certas pessoas dizem que os anéis não funcionam com eles: são sólidos demais. Os homens receberam poucos, mas foram os sobrepujados mais rapidamente e ... Os espectros-dos-homens também são serviçais do Senhor. Outras criaturas os obtiveram. Você se lembra da história que Bilbo contou sobre Gollum?[7] Não sabemos onde Gollum se encaixa – certamente ele não é elfo nem gobelim; provavelmente não é um anão; na verdade, acreditamos que ele realmente pertence a uma antiga casta de hobbits. Porque o anel parece agir exatamente do mesmo jeito nele e em você. Muito tempo atrás, [?ele pertencia] ... a uma pequena família de gente sábia, de mãos hábeis e pés silenciosos. Mas desapareceu no subsolo e, embora usasse o anel com frequência, o Senhor evidentemente não conseguiu rastreá-lo. Até que Bilbo o trouxe à luz de novo.

É claro que o próprio Gollum pode ter ouvido notícias – todas as montanhas estavam repletas delas depois da batalha – e tentou reaver o anel, ou contou algo ao Senhor.

Nesse ponto, o texto do manuscrito termina. Aqui está um primeiro vislumbre de uma história pregressa de Gollum; uma sugestão de como começou a caçada ao Anel; e um primeiro esboço da ideia de que o Senhor Sombrio distribuiu Anéis entre os povos da Terra-média. Os Anéis conferiam invisibilidade e (pelo menos, isso fica implícito) tal invisibilidade estava associada ao destino dos portadores dos Anéis (ou pelo menos ao perigo que corriam): o de que eles se tornavam "espectros" e – no caso de gobelins e homens – serviçais do Senhor Sombrio.

Ora, em algum estágio muito inicial da narrativa, meu pai escreveu um capítulo, sem número ou título, no qual fez uso da passagem que acabei de apresentar; e esse é o primeiro rascunho (de uma parte) do que acabou se tornando o Capítulo 2, "A Sombra do Passado". Como notei, na segunda dessas duas passagens marcadas como "Sobre Espectros-do-Anel", não está claro quem está falando. Pode ser Gildor, pode ser Gandalf, ou (talvez mais provavelmente) nem um e nem outro, mas um personagem indeterminado; mas, de qualquer forma, acho que meu pai decidiu, ao escrever o rascunho do texto do segundo capítulo, que não retrataria Gildor discutindo esses assuntos com Bingo (como ele certamente faz na primeira dessas passagens sobre "Espectros-do-Anel", pp. 96–7), mas acabaria reservando-as para as instruções dadas por Gandalf, e que esse era o ponto de partida do capítulo que apresento agora, no qual, como eu já disse, ele fez uso da segunda passagem sobre os Espectros. Parece impossível saber se ele escreveu este texto imediatamente, antes de passar para o terceiro capítulo (número 4 deste livro); mas o fato de Marmaduque ser mencionado mostra que ele precedeu "Na Casa de Tom Bombadil", texto no qual "Meriadoc" e "Merry" aparecem pela primeira vez. Este, de qualquer forma, é um local conveniente para apresentar esse capítulo.

Posteriormente, meu pai se referiu a ele como um "prefácio" (ver p. 281), e é claro que foi escrito como um possível novo começo para o livro, no qual Gandalf conta a Bingo em Bolsão, não muito antes da Festa, algo sobre a história e natureza de seu Anel, sobre o perigo que corre e a necessidade de ele deixar sua casa. O texto foi escrito muito rapidamente e é difícil de ler. Eu inseri a pontuação onde necessário e, ocasionalmente, acrescentei palavras conectivas que fossem necessárias sem indicá-las. Há muitas alterações e acréscimos a lápis que são aqui ignorados, pois correspondem a antecipações de uma versão posterior do capítulo; mas mudanças associadas ao momento original da escrita são adotadas no texto. Não há título.

Um dia, muito tempo atrás, duas pessoas estavam sentadas conversando em um cômodo pequeno. Uma delas era um mago e o outro era um hobbit, e o cômodo era a sala de estar da confortável e bem mobiliada toca de hobbit conhecida como Bolsão, Sotomonte, nos arredores da Vila-dos-Hobbits, no meio do Condado. O mago era, claro, Gandalf, e ele parecia o mesmo de sempre, embora mais de noventa anos[8] tivessem passado desde a última vez que ele aparecera em qualquer história que seja agora lembrada. O hobbit era Bingo Bolger-Bolseiro, sobrinho (ou, na verdade, primo de primeiro grau com uma geração de diferença) do velho Bilbo Bolseiro e seu herdeiro adotivo. Bilbo desaparecera silenciosamente muitos anos antes, mas não tinha sido esquecido na Vila-dos-Hobbits.

Bingo, claro, estava sempre pensando nele; e, quando Gandalf o visitava, a conversa deles geralmente acabava tratando de Bilbo. Gandalf não ia à Vila-dos-Hobbits havia algum tempo: desde que Bilbo desaparecera, suas visitas tinham se tornado mais raras e mais sigilosas. O povo da Vila-dos-Hobbits, de fato, não tinha visto ou, pelo menos, notado o mago durante muitos anos: ele costumava chegar sem alarde à porta de Bolsão no crepúsculo e entrar sem bater, e só Bingo (e um ou dois de seus amigos mais próximos) sabiam que ele tinha passado pelo Condado. Naquela noite ele se esgueirara para dentro do seu jeito de sempre, e Bingo ficou mais feliz do que o normal em vê-lo. Pois estava preocupado e queria explicações e conselho.[9] Naquele momento, estavam falando de Bilbo e de seu desaparecimento, e em particular do Anel (o qual ele tinha deixado para trás, com Bingo) – e de certos estranhos sinais e portentos de problemas fermentando depois de um longo tempo de paz e quietude.[10]

"É tudo muito peculiar – e extremamente perturbador e, na verdade, aterrorizante", comentou Bingo. Gandalf estava sentado numa cadeira alta, fumando, e Bingo, perto dos pés dele, estava aboletado numa banqueta, esquentando as mãos ao lado num pequeno fogo, como se estivesse sentindo frio, embora, na verdade, fosse até uma noite quente para a época do ano [*escrito em cima*: no fim de agosto].[11] Gandalf grunhiu – o som podia ter significado "Concordo bastante, mas não há o que fazer", ou então, possivelmente, "Que coisa boba de se dizer". Fez-se um longo silêncio. "Há quanto tempo você sabe de tudo isso?", perguntou Bingo, por fim; "e alguma vez você conversou com Bilbo sobre o assunto?"

"Eu inferi boa parte disso imediatamente", respondeu Gandalf lentamente, como se vasculhasse a própria memória. Para ele, os dias da jornada, do Dragão e da Batalha dos Cinco Exércitos já começavam a parecer distantes – num passado quase legendário. Talvez até ele, por fim, estivesse sentindo um pouco a idade; e, de qualquer modo, muitas aventuras sombrias e peculiares tinham acontecido com ele desde então. "Eu inferi muita coisa", disse ele, "mas logo descobri mais, pois, como Bilbo talvez tenha lhe contado, fui até a terra do Necromante".[12] Por um momento, a voz do mago passou a ser um sussurro. "Mas eu sabia que estava tudo bem com Bilbo", prosseguiu ele. "Bilbo estava seguro, pois esse tipo de poder não tinha poder sobre ele – ou assim pensei, e estava correto, de certa maneira (ainda que não de todo correto). Fiquei de olho nele e no anel, é claro, mas talvez não tenha sido cuidadoso o suficiente."

"Estou certo de que você fez o seu melhor", disse Bingo, com a intenção de consolá-lo. "Ó mais caro e melhor amigo de nossa casa, que sua barba nunca cresça menos! Mas deve ter sido um golpe e tanto quando Bilbo desapareceu."

"De modo nenhum", respondeu Gandalf, voltando de repente ao seu tom habitual. Ele despejou um grande jato de fumaça, fazendo um *puf* indignado, e a fumaça se enrolou em volta de sua cabeça feito uma nuvem ao redor de uma montanha. "Aquilo não me deixou preocupado. Bilbo está ótimo. É você e todos esses outros hobbits queridos, tontos, encantadores, idiotas e incorrigíveis que me atormentam! Seria um golpe mortal se o poder sombrio sobrepujasse o Condado, e todos esses alegres, gulosos e estúpidos Bolgers, Bolseiros, Brandebuques, Corneteiros, Pé-Soberbos e não sei o que mais virassem Espectros."

Bingo estremeceu. "Mas por que isso aconteceria?", perguntou ele; "e por que o Senhor ia querer tais serviçais, e o que tudo isso tem a ver comigo e com o Anel?"

"Ele é o único Anel que restou", explicou Gandalf. "E os hobbits são o único povo do qual o Senhor ainda não dominou ninguém.

Nos[13] dias antigos, o mestre sombrio fez muitos Anéis, e os distribuiu fartamente, para que pudessem se espalhar pelo mundo e apanhar as gentes. Os elfos receberam muitos, e agora há muitos espectros-élficos no mundo; os gobelins receberam alguns, e seus espectros são muito malignos e estão totalmente sob o controle do Senhor. Os anãos, dizem, receberam sete anéis, mas nada era capaz de torná-los invisíveis. Neles, era algo que apenas estimulava as chamas do fogo da cobiça, e a fundação de cada um dos sete tesouros dos Anãos de outrora era um anel dourado. Dessa maneira, o mestre os controlava. Mas esses tesouros foram destruídos, e os dragões os devoraram, e os anéis foram derretidos, ou assim dizem alguns.[14] Os Homens receberam três anéis, e outros eles encontraram em lugares secretos, lançados fora pelos espectros-élficos: os espectros-dos-homens são serviçais do Senhor e levaram todos os seus anéis de volta para ele; até que, por fim, todos os que não tinham sido destruídos por fogo ele reunira de novo em suas mãos – todos exceto um.

Esse anel caiu da mão de um elfo conforme ele atravessava um rio a nado; e o traiu, pois ele estava fugindo de seus perseguidores nas guerras antigas, e se tornou visível para seus inimigos, e os gobelins o mataram.[15] Mas um peixe engoliu o anel e foi tomado de loucura, e nadou rio acima, saltando por cima de pedras e subindo quedas d'água, até que se lançou num barranco e cuspiu o anel, e morreu.

Muito tempo atrás, vivia no barranco daquele riacho uma pequena família de gente sábia, de mãos hábeis e pés silenciosos.[16] Imagino que eles fossem da estirpe dos hobbits, ou aparentados aos pais dos pais dos hobbits. O mais inquisitivo e de mente mais curiosa daquela família se chamava Dígol. Interessava-se por raízes e começos; mergulhava em lagos profundos, escavava debaixo de árvores e plantas crescentes; fazia túneis em morros verdes; e parou de erguer os olhos para as flores acima dele, para os topos das colinas ou para os pássaros que estão no ar superior: sua cabeça e seus olhos se voltavam para baixo. Encontrou o anel na lama do barranco do rio, debaixo das raízes de um espinheiro; e o pôs no dedo; e, quando retornou para casa, ninguém de sua família o via quando usava o anel. Sua descoberta o agradou e ele escondeu o anel, e o usou para descobrir segredos, e empregou esse conhecimento de modos maliciosos, e seus olhos e seus ouvidos se aguçaram para tudo que fosse desagradável. Não admira que ele se tornasse muito impopular e fosse evitado (quando visível) por todos os seus parentes. Chutavam-no e ele lhes mordia os pés. Começou a murmurar para si mesmo e gorgolejar na garganta. Então eles o chamaram de Gollum, amaldiçoaram-no e o mandaram ir para bem longe. Gollum vagou solitário riacho acima, pegando peixes com os dedos em lagoas profundas e comendo-os crus. Certo dia, fazia muito calor e, ao se inclinar numa lagoa sentiu queimar o topo da cabeça, e uma luz cegante vinda da água lhe doeu nos olhos. Admirou-se com isso, pois quase se esquecera do Sol. Então, pela última vez, ergueu os olhos e sacudiu o punho para ele; mas quando baixou os olhos novamente, viu bem à frente os topos das Montanhas Nevoentas. E pensou de repente: "Deve estar fresco e sombreado debaixo dessas montanhas. O sol nunca poderia me encontrar lá. E as raízes daqueles picos devem ser raízes verdadeiras; ali deve haver grandes segredos enterrados que não foram descobertos desde o princípio." Então viajou à noite em direção às montanhas e encontrou um buraco de onde saía um riacho; e insinuou-se como uma larva no coração dos morros e desapareceu de qualquer conhecimento. E o anel foi para as sombras com ele, e até o Mestre o perdeu de vista. Mas, sempre que ele contava seus anéis, além dos sete que os anãos tinham e perderam, também faltava mais um."

"Gollum!", disse Bingo. "Você quer dizer aquele Gollum que Bilbo conheceu? Essa é a história dele? Que coisa mais horrível e triste. Odeio pensar que ele estava ligado aos hobbits, por mais distantes que essa ligação seja.

"Mas isso, decerto, ficou claro pelo próprio relato de Bilbo", observou Gandalf. "É a única coisa que explica os eventos – ou os explica parcialmente. Havia muito no fundo das mentes e lembranças dos dois que era muito semelhante – na verdade, eles se entendiam (se você parar para pensar) melhor do que os hobbits jamais entenderam os anãos, elfos ou gobelins."

"Ainda assim, Gollum deve ter sido, ou deve ser, muito mais velho do que o hobbit mais velho que já viveu em campo ou na toca", disse Bingo.

"Isso foi efeito do Anel", ressaltou Gandalf. "É claro que aquilo que o Anel oferece é um tipo lamentável de vida longa, uma espécie de vida esticada, em vez de um crescimento contínuo – como se a pessoa fosse afinando e afinando. Assustadoramente cansativo, Bingo – de fato, no fim das contas, um tormento. Mesmo Gollum, por fim, veio a sentir isso – sentiu que não podia suportar mais e entendeu vagamente a causa desse tormento. Havia até decidido se livrar dele. Mas estava demasiado cheio de malícia. Se você quer saber, acredito que ele tinha começado a fazer um plano que ele não tinha mais coragem de colocar em prática. Não havia nada novo para descobrir; nada sobrara exceto a escuridão, nada a fazer além de comer alimento frio e recordar remorsos. Ele queria se esgueirar para fora e deixar as montanhas, e sentir o cheiro do ar aberto, mesmo se aquilo o matasse – como ele achava que provavelmente mataria. Mas isso significaria deixar o Anel. E não é algo fácil de fazer. Quanto mais tempo você fica com um, mais difícil é abandoná-lo. Era especialmente difícil para Gollum, pois ele ficara com um Anel durante eras, o anel lhe fazia mal e ele o odiava, e, quando não aguentasse mais ficar com ele, queria entregá-lo a outra pessoa para quem o anel passaria a ser um fardo – [?atar-se] como uma bênção e se transformar numa maldição.[17] Essa é, de fato, a melhor maneira de se livrar do poder dele."

"Por que não dá-lo para os gobelins, então?", perguntou Bingo.

"Não acho que Gollum teria achado isso suficientemente divertido", explicou Gandalf. "Os gobelins já são tão bestiais e desgraçados que isso seria desperdiçar malícia com eles. Também teria sido difícil escapar dos rastreadores se houvesse um gobelim invisível para enfrentar. Mas suponho que ele poderia ter colocado o anel no caminho deles, no fim das contas (se ele tivesse reunido coragem suficiente para fazer qualquer coisa); se não fosse pela chegada inesperada de Bilbo. Você se lembra de como ele ficou surpreso. Mas, assim que as adivinhas começaram, um plano se formou na cabeça dele – ou meio que se formou. Arrisco dizer que seus antigos maus hábitos teriam levado a melhor sobre suas resoluções, e ele teria devorado Bilbo caso isso fosse fácil. Mas havia a espada, como você se lembra. No fundo, imagino, ele nunca esperou seriamente que teria alguma chance de devorar Bilbo.

"Mas ele nunca deu o anel a Bilbo", observou Bingo. "Bilbo já estava com ele!"

"Eu sei", disse Gandalf. "E é por isso que eu disse que a ancestralidade de Gollum explicava apenas parcialmente os eventos. Havia, é claro, algo muito mais misterioso por trás da coisa toda – algo muito além do próprio Senhor dos Anéis, típico de Bilbo e de sua grande Aventura. Uma sina esquisita pairava sobre esses anéis, e especialmente sobre [?esse]. De vez em quando eles se perdiam e iam parar em lugares estranhos. Esse aí já tinha escapado de seu dono traiçoeiramente uma vez antes. Tinha escapulido de Gollum também. É por isso que deixei Bilbo ficar com o anel por tanto tempo.[18] Mas, no momento, estou tentando explicar Gollum."

"Entendo", disse Bingo, com ar de dúvida. "Mas você sabe o que aconteceu depois?"

"Não muito claramente", respondeu Gandalf. "Ouvi algumas coisas e consigo inferir outras. Acho que é certo que Gollum ficou sabendo, no fim das contas, que Bilbo, de alguma forma, tinha ficado com o Anel. Ele pode muito bem ter inferido isso logo. Mas, de qualquer forma, as notícias sobre os eventos posteriores se espalharam por todas as Terras-selváticas e muito além delas, para o Leste, o Oeste, o Sul e o Norte. As montanhas estavam cheias de sussurros e boatos; e isso daria a Gollum muito o que pensar.[19] De qualquer modo, dizem que Gollum deixou as montanhas – porque os gobelins tinham se tornado muito raros lá, e os lugares profundos, mais escuros e solitários do que nunca, e o poder do anel o deixara. Ele provavelmente estava se sentindo velho, muito velho, porém menos tímido. Mas não acho que tenha se tornado menos perverso. Não há notícias sobre o que aconteceu com ele depois. Claro que é bastante provável que o vento e a mera sombra da luz do sol o tenham matado bem rápido. Mas é possível que isso não tenha acontecido. Ele era matreiro. Poderia se esconder da luz do dia ou do luar até que, devagar, ficasse mais acostumado com essas coisas. De fato, uma possibilidade horrível que me veio à cabeça é que ele tenha se esgueirado aos pouquinhos até a torre sombria, até o Necromante, o Senhor dos Anéis. Acho que Gollum muito provavelmente é o princípio do nosso atual problema: e que, por meio dele, o Senhor descobriu onde procurar o último, mais precioso e potente de seus Anéis."

"Que pena que Bilbo não apunhalou aquela criatura bestial quando disse adeus", disse Bingo ....

"Quanta bobagem você diz às vezes, Bingo", advertiu Gandalf. "Pena! Foi a pena que o impediu. E ele não poderia fazer isso sem fazer o mal. Era contra as regras. Se o fizesse, não tomaria posse do anel, mas o anel é que tomaria posse dele de imediato. Poderia ter se transformado num espectro ali mesmo."

"É claro, é claro", concordou Bingo. "Que coisa dizer isso de Bilbo. Velho e querido Bilbo! Mas por que *ele* ficou com essa coisa, ou por que você deixou que ele ficasse com ela? Você não o alertou?"

"Sim", respondeu Gandalf. "Mas até mesmo sobre Bilbo o anel tinha *algum* poder. O sentimento .... Ele gostava de guardá-lo como lembrança. Sejamos francos – ele continua a ter orgulho de sua Grande Aventura, e dar uma olhada no anel de vez em quando aquecia suas lembranças e fazia com que ele se sentisse pelo menos um tantinho heroico. Mas ele mal conseguiria evitar, de qualquer jeito: se você pensar por um instante, na verdade não é muito fácil se livrar de um Anel depois que você o obtém."

"Por que não?", perguntou Bingo, depois de pensar um instante. "Você pode dá-lo embora, jogá-lo fora ou destruí-lo."

"Sim", disse Gandalf – "ou você pode entregá-lo: para o Mestre. Isso se quiser servi-lo, cair em poder dele e aumentar grandemente seu poder."

"Mas ninguém desejaria isso", exclamou Bingo, horrorizado.

"Ninguém que você consiga imaginar, talvez", respondeu o mago. "Certamente não Bilbo. É isso que dificultou as coisas para ele. Bilbo não ousava jogar o anel fora para que não caísse em mãos malignas, fosse mal usado e acabasse voltando ao Mestre depois de operar muitos males. Não queria dá-lo para gente ruim pela mesma razão; e não queria dá-lo para gente boa ou para pessoas que ele conhecia e em quem confiava porque não desejava dar esse fardo a elas, não antes que fosse obrigado a isso. E não era capaz de destruí-lo."

"Por que não?"

"Bem, como você o destruiria? Já *tentou* alguma vez?"

"Não; mas suponho que poderia ser martelado, ou derretido, ou os dois."

"Tente", disse Gandalf, "e descobrirá o que Bilbo descobriu muito tempo atrás."

Bingo tirou o Anel de um bolso interno e olhou para ele. Era simples e liso, sem marcação, emblema ou runa; mas era de ouro, e, enquanto o observava, parecia-lhe que sua cor era rica e linda, e sua curvatura, perfeita. Era muito admirável e de todo precioso. Tinha pensado em jogá-lo nas brasas quentes do fogo. Descobriu que não conseguia fazer isso sem esforço. Sopesou o Anel na mão e depois, com um esforço de vontade, fez um movimento como o de alguém que o joga no fogo; mas se deu conta de que o tinha colocado de volta no bolso.

Gandalf riu. "Está vendo? Você sempre o considerou um grande tesouro e uma herança de Bilbo. Agora, não é capaz de se livrar dele facilmente. Ainda que, na verdade, mesmo que o levasse para uma bigorna e reunisse força de vontade suficiente para golpeá-lo com um martelo pesado, não faria um só arranhão nele. É claro que o seu foguinho de lenha, mesmo que você o atiçasse a noite toda com um fole, dificilmente derreteria ouro. Mas o velho Adam Corneteiro, o ferreiro que mora aqui perto, não seria capaz de derretê-lo em sua fornalha. Dizem que apenas o fogo de dragão consegue derreter esses anéis – mas me pergunto se isso não é uma lenda, ou, de qualquer modo, se ainda restam dragões nos quais o antigo fogo é quente o bastante. Imagino que você teria de encontrar uma das Fendas da Terra nas profundezas da Montanha de Fogo e jogar o anel no Fogo Secreto, se realmente quisesse destruí-lo."[20]

"Depois de toda a sua conversa", disse Bingo, meio solene e meio fingindo aborrecimento, "eu realmente quero destruí-lo. Não consigo imaginar como Bilbo aguentou isso por tanto tempo, se é que ele sabia de tanta coisa – mas o fato é que ele o usava algumas vezes e fazia piadas a respeito comigo."

"A única coisa a fazer com tais tesouros perigosos que a Aventura lhe concedeu é encará-los de maneira leve", disse Gandalf. "Bilbo nunca usou o anel para nenhum propósito sério depois que voltou. Ele sabia que era uma matéria demasiado séria. E eu creio que ele educou você bem – depois de tê-lo escolhido como seu herdeiro em meio a todos os hobbits de sua parentela."

Fez-se um longo silêncio mais uma vez, enquanto Gandalf baforava seu cachimbo em aparente contentamento, embora, debaixo das pálpebras, seus olhos estivessem observando Bingo fixamente. Bingo fitava as brasas vermelhas, que começavam a brilhar conforme a luz se enfraquecia e a sala escurecia devagar. Estava pensando nas afamadas Fendas da Terra e no terror da Montanha de Fogo.

"E então?", disse Gandalf, por fim. "No que está pensando? Está fazendo algum plano ou teve alguma ideia?"

"Não", disse Bingo, voltando a si e descobrindo, para sua surpresa, que estava no escuro. "Ou quem sabe sim! Até onde consigo ver, tenho de deixar a Vila-dos-Hobbits, deixar o Condado, deixar tudo e ir embora, e atrair o perigo atrás de mim. Devo salvar o Condado de algum modo, embora tenha havido momentos nos quais pensei que era um lugar estúpido e obtuso demais para qualquer coisa, e imaginasse que uma grande explosão ou uma invasão de dragões faria bem a ele! Mas não me sinto assim agora. Sinto que, contanto que o Condado fique para trás, seguro e confortável, hei de achar a vida errante e as aventuras suportáveis. Hei de achar que há algum apoio para meus pés em algum lugar, ainda que eu mesmo não possa mais pisar ali. Mas suponho que eu tenha de ir sozinho. Sinto-me bastante minúsculo, sabe, e extremamente sem raízes e, bem, assustado, suponho. Ajude-me, Gandalf, melhor dos amigos."

"Anime-se, Bingo, meu rapaz", respondeu o mago, jogando duas pequenas achas de lenha no fogo e atiçando-o com seu sopro. Imediatamente a madeira se inflamou e encheu a sala com luz dançante. "Não, não creio que você precise ou deva ir sozinho. Por que não pedir aos seus três melhores amigos, implorar a eles, ordenar a eles (se preciso for) – quero dizer os três, os únicos três para quem você (talvez indiscretamente, mas talvez por uma escolha sábia) já contou sobre o seu Anel secreto: Odo, Frodo e

Marmaduque [*escrito em cima*: Meriadoc]. Mas você precisa partir rápido – e fazer disso uma brincadeira, Bingo, uma brincadeira, uma imensa brincadeira, uma piada estrondosa. Não seja choroso e sério. Brincadeiras são mais a sua especialidade. É disso que Bilbo gostava em você (entre outras coisas), se quiser saber."

"E para onde havemos de ir, e como havemos de nos guiar, e qual há de ser nossa demanda?", disse Bingo, sem traço de sorriso ou sinal de piada. "Quando a imensa brincadeira estiver concluída, o que farei?"

"No momento, não tenho ideia", admitiu Gandalf, bastante sério, para surpresa e desânimo de Bingo. "Mas vai ser exatamente o oposto da aventura de Bilbo – no começo, de qualquer modo. Você vai partir para uma jornada sem nenhum destino conhecido; e, no que diz respeito a seu objetivo, ele não será o de obter um novo tesouro, mas se livrar de um tesouro que pertence (poder-se-ia dizer) inevitavelmente a você. Mas não poderá nem principiar sem ir para o Leste, o Oeste, o Sul ou o Norte; e qual deles havemos de escolher? Rumo ao perigo, e ainda assim não de modo temerário demais, nem tão diretamente rumo a ele. Vá para o Leste. Sim, sim, já sei. Rume primeiro para Valfenda, e depois havemos de ver. Sim, havemos de ver então. De fato, já começo a saber o que fazer!" De repente, Gandalf começou a rir. Esfregou suas mãos compridas e encarquilhadas e estalou as juntas dos dedos. Inclinou-se para a frente, em direção a Bingo. "Pensei numa brincadeira", disse. "É só o esboço de um plano – você pode colocar seu lado cômico para trabalhar nele." E sua barba balançava para trás e para a frente enquanto sussurrava durante muito tempo no ouvido de Bingo. O fogo ardia baixo de novo – mas de repente, na escuridão, um som inesperado reboou. Bingo estava chacoalhando de tanto rir.

NOTAS

1. A intenção de meu pai decerto está bastante clara aqui. Bingo toca no assunto do Anel como se ele tivesse alguma relação com os Cavaleiros e, ao mesmo tempo, obviamente a intenção é que ele aparente ser bastante incapaz de até mesmo imaginar qual é a importância deles; e não há sugestão, nos esboços, de que o Anel tivesse sido mencionado antes desse ponto.

2. *(no Condado)*: meu pai primeiro escreveu "exceto Gandalf". As palavras "*(no Condado)*" provavelmente não querem dizer nada além disso, ou seja, ninguém

além de Bilbo e Bingo, e, fora do Condado, apenas Gandalf e qualquer outra pessoa com quem ele pudesse ter discutido o assunto.

[3] Essa é provavelmente a primeira vez que a expressão *O Senhor do Anel* foi usada; e *O Senhor dos Anéis* ocorre abaixo (nota 6). (Meu pai citou *O Senhor do Anel* como título da nova obra numa carta para a Allen and Unwin datada de 31 de agosto de 1938).

[4] *Daí estarem perguntando sobre um certo Bolseiro*: isso não é mencionado nos esboços manuscritos, mas ver a versão datilografada, p. 74 e nota 9. A sentença seguinte, "Mas, de alguma forma, a busca por esse Bolseiro fracassou, e então algo deve ter sido descoberto a teu respeito", talvez explique a história de que Frodo Tûk encontrou um Cavaleiro Negro no Pântano do Norte muito cedo, na primavera anterior (ver a p. 93).

[5] De início, meu pai escreveu aqui que a vestimenta de alguém que se tornou permanentemente invisível dessa maneira também se tornava invisível, mas rejeitou essa afirmação assim que foi posta no papel.

[6] Essa parece ser a primeira aparição da expressão *O Senhor dos Anéis*; ver a nota 3.

[7] Depois dessa frase, meu pai escreveu: "Gollum eu acho é algum tipo de parente distante da laia dos gobelins". Uma vez que a frase seguinte já contradiz isso, a ideia obviamente foi rejeitada no momento da escrita; ele riscou o trecho mais tarde.

[8] *mais de noventa anos*: ver as pp. 44–7.

[9] Em nenhum ponto desse texto há outras menções à "preocupação" de Bingo; e o conselho que ele pede se baseia inteiramente no que Gandalf lhe conta a seguir e que, obviamente, corresponde a informações inteiramente novas para o hobbit. Também não há mais referências aos "estranhos sinais e portentos de problemas fermentando" citados na frase seguinte, nem qualquer explicação para o comentário de Gandalf (p. 105) de que "Gollum muito provavelmente é o princípio do *nosso atual problema*".

[10] Aqui termina a primeira página do manuscrito. No alto da segunda página, meu pai escreveu a lápis: "Gandalf e Bingo discutem Anéis e Gollum", e "Rascunho: Mais tarde, usado no Capítulo 2", e ele numerou as páginas (antes não numeradas) usando letras gregas, começando a partir desse ponto. Assim, a primeira página ficou de fora. Mas essas marcações a lápis claramente foram colocadas no papel muito depois e, na minha opinião, não deixam nenhuma dúvida em relação à validade da seção de abertura enquanto parte integral do texto. Talvez, em algum momento, ela tenha ficado separada do restante do manuscrito e se perdido; mas, quando os papéis foram achados, estava junto com as demais folhas.

[11] Rumores sobre a Festa – cuja realização foi decidida por Gandalf e Bingo no fim desse texto – começaram a circular no início de setembro (p. 43).

[12] Em *O Hobbit* (Capítulo 1), Gandalf conta a Thorin, em Bolsão, que encontrou o pai dele, Thrain, "nas masmorras do Necromante". No Conto dos Anos, em SdA, Apêndice B, essa segunda visita de Gandalf a Dol Guldur aconteceu

no ano de 2850, quatro décadas antes do nascimento de Bilbo; foi então que ele "descobriu que seu mestre era de fato Sauron" (cf. SA, p. 360). Mas aqui o significado é claramente o de que Gandalf foi até a terra do Necromante *depois* que Bilbo obteve o Anel. Mais tarde, meu pai alterou o texto a lápis, que ficou assim: "pois eu retornei mais uma vez para a terra do Necromante".

[13] Aqui o esboço anterior acerca dos Anéis foi usado: ver pp. 97–8.

[14] Ver SA, p. 104, e SdA, Apêndice A, p. 1531.

[15] Esse é o primeiro gérmen da história da morte de Isildur.

[16] Esse trecho também deriva do texto citado na nota 13.

[17] Essa frase, quando foi escrita inicialmente, terminava dizendo: "e ele queria entregar o anel para alguma outra pessoa". É a isso que a frase seguinte se refere.

[18] A passagem que principia com "Uma sina esquisita" foi um acréscimo, e "É por isso que deixei Bilbo ficar com o anel por tanto tempo" se refere à frase que termina com "… típico de Bilbo e de sua grande Aventura".

[19] Cf. a passagem do esboço apresentado na p. 98: "É claro que o próprio Gollum pode ter ouvido notícias – todas as montanhas estavam repletas delas depois da batalha – e tentou reaver o anel".

[20] É a primeira menção à Montanha de Fogo e às Fendas da Terra em suas profundezas.

Está claro que uma parte do ingrediente "Gollum" em "A Sombra do Passado" (Capítulo 2 em SA) alcançou em grande medida sua forma final logo no início, ainda que Dígol* (mais tarde, Déagol) seja o próprio Gollum, e não seu amigo a quem ele assassinou, embora Gandalf nunca o tivesse visto (e, portanto, não há nenhuma explicação sobre como o mago conhece essa história, a qual, por sua natureza, só poderia ser derivada das palavras do próprio Gollum), e embora fique apenas subentendido que ele, por fim, teve contato com o Senhor Sombrio.

É importante perceber que, quando meu pai escreveu esse texto, ele estava trabalhando dentro dos limites da história originalmente contada em *O Hobbit*. Quando *O Hobbit* foi publicado pela primeira vez, e até 1951, a história dizia que Gollum, encontrando Bilbo na beira do lago subterrâneo, propôs o jogo de adivinhação nestas condições: "Se o precioso perguntar e ele não responder, nós come ele, meu preciossso. Se ele perguntar e nós não responder,

* Em inglês antigo, *dígol, déagol* etc. significa "secreto, oculto"; cf. SdA, Apêndice F (p. 1610).

nós dá um presente pra ele, gollum!" Quando Bilbo venceu a disputa, Gollum cumpriu sua promessa e voltou de barco até a ilha no lago para achar seu tesouro, o anel que devia ser seu presente para Bilbo. Não conseguiu achá-lo, já que ele estava no bolso de Bilbo, e, voltando até o hobbit, pediu perdão muitas vezes: "Seguia dizendo: 'Nós ssente muito; nós não quis tapear, nós queria dar nosso único presente, se esse aí ganhar a competição'." "'Deixa pra lá', disse ele [Bilbo]. 'O anel seria meu agora, se você o tivesse encontrado; então você o teria perdido de todo jeito. E vou deixar você sair dessa com uma condição.' 'Ssim, o que é? O que esse aí quer que nós faça, meu precioso?' 'Me ajude a sair deste lugar', disse Bilbo". E foi o que Gollum fez; e Bilbo "disse adeus à criatura nojenta e miserável". Conforme foi subindo pelos túneis, Bilbo colocou o anel no dedo e Gollum de imediato não o achou mais, de maneira que Bilbo percebeu que o anel funcionava como Gollum lhe dissera – ele tornava as pessoas invisíveis.

É por isso que, no presente texto, Gandalf diz "Acho que é certo que Gollum ficou sabendo, no fim das contas, que Bilbo tinha ficado com o Anel"; e é por essa razão que meu pai faz Gandalf desenvolver uma teoria segundo a qual Gollum, na verdade, estava pronto a entregar o anel para alguém: "[ele] queria ... entregá-lo a outra pessoa ... suponho que ele poderia ter colocado o anel no caminho deles [dos gobelins], no fim das contas ... se não fosse pela chegada inesperada de Bilbo ... assim que as adivinhas começaram, um plano se formou na cabeça dele". Tudo isso foi cuidadosamente concebido em relação ao texto de *O Hobbit* na forma que tinha naquela época, com o objetivo de enfrentar uma dificuldade formidável: se o Anel era de natureza tal como a que meu pai agora o concebia, como Gollum *seria capaz* de pretender realmente dá-lo a um estranho que vencera um desafio de adivinhas? E o texto original d'*O Hobbit* não deixava dúvida nenhuma de que essa era, de fato, a intenção honesta dele. Mas é interessante observar que os comentários de Gandalf sobre a afinidade mental entre Gollum e Bilbo, os quais foram mantidos em SA (p. 108), surgiram originalmente nesse contexto, o de explicar como foi que Gollum ficou disposto a se separar de seu tesouro.

Com relação ao que é dito sobre os Anéis nesse texto, a ideia original (p. 97) de que os Elfos tinham muitos Anéis, e de que havia muitos "espectros-élficos" no mundo, ainda está presente, mas a frase "o Senhor-do-Anel não é capaz de regê-los" não está. Os Anãos, por outro lado, a respeito dos quais o rascunho inicial dizia que não tinham nenhum anel, agora têm sete, cada um dos quais sendo a fundação de um dos "sete tesouros dos Anãos", e sua reação típica ao poder corruptor dos Anéis aparece pela primeira vez (embora isso já estivesse prenunciado no primeiro rascunho sobre o assunto: "certas pessoas dizem que os anéis não funcionam com eles: são sólidos demais.") Os Homens, dos quais se dizia, a princípio, que tinham "poucos" anéis, agora passam a ter três – mas "outros eles encontraram em lugares secretos, lançados fora pelos espectros-élficos" (possibilitando assim a existência de mais de três Cavaleiros Negros). Mas a concepção central do Anel Regente ainda não está presente, embora estivesse, por assim dizer, esperando nos bastidores: pois o texto diz que o Anel de Gollum era não apenas o único que não tinha voltado às mãos do Senhor Sombrio (além daqueles perdidos pelos Anões) – era também o "mais precioso e potente de seus Anéis" (p. 105). Mas não descobrimos em que consiste sua potência peculiar; nem, de fato, ficamos sabendo mais aqui sobre a relação entre a invisibilidade conferida pelos Anéis, a longevidade atormentadora (que agora aparece pela primeira vez) e o declínio de seus portadores até se transformarem em "espectros".

O elemento de vontade moral necessário para que o possuidor de um Anel resista ao seu poder é fortemente afirmado. Isso aparece no conselho de Gandalf a Bilbo no rascunho original (p. 96): "não o use para causar dano, ou para descobrir os segredos de outras pessoas, e, claro, nem para roubos ou coisas piores. *Porque ele pode acabar controlando você*"; e ainda mais claramente em sua repreensão a Bingo, que disse que era uma pena que Bilbo não tivesse matado Gollum: "Ele não poderia fazer isso sem fazer o mal. Era contra as regras. Se o fizesse, não tomaria posse do anel, mas *o anel é que tomaria posse dele de imediato*" (p. 105). Esse elemento permanece em SA (p. 114), mas é expresso de forma mais cautelosa: "Tenha a certeza de que ele teve tão poucos danos devidos ao mal, e escapou por fim, porque começou sua posse do Anel desse modo".

O final do capítulo – com o próprio Gandalf chegando mesmo a propor a festa de aniversário e a "piada estrondosa" de Bingo – foi rapidamente rejeitado, e nunca mais se fala dele.

4

Para a Fazenda de Magote e a Terra-dos-Buques

O terceiro dos capítulos consecutivos originais existe, em sua forma completa, apenas como texto datilografado, versão na qual ele traz o número "3", mas não tem título; também há, entretanto, esboços incompletos e muito rudimentares em forma manuscrita, os quais são ampliados e aperfeiçoados no texto datilografado, mas ficaram, em todos os aspectos essenciais, inalterados. Perto do final, o texto datilografado termina (nota 16), num ponto que não é o pé de uma página, e o restante do capítulo está na forma manuscrita; no caso dessa parte, esboços rudimentares também existem.

Mais uma vez, apresento o texto completo, já que, nesse capítulo, a narrativa original estava muito distante do que, por fim, acabou sendo publicado. Emendas posteriores foram, neste caso, muito poucas. Incorporo ao texto algumas poucas alterações aos manuscritos que me parecem ser, com alta probabilidade, contemporâneas da produção do texto a máquina.

O final corresponde ao Capítulo 5 de SA, "Uma Conspiração Desmascarada"; nesse estágio, não havia conspiração nenhuma.

3

Pela manhã, Bingo acordou revigorado. Estava deitado em uma alcova feito de uma árvore viva, com galhos entrelaçados e inclinados para o chão; seu leito era de samambaia e capim, fundo e macio e estranhamente perfumado. O sol brilhava através das folhas agitadas que ainda estavam verdes na árvore. Pôs-se de pé num salto e saiu.

Odo e Frodo estavam sentados na grama junto à beira da floresta; não havia sinal de nenhum elfo.

"Deixaram frutas e bebida para nós, e pão", contou Odo. "Venha fazer seu desjejum! O pão tem um sabor quase tão bom quanto o da noite passada."

Bingo se sentou ao lado deles. "E então?", inquiriu Odo. "Descobriu alguma coisa?"

"Não, nada", disse Bingo. "Apenas alusões e enigmas. Mas, até onde pude entendê-los, parece que Gildor acha que existem vários Cavaleiros; que eles estão atrás de *mim*; que agora eles estão à frente e atrás e de ambos os lados; que não adianta voltar atrás (pelo menos não para mim); que devemos ir para Valfenda o mais rápido possível e, se encontrarmos Gandalf lá, tanto melhor; e que o caminho até lá vai ser empolgante e perigoso."

"Eu diria que isso é muito mais do que nada", observou Odo. "Mas e as fungadas?"

"Não discutimos isso", respondeu Bingo, de boca cheia.

"Deviam ter discutido", insistiu Odo. "Tenho certeza de que é muito importante."

"Nesse caso, tenho certeza de que Gildor não teria me contado nada a respeito. Mas ele chegou a dizer que vocês podiam até vir comigo, no fim das contas. Pelo que entendi, os cavaleiros não estão atrás de vocês, e vocês até que os atrapalham."

"Esplêndido! Odo e Frodo precisam cuidar do Tio Bingo. Não vão deixar ninguém dar fungadas nele."

"Tudo bem!", disse Bingo. "Está resolvido. E quanto ao método de avanço?"

"O que você quer dizer?", perguntou Odo. "É para a gente dar pulinhos, driblar, correr, rastejar ou só caminhar cantando pelo caminho?"

"Exatamente. E vamos seguir a estrada ou arriscar um atalho pelo meio do campo? Não temos escolha no quesito tempo; precisamos seguir de dia, porque Marmaduque nos espera hoje à noite. De fato, temos de partir o mais rápido possível; dormimos até tarde e ainda há umas boas dezoito milhas à frente."

"*Você* dormiu até tarde, quer dizer", corrigiu Odo. "A gente está acordado faz tempo."

Até aquela hora, Frodo não tinha dito nada. Estava olhando por cima dos topos das árvores na direção leste. Então, virou-se para eles. "Eu voto por seguir pelo meio do campo", opinou. "A região não é tão selvagem entre aqui e o Rio. Não deve ser difícil estabelecer nossa direção antes de sairmos desta colina e depois segui-la bastante bem. A Terra-dos-Buques fica quase exatamente a sudeste da Vila-do-Bosque,[1] lá embaixo, nas árvores. A gente poderia cortar um bom caminho, porque a estrada se inclina para a esquerda – dá para ver um pedaço dela por ali – e depois faz uma curva para o sul, onde ela chega mais perto do Rio.[2] Daria para chegar até ela um pouco antes da Terra-dos-Buques, antes que fique escuro de verdade."

"Atalhos fazem grandes atrasos", sentenciou Odo; "e não acho que um Cavaleiro seja pior na estrada do que na mata."

"Exceto pelo fato de que ele provavelmente não vai conseguir enxergar tão bem, e pode não ser capaz de cavalgar tão rápido", discordou Bingo. "Também sou a favor de deixar a estrada."

"Tudo bem!", resignou-se Odo. "Vou seguir vocês por todos os lodaçais e valetas. Vocês dois são tão malvados quanto o Marmaduque. Imagino que vou perder as votações por três a um, em vez de dois a um, quando o buscarmos, se algum dia conseguirmos buscar o sujeito."

O sol agora estava forte de novo; mas começavam a vir nuvens do Oeste. Parecia provável que viria chuva pela frente, se o vento diminuísse. Os hobbits desceram de qualquer jeito uma íngreme encosta verde e seguiram em meio às árvores abaixo dele. O traçado do caminho deles tinha o objetivo de deixar a Vila-do-Bosque à esquerda, e havia um pouco de mata mais densa imediatamente à frente deles, embora, depois de uma milha ou duas, parecesse, de cima, que a área ia ficando mais aberta. Havia bastante mato rasteiro, e eles não avançavam muito rápido. No sopé da encosta, encontraram um riacho correndo em um leito muito escavado, com margens íngremes e escorregadias, cobertas de amoreiras. Não podiam atravessar pulando, e tinham a opção de voltar e traçar outro caminho, ou virar à esquerda e seguir o riacho até que ficasse mais fácil de atravessar. Odo olhou para trás. Por entre as árvores, podiam ver o topo do barranco que descia da clareira elevada de onde tinham acabado de sair. "Olhem!", disse ele, segurando Bingo pelo braço. No topo da encosta, uma figura negra estava montada em um cavalo; parecia estar balançando de um lado para o outro, como se estivesse varrendo toda a terra para o leste com o olhar.

Os hobbits desistiram de qualquer ideia de retornar e mergulharam rápida e silenciosamente nos arbustos mais densos ao lado do riacho. Ficaram isolados do vento Oeste no vale, e logo estavam com calor e cansados. Arbustos, amoreiras, terreno acidentado e suas mochilas, tudo aquilo fazia o máximo possível para atrasá-los.

"Ufa!", disse Bingo. "Ambas as partes estavam certas! O atalho ficou todo enrolado; mas nos escondemos no último segundo. Seus ouvidos são os mais aguçados, Frodo. Consegue ouvir – consegue ouvir *qualquer coisa* lá de trás?

Eles pararam, olharam e escutaram; mas não havia sinal ou som de perseguição. Prosseguiram novamente, até que as margens do riacho ficaram mais baixas e seu leito se tornou largo e raso. Vadearam a correnteza e se apressaram rumo à floresta do outro lado, sem muita certeza do traçado que deveriam seguir. Não havia trilhas, mas o terreno era razoavelmente plano e aberto. Uma capoeira alta de carvalhos jovens, misturados com freixos e olmos, erguia-se em volta deles, de modo que não conseguiam enxergar longe. As folhas das árvores eram sopradas para cima por súbitas lufadas de vento, e pingos de chuva começaram a cair; depois, o vento foi morrendo e a chuva passou a despencar de forma contínua.

Seguiram em frente rápido, em meio às folhas espessas, enquanto, ao redor deles, a chuva tamborilava e gotejava; não falavam, mas ficavam olhando de um lado para o outro, e às vezes para trás. Após cerca de uma hora, Frodo disse: "Será que a gente não foi demais para o sul e começou a atravessar esta floresta de comprido? De cima ela parecia ser um cinturão estreito, e já devíamos ter atravessado a esta altura, pelo que me consta".

"Não adianta ficar andando em zigue-zague agora", respondeu Bingo. "Vamos em frente. As nuvens parecem estar abrindo, e pode ser que a gente consiga ver o sol um pouquinho em breve."

Ele estava certo. Depois de andarem mais uma milha, o sol brilhou no meio das nuvens desgrenhadas; e os hobbits perceberam que, de fato, estavam indo demais para o sul. Viraram um pouco para a esquerda; mas, depois de não muito tempo, decidiram, com base no que sentiam tanto quanto com base no sol, que estava na hora da parada do meio do dia e de um pouco de comida.

A chuva ainda estava caindo de vez em quando; assim, sentarem-se debaixo de um olmo, cujas folhas ainda eram numerosas, embora estivessem se tornando amarelas rapidamente.

Descobriram que os Elfos tinham enchido as garrafas d'água com algum líquido dourado-claro: tinha o aroma (e não o sabor) de um mel feito de muitas flores e era tremendamente refrescante. Fizeram uma refeição alegre e logo estavam rindo, estalando os dedos para a chuva e os cavaleiros negros. Sentiam que as poucas milhas que faltavam ficariam para trás logo. Encostado no tronco da árvore, Odo começou a cantar suavemente para si mesmo:

Hô! hô! hô! à garrafa eu vou,
O coração curo e adeus ao mal dou.
Chuva caiu, vento soprou,
E muitas milhas ainda vou,
Mas debaixo d'olmo me deito
E as nuvens olho satisfeito!

Hô! hô! hô! – [A]

Nunca saberemos se a estrofe seguinte era melhor que a primeira; pois, bem nesse momento, ouviu-se um barulho semelhante a um espirro ou uma fungada. Odo nunca terminou sua canção. O barulho se ouviu de novo: *funf, funf, funf*; parecia estar bem perto. Ficaram de pé de um salto e olharam rapidamente em volta; mas não havia nada a ser visto em nenhum lugar perto da árvore deles.[3]

Odo não quis mais saber de ficar deitado olhando as nuvens. Foi o primeiro a arrumar a bagagem e se aprontar para partir. Em poucos minutos depois da última fungada, saíram de novo, o mais rápido que conseguiram. A mata logo chegou ao fim; mas não ficaram particularmente contentes, porque o terreno logo se tornou mole e pantanoso, e hobbits (mesmo os que estão numa Jornada) não gostam de lama e argila nos pés. O sol estava brilhando de novo, e eles se sentiam ao mesmo tempo encalorados e expostos demais à visão longe das árvores. Agora tinha ficado muito para trás a clareira elevada onde tinham comido o desjejum; toda vez que olhavam às costas, na direção dela, esperavam ver a figura distante de um cavaleiro contra o céu. Mas nenhum apareceu; e, conforme prosseguiam, a região em volta deles foi ficando cada vez mais domesticada. Havia sebes e portões e diques de drenagem; tudo parecia tranquilo e pacífico, apenas um canto comum do Condado.

"Acho que reconheço estes campos", disse Frodo de repente. "Eles pertencem ao velho Fazendeiro Magote,[4] a não ser que eu esteja bem perdido. Deve haver uma alameda em algum lugar por perto, que leva deste lugar até a estrada uma ou duas milhas antes da Terra-dos-Buques."[5]

"Ele mora numa toca ou numa casa?", perguntou Odo, que não conhecia aquele pedaço da região.

Uma coisa curiosa quanto aos hobbits daqueles dias é que essa era uma distinção importante. Todos os hobbits, é claro, viviam originalmente em tocas; mas naquele momento apenas os mais ricos e os mais pobres entre eles seguiam esse costume, via de regra. Hobbits importantes viviam em versões luxuosas das tocas simples dos tempos de antanho; mas os locais apropriados para tocas-de-hobbit realmente boas não se encontravam em toda a parte. Até mesmo na Vila-dos-Hobbits, uma das aldeias mais importantes, havia casas. Elas eram especialmente apreciadas pelos fazendeiros, moleiros, ferreiros, carpinteiros e gente desse tipo. O costume de construir casas supostamente teria começado entre os hobbits das regiões ribeirinhas e florestadas, onde o solo era pesado e úmido e não havia boas colinas ou encostas convenientes. Eles começaram a fazer tocas artificiais com argila (e mais tarde com tijolos), cobertas com sapê, imitando a grama natural. Isso tinha sido muito tempo antes, e nos inícios do período histórico; mas as casas ainda eram consideradas uma inovação. Os hobbits mais pobres ainda viviam em tocas do tipo antiquíssimo – de fato, não passavam de tocas, com uma só janela, ou mesmo nenhuma.[6] Mas Odo não estava pensando na história dos hobbits. Simplesmente queria saber onde procurar a fazenda. Se o Fazendeiro Magote morava numa toca, haveria solo elevado em algum lugar ali perto; mas o terreno na frente deles parecia perfeitamente plano.

"Ele mora numa casa", respondeu Frodo. "Há muito poucas tocas nestas partes. Dizem que as casas foram inventadas aqui. É claro que os Brandebuques têm aquela grande escavação deles em Buqueburgo, no barranco alto do outro lado do Rio; mas a maioria do povo deles vive em casas. Há muitas dessas casas modernas feitas de tijolo – não são muito ruins, suponho, do jeito delas; embora pareçam muito peladas, se entendem o que eu digo: sem nenhuma cobertura decente de grama, todas despidas e ossudas."

"Imaginem só ter de subir para o andar de cima na hora de dormir!", exclamou Odo. "Isso me parece muitíssimo inconveniente. Hobbits não são aves."

"Não sei", ponderou Bingo. "Não é tão ruim quanto parece; embora, pessoalmente, eu nunca tenha gostado de olhar pela janela do andar de cima, é um negócio que me deixa meio zonzo. Há algumas casas que têm três pisos, com quartos em cima de quartos. Dormi numa dessas certa vez, muito tempo atrás, nas férias; o vento me fez ficar acordado a noite inteira."

"Que incômodo se você quiser pegar um lenço ou alguma outra coisa quando está no andar de baixo e perceber que ele está no andar de cima", comentou Odo.

"Você poderia deixar os lenços no andar de baixo, se quisesse", lembrou Frodo.

"Poderia, mas não acho que alguém deixa."

"Isso não é culpa das casas", disse Bingo; "é só a tolice dos hobbits que moram nelas. As antigas histórias dizem que os Elfos Sábios costumavam construir torres altas; e só subiam suas longas escadas quando desejavam cantar, ou olhar para o céu pelas janelas, ou mesmo, talvez, observar o mar. Deixavam tudo no andar de baixo, ou em salões profundos escavados debaixo do chão das torres. Sempre imaginei que a ideia de construir tinha vindo principalmente dos Elfos, embora usemos essa ideia de modo muito diferente. Costumava haver três torres-élficas na região mais a oeste, além da beira do Condado. Eu as vi uma vez. Brilhavam brancas à luz da Lua. a maior era a mais distante, posta a sós sobre uma colina. Dizia-se que era possível ver o mar do alto daquela torre; mas não acredito que algum hobbit já tenha subido nela.[7] Se eu morar numa casa algum dia, vou deixar tudo o que quero no andar de baixo e só subir quando não quiser nada; ou talvez faça uma ceia fria no andar de cima, no escuro, numa noite estrelada.

"E vai ter de carregar bandejas e outras coisas para o andar de baixo, isso se não levar um tombo até o térreo", riu-se Odo.

"Não!", retrucou Bingo. "Vou ter bandejas e cuias de madeira para jogá-las da janela. Vai haver grama espessa em volta da minha casa."

"Mas ainda assim você teria de carregar sua ceia para o andar de *cima*", insistiu Odo.

"Ah, então tudo bem, talvez eu não ceie lá em cima", respondeu Bingo. "Era só uma ideia. Não imagino que algum dia eu vá morar numa casa. Até onde consigo ver, vou ser só um mendigo viandante."

Essa conversa muito típica dos hobbits continuou por algum tempo. Ela mostra que os três estavam começando a se sentir muito à vontade de novo, conforme voltavam a uma região domesticada e familiar. Mas até fungadas invisíveis não eram capazes de abafar por muito tempo o ânimo desses hobbits excelentes e peculiarmente aventurosos, em qualquer tipo de região.

Enquanto conversavam, prosseguiam num ritmo regular. Já era fim de tarde quando viram o telhado de uma casa que se erguia de um aglomerado de árvores à frente e à esquerda deles.

"É ali a casa do Fazendeiro Magote!", exclamou Frodo.

"Acho que vamos dar a volta nela", disse Bingo, "e pegar a alameda do outro lado da casa. Eu supostamente estou desaparecido, e não gostaria de ser visto nas bandas da Terra-dos-Buques, mesmo que seja pelo bom Fazendeiro Magote."

Eles foram em frente, deixando a sede da fazenda à esquerda, escondida no meio das árvores vários campos atrás. De repente, um cachorrinho atravessou uma abertura numa sebe e correu latindo na direção deles.

"Aqui! Aqui! Lobinho! Lobinho!", disse uma voz. Bingo colocou seu anel. Não houve chance de os outros se esconderem. Por cima da sebe baixa apareceu um rosto de hobbit, grande e redondo.

"Alô! Alô! E quem será que são vocês, e o que será que estão fazendo?", perguntou.

"Boa noite, Fazendeiro Magote!", disse Frodo. "Só uma dupla de Tûks, vindo de lá longe; e a gente não está fazendo nada de mal, espero."

"Ora essa, deixe-me ver – você deve ser o Sr. Frodo Tûk, filho do Sr. Folco Tûk, ou eu muito me engano (e olha que quase não me engano; tenho uma memória daquelas para rostos). Você costumava visitar o jovem Sr. Marmaduque. Qualquer amigo de Marmaduque Brandebuque é bem-vindo. Vocês me desculpem eu falar grosso antes de reconhecer vocês. A gente tem de lidar com um pessoal estranho nestas partes às vezes. Perto demais do rio", completou, inclinando a cabeça para trás. "Apareceu um freguês muito esquisito por aqui faz uma horinha. É por isso que saí com o cachorro."

"Que tipo de freguês?", perguntou Frodo.

"Um freguês estranho, e fazendo perguntas estranhas", disse o Fazendeiro Magote, sacudindo a cabeça. "Venham até a minha casa para tomar alguma coisa e a gente repassa as notícias de um jeito mais confortável, se você e seu amigo quiserem, Sr. Tûk."

Parecia claro que o Fazendeiro Magote só repassaria as notícias no seu próprio tempo e lugar, e eles acharam que isso poderia ser interessante; assim, Frodo e Odo foram junto com ele. O cachorro ficou para trás, pulando e fazendo festinha em volta de Bingo, para irritação do hobbit.

"O que deu no cachorro?", perguntou-se o fazendeiro, olhando para trás. "Aqui, Lobinho! Junto!", chamou. Para alívio de Bingo, o cão obedeceu, embora tenha se virado para trás e latido uma vez.

"Qual é o problema com você?", rosnou o Fazendeiro Magote. "Parece que tem alguma coisa esquisita por aí neste dia. O Lobinho quase endoidou quando aquele estranho chegou, e agora dá a impressão de que ele conseguia ver ou farejar alguma coisa que não tava lá."

Entraram na cozinha do fazendeiro e se sentaram junto à larga lareira. A Sra. Magote lhes trouxe cerveja em grandes canecas de cerâmica. Era uma boa safra, e Odo se pegou desejando que passassem a noite naquela casa.

"Ouvi dizer que andou tendo uma bela de uma bagunça lá pros lados da Vila-dos-Hobbits", comentou o Fazendeiro Magote. "Fogos de artifício e tudo: e esse Sr. Bolger-Bolseiro desaparecendo e dando tudo embora. Coisa mais esquisita que já ouvi contarem na minha época. Imagino que tudo isso vem de morar com aquele Sr. Bilbo Bolseiro. Minha mãe costumava me contar histórias bizarras sobre ele quando eu era menino: não que ele não parecesse um cavalheiro muito simpático. Já o vi passando por esses lados muitas vezes quando eu era moleque, e aquele Sr. Bingo junto com ele. Então, a gente se interessa por ele nestas partes, sabendo que o lugar dele é aqui, por ser metade Brandebuque, dá para dizer. A gente nunca achou que ia virar coisa boa esse negócio de ele ir para a Vila-dos-Hobbits, e o povo sendo um tantinho esquisito praquele lado, se vocês me permitem dizer. Estava esquecendo que vocês vêm daquelas partes."

"Ah, o povo é até bem esquisito na Vila-dos-Hobbits – e na Terra-dos-Tûks", disse Frodo. "Nós não ligamos. Mas conhecemos, quero dizer, conhecíamos o Sr. Bingo muito bem. Não acho que tenha acontecido nada de ruim com ele. Realmente foi uma festa maravilhosa, e não entendo por que alguém teria alguma coisa a reclamar." Frodo fez ao fazendeiro um relato completo e divertido do que acontecera, o que agradou tremendamente a Magote. Ele bateu os pés, deu tapas nas pernas e pediu mais cerveja; e fez com que eles contassem à sua esposa a maior parte da história de novo, especialmente a respeito dos fogos de artifício. Nenhum dos Magotes jamais tinha visto fogos.

"Deve ser uma visão de fazer bem aos olhos da gente", imaginou o fazendeiro.

"Nada de dragões para mim!", exclamou a Sra. Magote. "Mas eu gostaria de ter participado daquela ceia. Quem sabe o velho Sr. Rory Brandebuque copia a ideia e dá uma festa aqui por estas partes no seu próximo aniversário. E o que você disse que aconteceu com o Sr. Bolger-Bolseiro?", acrescentou ela, voltando-se para Frodo.

"Bem – hmmm, bem, ele desapareceu, sabe", respondeu Frodo. Ele quase achou que tinha escutado o fantasma de um risinho em algum lugar não muito longe de seu ouvido, mas não tinha certeza.

"Ora essa – isso me lembra uma coisa!", observou o Fazendeiro Magote. "O que acham que aquele freguês esquisito disse?"

"O quê?", perguntaram juntos Odo e Frodo.

"Bem, ele me aparece a cavalo no portão e vai até a porta, em cima de um cavalão negro; ele mesmo também estava todo de preto, e encapado e encapuzado, como se não quisesse ser reconhecido. "Bons Céus!", disse comigo mesmo. "Tá aí alguém do Povo Grande! Que coisa no Condado ele pode estar querendo?" Não vemos muitos do Povo Grande por aqui, embora eles atravessem o Rio às vezes; mas eu nunca tinha ouvido falar de ninguém feito esse camarada de negro. "Bom dia para você", fui dizendo. "Esta alameda não vai pra mais nenhum lugar, e, seja lá pra onde estiver indo, seu caminho mais rápido vai ser voltando pra estrada." Não gostei do jeito dele, e, quando Lobinho saiu, deu uma cheirada no cidadão e soltou um uivo como se tivesse levado uma mordida; abaixou o rabo e fugiu, uivando o tempo todo.

"'Eu venho de acolá', respondeu ele, de um jeito durão e lento, apontando para o Oeste, por cima dos *meus* campos, pras bandas da Vila-do-Bosque. "Já viu alguma vez o Se-nhor Bol-ger Bol-sei-ro?", perguntou, com uma voz esquisita, e se inclinou na minha direção, mas eu não conseguia ver rosto nenhum, porque o capuz estava muito abaixado. Senti uma espécie de calafrio descendo a espinha; mas não entendia por que ele vinha cavalgando tão atrevido pela minha terra. "Chispa!", respondi. "O Sr. Bolger-Bolseiro sumiu, desapareceu, se está me entendendo: ele se escafedeu, e você pode ir junto!"

"O sujeito soltou uma espécie de chiado, parecendo bravo e espantado, pelo que me pareceu; e ele esporeou o grande cavalo bem pra cima de mim. Eu estava de pé perto do portão, mas saí do caminho de um salto muito rápido, e ele atravessou e desceu a alameda cavalgando feito doido. O que acham disso?"

"Não sei o que pensar", respondeu Frodo.

"Bem, vou lhes dizer o que pensar", prosseguiu Magote. "Esse Sr. Bingo está enrolado com algum problema e desapareceu *de propósito*. Claramente tem gente por aí doida pra achá-lo. Podem escrever o que eu digo, tem tudo a ver com algumas das coisas que aquele velho Sr. Bilbo aprontou. Ele devia ter continuado só com Bolger e não sair grudando Bolseiro no fim do nome. Vocês me perdoem, mas o povo das bandas da Vila-dos-Hobbits é esquisito. É o nome Bolseiro que está causando problemas pra ele, podem escrever!"

"Essa é certamente uma ideia a considerar", ponderou Frodo. "Muito interessante o que o senhor nos contou. Imagino que nunca tenha visto antes algum desses – hmmm – sujeitos de negro antes?"

"Não que eu me lembre", respondeu o Fazendeiro Magote, "e não quero ver nenhum de novo. Bom, espero que você e seu amigo fiquem pra comer e beber alguma coisa comigo e a patroa."

"Muito obrigado!", respondeu Odo, chateado, "mas receio que precisamos continuar."

"Sim", acrescentou Frodo, "temos que percorrer uma certa distância antes da noite, e na verdade já descansamos até demais. Mas é muito gentil da parte do senhor mesmo assim."

"Bem! À saúde de vocês então, e boa sorte!", disse o fazendeiro, estendendo a mão para pegar a caneca. Mas naquele momento a caneca deixou a mesa, ergueu-se, inclinou-se no ar e voltou vazia para o lugar onde estava.

"Pela madrugada!", gritou o fazendeiro, dando um pulo. "Viram isso? É um dia esquisito, não dá pra duvidar. Primeiro o cachorro e agora eu vendo coisa que num existe."

"Ah, eu vi a caneca também", disse Odo, incapaz de esconder um sorriso.

"O senhor viu, é?", exclamou o fazendeiro. "Não acho que seja motivo pra rir." Olhou de um jeito rápido e esquisito para Odo e Frodo, e agora parecia contente até demais que eles estivessem indo embora. Disseram adeus educadamente, mas com pressa, desceram os degraus correndo e saíram pelo portão. O Fazendeiro Magote e sua esposa ficaram cochichando na porta e observando enquanto eles partiam.

"Para que você foi querer pregar essa peça idiota?", disse Odo, quando a sede da fazenda já estava bem para trás. "O velho lhe deu uma boa ajuda com aquele Cavaleiro, ou assim me pareceu."

"Ouso dizer que sim", respondeu uma voz atrás dele. "Mas vocês não me ajudaram nada, entrando, bebendo e conversando, e me deixando no frio. No fim das contas, só bebi meia caneca. E agora estamos atrasados. Vou fazer vocês trotarem depois dessa."

"Mostre-nos como trotar!", desafiou Odo.

Bingo reapareceu imediatamente e saiu o mais rápido que pôde pela alameda. Os outros se apressaram para segui-lo. "Vejam!", disse Frodo, apontando para um lado. Ao longo da beirada da alameda, na lama formada pela chuva daquele dia, havia marcas profundas de cascos.

"Deixem pra lá!", sugeriu Bingo. "Sabíamos, pela conversa do velho Magote, que o sujeito passou por aqui. Não tem o que fazer. Venham comigo!"

Não encontraram nada no caminho. A tarde foi morrendo e o sol desceu para dentro de nuvens baixas atrás deles. A luz já estava sumindo quando chegaram ao final da alameda e finalmente voltaram à estrada.[8] Estava ficando frio, e fiapos finos de névoa rastejavam sobre os campos. O crepúsculo estava úmido.

"Nada mal, até", disse Frodo. "São quatro milhas daqui até o desembarcadouro do lado oposto a Buqueburgo. Havemos de chegar antes que escureça de vez."

Viraram então à direita ao longo da estrada, que ali seguia bastante reta, aproximando-se cada vez mais do Rio. Não havia sinal de qualquer outro viajante no caminho. Logo puderam ver luzes ao longe, na frente e à esquerda, além da linha indistinta dos salgueiros sombrios ao longo das margens do rio, onde o barranco do outro lado se elevava, quase formando uma colina baixa.

"Lá está Buqueburgo!", disse Frodo.

"Dou graças por isso!", exclamou Odo. "Meus pés estão doloridos, pegajosos e cansados de tanta lama. Além disso, está ficando frio." Ele tropeçou em uma poça, fazendo espirrar um jorro de água suja. "Diacho!", praguejou. "Já estou praticamente cheio de andar por hoje. Acham que há alguma chance de tomar um banho esta noite?" Sem esperar resposta, começou de repente a cantar uma canção de banheiro hobbit.

Ó Água tépida e água quente!
Ó Água fervida na caneca pra gente!
Ó Água azul e água esmeralda,
Ó Água tão clara, limpa e prateada,
Do banho é a minha canção!
Oh, louvai o vapor, nariz apurado!
Oh, bendita a tina pro dedão cansado!
Oh, dedos marotos, vinde e brincai!
Oh, braços e pernas, aqui ficai
Afundados um tempão!
Adeus às poças! Esquecei a lama!
Trancai a noite! O descanso chama!
Em água que sobe à canela e ao joelho,
Nessa água boa ficai, aconselho,
Até que soe a refeição![B]

"Sério, você podia esperar até *entrar* no banho!", comentou Frodo.

"Estou avisando", acrescentou Bingo, "que você vai tomar banho por último, ou então não vai poder ficar afundado um tempão."

"Muito bem", respondeu Odo; "só que eu estou avisando *você* que, se você entrar primeiro, não deve ficar com toda a água quente, ou hei de afogá-lo na sua própria banheira. Quero um banho quente e limpo."

"Pode ser que você não consiga banho nenhum", observou Bingo. "Não sei como Marmaduque arrumou as coisas, ou onde vamos dormir. Não mandei preparar banhos, e, se a gente conseguir tomar um, talvez seja o último por um bom tempo, imagino."

A conversa do grupo foi parando. Agora estavam ficando realmente cansados e seguiam em frente de cabeça baixa e olhando para os dedos dos pés. Ficaram muito alarmados quando, de repente, uma voz atrás deles gritou: "Oi!". Depois, irrompeu numa canção barulhenta:

Estava eu sentado no caminho
Quando vi três hobbits andando:
Um, sem dizer nada, era mudinho,
Os outros não estavam falando.

"Boa noite!", gritei. "Boa noite, pessoal!"
Não ouviram meu chamado:
Eram todos surdos por igual.
Que encontro engraçado![C]

"Marmaduque!", gritou Bingo, virando-se para trás. "De onde você brotou?"

"Vocês passaram por mim, eu estava sentado na beira da estrada", respondeu ele. "Talvez eu devesse ter deitado na estrada; mas aí vocês teriam só trotado por cima de mim e passado alegremente."

"Estamos cansados", explicou Bingo.

"É o que parece. Eu disse que vocês iam ficar cansados – mas você ficou lá bancando o orgulhoso e durão. 'Pôneis! Ah, vá!', você disse. 'Vamos só dar uma esticada nas pernas antes de começar o trabalho de verdade.'"

"Acontece que pôneis não teriam ajudado muito", disse Bingo. "Andamos tendo *aventuras*." Ele parou de repente e olhou dos dois lados da estrada escura. "Contaremos mais tarde."

"Minha nossa!", exclamou Marmaduque. "Como são malvados! Não deveriam se enfiar em aventuras sem mim. E o que você está olhando? Algum coelho grande e malvado à solta?"

"Não seja tão marmaduquês assim de cara! Não dá pra aguentar isso no fim do dia", reclamou Odo. "Vamos parar de andar e comer alguma coisa, e aí então você há de ouvir uma história. Posso tomar banho?"

"O quê?", disse Marmaduque. "Um banho? Isso ia fazer vocês ficarem fora de forma de novo. Um banho! Estou surpreso com uma pergunta dessas. Agora levantem a cabeça e me sigam!"

Algumas jardas adiante havia uma curva para a esquerda. Seguiram por um caminho limpo e bem cuidado, ladeado por grandes pedras brancas. Isso os levou rapidamente à margem do rio. Lá havia um cais grande o suficiente para vários barcos. Seus postes brancos brilhavam no lusco-fusco. A névoa estava começando a se juntar nos campos, quase na altura de uma sebe, mas a água diante deles estava escura, com apenas alguns tufos ondulados e cinzentos, semelhantes a vapor, entre os juncos nas laterais. O rio Brandevin corria lento e largo. Do outro lado, duas lamparinas brilhavam em outro ancoradouro, com muitos degraus subindo o barranco alto mais além. Atrás disso aparecia a colina baixa, e, do lado de fora da colina, através de fios esparsos de névoa, brilhavam muitas janelas redondas típicas dos hobbits, vermelhas e amarelas. Eram as luzes da Mansão do Brandevin, o antigo lar dos Brandebuques.

Muito, muito tempo antes, os Brandebuques tinham cruzado o rio (a fronteira original do Condado daquele lado), atraídos pelo barranco elevado e pelo terreno mais seco e menos acidentado atrás dele. Mas sua família (uma das mais antigas famílias de hobbits) foi crescendo e crescendo, até que a Mansão do Brandevin passou a ocupar toda a colina baixa e ganhou três grandes portas da frente, várias portas dos fundos e pelo menos cinquenta janelas. Os Brandebuques e seus numerosos dependentes começaram então a escavar e, mais tarde, a construir ali em volta. Essa foi a origem da vila de Buqueburgo-beira-Rio. Grande parte das terras do lado oeste do rio ainda pertencia à família, quase até a Vila-do-Bosque, mas a maioria dos verdadeiros Brandebuques vivia na Terra-dos-Buques: uma faixa densamente habitada entre o Rio e a Floresta Velha, uma espécie de colônia do antigo Condado.

O povo do antigo Condado, é claro, contava estranhas histórias sobre os habitantes da região; mas o fato é que os moradores da Terra-dos-Buques eram hobbits, e não muito diferentes de outros hobbits do Norte, do Sul ou do Oeste – exceto em um ponto: gostavam de barcos e alguns deles sabiam nadar. Além disso, não tinham proteção do lado leste, exceto por uma sebe, A SEBE. Tinha sido plantada séculos antes. Agora, ela percorria todo o caminho entre a Ponte do Brandevin até Fim-da-Sebe fazendo uma grande volta, cujo ponto mais distante do rio ficava atrás de Buqueburgo, algo como quarenta milhas de ponta a ponta.[9] Era espessa e alta, sendo constantemente cuidada. Mas é claro que não era uma proteção completa. Os moradores mantinham as portas trancadas, e isso também não era costumeiro no Condado.

Marmaduque ajudou seus amigos a entrarem em um pequeno barco que estava no cais. Soltou então as amarras e, pegando um par de remos, foi cruzando o rio. Frodo e Bingo tinham visitado a Terra-dos-Buques com frequência antes. A mãe de Bingo era uma Brandebuque. Marmaduque era primo de Frodo, já que sua mãe Yolanda era irmã de Folco Tûk, e Folco era o pai de Frodo. Marmaduque era, portanto, Tûk mais Brandebuque, o que tendia a produzir uma mistura animada.[10] Mas Odo nunca tinha viajado tão longe para o Leste antes. Sentiu uma sensação esquisita enquanto cruzavam o rio lento e silencioso, como se ele finalmente tivesse começado a viagem, como se estivesse cruzando uma fronteira e deixando sua antiga vida na outra margem.

Saíram do barco sem alarde. Marmaduque estava amarrando a embarcação quando Frodo, de repente, disse num sussurro: "Ora essa, olhem para trás! Estão vendo alguma coisa?"

No ancoradouro de onde tinham vindo, ficaram com a impressão de ver um embrulho negro sentado na treva; parecia estar observando, ou farejando algo, de lá para cá, no chão pelo qual tinham passado.

"O que em nome do Condado é aquilo?", perguntou-se Marmaduque.

"Nossa Aventura, que enfrentamos e deixamos para trás do outro lado; ou pelo menos é o que espero", respondeu Bingo. "Cavalos conseguem atravessar o Rio?"

"O que os cavalos têm a ver com a história? Eles conseguem atravessar, suponho, se souberem nadar; mas nunca vi fazerem isso aqui. Existem pontes. Mas o que os cavalos têm a ver com a história?"

"Muita coisa!", disse Bingo. "Mas vamos embora!" Ele tomou Marmaduque pelo braço e o fez subir apressadamente os degraus até a trilha acima do embarcadouro. Frodo olhou para trás, mas a outra margem agora estava envolta em bruma, e nada mais podia ser visto.

"Aonde você está nos levando para passar a noite?", perguntou Odo. "Não é para a Mansão do Brandevin!"

"Não, de fato!", exclamou Marmaduque. "Está lotada. E, de qualquer jeito, achei que vocês quisessem chegar em segredo. Estou levando vocês para uma ótima casinha do outro lado de Buqueburgo. Dá mais uma milha de distância, infelizmente, mas é bem confortável e discreta. Não acho que alguém vá nos notar. Você não ia querer encontrar o velho Rory justo agora, Bingo! Ele ainda está com um humor daqueles por causa do seu comportamento.

Trataram-no mal na estalagem de Beirágua na noite da festa (estava mais cheio lá do que na Mansão do Brandevin agora); e depois disso a carruagem dele quebrou no caminho de casa, na colina acima da Vila-do-Bosque, e ele culpa você por esses acidentes também."

"Não quero vê-lo e não me importo muito com o que ele diz ou acha", disse Bingo. "Queria sair do Condado sem ser visto, só para completar a brincadeira, mas agora tenho outras razões para querer manter o segredo. Vamos logo."

Chegaram afinal a uma casinha baixa, de um só andar. Era uma construção de estilo antiquado, tão semelhante a uma toca de hobbit quanto possível: tinha uma porta redonda, janelas redondas e um teto baixo e arredondado, de relva. Chegava-se a ela por uma trilha estreita e verdejante, e em volta havia um círculo de gramado verde, em torno do qual cresciam arbustos fechados. Não dava para ver nenhuma luz.

Marmaduque destrancou a porta, e a luz se esparramou, com ar amistoso. Entraram rápido e fecharam a si mesmos e à luz lá dentro. Estavam num amplo saguão, a partir do qual se abriam diversas portas. "Aqui estamos!", disse Marmaduque. "Não é um lugarzinho ruim. Usamos a casa com frequência para receber visitas, já que a Mansão do Brandevin está tão assustadoramente cheia de Brandebuques. Deixei tudo bastante arrumado há um ou dois dias."

"Sujeito esplêndido!", elogiou Bilbo. "Fico terrivelmente chateado que você tenha perdido aquela ceia."

"Eu também", disse Marmaduque. "E, depois de ouvir os relatos de Rory e Melissa (ambos inteiramente diferentes, mas, imagino, igualmente verdadeiros), fico ainda mais chateado. Mas fiz uma viagem alegre com Gandalf e os anãos e Elfos.[12] Encontramos mais alguns Elfos pelo caminho,[13] e houve uma bonita cantoria. Nunca ouvi nada parecido antes."

"Gandalf me mandou alguma mensagem?", perguntou Bingo.

"Não, nada de especial. Perguntei a ele, quando chegamos à Ponte do Brandevin, se ele não queria vir comigo e esperar por você, para ajudar como guia e dar uma mão. Mas ele disse que estava com pressa. De fato, se quer saber, ele disse: 'Bingo agora já é velho o suficiente e tolo o suficiente para se cuidar sozinho por algum tempo'."[14]

"Espero que ele esteja certo", disse Bingo.

Os hobbits penduraram as capas e bastões e empilharam as mochilas no chão. Marmaduque foi na frente e abriu uma porta. Saiu dela a luz do fogo e uma lufada de vapor.

"Banho!", gritou Odo. "Ó bendito Marmaduque!"

"Que ordem vamos seguir, primeiro o mais velho ou primeiro o mais veloz? De qualquer jeito você será o último, Odo", brincou Frodo.

"Ha! ha!", ironizou Marmaduque. "Que tipo de estalajadeiro vocês acham que eu sou? Nesse cômodo há três banheiras; e também uma tina de cobre em cima de uma ótima fornalha que parece estar quase fervendo. Também há toalhas, sabão, esteiras, jarros e outras coisas mais. Vão entrando!"

Os três entraram correndo e fecharam a porta. Marmaduque entrou na cozinha e, enquanto arrumava as coisas lá, ouvia fragmentos de canções concorrentes, misturadas ao som de gente chapinhando e chafurdando. Por cima de todos os outros sons, a voz de Odo de repente se ergueu num cantochão:

Abençoai a água, ó meus pés e dedões!
Abençoai-a, ó meus dez dedos!
Abençoa a água, ó Odo!
E louvado seja o nome de Marmaduque![15,D]

Marmaduque bateu na porta. "Buqueburgo inteiro vai ficar sabendo que vocês chegaram em breve", disse ele. "E também existe um negócio chamado ceia. Não vou conseguir viver de louvores por muito mais tempo."

Bingo saiu. "Homessa!", exclamou Marmaduque, olhando para dentro. O chão de pedra estava cheio de poças. Frodo estava se secando na frente do fogo; Odo ainda estava mergulhado na banheira.

"Vamos lá, Bingo!", chamou Marmaduque. "Vamos começar a ceia e deixá-los aqui!"

Eles cearam na cozinha, numa mesa perto do fogo aberto. Os outros chegaram logo. Odo foi o último, mas compensou rapidamente o tempo perdido. Quando terminaram, Marmaduque empurrou a mesa para trás e trouxe cadeiras para perto do fogo. "Limparemos mais tarde", disse. "Agora me contem tudo!"[16]

Bingo esticou as pernas e bocejou. "Está tão calmo aqui dentro", comentou, "e, de alguma forma, nossa aventura parece bem absurda, e não tão importante quanto parecia lá fora. Mas o que aconteceu foi isto. Um Cavaleiro Negro apareceu atrás de nós na tarde de ontem (parece que faz uma semana), e tenho certeza de que ele estava procurando por nós, ou por mim. Depois disso, ele continuou reaparecendo (sempre atrás de nós). Deixe-me ver – sim, nós o vimos quatro vezes, no total, contando a figura no embarcadouro, e ouvimos o cavalo dele uma vez,[17] e uma vez achamos ter ouvido uma fungada."

"Do que você está falando?", disse Marmaduque. "O que é um cavaleiro negro?"

"Uma figura negra num cavalo", respondeu Bingo. "Mas vou lhe contar tudo a respeito." Fez um relato bastante bom da viagem deles, com acréscimos e interrupções adicionais vindos de Frodo e Odo. Apenas Odo ainda tinha certeza de que a fungada que achavam ter ouvido realmente fazia parte do mistério.

"Eu pensaria que vocês estão inventando tudo isso, se não tivesse visto aquela forma esquisita esta noite", comentou Marmaduque. "O que tudo isso significa, é o que eu me pergunto."

"Nós também!", exclamou Frodo. "O que você acha da ideia do Fazendeiro Magote, a de que tem algo a ver com Bilbo?"

"Bem, foi só uma conjectura dele, de qualquer modo", disse Bingo. "Tenho certeza de que o velho Magote não sabe de nada. Eu imaginaria que os Elfos fossem me contar caso os Cavaleiros tivessem alguma coisa a ver com as aventuras de Bilbo."

"O Velho Magote é um sujeito astuto", observou Marmaduque. "Detrás daquela cara redonda acontece muita coisa que não transparece na fala. Costumava entrar na Floresta Velha antigamente, e tinha a reputação de saber de algumas coisas que aconteciam fora do Condado. De qualquer jeito, não consigo conjecturar melhor que ele. O que vocês vão fazer a respeito?"

"Não há nada a fazer", respondeu Bingo, "exceto ir para casa. O que é difícil para mim, já que agora não tenho uma. Simplesmente vou ter de prosseguir, conforme os Elfos aconselharam. Mas vocês não precisam vir junto, é claro."

"É claro que não", disse Marmaduque. "Eu me juntei ao grupo só por diversão, e certamente não vou deixá-lo agora. Além do mais, vocês precisam de mim. Três não é demais, e quatro mais ainda. E, se as pistas dadas pelos Elfos significam o que vocês acham, há pelo menos quatro Cavaleiros, para não falar da fungada invisível e do embrulho negro no embarcadouro. Meu conselho é: vamos sair ainda mais cedo do que planejávamos amanhã e ver se não conseguimos uma boa vantagem. Eu meio que imagino que os Cavaleiros vão ter de dar a volta pelas pontes para atravessar o Rio."

"Mas teremos de seguir mais ou menos pelo mesmo caminho", lembrou Bingo. "Vamos ter de chegar até a Estrada Leste perto da Ponte do Brandevin."

"Essa não é a minha ideia", explicou Marmaduque. "Acho que deveríamos evitar a estrada no momento. É uma perda de tempo. A gente teria até de voltar para o oeste se fôssemos para a encruzilhada perto da Ponte. Temos de pegar um atalho para o nordeste, atravessando a Floresta Velha. Eu vou guiá-los."

"Como assim?", perguntou Odo. "Você já esteve lá?"

"Ah, sim", respondeu Marmaduque. "Todos os Brandebuques vão para lá de vez em quando, quando lhes dá na veneta. Eu vou com frequência – só de dia, é claro, quando as matas estão relativamente quietas e adormecidas. Mesmo assim, sei me virar. Se sairmos cedo e não perdermos tempo, devemos ficar bem seguros e sair da Floresta antes da noite de amanhã. Deixei cinco bons pôneis prontos – bichinhos robustos: não são rápidos, é claro, mas ótimos para um dia longo de trabalho. Estão abrigados num estábulo nos campos atrás desta casa."

"Não gosto da ideia de jeito nenhum", disse Odo. "Eu preferiria encontrar esses Cavaleiros (se tivermos de encontrá-los) numa estrada, onde há chance de encontrar viajantes comuns e honestos também. Não gosto de matas, e já ouvi histórias esquisitas sobre a Floresta Velha. Acho que os Cavaleiros Negros vão se sentir muito mais em casa lá do que nós."

"Mas nós provavelmente já vamos ter saído de lá antes de eles entrarem", argumentou Marmaduque. "Para mim parece bobo, de qualquer jeito, quando a gente está principiando uma viagem aventurosa, começar dando meia-volta e trotando por uma estrada chata de beira de rio – bem na cara dos numerosos hobbits da Terra-dos-Buques.[18] Talvez vocês queiram fazer uma visita e se despedir do velho Rory na Mansão. Seria algo educado e nos conformes; e ele pode até lhes emprestar uma carruagem."

"Eu sabia que você ia propor alguma coisa temerária", disse Odo. "Mas não vou mais discutir, se os outros concordarem. Vamos votar – embora eu tenha certeza de que vou acabar sendo o sujeito do contra."

E foi – embora Bingo e Frodo tivessem levado algum tempo para se decidir.

"Aí está!", exclamou Odo. "O que eu disse esta manhã? Três a um! Bem, só espero que dê tudo certo."

"Agora que isso está resolvido", disse Marmaduque, "é melhor a gente ir para a cama. Mas antes a gente precisa limpar tudo e arrumar o máximo de bagagens possível. Vamos lá!"

Demorou algum tempo até que os hobbits terminassem de guardar as coisas, arrumassem tudo e empacotassem as provisões de que iam precisar para a jornada. Por fim, foram para a cama – e dormiram em camas decentes (mas sem lençóis) pela última vez por muitos e muitos dias.[19] Bingo não conseguiu dormir durante algum tempo: suas pernas doíam. Estava feliz por saber que seguiria cavalgando de manhã. Por fim, adormeceu e teve um sonho vago, no qual parecia estar deitado debaixo de uma janela que dava para um mar de árvores emaranhadas: de fora, vinham o som de algo fungando.

NOTAS

1 À primeira vista, é intrigante que Frodo diga que "a Terra-dos-Buques fica quase exatamente a sudeste da Vila-do-Bosque" e, de novo, imediatamente abaixo, que eles poderiam chegar até a estrada novamente "um pouco antes da Terra-dos-Buques", já que, mais adiante neste capítulo (p. 127), a Terra-dos-Buques é descrita como "uma faixa densamente habitada entre o Rio e a Floresta Velha", defendida pela Sebe, com cerca de 40 milhas de extensão – claramente uma área muito grande para ser descrita como "quase exatamente a sudeste da Vila-do-Bosque". A explicação para isso deve ser, no entanto, que meu pai mudou o significado do nome *Terra-dos-Buques* no decorrer do capítulo. A princípio, *Terra-dos-Buques* era um lugar, uma vila, em vez de uma região (em sua primeira ocorrência, substituiu *Burgo-sob-o-Bosque*, que por sua vez substituiu *Vila-do-Bosque-Leste*, p. 49, nota 5), e o significado aqui ainda era esse; mas, mais adiante no capítulo, surgiu a vila de Buqueburgo-beira-Rio (p. 127), e Terra-dos-Buques então se tornou o nome da região dos Brandebuques além do Rio. Ver a nota 5 e a nota sobre o Mapa do Condado, p. 135.

2 Ver a nota sobre o Mapa do Condado, pp. 135–6.

3 Uma nota escrita apressadamente a lápis no texto datilografado aqui diz: "Som de cascos passando não muito longe." Ver a p. 354.

[4] O nome *Magote* foi posteriormente riscado a lápis e substituído por *Poçapé*, mas apenas nesse único caso. No mapa mais antigo do Condado (ver pp. 135–6), a fazenda está marcada, à tinta, com o nome *Poçapé*, alterado a lápis para *Magote*. Os Poçapés de Tronco são mencionados em SA, p. 156.

[5] Aqui novamente *Terra-dos-Buques* ainda diz respeito à vila (ver a nota 1); mas *Buqueburgo* aparece logo depois (p. 118), sendo que o nome foi escrito a máquina por cima de uma rasura.

[6] O conteúdo dessa passagem sobre tocas e casas de hobbits foi posteriormente colocado no Prólogo. Ver também as pp. 363–4, 385.

[7] As torres construídas nas costas ocidentais da Terra-média pelos exilados de Númenor são mencionadas na segunda versão de *A Queda de Númenor* (V.39, 42). O conteúdo dessa passagem também foi posteriormente colocado no Prólogo (ver a nota 6), e lá também as torres são chamadas de "torres--élficas". Cf. *Dos Anéis de Poder* em *O Silmarillion*, p. 382: "Dizem que as torres das Emyn Beraid não foram de fato construídas pelos Exilados de Númenor, mas foram erigidas por Gil-galad para Elendil, seu amigo".

[8] *finalmente voltaram à estrada*: é claro que essa é a estrada pela qual eles estavam caminhando originalmente, "a estrada para a Terra-dos-Buques"; nesse momento da escrita, não havia estrada elevada seguindo para o sul a partir da Ponte do Brandevin, na margem oeste do rio (e nem a vila de Tronco).

[9] Em SA (p. 165), a distância é de "bem mais que vinte milhas de uma ponta à outra". Ver a p. 369.

[10] Essa genealogia, mais tarde, foi totalmente abandonada, é claro, mas a mãe de Meriadoc (Marmaduque) continuou sendo uma Tûk (Esmeralda, que se casou com Saradoc Brandebuque, conhecido como "Espalha-Ouro").

[11] Melissa Brandebuque apareceu na quarta versão de "Uma Festa Muito Esperada", ocasião na qual ela dançou em cima de uma mesa com Próspero Tûk (p. 53).

[12] Bingo disse a Gildor (p. 84) que Gandalf "partiu com os anãos e os elfos de Valfenda assim que os fogos de artifício terminaram". Essa é a primeira aparição da história de que Marmaduque/Meriadoc estivera na Vila-dos-Hobbits, mas tinha ido embora cedo.

[13] *Encontramos mais alguns Elfos pelo caminho*: eram os Elfos da companhia de Gildor, os quais, assim, já sabiam da Festa quando Bingo, Frodo e Odo os encontraram (p. 89, nota 17).

[14] Cf. a nota citada na p. 57: "Onde está G[andalf] pergunta Odo – disse que agora eu já era velho e tolo o suficiente para cuidar de mim mesmo, disse B."

[15] Esse "cantochão" foi emendado da seguinte maneira no texto datilografado:

Abençoai a água, ó meus pés e dedões!
Louvai o banho, ó meus dez dedos!
Abençoai a água, ó meus joelhos e ombros!
Louvai o banho, ó minhas costelas, e regozijai-vos!

Que Odo louve a casa dos Brandebuques
E louve o nome de Marmaduque para sempre.[E]

Essa nova versão corresponde ao momento em que foi feita a porção manuscrita no fim do capítulo (nota 16).

[16] Aqui termina o texto datilografado, e o restante está na forma de manuscrito; ver a p. 139.

[17] *e ouvimos o cavalo dele uma vez:* isso é uma referência à passagem revisada do segundo capítulo, onde se afirma que um Cavaleiro Negro parou o cavalo por um instante na estrada ao lado da árvore na qual os hobbits estavam sentados (p. 75 e nota 11).

[18] É uma referência à estrada dentro da Terra-dos-Buques. Cf. pp. 72–3: "o caminho mais comum para a Terra-dos-Buques era pela Estrada Leste, até o encontro do Água e do Rio Brandevin, onde havia uma ponte, *e depois pelo sul, ao longo do Rio.*"

[19] Com base nisso, fica claro que meu pai ainda não havia previsto a visita dos hobbits à casa de Tom Bombadil.

Nota sobre o Mapa do Condado

Foram preservados quatro mapas do Condado feitos por meu pai e dois que eu fiz, mas apenas um deles, creio, pode conter algum elemento ou camada que remonta à época na qual os capítulos foram escritos (os primeiros meses de 1938). Este, entretanto, é um lugar conveniente para apresentar algumas indicações acerca de todos eles.

I Um mapa extremamente rudimentar (reproduzido na guarda), montado em etapas e feito a lápis e tinta vermelha, azul e preta; estendendo-se da Vila-dos-Hobbits no oeste até as Colinas-dos-túmulos no leste. Originalmente, esse foi o primeiro mapa, ou pelo menos o primeiro que sobreviveu. Alguns acidentes geográficos foram primeiro marcados a lápis e depois traçados por cima com tinta.

II Um mapa em escala menor, feito a lápis fraco e giz azul e vermelho, estendendo-se até as Colinas Distantes no oeste, mas mostrando pouco mais do que os trajetos de estradas e rios.

III Um mapa de estradas e rios em escala maior que o mapa II, estendendo-se de Grã-Cava no oeste até a Sebe da Terra-dos-Buques, mas sem nenhum nome (ver o mapa V a seguir).

IV Um mapa em pequena escala que se estende desde a Terra das Colinas Verdes até Bri, cuidadosamente desenhado à tinta e giz colorido, mas logo abandonado e assinalando apenas alguns acidentes geográficos.

V Um mapa complexo a lápis e giz colorido que fiz em 1943 (ver p. 251), do qual III (mostrando apenas os trajetos de estradas e rios) foi claramente a base e que segui de perto. Sem dúvida, o mapa III foi feito por meu pai para esse fim.

VI O mapa que foi publicado em *A Sociedade do Anel*; fiz esse mapa não muito antes da publicação (isto é, cerca de dez anos depois do mapa V).

No que se segue, considero apenas alguns acidentes geográficos que surgiram no decorrer deste capítulo.

A Terra-dos-Buques fica quase exatamente a sudeste da Vila-do--Bosque (p. 115). *Terra-dos-Buques* aqui ainda é o nome da aldeia (ver nota 1 acima); *Buqueburgo* aparece pela primeira vez na p. 118. No mapa I, Buqueburgo realmente fica a sudeste (ou, a rigor, a lés-sueste) da Vila-do-Bosque, mas no mapa II a balsa está a leste, e no III fica a lés-nordeste, o que explica a representação em meus mapas V e VI. Na edição original de SA (p. 97), o texto dizia aqui "A Balsa fica a sudeste da Vila-do-Bosque", o que foi corrigido para "leste" na edição revisada (segunda impressão de 1967) quando meu pai observou a discrepância com o mapa publicado. A mudança claramente aconteceu de forma não intencional. (Pode--se notar, aliás, que todos os mapas mostram a Vila-do-Bosque em uma estrada secundária (a "alameda") que se desmembra da que vai para a Terra-dos-Buques; ver pp. 87–8, nota 10).

A estrada se inclina para a esquerda ... e depois faz uma curva para o sul, onde ela chega mais perto do Rio (p. 115). Essa virada para o sul está fortemente marcada no mapa I (e se repete no mapa II), onde a estrada da Terra-dos-Buques se junta à estrada elevada acima da vila de Tronco (como Frodo diz em SA, p. 151: "Ela circunda a ponta norte do Pântano para dar no caminho elevado da Ponte acima de Tronco"). Na época em que esse capítulo foi escrito, não havia estrada elevada (nota 8). Este é outro caso em que o texto de SA está de acordo com o mapa I, mas não com o mapa publicado (VI); neste caso, porém, meu pai não corrigiu o texto. No mapa III, a estrada da Terra-dos-Buques não "faz uma curva para o sul": mas depois de se inclinar para a esquerda, ou o norte (antes de alcançar a Vila-do-Bosque), ela prossegue *numa linha reta diretamente para o leste*, para encontrar a estrada que vem da Ponte. Foi esse esquema que eu segui no meu mapa V; mas a vila de Tronco não estava marcada na versão III, a qual só mostra estradas e rios, e eu coloquei a encruzilhada na vila propriamente dita, e não ao norte dela. Embora, conforme me lembro claramente, o mapa V tenha sido feito no estúdio de meu pai e a partir de conversas com ele, ele certamente não notou meu erro nesse ponto. O mapa publicado simplesmente segue a versão V.

Podemos notar outro ponto aqui. Marmaduque se refere duas vezes (pp. 127, 132) a "pontes" que passam por cima do Brandevin, mas nenhum dos mapas mostra qualquer outra ponte além daquela que corresponde à Estrada Leste, a Ponte do Brandevin.

ꕤ

A carta de meu pai para Stanley Unwin, citada na p. 61, mostra que ele tinha terminado esse capítulo por volta de 4 de março de 1938. Três meses mais tarde, em 4 de junho de 1938, ele escreveu para Unwin dizendo:

> Eu pretendia ter agradecido Rayner há muito tempo por se incomodar em ler os capítulos experimentais e por sua excelente crítica. Ela concorda de maneira surpreendente com a do Sr. Lewis que, portanto, é confirmada. Devo simplesmente me curvar aos meus dois principais (e mais bem dispostos) críticos. O problema é que "conversa hobbit"* particularmente me diverte (e, em certo grau, ao meu filho Christopher) mais do que aventuras; mas devo refreá-la severamente. Embora deseje muito, não tive uma só oportunidade de tocar em qualquer história em andamento desde o recesso natalino.

E ele acrescentou que não conseguia "ver qualquer brecha durante meses". Em 24 de julho, ele afirmou, em carta a Charles Furth, da Allen e Unwin:

> A continuação para *o Hobbit* permaneceu onde havia parado. Ela perdeu minha estima, e não tenho ideia do que fazer com

*Rayner Unwin tinha dito o segundo e o terceiro capítulos "têm, eu acho, um pouco demais de diálogos e 'conversa hobbit' que tendem a fazer com que ele perca um pouco o ritmo".

> ela. Em primeiro lugar, o *Hobbit* original não estava destinado a ter uma continuação — Bilbo "permaneceu muito feliz até o fim de seus dias, e esses foram extraordinariamente longos": uma frase que considero um obstáculo quase insuperável para um vínculo satisfatório. Em segundo lugar, praticamente todos os "temas" que posso usar foram comprimidos no livro original, de maneira que uma continuação ou parecerá "mais diluída", ou meramente repetitiva. Terceiro: Divirto-me pessoal e imensamente com os hobbits tal como o são, e posso contemplá-los comendo e fazendo suas piadas tolas indefinidamente; mas acho que esse não é o caso mesmo com meus "fãs" mais fiéis (tais como o Sr. Lewis e ? Rayner Unwin). O Sr. Lewis diz que os hobbits só são divertidos quando em situações não hobbitescas. E por último: minha mente, no lado da "estória", está realmente preocupada com as estórias de fadas ou mitologias "puras" do *Silmarillion*, para o qual até mesmo o Sr. Bolseiro acabou sendo arrastado contra minha vontade original, e não creio que serei capaz de movimentar-me em demasia fora dele, a menos que ele seja terminado (e talvez publicado) — fato este que possui um efeito libertador.

No começo desse trecho, meu pai estava repetindo o que dissera em suas cartas de 17 e 18 de fevereiro, citadas nas pp. 60–1, quando ele só tinha escrito "Uma Festa Muito Esperada". Mas é muito difícil entender porque ele achava a frase d'*O Hobbit*, segundo a qual Bilbo "permaneceu muito feliz até o fim de seus dias, e esses foram extraordinariamente longos", "um obstáculo quase insuperável para um vínculo satisfatório"; uma vez que o que ele tinha escrito neste estágio não era sobre Bilbo, mas sobre seu "sobrinho" Bingo, e que, nos pontos onde Bilbo tinha sido mencionado, não havia nada que mostrasse que ele não permaneceu feliz até o fim de seus dias extraordinariamente longos.

Foi aqui, então, que a narrativa parou, e continuou parada durante uns seis meses ou mais. Com uma abundância de "conversa hobbit" no caminho, ele tinha levado Bingo, Frodo e Odo até a Terra-dos-Buques, no trajeto rumo a Valfenda, onde Gandalf tinha chegado antes deles. O trio encontrara os Cavaleiros Negros, Gildor e sua companhia de Elfos e o Fazendeiro Magote, em cuja casa a visita deles terminaria de uma maneira muito menos satisfatória do que mais tarde, por meio de uma brincadeira abusada da parte de Bingo (cujo potencial cômico não tinha se exaurido de maneira alguma); tinham atravessado o Brandevin e chegado à casinha preparada para eles por Marmaduque Brandebuque. Na carta para Charles Furth que acabei de citar, ele disse que não tinha "ideia do que fazer com [a história]"; mas Tom Bombadil, o Homem-Salgueiro e as Cousas-tumulares já tinham sido cogitadas como possibilidades (ver as pp. 59–60).

Em 31 de agosto de 1938, ele escreveu de novo para Charles Furth, falando de uma grande mudança que ocorrera:

> Nos últimos dois ou três dias ... comecei a trabalhar novamente na continuação do "Hobbit" — O Senhor do Anel. A história agora está fluindo, e saindo muito de controle. Chegou até por volta do Capítulo 7 e avança na direção de metas deveras inesperadas.

Ele disse "por volta do Capítulo 7" por conta das incertezas quanto à divisão de capítulos (ver a p. 169).

A passagem em manuscrito no fim do presente capítulo (ver a nota 16 acima) foi (tenho certeza) acrescentada ao texto datilografado nesse momento e era o início desse novo pulso de energia narrativa. Meu pai agora tinha decidido que a jornada dos hobbits iria levá-los para dentro da Floresta Velha, aquela "área de reputação duvidosa" que tinha aparecido na terceira versão de "Uma Festa Muito Esperada" (p. 42), e onde ele já tinha sugerido, em anotações iniciais (p. 59), que os hobbits ficariam perdidos e seriam pegos pelo Homem-Salgueiro. E "a continuação do *Hobbit*" recebe – pela primeira vez, ao que parece – um título: *O Senhor do Anel* (ver a p. 96 e a nota 3).

5

A Floresta Velha e o Voltavime

Na carta de 31 de agosto de 1938, citada no fim do capítulo anterior, meu pai disse que, "nos últimos dois ou três dias", ele tinha voltado novamente ao livro, o qual estava "fluindo, e saindo muito de controle", e que tinha chegado "por volta do Capítulo VII". Está claro que, naqueles poucos dias, os hobbits tinham atravessado a Floresta Velha passando pelo vale do Voltavime, tinham ficado na casa de Tom Bombadil, escapado da Cousa-tumular e chegado a Bri.

Há pouquíssimos esboços do quarto capítulo original, e apresento aqui os que existem. Primeiro temos uma página escrita com lápis macio e que agora é muito difícil de ler; introduzi alguns sinais de pontuação necessários e vocábulos conectivos que tinham sido omitidos, além de escrever por extenso os nomes representados por letras iniciais.

Montaram nos pôneis e saíram cavalgando névoa adentro. Depois de cavalgar mais de uma hora, chegaram à Sebe. Era alta e estava enredada em teias de aranha prateadas.

"Como atravessamos isso?", perguntou Odo.

"Há um caminho", respondeu Marmaduque. Seguindo-o ao longo da Sebe, eles chegaram a um pequeno túnel de paredes cobertas por tijolos. Ele descia uma ravina e mergulhava bem debaixo da Sebe, saindo a uma distância de cerca de vinte jardas do outro lado, onde terminava num portão de barras de ferro, próximas umas das outras. Marmaduque destrancou o portão, ajudou-os a sair e o trancou de novo. Quando ele se fechou, todos sentiram um frio na barriga repentino.

"Pronto", disse Marmaduque. "Vocês acabam de deixar o Condado – e estão [?do lado de fora] e perto da beira da Floresta Velha.

"São verdadeiras as histórias sobre ela?", perguntou Odo.

"Não sei a quais histórias você se refere – se quer dizer as velhas histórias de bicho-papão que nossas amas costumavam contar, sobre gobelins e lobos e coisas desse tipo, não. Mas o lugar é esquisito. Tudo o que existe na Floresta Velha está muito mais vivo, mais consciente do que acontece, do que no Condado. E não gosta de estranhos. As árvores observam você. Mas não fazem muita coisa à luz do dia. [?De vez em quando] as mais malignas podem largar um galho, ou estender uma raiz, ou tentar agarrar a pessoa com trepadeiras compridas. Mas à noite as coisas podem ficar muitíssimo perturbadoras – pelo que me contaram. Só estive uma vez na Floresta Velha, e foi só perto da borda, depois de escurecer. Achei que as árvores estavam todas sussurrando umas para as outras, embora não houvesse vento, e os galhos balançavam e tateavam. Dizem que as árvores chegam a se mexer e podem cercar estranhos e confiná-los. Muito tempo atrás, elas costumavam atacar a Sebe, vinham e se plantavam bem perto dela e se inclinavam por cima. Mas nós queima[mos] o solo ao longo de todo o lado leste, num raio de milhas, e elas desistiram. Também há seres esquisitos vivendo nas profundezas da Floresta e do lado oposto. Mas não ouvi dizer que fossem muito ferozes – pelo menos não durante o dia. Mas alguma coisa faz trilhas e as mantém abertas. Ali está o começo de uma trilha grande e larga que vai mais ou menos na mesma direção que nós. É para lá que estou indo."

O terreno ia se inclinando continuamente e, à medida que os pôneis avançavam, as árvores ficavam mais escuras, densas e altas. Não havia som, exceto um gotejamento ocasional; mas todos sentiam uma sensação desconfortável, a qual ia aumentando constantemente, de que estavam sendo observados – com desaprovação, se não antipatia. Marmaduque tentou cantar, mas sua voz logo se transformou num murmúrio e depois foi sumindo. Um galho pequeno caiu de uma árvore velha no chão atrás deles, com um estalo. Eles pararam, assustados, e olharam em volta.

"As árvores parecem ter objeções ao meu canto", disse Marmaduque, bem-humorado. "Tudo bem, vamos esperar até chegarmos a um ponto mais aberto."

Subindo outeiro vista sol alto névoa vai embora faz calor
Árvores barram caminho. Eles viram [?sempre ...... lado]
Homem-Salgueiro. Encontro com Tombombadil.
[*Riscado*: Cousas-tumulares]
Acampam em morros

Enquanto o trecho acima começa como narrativa e vai se transformando em anotações, outra página é expressamente um "esboço" da história a ser escrita:

O caminho serpenteia e eles se cansam. Não conseguem ver nada. Por fim, enxergam um outeiro desnudo (coroado por alguns pinheiros) à frente, que se ergue acima do caminho. Eles o alcançam e descobrem que a névoa se foi e que o sol está muito quente e quase a pino. 11 horas. Descansam e comem. Mas conseguem ver só floresta ao redor e não conseguem distinguir nem a Sebe nem a linha da estrada para o norte, mas a região de morros desnuda a Leste e a Sul jaz verde-acinzentada ao longe. Depois do outeiro, o caminho vira *para o sul*. Eles decidem deixá-lo e seguir para NE com base no sol. Mas as árvores barram o caminho. Estão descendo a encosta, e amoreiras e arbustos, aveleiras e outras plantas os bloqueiam. Cada ..... [?abertura] os leva para a direita. Por fim, já de tarde, eles percebem que estão chegando a um rio ladeado por salgueiros – o Voltavime.[1] Marmaduque sabe que esse rio corre através da floresta, vindo das colinas, para desaguar no Brandevin em Fim-da-Sebe. Parece haver algum tipo de caminho tosco seguindo rio acima. Mas uma grande sonolência cai sobre eles. Odo e Bingo não conseguem prosseguir sem descanso. Eles se sentam, encostados num grande salgueiro, enquanto Frodo e Marmaduque cuidam dos pôneis. Homem-Salgueiro prende Bingo e Odo. De repente, ouve-se um canto ao longe. (Tom Bombadil não é citado pelo nome.) O Salgueiro os solta.

Eles atravessam a floresta até o fim conforme o entardecer chega e escalam as colinas. Fica muito frio – a névoa é seguida por um chuvisco gelado. Eles se abrigam ao lado de um grande túmulo. Cousa-tumular os leva para dentro. Acordam e descobrem que foram enterrados vivos. Gritam. Por fim, Marmaduque e Bingo começam uma canção. Uma canção em resposta do lado de fora. Tom Bombadil abre a porta de pedra e os faz sair. Eles vão para a casa dele para passar a noite – duas Cousas-tumulares vêm [?galopando] atrás deles, mas param toda vez que Tom Bombadil se vira e olha para elas.

Nesse estágio, então, o primeiro encontro dos hobbits com Tom Bombadil deveria ser muito breve, e eles só seriam hóspedes dele depois da fuga do túmulo no alto das colinas; mas nenhuma narrativa dessa versão foi encontrada e, sem dúvida, nem chegou a ser escrita.

É claro que é possível que outros esboços preliminares tenham sido perdidos, mas o texto sobrevivente mais antigo do quarto capítulo original (com a numeração "4", mas sem título) parece uma composição *ab initio*, com muitas palavras e frases, e mesmo páginas inteiras, rejeitadas e substituídas na época em que foram escritas. Em sua maior parte, entretanto, trata-se de um manuscrito organizado e legível, ainda que produzido rapidamente, algo que se intensifica conforme ele progride (ver a nota 3). Assim, é notável que esse trecho alcance, de um só golpe, a narrativa que foi publicada em SA (Capítulo 6, "A Floresta Velha"), com pouquíssimas diferenças – além do elenco diferente de personagens (em grande parte, uma questão de nomes) e diferentes atribuições de "papéis", e, muitas vezes, ao longo de trechos substanciais, com quase exatamente a mesma formulação do texto final. Meu pai de fato podia dizer que *O Senhor do Anel* agora "estava fluindo".

Há alguns poucos detalhes que devem ser notados. Primeiro, no que diz respeito aos personagens, as "falas" estão distribuídas de forma variada e intermediária entre a primeira forma do capítulo e a forma final. Fredegar Bolger, é claro, não está presente para se despedir do grupo na entrada do túnel sob a Sebe, e a pergunta dele, "Como vão atravessar isso?" (SA, p. 179) é feita por Odo ("Como atravessamos isso?", cf. p. 140). A canção *Ó vós que vagais na terra sombria*,[2] cantada por Frodo em SA (p. 183), é aqui atribuída a Marmaduque, mas isso foi alterado, provavelmente de forma imediata, e ela ficou com Frodo Tûk. A objeção de Pippin quanto a seguir o caminho próximo ao Voltavime (SA 187–188) é feita originalmente por Bingo; e, na cena com o Velho Salgueiro, a atribuição das falas é bastante diferente. Na versão original, Bingo e Odo é que são totalmente sobrepujados pelo sono e se deitam encostados no tronco do salgueiro, e Marmaduque é quem se mostra mais resistente e assustado com a chegada da sonolência. Frodo Tûk ("mais aventuroso") vai até a beira do rio (tal como Frodo Bolseiro em SA) e, caindo no sono aos pés do Salgueiro, é jogado dentro d'água e segurado debaixo de uma raiz, enquanto Marmaduque desempenha o papel posterior de Sam ao reunir os pôneis, resgatar Frodo (Tûk ou Bolseiro) do rio e discutir com ele sobre como libertar os prisioneiros da árvore. Contudo, apesar da redistribuição das falas nessa cena, e do advento de Sam Gamgi, o texto antigo está muito próximo da forma final, como se pode ver com base neste exemplo (cf. SA, p. 190).

Marmaduque o agarrou [Frodo Tûk] pela parte de trás da jaqueta, arrancou-o debaixo da raiz e o colocou na margem. Ele acordou quase de imediato, tossiu e cuspiu.

"Sabe", disse ele, "a desgraçada me *jogou* na água! Senti e vi isso: a raiz grande simplesmente se enrolou e me jogou ali."

"Você estava sonhando", disse Marmaduque. "Deixei você dormindo, embora eu achasse que era bobeira sentar num lugar desses."

"E os outros dois?", perguntou Frodo. "Pergunto-me que espécie de sonhos *eles* tiveram?"

Deram a volta para o lado oposto ao rio. Marmaduque então compreendeu o estalido. Odo sumira. A fenda junto à qual se deitara tinha fechado, de modo que não se via nem uma fresta. Bingo fora apanhado; pois a rachadura em que estava se fechara em volta de sua cintura...

Há também alguns detalhes menores de topografia a serem mencionados. O esquema do capítulo diz (p. 142) que o outeiro estava coroado com pinheiros, e isso foi mantido, ele tinha "um punhado de pinheiros no alto", debaixo dos quais os hobbits se sentaram. Em SA (p. 184), o morro é comparado a uma cabeça calva, e as árvores em volta dele a "cabelos densos que acabassem de repente num círculo em torno de um cocuruto rapado". Quando, mais tarde, eles chegaram ao fim da ravina e olharam, das árvores, para o Voltavime, estavam no alto de um penhasco:

De repente as árvores do bosque chegaram ao fim, e a ravina terminou no alto de um barranco que era quase um penhasco. A correnteza mergulhava por ele e descia numa série de pequenas quedas d'água. Olhando para baixo, viram que ali havia um espaço amplo com capim e juncos ...

Marmaduque foi descendo até o rio e desapareceu no capim alto e nos arbustos baixos. Algum tempo depois, ele reapareceu e os chamou de um pedaço de relva uns trinta pés abaixo deles. Relatou que havia terreno bastante sólido entre o barranco e o rio ...

Em SA (p. 187), fica claro que os hobbits, seguindo o riachinho pela ravina, tinham chegado ao nível do vale do Voltavime enquanto ainda estavam na parte mais densa dos bosques:

Chegando à abertura descobriram que haviam descido por uma fissura numa encosta alta e íngreme, quase um penhasco. No sopé havia um amplo espaço de capim e juncos...

[Merry] avançou para a luz do sol e desapareceu no capim alto. Algum tempo depois, reapareceu e relatou ...

Mais tarde, na versão original, os hobbits ficam ansiosos quanto à descida dos pôneis pelo penhasco; na verdade, acabam descendo sem dificuldade, mas Frodo Tûk "colocou peso demais em cima de um amontoado de capim que se projetava feito um degrau, e despencou de ponta-cabeça pelos últimos quinze pés da descida; mas chegou sem grandes danos ao fundo, porque o solo era mole". Em SA (p. 188), os hobbits simplesmente "saíram enfileirados" das árvores.

A última parte do capítulo, na qual Tom Bombadil aparece, e que termina com as mesmas palavras do capítulo em SA ("uma luz dourada brilhava a toda a sua volta"), é tão próxima da versão final[3] que só um único detalhe precisa ser mencionado. No esboço, fica tão claro quanto no texto de SA que a trilha que os hobbits seguiram ao lado do Voltavime ficava do lado norte do rio, o lado do qual tinham descido da floresta, e, portanto, é estranho que a área próxima da casa de Tom Bombadil seja descrita assim:

A grama sob os seus pés era lisa e curta, e parecia ter sido podada e rapada. A borda da floresta atrás deles estava tão uniforme e curta quanto uma sebe. O caminho era ladeado por pedras brancas; e, *fazendo uma curva fechada para a esquerda, passava por cima de uma ponte pequena*. Depois fazia curvas subindo até o topo de um outeiro redondo ...

Mas a trilha já estava do lado esquerdo da correnteza conforme seguia rio acima. Mais tarde, esse texto passou por muitas correções, e a versão de SA foi praticamente atingida; mesmo assim, esse detalhe foi mantido: "O caminho era ladeado por pedras brancas; e, fazendo uma curva fechada para a esquerda, levou-os por cima de uma ponte de madeira". Mais tarde ainda, a palavra "esquerda" foi trocada por "direita", com a implicação de que a casa de Tom

Bombadil ficava do lado sul do Voltavime. Em SA não há menção a uma ponte. O mapa do Condado feito por meu pai (ver p. 135: mapa I) provavelmente mostra que ele mudou de ideia nesse ponto; pois o traçado do lápis traz as letras "TB", com uma marca escura ao lado delas, no lado sul, enquanto a tinta por cima do lápis coloca a casa ao norte do rio. Ver também pp. 403–5.

NOTAS

1 É a primeira ocorrência do nome *Voltavime.*

2 A letra traz a expressão *terra da sombra* no lugar de *terra sombria* no primeiro verso, mas de resto é igual à de SA. Também foram preservados esboços de uma canção nesse ponto do texto. Meu pai escreveu de início "Ó vós que vagais na terra das árvores / não desespereis, pois não há mata", mas esse início foi interrompido, sendo sugeridos os seguintes versos:

não penseis no lar que atrás ficou
mas tende por meta os longes montes
que estão além do sol nascente.
Começa a jornada premente,
estradas sempre avante vão
passando por casa e portão,
sobre água, debaixo de mata[A]

3 Mais para o fim do capítulo, o manuscrito fica extremamente confuso. A partir do ponto onde Marmaduque e Frodo Tûk descobrem que Bingo e Odo caíram na armadilha do Homem-Salgueiro, meu pai parou de usar caneta e passou ao lápis, e, degenerando até se transformar num garrancho, o capítulo parece ter parado durante o resgate de Tom Bombadil; mas, mais tarde, ele apagou a maior parte do texto a lápis ou escreveu em cima dele à tinta, continuando dessa maneira até o fim do capítulo. Esse trecho de conclusão se diferencia do esboço inicial apresentado na p. 142, onde os hobbits, depois de serem resgatados, subiram às Colinas e foram capturados pela Cousa-tumular; aqui, tal como em SA, Tom os convida para ir à casa dele e vai na frente pela trilha ao lado do Voltavime. A última parte do manuscrito provavelmente é, a rigor, um acréscimo posterior; mas isso tem pouca importância, uma vez que todos esses escritos obviamente correspondem ao mesmo período de trabalho, no fim de agosto de 1938.

Nota sobre Tom Bombadil

Tom Bombadil, Fruta D'Ouro, o Velho Salgueiro e a Cousa-tumular já existiam havia algum tempo, aparecendo de forma impressa nas páginas de *The Oxford Magazine* (vol. LII, n. 13, 15 de fevereiro de 1934). Numa carta datada de 1954, meu pai disse:

Não creio que se precise filosofar sobre Tom, e ele não seria melhorado com tal ato. Mas muitos consideraram-no um ingrediente estranho ou de fato discordante. Historicamente, na verdade, introduzi-o porque eu já o havia "inventado" de modo independente (ele apareceu pela primeira vez na Oxford Magazine) e queria uma "aventura" no caminho.*

Num pedaço de papel pequeno e isolado se encontram os seguintes versos. No alto da página, meu pai escreveu: "Data desconhecida – gérmen de Tom Bombadil, então, evidentemente, meados dos anos 1930"; e essa nota foi escrita ao mesmo tempo que o texto, o qual certamente é bastante tardio. Não restou sinal do texto a partir do qual os versos foram copiados.

(Disse eu)
"Oh! Tom Bombadil
Pra onde está indo
Com John Pompador
Rio abaixo vindo?"

(Disse ele)
Por Long Congleby,
Stoke Canonicorum,†
Depois de King's Singleton
Pra Bumby Cocalorum –

Chamar o Bill Willoughby
Seja o que 'tiver fazendo,
Preguntar‡ *ao Harry Larraby*
Que cerveja tá fermentando."

* *As Cartas de J.R.R. Tolkien*, n. 153. Algumas observações importantes sobre Tom Bombadil podem ser encontradas nessa carta e também na de número 144.

† Nome medieval da localidade que hoje é Stoke Canon, em Devonshire [região do oeste da Inglaterra].

‡ Em inglês a forma do verbo é *ax*, mas com o sentido de ask. Embora seja uma forma considerada "errada" hoje, *ax* foi usada historicamente. Daí a opção por "preguntar" em vez de "perguntar" na tradução. (NT)

(E ele cantou)
Vamos, barco! Reme! Tem salgueiros balançando,
caniços se inclinando, o vento mexe a grama.
Corra, rio, corra! As ondas vão passando;
verdes elas luzem, e cintilam feito chama.

Siga, belo Sol, pelo céu vai deslizando,
a rolar dourado! Alegres vamos cantando!
Frescas as lagoas, mesmo no verão queimando;
em capoeira sombreada que o riso vá soando!"[B]

O poema publicado em *The Oxford Magazine* em 1934 trazia o título *As Aventuras de Tom Bombadil* (em formas anteriores, era *A História de Tom Bombadil*). Muitos anos mais tarde (em 1962), meu pai fez dele o primeiro poema na coleção à qual deu esse mesmo título (e acrescentou também um novo poema, *Bombadil Sai de Barco*, no qual ele encontra o Fazendeiro Magote no Pântano). Várias alterações foram feitas nessa versão posterior, e foram introduzidas menções ao Voltavime, mas o antigo poema ficou preservado, em larga medida. Nele podemos encontrar a origem de muitas coisas neste capítulo e nos seguintes – a fenda do Grande Salgueiro que se fecha (embora, no poema, seja o próprio Tom quem fica preso nela), a ceia de "creme amarelo, favo, pão branco e manteiga", os "ruídos da noite" que incluem a batida dos galhos do Velho Salgueiro na vidraça da janela, as palavras da Cousa-tumular (a qual, no poema, está dentro da casa de Tom), "Estou te esperando", e muito mais.

6

Tom Bombadil

Um esquema bastante breve mostra as primeiras ideias do meu pai para o próximo estágio da viagem dos hobbits: a visita à casa de Tom Bombadil.

Tom Bombadil os salva do Homem-Salgueiro. Diz que foi sorte ele aparecer por aqueles lados – tinha ido até a lagoa dos lírios d'água para pegar alguns lírios brancos para Fruta D'Ouro (minha esposa).

Descobrem que ele conhecia o Fazendeiro Magote. (Fazer com que Magote seja não um hobbit, mas algum outro tipo de criatura – não um anão, mas aparentado de Tom Bombadil). Eles descansam na casa dele. Bombadil diz que *única* saída é seguindo a trilha dele ao lado do Voltavime. Descrição de banquete e fogueira de [?salgueiro]. *Muitos ruídos à noite.*

Tom Bombadil os acorda cantando *balalão* e abrindo todas as janelas (ele mora numa casinha à sombra do morro, de frente para a borda da floresta e o [?canto leste] da mata). Diz a eles para ir no rumo norte, mas evitar as Colinas altas e os túmulos. *Alerta-os sobre as cousas-tumulares*; ensina-lhes uma canção que devem cantar se as cousas-tumulares os assustarem ou

Um dia frio. A névoa fica espessa e eles se perdem.

Esse esquema foi escrito muito rapidamente, a lápis. Como veremos em breve, nesse estágio os hobbits só passaram uma noite com Tom Bombadil e foram embora na manhã seguinte. Outro conjunto de anotações, que também obviamente veio antes do primeiro texto narrativo propriamente dito, também é muito difícil de ler:

Motivo dos lírios d'água – últimos lírios do verão para Fruta D'Ouro.

Relação de Tom Bombadil com o Fazendeiro Magote (Magote não é um hobbit?)

Tom Bombadil é um "aborígine" – ele conhecia a terra antes dos homens, antes dos hobbits, antes das cousas-tumulares, sim, antes do necromante – antes que os elfos viessem para esse pedaço do mundo.

Fruta D'Ouro diz que ele é "mestre da água, do bosque e da colina". Essa terra toda pertence a ele? Não! A terra e as coisas pertencem a si mesmas. Ele não é o possuidor, mas o mestre, porque pertence a si mesmo.

Descrição de Fruta D'Ouro, seu cabelo tão louro quanto os lírios-amarelos, seu traje verde e seus pés ligeiros.

Cousas-tumulares aparentadas aos Cavaleiros-negros. Será que Cavaleiros-negros são, na verdade, Cousas-tumulares montadas?

Os hóspedes dormem – há um ruído como o de vento ganhando força nas bordas da floresta e ..... através das vidraças e fachadas e portas. Galope de [?cavalos] em volta da casa.

A primeira narrativa propriamente dita (incompleta) desse capítulo é um manuscrito muito rudimentar e difícil de ler, à tinta, que vai ficando realmente muito tosco até parar no trecho sobre a primeira manhã na casa de Bombadil. Não tem título, mas leva uma numeração bastante esquisita, "5 ou 6". Aqui, ainda mais do que no capítulo anterior, a forma final – até bem perto do fim – já está presente quase sempre, exceto em alguns detalhes de expressão.

O mais interessante é a história dos sonhos dos hobbits durante a noite, que é contada da seguinte forma:

No meio da noite, Bingo acordou e ouviu ruídos: um medo repentino lhe sobreveio [?de modo que] ele não falou, mas ficou deitado escutando, sem fôlego. Escutou um som semelhante ao de um vento forte que circulava em torno da casa, chacoalhando-a, e com o vento vinha um galope, galope, galope: cascos pareciam descer rápido a encosta no leste, subindo as paredes e dando a volta nelas, cascos batendo e vento soprando, e depois morrendo ao longe, subindo a colina e adentrando a escuridão.

"Cavaleiros negros", pensou Bingo, "Cavaleiros negros, uma hoste negra de cavaleiros", e perguntou-se se algum dia voltaria a ter coragem, mesmo que fosse pela manhã, de deixar a segurança daquelas boas paredes de pedra. Ficou deitado e escutou por um tempo, mas tudo tinha ficado em silêncio de novo e, depois de um tempo, adormeceu. Ao lado dele, Odo estava deitado, sonhando. Ele se virou e resmungou, e despertou na escuridão, e ainda assim o sonho continuava. Tap, tap, quic: o ruído era semelhante a ramos que se sacudiam ao vento, galhinhos feito dedos raspando parede e janela ... [*etc. tal como em SA, p. 203*].

Foi o som de água que Frodo ouviu caindo em seu sono, a acordá-lo lentamente. Água escorrendo para baixo gentilmente, de início, e depois se espalhando por toda a casa, gorgolejando sob as paredes ... [*etc. tal como em SA, p. 203*].

Meriadoc[1] dormiu a noite inteira em profundo contentamento.

> Da maneira como a história é narrada aqui, não parece haver razão para interpretar que Cavaleiros Negros (ou Cousas--tumulares) não tivessem de fato aparecido e andado em volta da casa de Tom Bombadil durante a noite. Vemos que o texto diz explicitamente que Bingo *acordou* e, depois de um tempo, *adormeceu*. No esboço inicial apresentado na p. 142 (no qual os hobbits só foram ficar com Tom depois de serem capturados por uma Cousa-tumular nas Colinas), "Duas Cousas-tumulares vêm [?galopando] atrás deles"; cf. também a nota na p. 151: "Cousas-tumulares aparentadas aos Cavaleiros-negros. Será que Cavaleiros-negros são, na verdade, Cousas-tumulares montadas?" – seguida de "Galope de [?cavalos] em volta da casa". De qualquer modo, o fim do presente texto (que, infelizmente, foi rabiscado de um jeito tão excêntrico que é extremamente difícil interpretá-lo) é bem claro. Aqui, tal como na história posterior, Bingo, ao despertar, olha pela janela do lado leste de seu quarto para a horta, cinzenta e coberta de orvalho.

Ele esperava ver gramado chegando até as paredes, um gramado todo afundado com marcas de cascos. Na verdade, sua visão estava encoberta por uma alta fileira de favas verdes em postes, mas acima delas, muito além, o cume cinzento da colina se erguia diante do sol nascente. Era uma manhã cinzenta, com nuvens suaves, atrás das quais havia profundezas de amarelo e vermelho-claro. A luz se espalhava depressa, e as flores vermelhas das favas começaram a brilhar diante das folhas verdes e úmidas.

Frodo olha pela janela do oeste, assim como Pippin em SA, e vê o Voltavime desaparecendo na névoa abaixo dele, bem como o jardim: "não havia salgueiro à vista".

"Bom dia, alegres amigos!", disse Tom, escancarando a janela do leste. Um ar fresco fluiu para dentro. "O sol vai [?esquentá-]los quando o dia for adiante. Já caminhei bastante, saltando pelas colinas, desde que o ocaso gris [?veio] e a noite afundou, grama úmida nos pés ……"

Quando terminaram de se vestir [*riscado no momento da escrita*: Tom os levou morro acima] o sol já tinha se erguido acima da colina, e as nuvens estavam se desfazendo. No vale da floresta, as árvores estavam aparecendo feito cabeças compridas que se erguiam acima do mar enovelado de bruma. Ficaram felizes com o desjejum – de fato, ficaram felizes por estarem acordados e seguros, do lado alegre do dia mais uma vez. A ideia de partir pesava sobre eles – e não apenas por medo da estrada. Ainda que fosse uma estrada [?alegre] e a estrada para casa, ainda teriam desejado se demorar ali.

Mas sabiam que isso não era possível. Bingo sabia também, em seu coração, que o barulho de cascos não tinha sido só um sonho. Precisavam escapar rapidamente ou então … [?perseguidos] ali. Assim, ele se decidiu a pedir a ajuda e o conselho que o [?velho] Bombadil pudesse ou quisesse dar.

"Mestre", disse ele, "não temos como agradecer por sua bondade, porque ela vai além de qualquer agradecimento. Mas precisamos partir, contra nossa vontade e rapidamente. Pois ouvi cavaleiros à noite, e temo que estejamos sendo perseguidos."

Tom olhou para ele. "Cavaleiros", repetiu. "Homens mortos [?cavalgando o vento. Há tempos que não vinham para cá.] O que leva as Cousas-tumulares a deixarem seus antigos tesos? Vocês são gente estranha para ter vindo do Condado, [?ainda mais estranha do que as notícias que me chegaram.] Agora é melhor que me contem tudo – e eu vou lhes dar conselho."

O texto termina aqui, mas depois dele há as seguintes notas a lápis:

Fazer com que seja um dia repentinamente chuvoso. Eles o passam na casa de Tom e contam a ele a história; e ele a do

Homem-Salgueiro e a do ......[2] Ele está preocupado com os cavaleiros; mas diz que vai pensar num conselho. Dia seguinte é bonito. Ele os leva para o alto do morro. Eles .... as colinas.

É aqui que a história do segundo dia chuvoso, que passaram numa longa conversa com Bombadil, foi inserida; antes disso, a ideia era que o tempo ficaria bom e os hobbits teriam ido embora depois que contassem a história deles a Tom e recebessem seus conselhos. Nessa primeira narrativa, Bingo estava tão convencido da realidade do que ouvira durante a noite que tocou no assunto com Tom, e Tom parece levá-lo a sério; e, nesse contexto, a expressão "Na verdade" (mantida em SA) no trecho "Na verdade, sua visão estava encoberta por uma alta fileira de favas em postes" sugere que, se não fosse por isso, ele de fato teria visto o gramado "todo afundado com marcas de cascos".

Seguiu-se uma segunda narrativa, obviamente escrita logo após a primeira, e essa versão está completa. Aqui o capítulo recebe o número "5", ainda sem título. O primeiro texto agora foi refinado e ordenado em termos de expressão, a manhã pressagia a vinda da chuva, e a nova versão se torna, até o ponto em que a primeira termina, pouquíssimo diferente da de SA, exceto no caso dos "sonhos". Tais sonhos ainda são contados usando a mesma linguagem inequívoca, como se fossem eventos reais da noite; mas o que se fala a respeito deles não é mais do que aparece em SA. Na história final, o sonho de Frodo é uma visão de Gandalf parado no pináculo de Orthanc e da descida de Gwaihir para levá-lo embora, mas essa visão ainda é acompanhada pelo som dos Cavaleiros Negros galopando, vindos do leste; e é esse som que o acorda. Ainda se afirma que ele achou, pela manhã, que ia encontrar o chão ao redor da casa marcado por cascos, mas agora isso não é mais do que uma forma de enfatizar a vividez de sua experiência durante a noite.

O restante da segunda versão do capítulo geralmente se aproxima da forma final de modo extraordinário,[3] mas não são poucas as diferenças interessantes.

Na longa conversa de Tom Bombadil com os hobbits no segundo dia, a voz dele é descrita como "sempre num ritmo de cantoria, ou, na prática, uma canção" (cf. SA, p. 206: "Muitas vezes sua voz se tornava canção"). A passagem acerca do Velho Salgueiro foi escrita inicialmente desta maneira:

Em meio à conversa dele, havia aqui e ali muita coisa sobre o Velho Salgueiro, e Merry ficou sabendo o bastante para se contentar[4] (mais que o bastante, pois não era um saber confortável), embora não o suficiente para que ele entendesse como aquele espírito gris, sedento e preso à terra tinha ficado aprisionado dentro do maior Salgueiro da Floresta. A árvore não morreu, embora seu coração ficasse apodrecido, enquanto a malícia do Velho arrancava poder da terra e da água e se espalhava feito uma rede, feito finas meadas de raízes no chão e dedos de ramos no ar, até que infectou ou subjugou quase todas as árvores em ambos os lados do vale.[5]

O que Bombadil disse sobre as Cousas-tumulares das Colinas-dos-túmulos foi mantido quase palavra por palavra em SA (pp. 206–7), com uma diferença: no lugar do texto de SA, "Uma sombra veio de lugares escuros e longínquos", o presente texto diz "Uma sombra escura veio do meio do mundo"; no texto a lápis embaixo da versão à tinta (ver a nota 3) pode-se ler "uma sombra escura veio do Sul". No fim dessa conversa, no ponto onde SA tem a frase "Tom seguiu cantando, para lá e para cá, rumo à antiga luz das estrelas", a versão anterior diz "e ainda mais Tom seguiu cantando, de volta para antes do Sol e antes da Lua, rumo à velha luz das estrelas".

Um detalhe que vale a pena registrar é esta frase na versão antiga: "Se foi a manhã e a tarde de um dia ou de muitos dias que passaram, Bingo não sabia dizer (nem jamais descobriu ao certo)". As palavras entre parênteses logo seriam removidas quando a data da viagem até Bri passou a ser precisada; os hobbits ficaram com Bombadil nos dias 26 e 27 de setembro e foram embora na manhã do dia 28 (ver a p. 202).

A resposta de Tom Bombadil à pergunta de Bingo, "Quem é você, Mestre?", tem algumas diferenças interessantes em relação à forma final (SA, p. 208):

"Eh, o quê?", disse Tom, erguendo-se na cadeira, e seus olhos luziram no escuro. "Eu sou um Aborígine, é isso o que sou, o Aborígine desta terra. [*Riscado de imediato*: Já falei uma batelada[6] de línguas e já chamei a mim mesmo de muitos nomes.] Ouçam bem, meus alegres amigos: Tom estava aqui antes do Rio ou das Árvores. Tom recorda a primeira bolota e a primeira gota de chuva. Fez trilhas antes do Povo Grande e viu o Povo Pequeno chegar. Estava aqui antes dos reis e dos túmulos e [dos fantasmas >] das Cousas-tumulares. Quando os Elfos foram pro oeste, Tom já estava aqui – antes dos mares serem curvados. Viu o Sol nascer no Oeste e a Lua a segui-lo, antes que a nova ordem dos dias fosse feita. Viu a treva sob os astros quanto não havia temor – antes que o Senhor Sombrio viesse de Fora."

Em SA, Tom Bombadil chama a si mesmo de "O Mais Velho", não de "Aborígine" (cf. as notas apresentadas na p. 150: "Tom Bombadil é um 'aborígine'"); e a referência aqui ao fato de ele ter visto "o Sol nascer no Oeste e a Lua a segui-lo" foi retirada (embora "Tom recorda a primeira bolota e a primeira gota de chuva", frase que foi mantida, tenha o mesmo significado). Essas palavras são extremamente surpreendentes; pois, no *Quenta Silmarillion*, que meu pai tinha acabado de deixar de lado no fim do ano anterior, afirma-se que "Rana [a Lua] foi feita e ficou pronta primeiro, e se elevou por primeiro à região das estrelas, e se tornou a primogênita das novas luzes, assim como Silpion fora a das Árvores" (V.285); e a Lua nasceu pela primeira vez quando Fingolfin pôs os pés na Terra-média, mas o Sol o fez quando ele entrou em Mithrim (V.297).

Tom Bombadil estava "lá" durante as Eras das Estrelas, antes que Morgoth voltasse à Terra-média após a destruição das Árvores; será que é a esse evento que ele se refere em suas palavras (mantidas em SA), "Ele conheceu a treva sob os astros quando não havia temor – *antes que o Senhor Sombrio viesse de Fora*"? Deve-se dizer que parece improvável que Bombadil se referisse a Valinor, do outro lado do Grande Mar, como "Fora", especialmente porque isso aconteceu longas eras "antes dos mares serem curvados", quando Númenor submergiu; pareceria muito mais natural interpretar a palavra com o significado de "a Escuridão de Fora", "o Vazio" além das Muralhas do Mundo. Mas, no estado que a mitologia alcançara quando meu pai começou *O Senhor dos Anéis*, Melkor entrou "no Mundo" com os outros Valar e nunca o deixou até sua derrota final. Foi somente com seu retorno a *O Silmarillion* após a conclusão de *O Senhor dos Anéis* que ele inseriu o relato encontrado na obra publicada (p. 63) sobre a Primeira Guerra, na qual Melkor foi derrotado por Tulkas e lançado na Escuridão de Fora, da qual retornou em segredo, enquanto os Valar descansavam de seus trabalhos na Ilha de Almaren, e derrubou as Lamparinas, encerrando a Primavera de Arda. Parece então que ou Bombadil deve, na verdade, estar se referindo ao retorno de Morgoth de Valinor à Terra-média, em companhia de Ungoliant e portando as Silmarils, ou então meu pai já havia desenvolvido, nessa data, uma nova concepção da história primeva de Melkor.

Após a referência ao Fazendeiro Magote, de quem Tom Bombadil obteve seu conhecimento sobre o Condado, e a quem ele "parecia considerar pessoa de maior importância do que eles haviam imaginado" (SA, p. 209), esse texto acrescenta: "Somos parentes, ele e eu. É maneira de falar: o parentesco é distante, vem de longe, mas somos próximos o suficiente para manter a amizade" (no rascunho original: "Somos aparentados, disse ele, de um jeito distante, muito distante, mas próximos o suficiente para que o parentesco conte"). Cf. as notas apresentadas na p. 150, acerca da possibilidade de que o Fazendeiro Magote não fosse um hobbit, mas um ser de um tipo totalmente diferente e semelhante a Bombadil.[7] No final dessa passagem, a referência em SA às relações de Tom com os elfos, e a ele ter recebido de Gildor notícias sobre a fuga de Frodo (Bingo), está ausente do presente texto. (Tom, de fato, disse antes, SA, p. 201, que ele e Fruta D'Ouro tinham ouvido falar de suas andanças e "achamos que vinham logo descendo até a água", e isso é encontrado em ambos os textos originais).

Quanto às perguntas que Tom faz a Bingo, afirma-se aqui que Bingo "se viu contando a ele mais sobre Bilbo Bolseiro, sobre sua própria história e sobre a questão de sua fuga repentina do que ele contara antes até mesmo a seus três amigos"; em SA (p. 209), esse trecho diz: "se viu contando mais sobre Bilbo e suas próprias esperanças e temores do que contara antes, mesmo a Gandalf". Pode-se notar que, na narrativa antiga até agora, não houve nenhuma sugestão de que a partida de Bingo da Vila-dos-Hobbits tenha sido "uma fuga repentina" – exceto, talvez, no "prefácio" apresentado no Capítulo 3, onde Gandalf diz a ele, antes da Festa, "Mas você precisa partir rápido" (p. 108).

O episódio em que Tom manipula o Anel é contado virtualmente com as mesmas palavras de SA, sendo que a única diferença, muito ligeira, é que quando Bingo coloca o Anel, Tom grita: "Ei, vamos, ora, Bingo, pra onde está indo? Está rindo do quê? Ficou cansado da conversa? Tire esse Anel aí e sente-se um instante. Temos de conversar mais ..." Ao lado desse trecho, meu pai escreveu mais tarde: "Fazer com que a visão [de Tom] fique mais clara" e trocou parte do texto (depois de "pra onde está indo?") por: "Achou que eu não veria porque estava com o Anel? Rá, Tom Bombadil ainda não é tão cego assim. Tire o seu Anel dourado e sente-se um instante."

Finalmente, bem na última parte do capítulo, a quadrinha que Tom Bombadil ensinou os hobbits a cantar se precisassem dele é diferente da que consta em SA:

Ó! Tom Bombadil! Onde é que estás, será?
Acima, abaixo, perto ou longe? Aqui, ali ou lá?
Por monte teso, mata que cresce, pela água fluindo,
Aqui nós te chamamos! Será que estás ouvindo?[A]

Esse poema, de início, estava presente no próximo capítulo, quando Bingo o cantou na tumba; mas foi substituído ali, no momento da escrita, por *Ó! Tom Bombadil, Tom Bombarqueiro!* etc., tal como em SA (p. 221). Na presente passagem, meu pai escreveu na margem: "Ou trocar pelo poema no capítulo 6", e assim foi feito (SA, p. 211).

NOTAS

1 Essa é a primeira ocorrência do nome *Meriadoc* no lugar de *Marmaduque* num manuscrito desde sua primeira versão.

2 A palavra se parece muito com *texugos*. Se for isso mesmo, deve ser uma referência aos texugos que capturam Bombadil no poema ("Pelo casaco o pegaram, puxaram Tom buraco adentro, pelos túneis o arrastaram"); ver *The Adventures of Tom Bombadil* (1962), pp. 12–13 (os versos descrevendo o encontro de Tom com os texugos ficaram virtualmente inalterados na versão posterior). No texto seguinte desse capítulo, Tom estava contando aos hobbits "uma história absurda sobre texugos e seus modos estranhos" quando Bingo colocou o Anel no dedo; e esse detalhe foi mantido em SA.

3 A história do segundo dia chuvoso na casa de Bombadil foi escrita *ab initio* a lápis e depois parte do manuscrito foi reescrita com tinta por cima do lápis; no caso da parte final do capítulo, a partir da ceia do segundo dia, há tanto um esboço a lápis quanto um manuscrito à tinta. Mas está claro que todo esse trabalho foi contínuo e sobreposto

4 A pergunta sobre o Velho Salgueiro na noite anterior foi feita por Merry (em SA, por Frodo); isto é, por alguém que não tinha ficado aprisionado dentro da árvore.

[5] Uma passagem muito próxima daquela em SA (a partir de "as palavras de Tom desnudaram os corações das árvores") foi usada para substituir essa, provavelmente enquanto o manuscrito estava sendo escrito ou logo depois.

[6] [Em inglês,] *a mort*: ou seja, uma quantidade muito grande.

[7] É concebível que algumas emendas a lápis no texto datilografado do terceiro capítulo tenham sido acrescentadas nessa época e com base nesses trechos. As palavras de Frodo Tûk sobre o Fazendeiro Magote, "Ele mora numa casa" (p. 118), foram ampliadas da seguinte maneira: "Ele não é um hobbit – não um hobbit puro, de qualquer jeito. É bastante corpulento e tem pelos debaixo do queixo. Mas a família dele é dona destes campos desde os tempos mais remotos". E, quando Magote aparece (p. 120), o trecho "um rosto de hobbit, grande e redondo" foi alterado para "um rosto grande e redondo, emoldurado por pelos". Mais tarde, no Prólogo do SdA, os hobbits da Quarta Leste são descritos como "bem grandes, de pernas pesadas": "sabia-se bem que eram Grados em grande parte de seu sangue, como de fato era demonstrado pela penugem que crescia no queixo de muitos deles. Nenhum dos Pés-Peludos nem dos Cascalvas tinha qualquer vestígio de barba". Ver p. 364.

Já havia uma indicação anterior de que o Fazendeiro Magote não era de todo o que aparentava ser, no comentário de Merry (p. 131): "Costumava entrar na Floresta Velha antigamente, e tinha a reputação de saber de algumas coisas que aconteciam fora do Condado". Isso foi mantido em SA (p. 170).

7

A Cousa-Tumular

As primeiras ideias de meu pai sobre o confronto com a Cousa-tumular (colocadas no papel quando ele estava trabalhando na história dos hobbits na Floresta Velha) foram apresentadas na p. 142. Quando ele se pôs a escrever esse capítulo, começou com um esboço a lápis[1] que conduziu a história até o ponto em que os hobbits despertam ao lado da pedra fincada no círculo côncavo das Colinas (SA, p. 215). Tal como em muitos de seus rascunhos preliminares, esse texto seria virtualmente ilegível se ele não o tivesse seguido de perto no primeiro manuscrito completo (a tinta), pois palavras que poderiam ser interpretadas de uma dúzia de maneiras sem contexto podem, então, ser identificadas de imediato. Nesse caso, ele não fez mais do que aprimorar a formulação apressada do rascunho e acrescentar a passagem descrevendo a visão ao norte do pilar de pedra, com a linha escura ao longe que Merry achou serem árvores ladeando a Estrada Leste.

Se o rascunho continuava depois desse ponto, esse trecho se perdeu; mas, na verdade, o manuscrito à tinta pode muito bem ser a fase inicial de composição. Há, entretanto, um esquema narrativo muito rudimentar, feito a lápis, para a história a partir do ponto no qual "Bingo volta a si dentro de um túmulo", e esse esquema continua a história até Valfenda. Foi escrito tão rapidamente, e o texto agora está tão esmaecido, que não consigo discernir tudo, mesmo com muito esforço. A pior parte, entretanto, é a do início, indo do momento em que Bingo recobra a consciência no túmulo até quando Tom acorda Odo, Frodo e Merry, e, com base no que é legível, pode-se perceber que, embora o esquema seja muito conciso e limitado, todos os elementos essenciais da narrativa estavam presentes. Portanto, não tentarei representar esse trecho, mas apresentarei o restante do esquema em seu todo aqui, já que ele é de grande interesse ao mostrar as ideias de meu pai sobre o curso subsequente da história nesse ponto – isto é, antes que o capítulo da "Cousa-tumular" fosse concluído.

Tom canta uma canção diante de Odo Frodo Merry. Despertem agora meus alegres ...!

.........[2] do [?pilar] e como eles acabaram se separando. Tom lança uma benção ou uma maldição sobre o ouro e o coloca no alto do teso. Nenhum dos hobbits quer ficar com nada, mas Tom pega um broche para Fruta D'Ouro.

Tom diz que vai acompanhá-los, depois de repreendê-los por dormirem junto ao pilar de pedra. Logo encontram a Estrada, e o caminho parece curto. Viram para a Estrada. [?Galopes] vêm atrás deles. Tom se volta e ergue a mão. Eles fogem para trás.[3] Conforme o crepúsculo chega, eles enxergam uma ... luz. Tom diz adeus – pois Fruta D'Ouro o espera.

Dormem na estalagem e ouvem notícias de Gandalf. Estalajadeiro divertido. Canção de beber.

Narrar rapidamente resto da jornada até Valfenda. Algum cavaleiro na Estrada? Fazer com que se desviem tolamente para visitar Pedras dos Trols. Isso os atrasa. Um dia, por fim, pararam num lugar elevado e olharam para o Vau adiante. Som de galope atrás. Sete (3? 4?) Cavaleiros-negros se apressam pela Estrada. Eles têm anéis e coroas de ouro. Fuga pelo Vau. Bingo [*escrito acima*: Gandalf?] joga uma pedra e imita Tom Bombadil. Voltem e cavalguem para longe! Os Cavaleiros param, como se estivessem espantados, e olhando para os hobbits no barranco os hobbits não conseguem ver rostos debaixo dos capuzes deles. Voltem diz Bingo, mas ele não é Tom Bombadil, e os cavaleiros seguem para o vau. Mas bem nessa hora se ouve o estrondo de algo passando rápido e uma grande [?parede] de água arrastando pedras vem rugindo pelo rio das montanhas. *Elfos chegam.*

Os Cavaleiros recuam bem na hora assustados. Os hobbits cavalgam o mais rápido que podem para Valfenda.

Em Valfenda *Bilbo dormindo* Gandalf. Algumas explicações. Cota-de-malha de Bingo no túmulo e as pedras escuras – (os 3 hobbits tinham *passado* pelas pedras quando de repente todos eles ficaram [?trancados] dentro??) Gandalf tinha mandado a água descer com permissão de Elrond.

Gandalf espantado ao ouvir falar de Tom.

Hobbits se aconselham com Elrond e Gandalf.
A Demanda da Montanha de Fogo.

As projeções terminam nesse ponto. Embora meu pai já tivesse concebido a cena no Vau, com a subida repentina do Bruinen (e o grito de Bingo/Frodo para os Cavaleiros: Voltem!), Passolargo (que a princípio não era chamado assim) só emergiria por causa da significância muito ampliada da Estalagem (que aparece aqui pela primeira vez) em Bri no capítulo seguinte; e não há qualquer indicação da passagem no Topo-do-Vento. Se as "pedras escuras" são "as duas enormes pedras fincadas" entre as quais Bingo/Frodo passou em meio à névoa nas Colinas (SA, p. 217) – eles são chamadas de "pedregulhos fincados" na primeira versão – é estranho que a discussão a esse respeito fosse adiada até que os hobbits chegassem a Valfenda; mas é possível que "algumas explicações" implique que Gandalf era capaz de lançar alguma luz sobre o que tinha acontecido.[4] Sobre a "Cota-de-malha de Bingo no túmulo", ver p. 279. As Fendas da Terra nas profundezas da Montanha de Fogo são citadas por Gandalf como a única fonte de calor forte o suficiente para destruir o anel de Bilbo (p. 106); aqui, pela primeira vez, a Montanha de Fogo é inserida na história como a meta rumo à qual, no fim, eles precisam seguir.

O primeiro manuscrito completo desse capítulo (marcado simplesmente com "6" e, como de costume nesse estágio, sem título) é totalmente legível na maioria dos trechos, mas, como é bastante frequente, a letra vai ficando mais rápida e descuidada, até terminar num texto apressado a lápis. Meu pai voltou a esse texto aqui e ali usando caneta, em parte para melhorar a expressão, em parte para dar mais clareza à sua própria letra; essas alterações certamente correspondem ao mesmo período, mas foram feitas depois que ele começara o capítulo seguinte.

Tal como nos dois capítulos anteriores, a forma final do Capítulo 8 de SA ("Neblina nas Colinas-dos-túmulos") está presente em larga medida: ao longo da maior parte do texto, apenas alterações muito pequenas foram feitas mais tarde. A seguir, detalho pontos diferentes que me parecem ser de interesse do leitor, embora a maioria das diferenças seja muito leve.

No parágrafo de abertura, a canção e visão "em seus sonhos ou fora deles" são narradas com as mesmas palavras no texto original, mas são atribuídas não apenas a Bingo (Frodo em SA), mas a todos os hobbits.

Quando olham para trás, para a floresta, e veem o outeiro no qual tinham descansado antes de sua descida para o vale do Voltavime, "os abetos que cresciam lá agora podiam ser vistos, pequenos e escuros, no Oeste" (ver a p. 144).

Quando os hobbits se separaram na neblina e Bingo deu o grito desesperado "Onde vocês estão?" (SA, p. 218), meu pai, de início, tinha uma história bem diferente na cabeça:

> "Aqui! Aqui!", diziam as vozes, de repente claras e não muito distantes, à direita. Lançando-se cegamente na direção deles, ele trombou de repente com a cauda de um pônei. Uma voz indubitavelmente de hobbit (era a de Odo) deu um grito de susto, e [ele] caiu por cima de algo no chão. Esse algo o chutou e deu um grito. "Socorro!", gritou, com a indubitável voz de Odo.
>
> "Graças aos céus", disse Bingo, rolando no chão nos braços de Odo. "Graças aos céus que encontrei você!"
>
> "Graças aos céus mesmo!", concordou Odo, com voz aliviada; "mas você precisava mesmo sair correndo sem avisar e depois saltar do céu em cima de mim?"

Meu pai rejeitou essa passagem assim que foi escrita e, no lugar dela, escreveu, tal como em SA: "Não houve resposta. Ele se deteve, escutando" etc.

Uma primeira versão do encantamento da Cousa-tumular foi rejeitada e substituída pela forma que aparece em SA (p. 220); mas as mudanças feitas foram muito leves, exceto no verso 7, onde, no lugar de "'té o senhor sombrio a mão levantar", a primeira versão dizia "'té o rei da torre sombria a mão levantar".[5] Nos esboços mais rudimentares para esse poema, meu pai escreveu: "O senhor sombrio se senta na torre e fita os mares sombrios e o mundo sombrio", e também "sua mão se estende sobre o mar frio e o mundo morto".

O braço "caminhando nos dedos" se arrasta na direção de Frodo Tûk (Sam em SA); e, onde o livro publicado diz "Frodo caiu para a frente em cima de Merry, e o rosto de Merry estava frio", na versão antiga Bingo cai em cima de Frodo Tûk. Não há nenhum padrão evidente nas atribuições de falas trocadas quando o "elenco de personagens" foi alterado; assim, em partes posteriores do capítulo,

Odo diz "Onde estão minhas roupas" (fala de Sam em SA), e, quando Tom Bombadil diz "Não vai encontrar as roupas de novo", é Frodo Tûk que pergunta "O que quer dizer?" (fala de Pippin no livro publicado). Em geral, não apontarei mais esses detalhes, a não ser que eles pareçam significativos.

Sobre a forma rejeitada da canção ensinada aos hobbits por Tom Bombadil e cantada por Bingo na tumba, ver a p. 157. Os dois primeiros versos da canção rejeitada são usados mais tarde nesse capítulo, quando Tom Bombadil vai atrás dos pôneis (SA, p. 224).

Quando Merry diz "O que foi, que prodígio?" quando sentiu o diadema dourado que tinha escorregado por cima de um de seus olhos, a versão antiga prossegue dizendo: "Então ele parou, e uma sombra caiu sobre seu rosto. 'Começo a recordar', disse. 'Achei que eu estava morto – mas não falemos disso'". Não há menção aos homens de Carn Dûm (SA, p. 223).

Os nomes que Tom Bombadil dá aos pôneis remontam à versão original, com a exceção de "Orelha-Alerta", que, de início, era chamado "Quatro-Patas"! Quando Tom ordena que os tesouros jazendo ao sol no alto do teso fiquem ali, "livres para quem os achar, aves, feras, elfos ou homens, e todos os seres bondosos", ele acrescenta: "Pois os criadores e donos destas coisas não estão aqui, e seus dias há muito passaram, e os criadores não podem tomá-las de novo, até que o mundo tenha emenda". E, quando pega o broche para Fruta D'Ouro, Tim diz: "Formosa era aquela que há muito usou isto em seu ombro, e Fruta D'Ouro há de usá-lo agora, e não havemos de esquecê-los, o povo desaparecido, os antigos reis, as crianças e as donzelas, e todos aqueles que caminharam pela terra quando o mundo era mais jovem".

Enquanto no esquema apresentado na p. 160 os hobbits se recusam a tirar qualquer coisa do tesouro no teso, no primeiro texto a história diz que Tom escolheu para eles "espadas de bronze, curtas, de lâmina em formato de folha e afiadas", mas não há mais detalhes para descrevê-las (cf. SA, p. 226), embora o seguinte tenha sido acrescentado a lápis, e talvez corresponda ao momento da escrita do texto: "Essas espadas, disse ele, foram feitas há muitas eras por homens vindos do Oeste. Eram inimigos do Senhor-do-Anel". O manuscrito continua:

e eles as penduram nos cintos de couro debaixo de suas jaquetas; embora ainda não tivessem ideia clara de seu propósito.

Lutar não lhes tinha ocorrido como possibilidade entre as aventuras que sua fuga poderia lhes trazer. Até onde Bingo conseguia se lembrar, mesmo o grande e heroico Bilbo tinha, de algum modo, evitado usar sua pequena espada até mesmo contra gobelins – e então ele se lembrou das aranhas de Trevamata, e apertou seu cinto.

Quanto às pistas, nas palavras de Tom em SA, acerca da história de Angmar e da vinda de Aragorn, não há, é claro, sugestão nenhuma.

Como já foi notado, o fim do capítulo foi escrito de modo tosco, a lápis, aqui e ali sobreposto por trechos a caneta. A travessia da vala – a fronteira de um antigo reino, sobre o qual "Tom parecia recordar algo triste e não falou muito" – e a chegada deles, por fim, à Estrada, são muito semelhantes à versão em SA (p. 227), mas é melhor apresentar o restante do texto por inteiro, tal como foi escrito originalmente a lápis, até onde for possível discerni-lo.

Bingo desceu cavalgando até o caminho e olhou para os dois lados. Não havia ninguém à vista. "Bem, aqui estamos de novo afinal!", exclamou. "Suponho que não tenhamos perdido mais do que um dia usando o atalho de Merry. É melhor a gente seguir o caminho normal depois disso."

"É melhor mesmo", disse Tom, "e cavalguem rápido".

Bingo olhou para ele. Cavaleiros negros voltaram aos seus pensamentos. Olhou para trás, na direção do sol poente, um pouco ansioso, mas a estrada estava parda e vazia. "Você acha", perguntou, hesitante, "você acha que vamos ser – hmm, perseguidos esta noite?"

"Esta noite não", respondeu Tom. "Não, esta noite não. Talvez não no dia seguinte. Nem talvez durante alguns dias que virão.

A passagem seguinte é muito confusa e não é possível discernir muita coisa (do texto inicial a lápis); a parte a tinta escrita por cima diz:

Mas não posso dizer ao certo. Tom não é mestre dos Cavaleiros que vêm da Terra Negra, muito além deste país." Mesmo assim, os hobbits desejavam que Tom estivesse vindo com eles. Sentiam que ele saberia como lidar com os Cavaleiros – se é que alguém saberia. Agora, estavam finalmente avançando para terras totalmente estranhas a eles e que ficavam além de quase todas as lendas mais distantes do Condado, e começavam a se sentir muito sozinhos, exilados e bastante inaptos. Mas Tom agora estava lhes dando um último adeus, aconselhando que tivessem bom ânimo e cavalgassem até escurecer sem parada.

O texto a lápis prossegue:

Mas ele os encorajou – um pouco – ao lhes contar que achava que os Cavaleiros (ou alguns deles) agora estavam vasculhando os tesos. Pois Bombadil parecia achar que os Cavaleiros e as Cousas-tumulares tinham algum tipo de parentesco ou pacto. Se isso fosse verdade, poderia ter sido bom, no fim das contas, que eles tivessem sido capturados. Ficaram sabendo por ele que, a algumas milhas dali, seguindo a estrada, ficava o antigo vilarejo de Bri, do lado oeste da Colina-de-Bri.[6] Ali havia uma estalagem na qual podiam confiar: o Cavalo Branco [*escrito em cima*: Pônei Empinado]. O dono, um bom homem, não era desconhecido de Tom. "Basta mencionar meu nome e ele vai tratar vocês bem. Lá podem dormir bem, e depois disso, de manhã, seguirão tranquilos seu caminho. Vão agora com minha benção." Imploraram que Tom fosse com eles até a estalagem e bebesse com o grupo mais uma vez. Mas ele riu e recusou, dizendo: "Tom tem sua casa para cuidar, e Fruta D'Ouro está aguardando". Então ele se virou, jogou o chapéu para o alto, montou no lombo de Parrudinho e cavalgou ribanceira acima cantando no crepúsculo que se fechava.

Essa passagem, até "Vão agora com minha benção", foi rejeitada, e uma nova versão foi escrita à tinta numa folha separada; esse segundo texto é o mesmo da fala de despedida de Tom em SA, p. 228 ("Tom vai dar um bom conselho..."), mas, aqui, está escrito em versos, e com estas diferenças. O "bom taverneiro" é Barnabas Carrapicho, e não Cevado, e depois da referência a ele vêm os seguintes versos:

Ele conhece Tom Bombadil, e o nome de Tom vai ajudá-los.
Digam "Tom nos mandou pra cá" e ele há de ser gentil.
Lá vão poder dormir tranquilos, e depois que amanhecer

Vão seguir todos tranquilos. Partam com meu bendizer!
Sejam seus corações alegres, e partam rumo à sinal![A]

Que essas revisões são posteriores ao primeiro esboço a lápis do capítulo seguinte é algo que pode ser confirmado pelo fato de que, ao longo de todo esse esboço, o nome do estalajadeiro é Timóteo Tito, e ainda não Barnabas Carrapicho (p. 178, nota 3).

O fim do presente capítulo foi, mais uma vez, reescrito por cima do lápis com tinta, mas, até onde consigo discernir, isso serviu apenas para deixar mais claro o texto quase ilegível a lápis:

Os hobbits ficaram ali e o observaram até desaparecer de vista. Então, sentindo o coração pesado (apesar do encorajamento da parte dele), montaram em seus pôneis, não sem olhar para trás pela Estrada, e partiram lentamente entardecer adentro. Não cantaram, nem conversaram, nem discutiram os eventos da noite anterior, mas foram prosseguindo em silêncio. Bingo e Merry iam na frente, Odo e Frodo, conduzindo o pônei de reserva, atrás.

Estava bastante escuro quando viram luzes cintilando certa distância à frente. Adiante erguia-se a Colina de Bri, bloqueando o caminho, uma encosta escura contra as estrelas nevoentas, e debaixo dela e sobre seu lado direito se aninhava a vilazinha.

NOTAS

[1] Esse esboço, de fato, continua diretamente aquele do capítulo de Bombadil (p. 157, nota 3), mas meu pai, logo depois, traçou uma linha no texto a lápis entre "pegando as velas levou-os de volta ao quarto de dormir" e "Naquela noite não ouviram ruídos", inserindo o número do capítulo, "6?".

[2] A palavra ilegível começa com *Expl*, mas o restante dela não parece ser *"Expl(icação)*.

[3] Cf. o esquema apresentado na p. 142: "duas Cousas-tumulares vêm [?galopando] atrás deles, mas param toda vez que Tom Bombadil se vira e olha para elas".

[4] Numa forma muito primitiva do capítulo "Muitos Encontros" (uma passagem mantida palavra por palavra em SA, p. 320), Bingo diz a Gandalf em Valfenda:Você já parece saber de muita coisa. Não falei com os outros sobre o Túmulo. No começo foi horrível demais, e depois havia outras coisas em que pensar. Como você sabe disso?". E Gandalf responde: "Você passou muito tempo falando no sono, Bingo". Mas duvido que isso seja relevante.

[5] A "torre sombria" do Necromante é citada por Gandalf no texto apresentado no Capítulo 3 (p. 105), e, de fato, remonta a *O Hobbit*, onde, no fim do Capítulo 7, "Acomodações Esquisitas", Gandalf fala da "torre sombria" do Necromante, ao sul de Trevamata. Mas é difícil ter certeza quanto ao lugar em que, nesse estágio, meu pai imaginava que ficasse a Torre Sombria. Tom Bombadil afirma (p. 164) que ele "não é mestre dos Cavaleiros que vêm da Terra Negra, muito além deste país", e o nome *Mordor* certamente já tinha surgido: cf. a segunda versão de *A Queda de Númenor* (V.40, 43), "E chegaram por fim a Mordor, o País Negro, onde Sauron, que é na língua gnômica chamado Thû, reconstruíra suas fortalezas". Ver ainda a p. 273, nota 17.

[6] Meu pai escreveu primeiro "um antigo vilarejo que tinha uma estalagem", mas a mudança para "o antigo vilarejo de Bri, do lado oeste da Colina-de-Bri. Ali havia uma estalagem" quase certamente foi feita no momento em que ele escrevia (e "Pônei Empinado" acima de "Cavalo Branco" também). É aqui que o nome aparece pela primeira vez, sendo baseado na localidade de Brill, em Buckinghamshire, que ele conhecia bem, pois fica numa colina do Reino Pequeno de Mestre Giles D'Aldeia (ver Carpenter, *Biografia*, p. 226). O nome *Brill* é derivado da antiga palavra britânica *bre*, "colina", à qual os ingleses acrescentaram sua própria palavra, *hyll*; cf. SdA, Apêndice F (p. 1618), bem como o *Guide to the Names in The Lord of the Rings*[*] (em Lobdell, *A Tolkien Compass*, 1975), verbete *Archet.*

[*] Guia que explica as etimologias da maioria dos nomes não élficos de *O Senhor dos Anéis*, com orientações sobre como traduzi-los [N.T.].

8

Chegada a Bri

Meu pai prosseguiu com uma descrição dos moradores de Bri, sem interrupção. Mais tarde, ele escreveu à tinta por cima do texto original feito a lápis, e é essa forma, necessariamente, que apresento aqui.[1]

Era uma vila pequena, em certo sentido – talvez houvesse 50 casas na encosta da colina, e uma grande estalagem, por causa das idas e vindas de gente na Estrada (embora fossem agora menos do que já tinham sido). Mas, na verdade, era uma aldeia construída por gente do Povo Grande (a habitação fixa daquela raça corpulenta e misteriosa que ficava mais perto do Condado). Não muitos deles viviam no extremo Oeste naqueles dias, e o povo de Bri (junto com os vilarejos vizinhos de Estrado e Cri) eram uma comunidade estranha e bastante isolada, que não pertencia a ninguém além de si mesma (e estava mais acostumada a ter contato com hobbits, anãos e os outros estranhos habitantes do mundo do que o Povo Grande estava ou está). Tinham rostos morenos e cabelos escuros e eram troncudos, um tanto baixos, bem-humorados e independentes. Nem eles nem ninguém mais sabiam por que ou quando tinham se estabelecido onde estavam. A terra nas redondezas, e também a que havia por muitas milhas a leste, estava bastante vazia naqueles dias. Havia hobbits por perto, é claro – alguns mais acima, nas encostas da própria Colina-de-Bri, e muitos na descida de Valão, do lado leste. Pois nem todos os hobbits viviam no Condado, de maneira alguma. Mas os Forasteiros tinham modos rústicos, para não dizer (embora no Condado isso fosse frequentemente dito) não civilizados. Alguns, de fato, não eram melhores do que vagabundos e andarilhos, dispostos a cavar uma toca em qualquer encosta e ficar ali apenas pelo tempo longo ou curto que lhes conviesse. Assim, o povo de Bri, veja você, estava familiarizado o suficiente com hobbits, civilizados ou do outro tipo – pois a Ponte do Brandevin não ficava tão longe. Mas nossos hobbits não estavam familiarizados com o povo de Bri, e as casas lhes pareciam estranhas, enormes e altas (quase morros), enquanto trotavam com seus pôneis.

Depois, meu pai riscou esse trecho e começou de novo. Ainda estava numerando as páginas de forma contínua desde o início do Capítulo 6 (a história da Cousa-tumular), mas, quando chegou à canção de Bingo na estalagem, ele se deu conta de que estava em um novo capítulo e escreveu "7" nesse ponto, ou seja, no início desse novo relato sobre o povo de Bri. Mais uma vez, não há título.

O manuscrito desse capítulo é um documento extremamente complicado: lápis sobreposto com tinta (às vezes permanecendo parcialmente legível, às vezes totalmente ilegível), lápis não sobreposto, mas riscado, texto a lápis que foi mantido e composição nova a tinta, junto com trechos em pedaços de papel e instruções complexas sobre a inserção deles. Não há razão para supor que as "camadas" estejam separadas no tempo de forma significativa, mas a história foi evoluindo conforme meu pai a escrevia, e o único jeito de apresentar um texto coerente é reproduzir o manuscrito em sua forma final. O capítulo será publicado aqui quase em sua totalidade, uma vez que, embora muita coisa tenha sido mantida, só será possível perceber claramente qual era a história com base num texto completo; mas, por conveniência, vou dividi-lo em dois capítulos neste livro, interrompendo a narrativa no ponto onde, em SA, termina o Capítulo 9, "Na Estalagem do Pônei Empinado", e começa o de número 10, "Passolargo".

As interrelações na estrutura dos capítulos na parte seguinte da história são inevitavelmente complexas, e é melhor indicá-las numa tabela:

	Texto Original		*Este livro*
7	Chegada a Bri e canção de Bingo	8	9 "Na Estalagem do Pônei Saltitante"
	Conversa com Troteiro e Carrapicho	9	10 "Passolargo"
	Ataque à estalagem		11 "Um Punhal no Escuro"
	Jornada para o Topo-do-Vento		
8	Ataque ao Topo-do-Vento	10	
	Do Topo-do-Vento a Valfenda	11	12 "Fuga para o Vau"

Veremos, no início do texto, que a presença de Homens em Bri tinha sido abandonada temporariamente, e a descrição da aparência deles na passagem rejeitada que apresentei há pouco agora é aplicada aos hobbits da região de Bri; o taverneiro é um hobbit, e *O Pônei Empinado* tem uma porta da frente redonda que levava à lateral da Colina-de-Bri.

Eles eram, é claro, do povo dos hobbits que vivia em Bri (e nos vilarejos vizinhos de Valão e Archet).[2] Nem todos os hobbits viviam no Condado, de maneira alguma, mas os Forasteiros eram um pessoal rústico, para não dizer (embora no Condado isso fosse frequentemente dito) pouco civilizado, e não eram tidos em alta conta. Provavelmente havia uma quantidade bem maior deles espalhada pelo Oeste do mundo naqueles dias do que as pessoas do Condado imaginavam, embora muitos, de fato, não fossem mais do que vagabundos e andarilhos, dispostos a cavar uma toca tosca em qualquer encosta e ficar ali só enquanto lhes aprouvesse. Os aldeões de Bri, Valão e Archet, entretanto, eram gente assentada (na realidade, não mais rústica do que a maioria de seus parentes distantes na Vila-dos-Hobbits) – mas eram bastante esquisitos e independentes, e não pertenciam a ninguém além de si mesmos. Eles tinham pele mais morena, cabelo mais escuro, eram ligeiramente mais robustos, consideravelmente mais troncudos (e talvez um pouquinho mais resistentes) do que o hobbit médio do Condado. Nem eles nem mais ninguém sabiam por que ou quando tinham se fixado exatamente ali; mas ali estavam, moderadamente prósperos e contentes. A terra em volta estava muito vazia por léguas e mais léguas naqueles dias, e pouca gente (da Grande ou da Pequena) podia ser vista a um dia de marcha dali. Devido à Estrada, a estalagem de Bri era razoavelmente grande; mas as idas e vindas, para Leste ou Oeste, eram menos comuns do que tinham sido, e a estalagem agora era usada principalmente como lugar de encontro dos habitantes ociosos, tagarelas, sociáveis ou curiosos das aldeias e de um ou outro habitante da região mais agreste em volta de Bri.

Quando nossos quatro hobbits por fim entraram cavalgando em Bri, ficaram muito contentes. A porta da taverna estava aberta. Era uma grande porta redonda que levava à lateral da Colina-de--Bri, na qual a estrada fazia uma curva, virando para a direita, e desaparecia na escuridão. A luz se derramava na estrada vinda da porta, sobre a qual se balançava um lampião e, debaixo dela, um emblema – um pônei branco e gorducho apoiado nas patas de trás. Por cima da porta estava pintado com letras brancas: O Pônei Empinado de Barnabas Carrapicho.[3] Alguém estava cantando uma canção lá dentro.

Quando os hobbits desceram de seus pôneis, a canção terminou e houve uma explosão de risadas. Bingo entrou na estalagem e quase trombou no maior e mais gordo hobbit no qual jamais tinha posto os olhos em todos os seus dias na fartura do Condado. Era obviamente o próprio Sr. Carrapicho. Vestia um avental branco e estava saindo rápido de uma porta e prestes a passar por outra carregando uma bandeja repleta de canecas cheias. "Podemos...?", disse Bingo.

"Meio momento, por favor", gritou o dono da taverna por cima do ombro, e sumiu em uma babel de vozes e de uma nuvem de fumaça do outro lado da porta. Um momento depois tinha saído de novo, enxugando as mãos no avental. "Boa noite, mestre", disse. "Do que está precisando?"

"Camas para quatro e cocheiras para cinco pôneis", disse Bingo, "se isso for possível. Viajamos muito hoje. O senhor seria o Sr. Carrapicho, talvez?"

"Isso mesmo", respondeu ele. "Barnabas é o meu nome, Barnabas Carrapicho às suas ordens – se for possível. Mas a casa está quase cheia, assim como os estábulos."

"Eu temia que estivesse", lamentou Bingo. "Ouvi dizer que é uma casa excelente. Recebemos uma recomendação especial para pousar aqui, do nosso amigo Tom Bombadil."

"Nesse caso, *qualquer coisa* pode ser arranjada!", exclamou o Sr. Carrapicho, dando tapas nas coxas e sorrindo. "Entrem já! E como está o velho camarada? Doido e alegre, mas mais alegre do que doido, posso apostar! Por que será que ele não veio junto, pra gente se divertir um pouco? Oi! Nob![4] Venha aqui! Onde está você, sua lesma de pés lanudos? Pegue as sacolas dos hóspedes! Cadê o Bob? Você não sabe? Bem, descubra! À toda! Não tenho seis pernas, nem seis braços, muito menos seis olhos. Diga ao Bob que tem cinco pôneis que precisam ir pro estábulo. E direito, veja bem. Bem, você tem de achar espaço, então, se eles têm de ficar em quartos![5] Vamos entrando, senhores, todos vocês. Prazer em conhecê-los! Quais são os nomes mesmo? Sr. Monte, Sr. Rios,

Sr. Verde e Sr. Castanho.[6] Não posso dizer que já ouvi esses nomes antes, mas é um prazer conhecê-los e ouvi-los agora." Bingo tinha inventado os nomes por impulso, é claro, sentindo de repente que não seria nem um pouco sábio divulgar os nomes reais deles numa estalagem hobbit na estrada principal. Monte, Rios, Verde e Castanho pareciam nomes muito mais estranhos para os hobbits do que para nós, e o Sr. Carrapicho tinha suas próprias razões para achá-los improváveis. Entretanto, ainda não disse nada sobre aquilo. "Mas, até aí", continuou ele, "ouso dizer que há montes de nomes esquisitos e gente esquisita sobre os quais a gente nunca ouve falar nestas partes. A gente não vê muito pessoal do Condado hoje em dia. Teve uma época quando os Tûks, ora, vinham bastante por aqui para se hospedar comigo ou com meu velho pai. Gente boa à beça eram esses Tûks. Dizem que tinham sangue de Bri neles, e que não eram bem como outros do povo do Condado, mas não sei direito. Mas chega! Preciso sair correndo. Mas esperem só um minuto! Quatro cavaleiros e cinco pôneis! Deixe-me ver, isso me lembra do que mesmo? Não importa, uma hora eu me lembro. Tudo a seu tempo. Uma coisa expulsa a outra, como dizem por aí. Estou um pouco ocupado esta noite. Um monte de gente deu as caras, sem ninguém esperar. Oi, Nob! Leve essas sacolas para os quartos dos hóspedes. Isso mesmo. De sete a dez descendo a passagem oeste. Rápido, hein! E vocês vão querer cear? Vão. Achei que sim. Logo, imagino. Muito bem, mestres, logo será. Por aqui então! Aqui está um quarto que vai servir bem para vocês, espero. Agora com licença. Preciso ir trotando. É trabalho duro para duas pernas, mas eu não emagreço. Passo aqui de novo mais tarde. Se quiserem alguma coisa, toquem a sineta e o Nob vai aparecer. Se ele não vier, gritem!

Lá se foi ele, e os hobbits ficaram se sentindo sem fôlego. Carrapicho não tinha parado de falar com eles (misturando isso com as ordens e instruções para outros hobbits que passavam pelos corredores) da hora em que tinha recebido Bingo até o momento em que os levou para uma sala de estar privada, pequena, mas acolhedor. Havia um pequeno fogo aceso, iluminando o lugar; algumas cadeiras muito confortáveis e uma mesa redonda, já coberta com uma toalha branca. Em cima dela estava uma sineta de mão grande. Mas Nob, um hobbit pequeno, roliço, de cabelos encaracolados e rosto vermelho, voltou correndo muito antes que eles pensassem em tocá-la.

"Vão querer algo para beber, mestres?", perguntou ele. "Ou devo mostrar seus quartos enquanto a ceia está sendo preparada?"

Eles já tinham se lavado e estavam na metade de uma boa caneca funda de cerveja quando o Sr. Carrapicho entrou trotando de novo, seguido por Nob. Um cheiro gostoso veio junto com eles. Num piscar de olhos, a mesa estava posta. Sopa quente, frios, pães frescos, morrinhos de manteiga, queijo e frutas frescas, toda aquela comida boa, sólida e simples cara aos corações dos hobbits foi posta diante deles em abundância. Atacaram a refeição com vontade – não sem um pensamento passageiro (especialmente na cabeça de Bingo) de que aquilo teria de ser pago, e de que eles não tinham um suprimento inesgotável de dinheiro. Viria o tempo, cedo demais, em que eles teriam de passar reto pelas boas estalagens (mesmo se conseguissem achá-las).[7] O Sr. Carrapicho ficou circulando por perto durante algum tempo e depois se preparou para sair. "Não sei se gostariam de se juntar ao grupo depois da ceia", disse ele, de pé junto à porta. "Mas talvez prefiram ir para a cama. Ainda assim, a companhia teria muito prazer em recebê-los, se estiverem dispostos. Não recebemos viajantes do Condado – forasteiros, é como os chamamos, se me permitem – com muita frequência esses dias; e gostamos de ouvir as notícias, ou qualquer canção nova que possam ter na cabeça. Mas façam como quiserem, senhores. Toquem a sineta se desejarem alguma coisa."

Não havia nada que eles desejassem que tivesse sido esquecido, de modo que não precisaram tocar a sineta. Sentiram-se tão refeitos e reanimados ao final da ceia (cerca de 55 minutos de contínua atividade, sem interrupções para conversa desnecessária) que decidiram se juntar à companhia. Ou, pelo menos, foi o que fizeram Odo, Frodo e Bingo. Merry disse a eles que achava que o ambiente estaria abafado demais. "Ou vou ficar aqui sentado quieto, perto do fogo, ou então vou sair para tomar ar. Cuidado com essas línguas e não se esqueçam de que supostamente estamos fugindo em segredo, e que vocês são o Sr. Monte, o Sr. Verde e o Sr. Castanho." "Tudo bem", responderam. "Cuide-se! Não se perca e não se esqueça que é mais seguro do lado de dentro." Então foram se juntar à companhia no grande salão da estalagem. Era um grupo grande, como descobriram assim que seus olhos se habituaram à luz. A iluminação vinha principalmente de um grande fogo numa lareira ampla, pois os raios de luz bastante fracos de três lamparinas penduradas no teto estavam nublados pela fumaça. Barnabas Carrapicho estava de pé perto do fogo. Ele os apresentou tão depressa que eles não fixaram metade dos nomes que ele mencionou, nem descobriram a quem os nomes que fixaram pertenciam. Havia vários Artemísias (um nome esquisito, do ponto de vista deles) e também outros nomes bastantes botânicos, como Vela-de-Junco, Urzal, Samambaia e Macieira (para não falar de Carrapicho);[8] também havia alguns nomes mais naturais (para hobbits), como Ladeira, Buraqueiro, Texugo, Areias e Tuneloso, que não eram desconhecidos entre os habitantes mais rústicos do Condado.

Mas até que eles se saíram bem sem sobrenomes (que eram muito pouco usados naquele grupo). Por outro lado, os hóspedes, assim que descobriram que os estranhos eram do Condado, estavam inclinados a ser amigáveis e curiosos. Bingo não tentou esconder de onde eles vinham, sabendo que suas roupas e seu jeito de falar iriam denunciá-los imediatamente. Mas ele revelou que se interessava por história e geografia, o que gerou muitos acenos de cabeça (embora nenhuma dessas palavras fosse comum no dialeto de Bri); e que estava escrevendo um livro (o que provocou espanto silencioso); e que ele e seus amigos queriam tentar descobrir algumas coisas sobre os variados hobbits dispersos pelo Leste. Por conta disso, um verdadeiro coro de vozes irrompeu, e, se Bingo realmente fosse escrever o tal livro (e tivesse muitos ouvidos e paciência suficiente), teria aprendido um bocado em poucos minutos, e também obtido muitas dicas sobre quem procurar para obter informações mais aprofundadas.

Mas, algum tempo depois, visto que Bingo não dava nenhum sinal de escrever um livro ali mesmo, os hóspedes voltaram a abordar temas mais atuais e envolventes, e Bingo se sentou num canto, ouvindo e olhando em volta. Odo e Frodo se sentiram em casa muito rapidamente, e logo (para a inquietação de Bingo) estavam fazendo relatos animados dos acontecimentos recentes no Condado. Houve algumas risadas e acenos de cabeça, e algumas perguntas. De repente, Bingo notou que um hobbit de aparência esquisita e rosto moreno, sentado nas sombras atrás dos outros, também estava ouvindo atentamente. Havia uma caneca enorme (mais parecida com uma jarra) à sua frente, e ele fumava um cachimbo de tubo irregular, que ficava bem debaixo de seu nariz um tanto comprido. Estava vestido com uma roupa de tecido marrom, escuro e áspero, e usava um capuz, apesar do calor – e, o que era muito notável, tinha sapatos de madeira! Bingo conseguia vê-los se projetando de debaixo da mesa na frente dele.

"Quem é aquele ali?", perguntou Bingo, quando teve oportunidade de sussurrar ao Sr. Carrapicho. "Acho que não o apresentou."

"Ele?", disse Barnabas, olhando de esguelha sem virar a cabeça. "Oh, esse é daquele pessoal do mato – caminheiros, como a gente diz. Ele tem aparecido de vez em quando (principalmente no outono e no inverno) nos últimos anos; mas raramente conversa. Não que ele não consiga contar umas histórias daquelas quando lhe dá na telha, escreva o que eu digo. O nome de verdade dele eu nunca ouvi, mas por aqui o conhecem como Troteiro. Dá para ouvir ele chegando pela estrada com esses sapatos: *clipe-clape* – quando ele anda por uma trilha, o que não é frequente. Por que ele usa esses negócios? Bem, isso eu não sei dizer. Mas não tem como explicar o Leste ou o Oeste, como a gente diz por aqui, falando dos Caminheiros e da gente do Condado, com sua licença." O Sr. Carrapicho foi chamado naquele momento, ou poderia ter continuado a sussurrar daquela maneira indefinidamente.

Bingo percebeu que Troteiro estava olhando para ele, como se tivesse ouvido ou adivinhado tudo o que havia sido dito. Em seguida, o Caminheiro, com um estalo de língua e um aceno de mão, convidou Bingo a vir até ele; e, quando Bingo se sentou ao lado dele, puxou o capuz para trás, revelando uma cabeça coberta por cabelos longos e emaranhados, alguns dos quais sobre a testa. Mas não escondiam um par de olhos penetrantes. "Eu sou Troteiro", disse ele em voz baixa. "Muito prazer em conhecê-lo, Sr.... Monte, se é que o velho Barnabas acertou o seu nome."[9] "Acertou", respondeu Bingo, de modo bastante tenso: estava longe de se sentir confortável diante daqueles olhos escuros.

"Bem, Sr. Monte", continuou Troteiro, "se eu fosse o senhor, impediria que seus jovens amigos falassem demais. Bebida, fogo e encontros casuais até que são agradáveis, mas... bem, aqui não é o Condado. Tem gente esquisita por aí... mas não devia ser eu dizendo isso", acrescentou ele com um sorriso, ao ver a expressão de Bingo. "E viajantes esquisitos andaram passando por Bri não faz muito tempo", prosseguiu, olhando para o rosto de Bingo.

Bingo olhou para trás, mas Troteiro não se explicou mais. De repente, ele parecia estar escutando Odo. O jovem hobbit agora estava fazendo um relato cômico da Festa de Despedida, chegando ao truque de desaparecimento de Bingo. Havia um silêncio de expectativa. Bingo ficou seriamente aborrecido. De que adiantava desaparecer do Condado se aquele asno resolvia revelar os nomes deles para uma multidão daquelas em uma estalagem na estrada! Odo já havia dito o suficiente para fazer com que gente de cabeça esperta (Troteiro, por exemplo) começasse a ficar encafifada; e logo ficaria óbvio que "Monte" não era outro senão Bolger-Bolseiro (de Bolsão Sotomonte). E Bingo, de alguma forma, sentiu que seria perigoso, até mesmo desastroso, se Odo mencionasse o Anel.

"É melhor fazer alguma coisa depressa!", disse Troteiro em seu ouvido.

Bingo pulou em cima da mesa e começou a falar. A atenção foi desviada de Odo imediatamente, e vários dos hobbits riram e bateram palmas (pensando, possivelmente, que o Sr. Monte estava bebendo tanta cerveja quanto lhe convinha). Bingo, de repente, ficou muito nervoso, e se viu, como era seu hábito ao fazer um discurso, manuseando os objetos em seu bolso. Sentiu vagamente a corrente e o Anel preso a ela, e a chacoalhou contra algumas moedas de cobre; mas isso não o ajudou muito, e, após algumas palavras adequadas, como teriam dito no Condado (tais como "Estamos todos muito gratos pela gentileza de sua recepção", e coisas desse tipo), ele parou e tossiu. "Uma canção! Uma canção!", gritaram eles. "Vamos lá, Mestre, cante algo para nós." Em desespero, Bingo começou a cantar uma canção absurda, da qual Bilbo gostava (ele provavelmente a escrevera).[10]

[Canção][11]

Ouviram-se fortes aplausos. Bingo tinha a voz boa, e a companhia não era muito exigente. "Cadê o velho Barna?", gritaram. "Ele tem de ouvir isso. Tinha era de ensiná rabeca pro gato dele, e aí a gente ia dançar. Traz mais cerveja, e vamo ouvir de novo!" Fizeram Bingo beber de novo e depois cantar a música mais uma vez, enquanto muitos deles cantavam junto; pois a melodia era bem conhecida, e eles eram rápidos em pegar a letra.

Muito animado, Bingo dava pulinhos sobre a mesa; e, quando chegou pela segunda vez ao trecho "a vaca saltou sobre a lua", ele deu um salto no ar. Com demasiado vigor:[12] pois ele caiu direto numa bandeja cheia de canecas, e então escorregou e rolou da mesa com estrondo, chacoalhando e trombando em tudo. Mas o que interessou muito mais o grupo, e deteve seus aplausos e risos completamente, foi o desaparecimento dele. Quando Bingo rolou da mesa, ele simplesmente desapareceu com um estrondo, como se tivesse se enfiado no chão com o impacto, sem abrir buraco.

Os hobbits locais se levantaram e chamaram Barnabas aos gritos. Afastaram-se de Odo e Frodo, que se viram sozinhos em um canto, observados por olhos sombrios e inquietos à distância, como se fossem os companheiros de um mago viajante de origem duvidosa e poderes e propósito desconhecidos. Havia um sujeito de rosto moreno que ficou olhando para eles com uma expressão do tipo de quem sabe de tudo, o que os deixou desconfortáveis. Logo o sujeito saiu pela porta seguido, por um de seus amigos: não era uma dupla bem-apessoada.[13] Bingo, enquanto isso, sentindo-se um tolo (com razão) e sem saber mais o que fazer, engatinhou por baixo das mesas até o canto próximo a Troteiro, que estava sentado, imóvel, bastante despreocupado. Bingo, então, sentou-se encostado na parede e tirou o Anel. Por azar, estava mexendo nele no bolso bem no momento fatídico, e o colocou por conta da surpresa repentina ao cair.

"Olá!", disse Troteiro. "O que você foi aprontar? Foi pior do que qualquer coisa que seus amigos poderiam ter dito. Você meteu de vez os pés e o dedo pelas mãos, não foi?"

"Não sei o que quer dizer com isso", respondeu Bingo (irritado e alarmado).

"Ah, sabe sim", insistiu Troteiro. "Mas é melhor esperarmos que o alvoroço diminua. Então, se não se importa, Sr. Bolger-Bolseiro, gostaria de dar uma palavrinha sossegada com o senhor."

"Sobre o quê?", indagou Bingo, fingindo não notar o uso repentino do seu nome correto. "Oh, sobre magos e esse tipo de coisa", disse Troteiro com um sorriso. "Vai ouvir algo de seu interesse." "Muito bem", disse Bingo. "Vejo você mais tarde."

Nesse meio-tempo, uma discussão envolvendo um coro de vozes estava acontecendo perto da lareira. O Sr. Carrapicho viera no trote e estava tentando ouvir vários relatos conflitantes ao mesmo tempo.

A parte seguinte do texto, até o fim do Capítulo 9 em SA, é quase a mesma, palavra por palavra, que a da versão final, tendo apenas as diferenças que seriam esperadas: "Sr. Sotomonte" de SA é "Sr. Monte"; "Ali está o Sr. Tûk: esse não sumiu" é "Ali está o Sr. Verde e o Sr. Castanho: esses não sumiram"; e não há menção aos Homens de Bri, aos Anãos ou aos Homens forasteiros – são simplesmente "a companhia" que saiu bufando. Mas, no final, quando Bingo diz ao taverneiro: "Pode mandar aprontar nossos pôneis?", a narrativa antiga é diferente:

"Ora essa!", disse o taverneiro, estalando os dedos. "Meio momento. Está voltando pra minha cabeça, como eu disse que voltaria. Bendito seja! Quatro hobbits e cinco pôneis!"

Como já foi explicado, embora eu esteja terminando este capítulo aqui, a versão mais antiga prossegue para o que mais tarde seria o Capítulo 10, "Passolargo", sem interrupção; ver a tabela na p. 169.

NOTAS

[1] Pedaços do texto subjacente podem, na verdade, ser lidos: é o suficiente mostrar que a concepção de Bri como um vilarejo de Homens, embora com "hobbits por perto", estava presente.

[2] *Cri* (p. 168) desapareceu de vez (mas cf. "Cricôncavo"); *Estrado* também, mas apenas de forma temporária.

[3] *Barnabas Carrapicho* foi escrito a tinta por cima do nome original a lápis: *Timóteo Tito*. Esse continuou sendo o nome do estalajadeiro no texto subjacente a lápis ao longo de todo o capítulo. Trata-se de um nome sobrevivente de uma história antiga do meu pai, da qual só existem algumas páginas (sem dúvida só isso chegou a ser escrito); mas aquele Timóteo Tito não tinha semelhança nenhuma com o Sr. Carrapicho.

[4] Nob, de início, era chamado de Lob; esse nome sobreviveu no manuscrito à tinta e depois foi alterado.

[5] O texto original a lápis continuava assim a partir desse ponto:

> Vá entrando. Prazer em conhecê-lo. Sr. Tûk, é o que disse? Nossa, ora, eu me lembro desse nome. Teve uma época em que os Tûks achavam normal vir cavalgando até aqui para se divertir com o meu pai ou comigo. Sr. Odo Tûk, Sr. Frodo Tûk, Sr. Merry Brandebuque, Sr. Bingo Bolseiro. Deixaver, do que isso me lembra mesmo? Deixa pra lá, logo eu lembro. Uma coisa expulsa a outra. Meio ocupado hoje. Monte de gente que apareceu. Oi, Nob! Leve essas sacolas (etc.)

Meu pai riscou esse trecho, anotando "hobbits precisam esconder seus nomes", e escreveu as duas passagens seguintes num pedaço de papel à parte, com lápis:

> Sr. Frodo Andejo, Sr. Odo Andejo – não posso dizer que tenha conhecido alguém com esse nome antes. (Bingo tinha inventado o sobrenome na hora mesmo, dando-se conta, de repente, que não seria sábio divulgar os nomes reais deles numa estalagem hobbit na estrada principal.)
>
> Qual o nome que vocês disseram – todos Andejos, senhor Ben Andejo e três sobrinhos. Não posso dizer que tenha conhecido alguém com esse nome antes, mas é um prazer conhecê-los.

Esses trechos também foram riscados, e a passagem que se segue no texto ("Vamos entrando, senhores, todos vocês"), escrita a lápis sobreposto por caneta, foi adotada.

6 No texto a lápis dessa passagem, depois sobreposto, meu pai escreveu *Samambaia* mas, de imediato, trocou o nome para *Monte;* e, no texto a tinta, escreveu *Companheiro*, mas o trocou para *Verde*. Mais tarde, num esboço a lápis que foi rejeitado, o Sr. Carrapicho diz: "Não me diga, Sr. Artemísia. Bem, contanto que o Sr. Rios e os dois Srs. Companheiro não desapareçam também (sem pagar a conta), ele é livre" (isto é, para desaparecer em pleno ar, como Artemísia afirma que ele fez: SA, pp. 245–6).

7 Cf. as palavras de Bingo para Gildor, p. 83: "Eu tinha gastado todo o meu tesouro". A presente passagem foi rejeitada e não aparece em SA: mas cf. a p. 216, nota 3.

8 Em inglês *Appledore*: "árvore de maçãs, macieira" (*apuldor* em inglês antigo). – Em SA (p. 238), esses nomes "botânicos" são principalmente sobrenomes dos Homens de Bri.

9 O texto subjacente a lápis ainda dizia, nesse ponto: "É um prazer conhecer o Sr. Bingo Bolseiro"; e as palavras seguintes de Troteiro começam com: "Bem, Sr. Bingo ..." Ver a nota 5.

10 Depois disso, vem o seguinte: "[A canção] tinha uma melodia bem conhecida, e a companhia se juntou ao refrão", fazendo referência à canção que tinha sido atribuída a Bingo originalmente aqui (ver a nota 11), na qual há um refrão; a frase foi riscada quando a canção passou a ser "O Gato e a Rabeca".

11 Aqui, meu pai escreveu primeiro "Canção do Trol", e uma versão rudimentar e inacabada dela se encontra no manuscrito nesse ponto. Ele aparentemente decidiu quase de imediato que iria substituí-la por "O Gato e a Rabeca", e também há dois textos dessa canção que foram incluídos no manuscrito, cada um deles precedidos por estas palavras (tal como em SA, p. 242):

> Era sobre uma Estalagem, e suponho que tenha sido por isso que Bingo a recordou. Aqui está toda ela, embora hoje em dia, em geral, só se recordem algumas palavras.

Sobre a história e formas mais antigas dessas canções, ver a *Nota sobre as Canções no Pônei Empinado* que vem a seguir. – A ideia de que deveria haver uma canção em Bri já é algo previsto no esquema inicial apresentado na p. 160: "Dormem na estalagem e ouvem notícias de Gandalf. Estalajadeiro divertido. Canção de beber".

[12] No texto original, no qual o poema escolhido era a Canção do Trol, os comentários do público sobre o gato e a rabeca estão ausentes, é claro. Em vez disso, no lugar de "a companhia não era muito exigente", vinha o seguinte:

> Fizeram-no beber de novo e depois cantar tudo mais uma vez. Muito encorajado, Bingo dava pulinhos em cima da mesa e, quando chegou uma segunda vez a "com a bota a chutar-lhe os fundilhos", ele deu um chute no ar. De um jeito excessivamente realista: ele perdeu o equilíbrio e caiu ...

O verso *Com a bota a chutar-lhe os fundilhos* se encontra na versão da Canção do Trol escrita para esse episódio.

[13] Considerando a maneira como o povo de Bri era concebido nesse estágio, a dupla de mal-apessoados presumivelmente seria de hobbits; e, de fato, no capítulo seguinte, Bill Samambaia é explicitamente descrito como tal (p. 208). Seu companheiro aqui é a origem do "sulista estrábico" que tinha subido o Caminho Verde (SA, p. 244), mas por enquanto não há indicação daquele elemento no que ainda é um quadro bastante limitado.

Nota sobre as Canções no Pônei Empinado
(i) A Canção do Trol

Quando meu pai chegou à cena na qual Bingo canta uma canção no *Pônei Empinado*, ele usou, de início, a "Canção do Trol" (nota 11 acima). A versão original dela, chamada de *A Rota da Bota*, remonta à época em que ele estava na Universidade de Leeds; ela foi publicada de maneira privada num livreto com o título *Songs for the Philologists* ["Canções para os Filólogos"], University College, Londres, 1936 (para a história dessa publicação, ver as pp. 183–4). Meu pai gostava muito dessa canção, que seguia a melodia de *The fox went out on a winter's night*, e meu deleite com o verso *If bonfire there be, 'tis underneath* [Se fogueira houver, é na profundeza] é uma das minhas mais antigas lembranças. Duas cópias desse livreto chegaram às mãos do meu pai mais tarde (em 1940–41) e, em algum momento que não consigo determinar, ele corrigiu o texto, removendo alguns erros menores que tinham sido inseridos. Apresento aqui o texto da maneira como foi publicado em *Canções para os Filólogos*, com essas correções.

A ROTA DA BOTA

Um trol estava sozinho na pedra do caminho
Resmungando e roendo um osso magrinho;
Por muito e muito tempo ali ficara sozinho
E não via nem homem nem mortal –
Ortal! Portal!
Por muito e muito tempo ali ficara sozinho
E não via nem homem nem mortal.

Lá veio o Tom com calçado do bom;
"Alô!", diz ele, em alto e bom som:
"Isso parece a perna do meu tio John
Que era pra estar lá no túmulo.
Grúmulo, cúmulo! etc.

"Rapaz", diz o trol, "roubei o osso, vá lá;
Mas o que são ossos, se a alma, quiçá,
Tem auréola no céu, no alto a brilhar,
Grande e forte qual fogueira?
Useira, vezeira!"

Diz o Tom: "Ora veja! Tenho quase certeza:
Se fogueira houver, é na profundeza;
Pois o velho John roubava com presteza
Até o padre no domingo –
Mingo, xingo!

Mas inda num aceito que um tal sujeito
Pra comer meu parente tenha tanto peito:
Vá pro inferno então e deixe de malfeito,
Chega de devorar o titio!
A fio, pavio!"

Então, ligeiro, bem no traseiro
Tom lhe mete a bota – sem pensar primeiro
Nos fundilhos de pedra do trol matreiro;
Que azar a rota da bota,
Nota, janota!

Depois desse tranco Tom ficou manco,
E sem bota no pé não enfrenta barranco;
Mas o traseiro do trol inda é duro no tranco,
Qual o osso roubado do dono!*
Patrono, abono![A]

Além de corrigir erros no texto publicado em *Songs for the Philologists*, meu pai também alterou o terceiro verso da estrofe 3 para *Porta um halo no céu, na cabeça a brilhar*.

O manuscrito original a lápis da canção ainda está preservado. O título original era *Pēro & Pōdex* ("Bota e Bumbum"), e a estrofe 6, conforme escrita de início, dizia:

Então, ligeiro, bem no traseiro
Tom lhe mete a bota – sem pensar primeiro
Nos fundilhos, de pedra feito a cara do arteiro;
E Pero se deu mal com Podex.
Odex! Codex![B]

Meu pai fez uma nova versão da canção para que Bingo a cantasse n'*O Pônei Empinado*, adequada para o contexto pretendido, e, como já mencionado, ela está no manuscrito do presente capítulo; mas o estado do texto ainda é rudimentar e incerto, e ele foi abandonado quando ainda estava incompleto. Quando decidiu que, no fim das contas, não usaria a canção nesse ponto, ele não a reintroduziu de imediato em *O Senhor dos Anéis*: veremos, no Capítulo 11, que, enquanto a visita dos hobbits à cena do encontro de Bilbo com os três Trols já estava totalmente presente desde a primeira versão, não havia uma canção nesse trecho. Ela só foi introduzida ali mais tarde; mas os esboços da "Canção do Trol" de Sam formam uma série que começa a partir da versão que Bingo cantaria em Bri.

Songs for the Philologists

A origem do material nesse pequeno livreto remonta à Universidade de Leeds nos anos 1920, quando o professor E.V. Gordon (colega e amigo próximo de meu pai, que morreu de modo

*Em inglês, *boned*, algo como "surrupiado, afanado" e trocadilho com bone, "osso" [N.E. e N.T.].

muitíssimo prematuro no verão desse mesmo ano, 1938) produziu versões datilografadas para uso de seus alunos no Departamento de Inglês. "As fontes dele", segundo as palavras de meu pai, "eram MSS [manuscritos] dos meus próprios versos e dos dele ... com muitos acréscimos de canções islandesas modernas e tradicionais, tiradas principalmente de cancioneiros escolares islandeses".

Em 1935 ou 1936, o Dr. A.H. Smith, da Universidade de Londres (que anteriormente tinha sido aluno em Leeds) deu uma dessas versões datilografadas (sem correções) para um grupo de alunos de graduação, para que eles usassem um sistema de imprensa elizabetana para imprimi-las. O resultado foi um livreto com o seguinte título:

CANÇÕES PARA OS FILÓLOGOS
POR J. R. R. TOLKIEN, E. V. Gordon & Outros
Impresso de forma privada no Departamento de
Inglês do University College de Londres
MCMXXXVI

Em novembro de 1940, Winifred Husbands, do University College, escreveu para o meu pai e explicou que "quando os livros ficaram prontos, o Dr. Smith se deu conta de que nunca tinha pedido sua permissão, nem a do Professor Gordon, e disse que os livros não deviam ser distribuídos até que isso fosse feito – mas, até onde sei, ele nunca escreveu para o senhor ou lhe falou desse assunto, embora eu tenha falado disso com ele mais de uma vez. O triste resultado disso é que a maioria das cópias impressas, uma vez que ficaram sem ser distribuídas nas nossas salas na Rua Gower, acabaram sendo destruídas, assim como a própria imprensa, no fogo que destruiu aquela parte do prédio da universidade". Ela pediu, portanto, que meu pai concedesse sua permissão retroativa. Naquele momento, ela sabia da existência de 13 cópias, mas mais tarde ela achou mais, não sei exatamente quantas; meu pai recebeu duas cópias (p. 180).

Há 30 *Canções para os Filólogos*, em gótico, islandês, inglês antigo, médio e moderno e também latim, além de alguns poemas numa mistura macarrônica de línguas. Meu pai é o autor de 13 deles (6 em inglês moderno, 6 em inglês antigo e 1 em gótico), e E.V. Gordon escreveu dois. Três dos poemas em inglês antigo escritos pelo meu pai, bem como o que está em gótico, foram publicados, junto com traduções, num apêndice do livro *The Road to Middle-earth* (1982), do Professor T. A. Shippey.*

(ii) O Gato e a Rabeca

"O Gato e a Rabeca", que passou a ser a canção de Bingo n'*O Pônei Saltitante*, foi publicado em 1923 em *Yorkshire Poetry*, Vol. II, n. 19 (Leeds, The Swan Press). Apresento aqui o texto com a forma que tem no manuscrito original, escrito em papel da Universidade de Leeds.

O GATO E A RABECA,
Ou
Uma Quadrinha Infantil Desmontada e
seu Segredo Escandaloso Revelado

Dizem que há velha e torta estalagem
Atrás dum morro antigo,
Onde fazem cerveja que é tão castanha
Que até o homem da lua com sede tamanha
Bebe que nem pode consigo.

E lá o dono tem um gato
Que da rabeca é mestre cheio;
Também há um cãozinho tão esperto
Que ri no fim das piadas, decerto,
E às vezes até ri no meio.

---

*Este é um lugar conveniente para apresentar a explicação dada por meu pai para a significância da bétula, árvore que aparece em dois dos poemas apresentados pelo Professor Shippey (ver o livro dele, pp. 206–7); cf. também "Birchyard" [literalmente, "quintal com bétulas"] no refrão original da estrofe 2 de *A Rota da Bota*. Numa nota feita a uma de suas cópias de *Songs for the Philologists*, meu pai escreveu: "A runa ᛒ, a letra B, a Abelha e (por causa do nome rúnico de ᛒ) a Bétula simbolizam todos os estudos medievais e filológicos (incluindo o islandês); enquanto a letra A e Āc (carvalho = ᚪ) correspondem à "literatura moderna". Essa simbologia heráldica mais agradável (e também a rivalidade e a gozação amistosas) surgiu a partir da afirmação mal-humorada no Programa de Disciplinas [da universidade] de que os estudos deveriam ser "divididos em dois Esquemas, Esquema A e Esquema B". O Esquema A era principalmente moderno, e o B, principalmente medieval e filológico. Canções, festividades e outros folguedos, entretanto, estavam confinados principalmente a ᛒ."

Também criam lá uma vaca chifruda,
Que, dizem, tem cascos dourados –
Mas a música a anima e faz com que aplauda,
E como que ébria balança a cauda
E dança até nos telhados.

Mas ó! quanta baixela feita de prata
E de prata colheres a rodo:
Pro domingo existe um par especial,
Polido e lustrado, nada banal,
Durante o sábado todo.

O homem da lua bebera demais,
*O gato já estava zureta,**
Um prato a colher de luxo seduziu,
O cãozinho fora de hora se riu,
E a vaca só dava pirueta.

O homem da lua tomou mais um caneco
E sob a cadeira rolou,
E dali pediu mais uma gelada
Por mais que fosse alta a madrugada
E a caminho estivesse o Sol.

O estribeiro então falou ao seu gato:
"Os brancos corcéis da Lua
Relincham e mordem os freios de prata,
Mas o homem ressona, e nada o resgata,
E logo o Sol sai à rua –

Vai, pega o violino, toca grosso e fino,
aquela dança de erguer o freguês."
O gato então dá tudo o que pode
Enquanto o dono o homem da lua sacode,
Dizendo: "Já passa das três!"

*Em inglês *totty*: desequilibrado, balançando, zonzo [N.E. e N.T.].

Rolaram-no então colina acima,
Na Lua o puseram no ato,
Os corcéis a galope atrás da ressaca,
Saltando qual corça vinha a vaca,
E da colher não largava o prato.

O bichano de repente subiu de tom,
Rugia bem alto o cão,
Os cavalos todos de ponta-cabeça,
Convivas pulavam da cama depressa
E dançavam sobre o chão.

O gato quebrou as cordas da rabeca,
A vaca saltou sobre a Lua,
O cãozinho uivava ao se divertir,
No meio de tudo, o prato a fugir
Co'a colher que aos domingos atua.

A Lua rolou pra baixo da colina,
E veja que foi bem em cima,
Pois o Sol os viu com olhos de chama
E mandou todo mundo direto pra cama,
Decretando o fim da rima.[C]

As duas versões encontradas no manuscrito do presente capítulo vão se aproximando progressivamente da forma final e, com emendas feitas na segunda delas, essa forma é virtualmente alcançada (SA, pp. 242–4).

9

Troteiro e a Jornada para o Topo-do-Vento

O capítulo 7 original, sem título, continua sem interrupção pelo que veio a ser, em SA, o Capítulo 10, "Passolargo", terminando a meio caminho do Capítulo 11 de SA, "Um Punhal no Escuro"; mas a primeira parte da narrativa que será apresentada agora existe em duas formas estruturalmente muito distintas (ambas escritas de forma legível à tinta). Meu pai as nomeou "Breve" e "Alternativa", mas, para os propósitos deste capítulo, vou chamá-las de A ("Alternativa") e B ("Breve"). A relação entre as duas é um enigma textual, embora eu ache que ela pode ser explicada;[1] a questão, entretanto, não é de grande importância para a história da narrativa, já que as duas versões obviamente vêm da mesma época. Apresento primeiro a alternativa A (na qual meu pai escreveu, mais tarde, "Usar esta versão").

"Ora essa!", disse o taverneiro, estalando os dedos. "Meio momento. Está voltando pra minha cabeça, como eu disse que voltaria. Bendito seja! Quatro hobbits e cinco pôneis! Andaram perguntando sobre um grupo como esse nos últimos dias; e talvez eu devesse ter uma palavrinha com vocês."

"Sim, certamente!", exclamou Bingo, com uma sensação desanimadora. "Mas não aqui. Não quer vir até o nosso quarto?"

"Como quiserem", respondeu o taverneiro. "Vou aparecer para dar boa noite e conferir se Nob trouxe tudo de que precisam, assim que eu tiver ajeitado uma ou duas coisas: aí poderemos dar uma palavrinha."

Bingo, Odo e Frodo se encaminharam de volta à sala de estar deles.[2] Não havia luz. Merry não estava lá, e o fogo estava quase apagado. Foi só depois de soprarem as brasas para produzir fogo e de colocarem lenha nele é que descobriram que Troteiro tinha vindo com eles. Ali estava ele, sentado calmamente numa cadeira no canto.

"Alô!", disse Odo. "O que você quer?"

"Este é Troteiro", explicou Bingo, apressado. "Creio que ele quer dar uma palavrinha comigo também."

"Quero e não quero", disse Troteiro. "Isto é: tenho meu preço."

"O que quer dizer?", perguntou Bingo, confuso e espantado.

"Não se assuste. O que quero dizer é só isto: vou lhe contar o que sei e lhe dar o que tenho, e, mais ainda, vou guardar seu segredo debaixo do meu capuz (o que é mais discreto do que você ou seus amigos têm sido) – mas hei de querer minha recompensa."

"E qual seria ela, se me faz favor?", perguntou Bingo, raivoso; ele suspeitava, de forma bastante natural, que eles tinham topado com um tratante, e se pôs a pensar, incomodado, na sua pequena bolsa remanescente com dinheiro.[3] O conteúdo inteiro dela dificilmente satisfaria um tratante, e Bingo não podia abrir mão de nem um pouco.

"Não é muita coisa", respondeu Troteiro com um sorriso de quem está se divertindo. "Apenas isto: têm de me levar junto com vocês, até que eu deseje deixá-los!"

"Oh, realmente!", retrucou Bingo, surpreso, mas não muito aliviado. "Mas, mesmo se fosse provável que eu dissesse sim, eu não prometeria nada do tipo até que soubesse muito mais a seu respeito e a respeito de suas notícias, Sr. Troteiro."

"Excelente!", exclamou ele, cruzando as pernas. "Você parece estar recuperando o bom-senso; e isso é muito bom. Sua desconfiança não foi nem metade do necessário até agora. Pois muito bem: vou lhe contar o que sei e deixarei o resto com você. É bastante justo."

"Então prossiga!", disse Bingo. "O que você sabe?"

"Bem, é o seguinte", respondeu Troteiro, baixando o tom de voz; ele se levantou e foi até a porta, abriu-a rapidamente, olhou para fora e depois a fechou sem fazer barulho, sentando-se de novo. "Tenho ouvidos aguçados, e, embora não consiga desaparecer do nada, consigo evitar que me vejam quando não quero ser visto. Eu estava detrás de uma sebe quando um grupo de viajantes estava parado na beira da Estrada não muito a oeste daqui. Havia uma carroça, cavalos e pôneis; um bando inteiro de anãos, um ou dois elfos e... um mago. Gandalf, é claro; não há como confundi-lo com outra pessoa, como você há de concordar. Estavam falando de um certo Sr. Bingo Bolger-Bolseiro e seus três amigos, que deviam estar cavalgando pela Estrada atrás deles. Um pouco incauto da parte de Gandalf, devo dizer; mas, até aí, ele estava falando baixo, e eu tenho ouvidos aguçados e estava deitado bem perto dele.

"Segui Gandalf e seu grupo até esta estalagem. Houve uma bela de uma comoção para uma manhã de domingo, posso lhe dizer, e o velho Barnabas estava se enrolando todo; mas eles ficaram só entre eles e conversaram apenas a portas fechadas. Isso foi uns cinco dias atrás.[4] Foram embora na manhã seguinte. E aí aparecem um hobbit e três amigos dele lá do Condado e, embora ele diga que seu sobrenome é Monte, ele e seus amigos parecem saber várias coisas sobre os negócios de Gandalf e do Sr. Bolger-Bolseiro de Sotomonte. Eu consigo somar dois mais dois. Mas não precisa se preocupar com isso, porque eu consigo guardar a resposta debaixo do meu capuz, como eu disse. Talvez o Sr. Bolger-Bolseiro tenha suas próprias boas razões para deixar seu nome para trás. Mas, se for assim, eu o aconselharia a recordar que há mais gente além de Troteiro que é capaz de somar dois mais dois; e nem toda essa gente é de confiança."

"Fico grato a você", disse Bingo, sentindo-se aliviado, pois Troteiro parecia não saber de nada muito sério. "Tenho minhas razões para deixar meu nome para trás, como diz; mas não consigo ver como alguém poderia adivinhar meu nome verdadeiro pelo que aconteceu, a menos que tivesse a sua habilidade em bisbilhotar, em… hmmm… coletar informações. Também não sei que utilidade meu nome verdadeiro teria para alguém em Bri.

"Não sabe?", indagou Troteiro, de modo bastante sombrio; "mas bisbilhotar, como você diz, não é algo desconhecido em Bri e, além disso, ainda não lhe contei tudo."

Mas, nesse momento, ele foi interrompido por uma batida na porta. Barnabas Carrapicho estava lá, com uma bandeja cheia de velas, e Nob atrás dele, com jarros de água quente. "Pensando que vocês gostariam de fazer alguns pedidos antes de ir para a cama", disse o estalajadeiro, colocando as velas na mesa, "eu vim lhes desejar uma boa noite. Nob! Leve a água para os quartos." Ele entrou e fechou a porta.

"É o seguinte, Sr.… hmmm… Monte", começou ele. "Mais de uma vez me pediram para procurar um grupo de quatro hobbits do Condado, quatro hobbits com cinco pôneis. Alô, Troteiro, você aqui!"

"Está tudo bem", disse Bingo. "Diga o que você quer. Troteiro tem minha permissão para ficar." O forasteiro sorriu.

"Bem", começou o Sr. Carrapicho novamente, "é o seguinte. Cinco dias atrás (sim, isso mesmo, seria domingo de manhã, quando tudo estava calmo e tranquilo) apareceu um bando inteiro de viajantes. Pessoas esquisitas, anãos e tudo o mais, com uma carroça e cavalos. E o velho Sr. Gandalf estava com eles. Aí eu disse cá comigo, houve alguns acontecimentos no Condado; e eles devem estar voltando da Festa."

"Da Festa?", perguntou Bingo. "Que Festa?"

"Bendito seja, sim, senhor! Da festa de que o seu Sr. Verde estava falando. A festa do Sr. Bolger-Bolseiro. Um montão de tráfego daqueles raros passou para o oeste por aqui no início do mês. Alguns Homens também estavam lá. Do Povo Grande, dos maiores. Nada parecido já tinha acontecido no meu tempo. Aqueles que são de falar qualquer coisa saíram dizendo que estavam indo ou levando coisas para a festa de aniversário de um tal Sr. Bolger--Bolseiro. Parece que ele era parente daquele Sr. Bilbo Bolseiro sobre quem se contava histórias estranhas antigamente. Na verdade, elas ainda são contadas em Bri, senhor; embora eu ouse dizer que estão esquecidas no Condado. Mas a gente anda mais devagar em Bri, por assim dizer, e gosta de ouvir histórias antigas de novo. Não que eu acredite em todas essas histórias, veja bem. Lendas, é como as chamo. Podem ser verdadeiras e, por outro lado, vai que não são. Agora, onde eu estava? Sim. No último domingo de manhã veio entrando o velho Sr. Gandalf e seus anãos e tudo. 'Bom dia', disse eu. 'E aonde vocês estariam indo, e de onde estariam vindo?', digo eu, pra ser agradável. Mas ele pisca pra mim, e não diz nada, assim como ninguém do pessoal dele. Mas mais tarde ele me puxou de lado e disse: 'Carrapicho', disse ele, 'Tenho alguns amigos vindo aí que vão passar por aqui logo. Devem aparecer aqui lá pela terça-feira,[5] se conseguirem seguir direto pela estrada. São hobbits: um deles é um camaradinha de barriga redonda (se me permite, senhor), com bochechas vermelhas, e os outros são só hobbits jovens. Vão estar cavalgando pôneis. Só diga a eles para irem em frente, pode ser? Vou seguir mais devagar depois de sair daqui, e é melhor que eles me alcancem, se conseguirem. Agora, não me vá contar isso para mais ninguém, e não os incentive a ficar descansando aqui. A sua cerveja é boa; mas eles têm que tomar o quanto puderem rápido e ir em frente. Entendeu?'"

"Obrigado", disse Bingo, achando que o Sr. Carrapicho tinha terminado de falar; e, mais uma vez, aliviado ao descobrir que não parecia haver nada de importante por trás do mistério.

"Ah, mas espere um minuto", advertiu Barnabas Carrapicho, abaixando a voz. "A coisa não terminou aí. Apareceram outros perguntando sobre quatro hobbits; e é isso que está me intrigando. Na noite de segunda-feira, chegou um sujeito grandalhão num enorme cavalo negro. Todo encapuzado e coberto com um manto. Eu estava de pé a porta, e ele falou comigo. Achei muito estranha a voz dele, e mal consegui entender a conversa do sujeito no começo. Não gostei nada da aparência dele. Mas veja só, ele estava pedindo notícias de quatro hobbits com cinco pôneis[6] que estavam saindo do Condado. Tem alguma coisa engraçada aqui, pensei comigo: mas, lembrando do que o velho Sr. Gandalf disse, eu não dei satisfação nenhuma pra ele. 'Não vi nenhum grupo assim', disse. 'O que você está querendo com eles, ou comigo?' Nisso, ele chicoteou o cavalo sem dizer mais nada e saiu cavalgando para o leste. Os cachorros estavam todos choramingando, e os gansos gritando, quando ele atravessou o vilarejo. Não fiquei chateado de ver o sujeito ir embora, posso lhe dizer. Mas ouvi contarem mais tarde que três foram vistos passando pela estrada rumo a Valão, atrás da colina, embora de onde os outros dois brotaram ninguém conseguisse dizer.

Mas, acredite ou não, eles voltaram, ou alguns outros tão parecidos com eles quanto a noite e o escuro, vieram atrás. Na noite de terça, ouvi uma batida na porta, e meu cachorro, lá no quintal, desatou a latir e a uivar. 'É outro daqueles Homens de preto', disse o Nob, que veio me chamar de cabelo em pé. Lógico que era, como eu vi quando cheguei na porta: mas não era um só, eram quatro; e um deles estava sentado lá, no lusco-fusco, com o cavalo quase na soleira da minha porta. Ele se abaixou perto de mim e falou num tipo de sussurro. Aquilo me deu um troço esquisito na espinha, se é que você me entende, como se alguém tivesse jogado água fria atrás do meu colarinho.[7] Era a mesma história: ele queria notícias de quatro hobbits com cinco pôneis. Mas parecia mais atarantado, com um jeitão apressado. Aliás, para falar a verdade, ele me ofereceu uma bela de uma quantia em ouro e prata se eu contasse pra ele pra que lado os tais hobbits tinham ido ou se prometesse ficar de olho neles.

'Tem um monte de hobbits e pôneis por aqui e na Estrada', eu disse (achando aquela coisa toda um bocado curiosa e sem gostar do tom de voz dele). 'Mas eu não vi nenhum grupo desse tipo. Se você me der um nome, talvez eu consiga repassar uma mensagem, se acontecer de eles aparecerem na minha casa.' Depois disso ele ficou sentado em silêncio por um instante. E então, senhor, ele me diz: 'O nome é Bolseiro, Bolger-Bolseiro', e ele deu uma sibilada no fim, como se fosse uma cobra. 'Alguma mensagem?', eu digo, todo nervoso. 'Não, só diga a ele que estamos procurando por ele com pressa', sibilou o sujeito; 'talvez você nos veja de novo', e depois disso ele e os companheiros dele saíram cavalgando e desapareceram rápido na escuridão, já que estavam todos embrulhados de preto daquele jeito.

E agora, o que acha de tudo isso, Sr. Monte? Tenho de dizer que aqui na minha cabeça fico pensando se esse é o seu nome correto, se me permite. Mas espero ter feito o certo: porque me parece que aqueles camaradas de preto não querem fazer bem nenhum ao Sr. Bolger-Bolseiro, se ele é quem você é."

"Sim! Ele é o Sr. Bolger-Bolseiro, sem dúvida", disse Troteiro de repente. "E ele deveria ser grato a você. A culpa é só dele e dos amigos se o vilarejo todo sabe o nome dele agora."

"Eu *sou* grato a ele", afirmou Bingo. "Desculpe se não posso lhe contar a história inteira, Sr. Carrapicho. Estou muito cansado e bastante preocupado. Mas, para resumir, esses... hmmm... é justamente desses cavaleiros negros que estou tentando escapar. Ficaria muito grato (assim como Gandalf ficará, e imagino que o velho Tom Bombadil também) se o senhor esquecesse que alguém que não seja o Sr. Monte tenha passado por aqui; embora eu espere que esses cavaleiros abomináveis não o incomodem mais."

"De fato, espero que não!", disse Barnabas.

"Bem, agora boa noite!", concluiu Bingo. "Obrigado de novo pela sua gentileza."

"Boa noite, Sr. Monte. Boa noite, Troteiro!", disse Barnabas. "Boa noite, Sr. Castanho, senhor, e Sr. Verde. Ora, bendito seja, cadê o Sr. Rios?"

"Não sei", respondeu Bingo; "mas imagino que esteja lá fora. Ele disse algo sobre ir tomar um pouco de ar. Ele vai vir para dentro logo."

"Está bem. Não vou trancá-lo pra fora", disse o taverneiro. "Boa noite para todos!" Dizendo isso, saiu, e o som de seus pés foi sumindo pelo corredor.

"Pronto!", disse Troteiro, antes que Bingo pudesse falar. "O velho Barnabas já lhe contou boa parte do que eu ainda tinha a dizer. Eu mesmo vi os Cavaleiros. Há pelo menos sete. Isso altera bastante as coisas, não é?"

"Sim", concordou Bingo, escondendo seu susto o melhor que pôde. "Mas já sabíamos que eles estavam atrás de nós; e eles não descobriram nada de novo, ao que parece. Que sorte que eles vieram *antes* de nós termos chegado!"

"Eu não teria tanta certeza", observou Troteiro. "Ainda tenho mais algumas coisas a acrescentar. [*Inserido a lápis*: Vi os Cavaleiros pela primeira vez no último sábado, bem a oeste de Bri, antes de topar com Gandalf. Não sei mesmo ao certo se eles não estavam seguindo o rastro *dele* também. Também vi aqueles que tinham falado com Barnabas. E] na noite de terça-feira eu estava deitado em um barranco abaixo da sebe do jardim de Bill Samambaia; e o escutei conversando. Ele é um sujeito esquisito, e seus amigos são como ele. Pode ser que você tenha reparado nele no meio dos fregueses: um camarada moreno, de cara fechada. Saiu de fininho logo depois da canção e do "acidente". Eu não confiaria nele. Seria capaz de vender *qualquer coisa* para *qualquer um*. Entende o que digo? Não vi com quem Samambaia estava falando nem ouvi o que estava sendo dito: as vozes tinham virado sibilos e sussurros. Aqui terminam as minhas notícias. Você deve fazer o que quiser quanto à minha "recompensa". Mas, quanto à ideia de eu acompanhar vocês, direi só isto: conheço todas as terras entre o Condado e as Montanhas, pois perambulei pela maioria delas ao longo da minha vida; e sou mais velho do que aparento. Posso ser de alguma valia. Pois imagino que vocês terão de sair da Estrada aberta depois do acidente desta noite. De alguma forma, não acho que vão querer encontrar algum desses Cavaleiros-negros, se puderem evitar. Eles me dão arrepios." Ele estremeceu, e os hobbits viram, surpresos, que ele tinha colocado o capuz por cima do rosto, o qual enterrara entre as mãos. O cômodo pareceu ficar muito quieto e silencioso, e as luzes enfraqueceram.

"Pronto! Já passou!", disse ele depois de um instante, jogando o capuz para trás e tirando o cabelo do rosto. "Talvez eu saiba ou infira mais sobre esses Cavaleiros do que até mesmo vocês saibam. Vocês não os temem o suficiente – ainda. Mas me parece provável que notícias sobre você vão alcançá-los antes que a noite avance muito. Amanhã, terão de partir rapidamente e em segredo (se possível). Mas Troteiro pode levar vocês por caminhos que são pouco visitados. Querem a companhia dele?"

Bingo não deu resposta. Olhou para Troteiro: sombrio e agreste e com trajes toscos. Era difícil saber o que fazer. Não duvidava que a maior parte da história dele fosse verdade (corroborada, como tinha sido, pelo relato do estalajadeiro); mas era menos fácil ter certeza quanto às boas intenções dele. Tinha um ar soturno – e, no entanto, havia algo nele, e em sua fala, que muitas vezes divergia dos modos rústicos dos caminheiros e do povo de Bri, que parecia amigável, e até familiar. O silêncio prosseguia, e ainda assim Bingo não conseguia se decidir.

"Bem, eu sou a favor de Troteiro, se você quiser alguma ajuda para decidir", observou Frodo, por fim. "De qualquer modo, ouso dizer que ele poderia nos seguir aonde quer que fôssemos, mesmo se recusássemos."

"Obrigado!", disse Troteiro, sorrindo para Frodo. "Eu poderia e faria isso, pois acharia que é o meu dever. Mas aqui está uma carta que guardei para você – ouso dizer que ela vai ajudá-lo a se decidir."

Para espanto de Bingo, ele tirou de um bolso uma carta pequena, lacrada, e a entregou. Do lado de fora havia a inscrição: "para B de G ᚷ".

"Leia", sugeriu Troteiro.[8]

Bingo observou o lacre com cuidado antes de quebrá-lo. Parecia, sem dúvida, ser de Gandalf, assim como a letra e a Runa ᚷ. Dentro havia a seguinte mensagem. Bingo a leu em voz alta.

Manhã de domingo, 26 de set. Caro B. Não fique muito tempo em Bri – não passe a noite aí, se puder evitar. Fiquei sabendo de algumas notícias no caminho. Perseguição está chegando perto: há 7, pelo menos, talvez mais. De modo algum use-O de novo, nem mesmo para fazer brincadeiras. Não viaje no escuro ou com neblina. Viaje ao máximo de dia! Tente me alcançar. Não consigo esperar por você aqui; mas viajarei devagar por um dia ou dois. Procure o nosso acampamento na Colina do Topo-do-Vento. Esperarei lá o máximo que puder arriscar. Estou dando esta carta para um caminheiro (hobbit do ermo) conhecido como Troteiro:

ele é moreno, de cabelo comprido, tem sapatos de madeira! Você pode confiar nele. É um velho amigo meu e sabe de muita coisa. Vai guiar vocês para o Topo-do-Vento e além, se necessário. Vá em frente! Seu,

ᚷ ᚨ ᚾ ᛞ ᚨ ᛚ ᚠ *Gandalf* ᛝ[10]

Bingo olhou para a letra arrastada – parecia tão nitidamente genuína quanto o lacre. "Bem, Troteiro!", comentou ele, "se tivesse me dito de imediato que estava com essa carta, teria facilitado as coisas um bocado, e economizado um monte de conversa. Mas por que inventou aquilo tudo sobre bisbilhotar?"

"Não inventei", riu-se Troteiro. "Dei um belo de um susto no velho Gandalf quando apareci detrás da sebe. Disse a ele que era sorte eu ser um velho amigo. Tivemos uma longa conversa, sobre coisas variadas – Bilbo e Bingo e [*acrescentado a lápis*: Cavaleiros e o] Anel, se você quer saber. Ele ficou muito contente de me ver, já que estava com pressa e, por outro lado, ansioso para entrar em contato com você."

"Bem, tenho de admitir que fiquei contente de ter notícias dele", disse Bingo. "E, se você é amigo de Gandalf, então tivemos sorte de encontrá-lo. Desculpe se fui desnecessariamente desconfiado."

"Você não foi", disse Troteiro. "Sua desconfiança não foi nem metade da suficiente. Se tivesse tido alguma experiência anterior com o seu atual inimigo, não confiaria nem nas suas mãos sem dar uma boa olhada assim que soubesse que ele está atrás de você. Já eu *sou* desconfiado: e precisei ter certeza de que você era o verdadeiro Bingo primeiro, antes de entregar qualquer carta. Já ouvi falar de agentes falsos interceptando mensagens que não eram para eles – isso já foi feito por inimigos antes. Além disso, se quer saber, achei divertido verificar se eu poderia induzi-lo a me aceitar – usando apenas meus dons de persuasão. Teria sido bom (embora bastante errado) se você tivesse me aceitado por meus modos sem uma comprovação! Mas, nesse ponto, suponho que minha aparência esteja contra mim!"

"Está!", disse Odo, rindo. "Mas bonito é quem bonito faz, como dizemos no Condado, e, de qualquer forma, ouso dizer que todos nós vamos ter a mesma aparência depois de ficarmos deitados em sebes e valas."

"Vai levar mais do que alguns dias (ou semanas ou anos) vagando pelo mundo para fazer com você fique parecido com Troteiro", respondeu ele, e Odo fechou a boca. "Você morreria primeiro, a não ser que seja feito de matéria mais dura do que parece ser."

"O que devemos fazer?", perguntou Bingo. "Não entendo totalmente a carta dele. Gandalf disse 'não fique em Bri'. Barnabas Carrapicho é bom sujeito?"

"Perfeitamente!", disse Troteiro. "Um hobbit tão confiável quanto qualquer um que você poderia achar entre as Torres do Oeste e Valfenda. Fiel, gentil, astuto o suficiente em seus negócios simples; mas não curioso demais sobre nada além dos eventos diários em meio ao povo simples de Bri. Se algo estranho acontece, ele apenas inventa uma explicação ou então esquece aquilo. 'Esquisito', diz ele, coça a cabeça e volta para a despensa ou para a cervejaria dele. Para você isso é ótimo! Imagino que agora ele tenha se convencido de que houve 'algum engano', de que a luz era enganosa, e de que todos os hobbits no salão apenas imaginaram que o 'Sr. Monte' tinha desaparecido. Os cavaleiros negros vão se transformar em viajantes comuns em busca de um amigo em uma ou duas semanas – se não voltarem."

"Bem, então é seguro passar a noite aqui?", disse Bingo, olhando para o fogo confortável e para a luz das velas. "Quero dizer, Gandalf disse: 'vá em frente'; mas também: 'não viaje no escuro'."

É aqui que a versão alternativa B (ver a p. 187 e a nota 1) se junta ou se funde à versão A que acabei de apresentar (embora, antes desse ponto, como se verá, há passagens substanciais em comum entre as duas). O início da narrativa aqui é bem diferente:

"Ora essa!", disse o taverneiro, estalando os dedos. "Meio momento. Está voltando pra minha cabeça, como eu disse que voltaria. Bendito seja! Quatro hobbits e cinco pôneis! Acho que tenho uma carta para o seu grupo."

"Uma carta!", exclamou Bingo, estendendo a mão.

"Bem", ponderou Carrapicho, hesitando, "ele ressaltou que eu deveria tomar cuidado para entregá-la nas mãos certas. Então, talvez, se não se importa, você poderia fazer a gentileza de me dizer de quem poderia esperar uma mensagem."

"De Gandalf?", tentou Bingo. "Um... hmmm... homem idoso" (ele pensou que talvez *mago* fosse uma palavra desaconselhável) "com um chapéu alto e uma barba comprida?"

"Gandalf, o próprio", concordou Carrapicho; "e idoso ele é mesmo, mas não há nenhuma necessidade de descrevê-lo. Todo mundo conhece *ele*. Um mago, é o que dizem que ele é; que seja. Mas qual seria o seu primeiro nome, se me permite perguntar, senhor?"

"Bingo."

"Ah!", exclamou Barnabas.[11] "Bem, parece que está tudo certo; embora ele tenha dito que você deveria estar aqui na terça, não na quinta, como acabou sendo.[12] Aqui está a carta." Ele tirou do bolso um pequeno envelope selado, no qual estava escrito: *Para Bingo, de G.* ᛝ *pelas mãos do Sr. B. Carrapicho, proprietário do Pônei Empinado, Bri.*

"Muito obrigado, Sr. Carrapicho", disse Bingo, guardando a carta no bolso. "Agora, se me dá licença, desejo-lhe boa noite. Estou muito cansado."

"Boa noite, Sr. Monte! Mandarei água e velas para o seu quarto assim que possível." Ele saiu no trote; e Bingo, Frodo e Odo voltaram para a sala de estar deles.

> A versão B agora acompanha a versão A virtualmente palavra por palavra, desde esse ponto (p. 187) até as palavras de Troteiro "mas bisbilhotar, como você diz, não é algo desconhecido em Bri e, além disso, ainda não lhe contei tudo" (p. 189), ponto no qual, em A, ele é interrompido pela chegada do Sr. Carrapicho; assim, também em B, Troteiro conta a eles sobre o momento em que entreouviu Gandalf falando sobre Bingo com os Anãos e os Elfos na Estrada a oeste de Bri. Depois disso, a versão B diverge de novo:

... Além disso, ainda não contei a parte mais importante. Havia *outro* pessoal perguntando sobre quatro hobbits.

Bingo ficou desanimado: já imaginava o que ele ia dizer. "Vá em frente", disse com voz calma.

"No fim da tarde de segunda-feira, no extremo oeste da aldeia, quase trombei com um cavalo e um cavaleiro passando rápidos no lusco-fusco: todo encapuzado e coberto de preto ele estava, e seu cavalo era alto e negro. Eu chamei a atenção dele praguejando, já que não gostei da aparência dele; e ele parou e falou comigo. Tinha uma voz estranha e, a princípio, mal consegui entender sua fala. Dito e feito, ele estava pedindo notícias de quatro hobbits com cinco pôneis que estavam saindo do Condado. Fiquei parado e não respondi; e ele trouxe o cavalo, passo a passo, para mais perto de mim. Quando estava bem perto, parou e farejou. Depois sibilou e partiu cavalgando pela aldeia, rumo ao leste. Ouvi os cachorros choramingando e os gansos gritando. Pela conversa na estalagem naquela noite, percebi que *três* cavaleiros tinham sido vistos no crepúsculo seguindo pela estrada em direção a Valão, atrás da colina; embora eu não saiba de onde brotaram os outros dois.

"Na terça-feira, fiquei de prontidão o dia todo. Dito e feito, ao cair da noite, vi os mesmos cavaleiros novamente, ou outros tão parecidos com eles quanto a noite parece a escuridão – vindo pela Estrada do Oeste de novo. Mas eram quatro dessa vez, não três. Chamei-os por detrás de uma sebe quando passaram; e todos eles pararam de repente e se viraram na direção da minha voz. Um deles – ele parecia maior e estava montado em um cavalo mais alto – veio na minha direção. 'Aonde vocês estão indo, e de que assuntos estão tratando', perguntei. O cavaleiro se inclinou para frente como se estivesse espiando – ou farejando; e então, cavalgando até a sebe, ele falou numa espécie de sussurro. Senti calafrios percorrerem minha espinha. Era a mesma história: ele queria notícias de quatro hobbits e cinco pôneis. Mas parecia mais insistente e ansioso. De fato (e é isso que está me preocupando no momento), ele ofereceu uma boa quantidade de prata e ouro se eu pudesse dizer a ele para onde eles tinham ido ou se prometesse ficar de olho neles. 'Não vi nenhum grupo desses', respondi, 'e também sou um andarilho, e talvez tenha seguido muito para o Oeste ou para o Leste amanhã. Mas, se você me der um nome, talvez eu possa repassar uma mensagem, se por acaso encontrar tais pessoas no meu caminho.' Ao ouvir isso, ele ficou em silêncio por um tempo; e então disse de repente: 'O nome é Bolseiro, Bolger-Bolseiro', e sibilou como uma cobra no fim das palavras. 'Que mensagem?' perguntei, tremendo todo. 'Só diga a ele que o estamos procurando com pressa', sibilou; e depois disso ele partiu com seus companheiros, e suas vestes negras foram rapidamente engolidas pela escuridão. O que você acha? Isso altera bastante as coisas, não é?"

"Sim", disse Bingo, escondendo seu susto o melhor que pôde. "Mas nós já sabíamos que eles estavam atrás de nós; e não parecem ter descoberto nada de novo."

"Isso se você puder confiar em mim!", observou Troteiro, olhando para Bingo. "Mas, mesmo assim, eu não teria tanta certeza.

Tenho um pouco mais de coisas a contar. Na noite de terça-feira, eu estava deitado num barranco debaixo da sebe do jardim de Bill Samambaia...

Aqui a versão B volta a bater com a outra (p. 193), e é quase a mesma palavra por palavra, até o trecho "O silêncio prosseguia, e ainda assim Bingo não conseguia se decidir" (p. 194), sendo que a única diferença é que, depois da passagem "Bingo não duvidava que a maior parte da história dele fosse verdade", as palavras "(corroborada, como tinha sido, pelo relato do estalajadeiro)" necessariamente estão ausentes, já que nessa versão o Sr. Carrapicho não tinha encontrado os Cavaleiros. Depois disso, em B, vem o seguinte:

"Eu daria uma olhada naquela carta de Gandalf, se fosse você", disse Troteiro em voz baixa. "Pode ser que o ajude a se decidir." Bingo tirou a carta, que tinha quase esquecido, de seu bolso. Observou o lacre cuidadosamente antes de quebrá-lo. Certamente parecia ser de Gandalf, tal como a letra e o emblema rúnico ᚷ. Abriu-a e a leu em voz alta.

A carta é a mesma da versão A, exceto no final, já que, nessa variante, Gandalf deu a carta não a Troteiro, mas a Carrapicho:[13]

... Se você encontrar um caminheiro (hobbit do ermo: moreno, de cabelo comprido, tem sapatos de madeira!) conhecido como Troteiro, não desgrude dele. Pode confiar no sujeito. Velho amigo meu: eu me encontrei com ele e lhe disse para ficar de olho em você. Ele sabe muita coisa. Vai guiar vocês até o Topo-do-Vento e além se necessário. Vá em frente! Seu

ᚷ ᚨ ᚾ ᛞ ᚨ ᛚ ᚠ *Gandalf* ᚷ.

Bingo olhou para a letra arrastada. Parecia tão claramente genuína quanto o lacre. "Bem, Troteiro", disse ele, "se você tivesse me contado de cara que tinha visto Gandalf e falado com ele, e que ele tinha escrito esta carta, teria facilitado as coisas um bocado, e economizado muita conversa."

"Quanto à carta", respondeu Troteiro, "eu não sabia nada sobre ela até que o velho Barnabas a trouxe. Gandalf colocou duas cordas no arco dele. Imagino que ele estivesse com medo de que eu não achasse você."

"Mas por que você inventou toda aquela história sobre bisbilhotar?"

"Não a inventei", riu-se Troteiro. "Era verdade. Eu dei um baita de um susto no velho Gandalf quando apareci detrás da sebe."

Os dois textos coincidem a partir desse ponto (p. 194) – exceto, é claro, pelo fato de que Troteiro não diz aqui "precisei ter certeza de que você era o verdadeiro Bingo primeiro, antes de entregar qualquer carta", mas simplesmente "precisei ter certeza de que *você* era o verdadeiro Bingo". Mas, quando Bingo diz "Não entendo totalmente essa carta. Ele diz 'não fique em Bri'" (p. 196), na versão B ele não continua depois disso, pois:

Nesse momento, alguém bateu à porta. O Sr. Carrapicho estava lá de novo, com uma bandeja de velas, e Nob vinha atrás dele com jarras de água quente. "Aqui estão sua água e seus lumes, se estão querendo ir para a cama", disse ele. "Mas o seu Sr. Rios ainda não chegou. Espero que ele não demore, pois também estou pensando em ir para a cama, mas não vou deixar que mais ninguém tranque as portas esta noite; não com esses estrangeiros incômodos de preto por aí."

"Aonde Merry pode ter ido?", perguntou-se Frodo. "Espero que ele esteja bem."

"Dê a ele mais alguns minutos, Sr. Carrapicho", disse Bingo. "Lamento incomodá-lo." "Muito bem", concordou o taverneiro, colocando as velas na mesa. "Nob, leve a água para os quartos! Boa noite, senhores." E fechou a porta.

"O que eu ia dizer", Bingo continuou baixinho depois de um momento, "era: por que não continuar em Bri? Carrapicho é bom sujeito? É claro que Tom Bombadil disse que sim; mas estou aprendendo a ser desconfiado."

"O velho Barnabas!", exclamou Troteiro. "Ele é totalmente um bom sujeito. Um hobbit tão confiável quanto qualquer outro entre as Torres do Oeste e Valfenda. Gandalf só estava com medo de que você pudesse se sentir confortável demais aqui! O Barna é fiel, gentil, perspicaz nos negócios simples – e não tem muita curiosidade sobre nada além dos eventos diários entre seu povo de Bri. Se algo estranho acontece, ele simplesmente inventa uma explicação ou tira isso da cabeça o mais rápido possível. 'Esquisito', diz ele, coça a cabeça e depois volta para a despensa ou para a cervejaria.

"Bem, é seguro passar a noite aqui?", perguntou Bingo, olhando para o fogo aconchegante e para as velas. "De qualquer forma, Gandalf disse 'Não viaje no escuro'."

Neste ponto, as duas versões finalmente se fundem. Pode-se perceber que as diferenças essenciais entre B e A são estas. Em B, Carrapicho está com a carta de Gandalf e a entrega a Bingo logo de início (embora Bingo não a leia ali mesmo). Troteiro não apenas bisbilhota Gandalf e seus companheiros na Estrada a oeste de Bri, como em A, mas é ele, e não Carrapicho, que encontra os Cavaleiros, e isso não se dá, é claro, na porta da estalagem, mas na estrada. O "material" dos dois relatos é muito semelhante, descontando-se o sabor "carrapíchico" do primeiro e a diferença de lugar.

Na versão A, Troteiro, para ajudar Bingo a se decidir, entrega a carta a ele quando o Sr. Carrapicho sai; em B, ele lembra Bingo da carta (tal como em SA, p. 256). E no texto B Carrapicho só então entra na sala, de modo que a percepção de que Merry não tinha voltado é adiada.

Uma combinação característica, ou seleção, desses relatos divergentes está presente na relação entre a história final em SA e as duas variantes originais; pois o texto A é seguido ao fazer com que o Sr. Carrapicho entre no meio da conversa entre os hobbits e Troteiro/Passolargo – mas a versão final acompanha B ao fazer com que Carrapicho esteja com a carta de Gandalf. É extremamente característico, novamente, que a "bisbilhotice" de Troteiro em relação a Gandalf e seus companheiros atrás da sebe na Estrada a oeste de Bri sobreviva em SA (p. 249), mas ela passa a ser o momento em que Passolargo bisbilhota os próprios hobbits – pois, é claro, em SA Gandalf estivera em Bri e deixara a carta muito antes, no final de junho, e, na época da Festa de Aniversário, ele já estava longe dali. Mas, enquanto a cronologia relativa, envolvendo os movimentos de Gandalf e os dos hobbits, seria inteiramente reconstruída, a outra nunca foi alterada.

Quinta	22 de setembro	Festa de Aniversário	Gandalf e Merry, com Anãos e Elfos, saem da Vila-dos-Hobbits (depois dos fogos de artifício)

Sexta	23 de setembro	Bingo, Frodo e Odo saem da Vila-dos-Hobbits e dormem ao relento	
Sábado	24 de setembro	Os hobbits passam a noite com Gildor e os Elfos	
Domingo	25 de setembro	Os hobbits chegam à Terra--dos-Buques à noite	Gandalf e seus companheiros chegam a Bri de manhã
Segunda	26 de setembro	Os hobbits na Floresta Velha; primeira noite com Tom Bombadil	Gandalf e seus companheiros saem de Bri. Gandalf deixa carta para Bingo. Cavaleiro Negro chega à estalagem (ou encontra Troteiro na Estrada)
Terça	27 de setembro	Segunda noite com Tom Bombadil	Quatro Cavaleiros chegam à estalagem (ou Troteiro os encontra na Estrada)
Quarta	28 de setembro	Hobbits capturados por Cousa-tumular	
Quinta	29 de setembro	Hobbits chegam a Bri	

As mesmas datas para os movimentos dos hobbits aparecem em "O Conto dos Anos", SdA, Apêndice B (p. 1551). A afirmação de que 22 de setembro (o dia da Festa de Aniversário) foi uma quinta-feira aparece pela primeira vez na quarta versão de "Uma Festa Muito Esperada" (SA, p. 71); originalmente, a data caía num sábado (ver pp. 32, 53).

Quanto ao significado dos acréscimos a lápis nas pp. 193–4, por meio dos quais Troteiro passa a ver os Cavaleiros "bem a oeste de Bri" já no sábado, antes que Gandalf chegasse lá, e fala com Gandalf sobre eles quando se encontram, ver a p. 272, nota 11.

A partir do ponto em que as duas versões se mesclam, o texto (à tinta, por cima da versão a lápis) prossegue da seguinte maneira. Eu o apresento aqui de forma completa, já que, embora muita coisa tenha se mantido em SA, há uma quantidade muito grande de diferenças nos detalhes.

"Vocês não devem fazer isso", disse Troteiro; "e, portanto, não podem evitar ficar aqui esta noite. O que está feito não pode ser evitado; e precisamos ter esperança de que tudo vai ficar bem. Não acho que alguma coisa vá entrar nesta estalagem depois que estiver trancada. Mas, é claro, precisamos ir embora o mais cedo possível de manhã. Vou estar de pé mais cedo do que o Sol para me certificar de que tudo esteja pronto. Vocês estão dois ou três dias atrasados – de alguma maneira. Talvez me contem, conforme prosseguirmos, o que andaram aprontando. A menos que saiam cedo e viajem rápido, duvido que encontrem algum acampamento no Topo-do-Vento."

"Nesse caso, vamos para a cama agora!", sugeriu Odo, bocejando. "Onde está aquele sujeito tolo do Merry? Seria o cúmulo se a gente tivesse de sair agora e procurar por ele."

Nesse exato momento, ouviram uma porta bater e pés apressando-se pelo corredor. Merry entrou à toda, trancou a porta com pressa e se encostou nela. Estava sem fôlego. Fitaram-no alarmados por um momento; depois, ele tomou ar: "Eu vi um deles, Bingo. Eu vi um!"

"O quê?", gritaram todos juntos.

"Um Cavaleiro Negro!"

"Onde?", perguntou Bingo.

"Aqui. Na aldeia", respondeu ele. "Eu tinha voltado de um passeio e estava parado um pouco fora da luz que vinha da porta, olhando as estrelas: está uma noite bonita, embora escura. Senti algo vindo na minha direção, se você entende o que quero dizer: havia uma espécie de sombra escura; e então o vi por um segundo,[14] assim que ele passou na frente do feixe de luz vindo da porta. Estava conduzindo o cavalo dele ao longo da beira do gramado do outro lado da Estrada e mal chegava a fazer barulho."

"Para que lado foi?", perguntou Troteiro.

Merry teve um sobressalto, percebendo o estranho pela primeira vez. "Pode continuar", disse Bingo. "Este é um mensageiro de Gandalf. Ele vai nos ajudar."

"Eu o segui", continuou Merry. "Ele atravessou a aldeia, foi direto até o extremo leste, onde a estrada contorna a base da colina. De repente, parou debaixo de uma sebe escura; e eu acho que o escutei falar, ou sussurrar, com alguém do outro lado. Não tenho certeza, embora tenha me esgueirado o mais perto que ousei chegar. Mas temo que tenha me sentido todo esquisito e trêmulo de repente, e dei no pé."

"O que se há de fazer?", disse Bingo, voltando-se para Troteiro.

"Não vão para os seus quartos!", disse Troteiro de imediato. "Esse aí deve ser Bill Samambaia – já que a toca dele fica na extremidade leste de Bri; e é mais do que provável que ele tenha descoberto em quais quartos vocês estão. Eles têm janelas pequenas voltadas para o oeste, e as paredes de fora não são muito grossos. Vamos todos ficar aqui, barrar a porta e a janela e nos revezar para a vigília.[15] Mas, primeiro, é melhor pegarmos nossa bagagem – e arrumar as camas!"

> Nesse ponto, meu pai interrompeu o esboço original a lápis para anotar um esquema da história que viria a seguir e, uma vez que ele não escreveu por cima dessa parte do manuscrito com tinta, ela pode ser lida – ou poderia, se não tivesse sido escrita com um garrancho que está bem no limite da legibilidade e vai além dele.

Isso foi feito. Travesseiros postos nas camas. Nada acontece naquela noite – mas, de manhã, janelas abertas, travesseiros no chão. Os pôneis todos desapareceram. Timóteo [i.e. Timóteo Tito, o taverneiro] todo nervoso. Eles ..... [?uma conta]. Ele paga pelos pôneis [?mas não há] mais nenhum disponível. Estão em falta no vilarejo. Eles seguem com Troteiro a pé. Troteiro os leva a uma toca de hobbit do ermo e [?pede para seu amigo] ir na frente e mandar uma mensagem para o Topo-do-Vento de pônei? Troteiro [?os guia por trilhas silenciosas fora do ....] estrada e seguindo pelas matas. Uma vez, bem ao longe, em cima de uma colina que se sobressai acima de um trecho da estrada, eles acham que veem um Cavaleiro Negro sentado em seu cavalo [?perscrutando] a estrada [?e o campo em volta dela].

..... Topo-do-Vento [?cerca de] 50 [escrito ao lado: 100] milhas de Bri.

Visão privilegiada de tudo em volta.

Gandalf tinha ido embora, mas deixou uma pilha de pedras – mensagem. Esperou dois dias. Devem seguir. Continuar até vau. Ajuda será fácil de Valfenda, se eu chegar lá.

Chegam a Pedras dos Trols ..... da Estrada. Aqui devido ao Rio à frente eles [?são obrigados] a voltar para Estrada. Cavaleiros

Negros evidentemente esperam que eles visitem o Bosque-dos--Trols [> Mata dos Trols] e estão esperando na estrada onde trilha chega a ela.

Nesse estágio, portanto, meu pai não tinha previsto de modo algum o ataque aos hobbits no Topo-do-Vento, assim como, no esboço anterior apresentado na p. 161, ele não tinha previsto o ataque à estalagem. A visita às Pedras dos Trols já tinha sido imaginada naquele esboço (ali descrita como "tola"), e lá, tal como aqui, os Cavaleiros só chegariam finalmente a encontrá-los no Vau.

Essa é a primeira ocorrência do nome *Mata dos Trols*, o qual aparece no mapa do SdA (*Matas dos Trols*), mas em nenhum ponto do texto.

A narrativa à tinta prossegue:

Troteiro agora tinha sido aceito como membro do grupo, e, de fato, como guia deles. Imediatamente fizeram o que ele sugerira; e, esgueirando-se para seus quartos, bagunçaram as roupas e colocaram um travesseiro de comprido em cada cama. Odo acrescentou um capacho peludo marrom, um substituto mais realista para sua cabeça. Quando todos se reuniram novamente na sala de estar, empilharam suas coisas no chão, empurraram uma cadeira baixa contra a porta e fecharam a janela. Espiando lá fora, Bingo viu que ainda era uma noite clara: depois, fechou e trancou as pesadas persianas internas, puxou as cortinas e apagou as velas. Os hobbits se deitaram em seus cobertores, com os pés voltados para o fogo. Troteiro estava recostado na cadeira que tinham colocado contra a porta. Não conversaram muito, mas foram adormecendo um a um.[16] Nada aconteceu durante a noite para perturbá-los. Tanto Merry quanto Bingo acordaram uma vez de madrugada, quando ainda estava escuro, imaginando ter ouvido ou sentido algo se mexendo; mas logo adormeceram novamente. Notaram que Troteiro parecia estar acordado em sua cadeira, com os olhos abertos. Foi também Troteiro quem puxou as cortinas e abriu as venezianas, deixando entrar a luz da aurora. Ele parecia ser capaz de ficar praticamente sem dormir. Assim que ele os acordou, passaram pelo corredor na ponta dos pés e foram para os seus quartos.

Lá descobriram como o conselho de Troteiro tinha sido bom. As janelas estavam abertas e balançando, e as cortinas esvoaçavam.

As camas estavam reviradas, e os travesseiros jogados no chão – rasgados. O capacho de Odo tinha sido feito em pedaços.

Troteiro foi prontamente à procura do Sr. Carrapicho e o tirou da cama. O que exatamente disse a ele, Troteiro não contou a Bingo; mas o taverneiro apareceu muito rapidamente e parecia muito assustado, e cheio de pedidos de desculpas.

"Nunca uma coisa assim aconteceu no meu tempo, ou no tempo do meu pai", disse ele, levantando as mãos horrorizado. "Hóspedes incapazes de dormir nas suas camas e tudo o mais. A que ponto chegamos? Mas esta foi uma semana esquisita, não dá pra negar." Ele não pareceu surpreso por eles estarem ansiosos para partir o mais rápido possível, antes que as demais estivessem de pé; e saiu apressado para preparar um pouco de desjejum para eles imediatamente, e para mandar aprontar os pôneis.

Mas ele logo voltou consternado. Os pôneis tinham sumido! As portas do estábulo tinham sido arrombadas durante a noite, e os animais tinham desaparecido, bem como todos os outros pôneis do lugar também. Essa era uma notícia arrasadora. Eles provavelmente já estavam atrasados demais para alcançar Gandalf. A pé não havia esperança nenhuma de conseguir – só seriam capazes de chegar ao Topo-do-Vento dentro de dias, e a Valfenda dentro de semanas.

"O que *podemos* fazer, Sr. Carrapicho?", perguntou Bingo, desesperado. "Podemos emprestar alguns outros pôneis na aldeia, ou na vizinhança? Ou alugá-los?", acrescentou, bastante em dúvida.

"Eu duvido", disse o Sr. Carrapicho. "Duvido que tenham sobrado quatro pôneis de sela em toda Bri; e não suponho que um deles esteja à venda ou seja de aluguel. Bill Samambaia tem um, uma pobre criatura sobrecarregada; mas ele não vai abrir mão do bicho por menos do que o triplo do valor dele, não se o conheço bem. Mas farei o que puder. Vou desencavar o Bob e mandá-lo procurar algo agora mesmo."

No final, depois de uma hora ou mais de atraso, descobriu-se que apenas *um* pônei estava disponível – e ele teve de ser comprado por seis tostões de prata (um preço alto naquelas bandas). Mas o Sr. Barnabas Carrapicho era um hobbit honesto, e também generoso (mesmo que pudesse arcar com ambas as coisas); e ele insistiu em pagar ao Sr. Rios (isto é, Merry), pelos cinco animais perdidos,

20 tostões de prata,[17] menos o custo da comida e da hospedagem deles. Isso representou um acréscimo muito valioso aos fundos de viagem dos hobbits, já que os tostões de prata eram muito valiosos naquela época; mas, no momento, não era um grande consolo pelas perdas e pelo atraso. Deve ter sido um golpe bastante sério para o pobre velho Barnabas, ainda que ele estivesse numa situação financeira confortável.*

É claro que toda essa amolação com os pôneis não apenas tomou tempo, mas também fez com que os hobbits e seus assuntos virassem assunto público de vez. Não havia mais chance de manter a partida em segredo – para grande consternação deles e de Troteiro. Na verdade, eles só saíram depois das nove horas e, a essa altura, toda a gente de Bri tinha saído de casa para vê-los partir. Depois de dizer adeus a Nob e Rob,[18] e de se despedir do Sr. Carrapicho, eles saíram marchando, ansiosos e desanimados. Troteiro caminhava na frente, conduzindo o único pônei deles, que estava carregado com a maior parte da bagagem. Troteiro estava mastigando uma maçã; parecia estar com o bolso cheio delas. Maçãs e tabaco, dizia ele, eram as coisas de que mais sentia falta quando não as tinha. Não deram atenção às muitas cabeças curiosas que saíam de portas ou se erguiam por cima de cercas conforme passavam por dentro do vilarejo; mas, quando chegaram perto da extremidade leste, Bingo viu um hobbit atarracado, de cara enfezada (bastante goblinesco, pensou consigo): o sujeito estava olhando por cima de uma sebe. Tinha olhos negros, uma boca grande e um sorrisinho desagradável, e estava fumando um cachimbo enegrecido. Tirou o cachimbo da boca e cuspiu por cima do ombro quando eles estavam passando.

"Dia, Troteiro!", saudou ele. "Achou uns amigos novos?" Troteiro assentiu com a cabeça, mas não respondeu.

---

* *Nota de rodapé.* Ainda assim, acredito que ele se saiu bem no final; pois descobriu-se que os pôneis, loucos de terror, haviam escapado e, tendo muito bom senso, acabaram encontrando o velho Parrudinho. E isso acabou sendo útil. Pois Tom Bombadil os viu e ficou com medo de que algum desastre tivesse acontecido aos hobbits. Então, partiu para Bri para descobrir o que pudesse; e lá ouviu tudo o que Barnabas podia lhe dizer (e um pouco mais). Também comprou os pôneis de Barnabas (já que eles lhe pertenciam agora). Tudo isso foi um verdadeiro deleite para Parrudinho, que agora tinha amigos a quem podia contar histórias, e (como eram seus subordinados) para quem podia transferir a maior parte do pouco de trabalho que havia a fazer.

"Dia, senhores!", disse o sujeito aos hobbits. "Imagino que sabem com quem estão viajando? É o sujo do Troteiro, esse aí; ou é assim que ele se chama – mas já ouvi outros nomes que não são tão bonitinhos. Mas talvez um caminheiro seja bom o suficiente pra vocês."

Troteiro se virou rapidamente. "Bill Samambaia!", exclamou ele. "Você que tire essa sua cara feia de circulação, ou vai acabar quebrando a dita cuja. Não que isso vá fazer muito mal para ela". Com um rápido tranco, veloz como um raio, meia maçã voou de sua mão e atingiu Bill bem no nariz. Ele se abaixou e desapareceu com um ganido;[19] e eles não deram ouvidos aos xingamentos que vinham de detrás da sebe.

Depois de deixar a aldeia, seguiram pela Estrada por algumas milhas. Ela serpenteava para a direita, contornando o lado sul da colina de Bri, e então começou a descer para um terreno arborizado.[20] Ao norte da Estrada eles podiam ver primeiro Archet em algum terreno mais alto, como se fosse uma ilha nas árvores; e então, numa depressão profunda, a leste de Archet, havia fiapos de fumaça subindo, mostrando a localização de Valão. Depois que a estrada desceu um pouco e deixou a colina de Bri para trás, eles chegaram a uma trilha estreita que corria para o norte, afastando-se da Estrada. "É aqui que deixamos o terreno aberto e buscamos cobertura!", disse Troteiro. "*Não* é um atalho, espero", brincou Bingo. "Foi um atalho pela floresta que nos atrasou dois dias antes." "Ah, mas eu não estava com vocês", observou Troteiro. "Meus atalhos, curtos ou compridos, não dão errado." Seu plano, pelo que eles puderam deduzir sem conhecer os arredores, era passar perto de Valão[21] e continuar sob a cobertura da mata enquanto a Estrada ainda estivesse próxima, e então seguir o mais diretamente que pudessem pelo terreno bravio até a Colina do Topo-do-Vento. Dessa maneira, eles cortariam caminho (se tudo corresse bem), evitando uma grande curva da Estrada, a qual, mais adiante, virava para o sul para evitar os Charcos-das-Moscas [*escrito em cima*: Pântanos dos Mosquitos]. Troteiro também teve a ideia de que, se ele topasse com alguns de seus amigos entre os hobbits do ermo, alguém que fosse confiável, eles poderiam mandá-lo na frente, de pônei, para o Topo-do-Vento. Mas os outros não gostaram muito do plano dele, já que significaria carregar mochilas pesadas, e achavam que os Charcos-das-Moscas [*escrito em cima*:

Pântanos dos Mosquitos] já seriam ruins o suficiente (com base na descrição de Troteiro) sem isso.[22] Enquanto isso, porém, não era incômoda a caminhada. Na verdade, não fosse pelos eventos perturbadores da noite anterior, teriam apreciado aquela parte da viagem mais do que qualquer outra até então. O sol brilhava, claro, mas não quente demais. As matas do vale ainda tinham muitas folhas, estavam repletas de cores e pareciam pacíficas e sadias. Troteiro os guiava com confiança em meio às muitas encruzilhadas, embora eles logo tivessem perdido todo senso de direção; mas, como ele lhes explicou, ainda não estavam seguindo numa linha reta, mas adotando um curso ziguezagueante, para despistar qualquer perseguidor.

"Bill Samambaia certamente observou onde deixamos a Estrada", disse ele; "mas não acho que ele próprio vai nos seguir muito longe, embora conheça a terra aqui em volta bastante bem. É o que ele vai contar para outras pessoas que importa. Se pensarem que estamos rumando para Valão, tanto melhor." Fosse pela habilidade de Troteiro ou por algum outro motivo, eles não viram sinal nem ouviram som de outro ser vivo naquele dia e durante todo o dia seguinte: nem de duas patas (exceto aves), nem de quatro patas (exceto raposas e coelhos). No terceiro dia depois da saída de Bri, deixaram as matas. O caminho dele tinha descido o tempo todo, e agora chegavam a uma região mais plana e mais difícil.

Estavam nas divisas dos Pântanos dos Mosquitos. O solo foi ficando mais úmido, em alguns lugares até pantanoso, e aqui e ali havia lagoas e amplos trechos de caniços e juncos, repletos de pássaros ocultos que gorjeavam. Precisavam escolher o caminho com cuidado para manterem os pés secos e na trilha. No começo avançaram bem: de fato, provavelmente estavam viajando tão rapidamente a pé quanto viajariam montados. Mas, conforme prosseguiam, seu caminho se tornou mais lento e perigoso. Os pântanos eram largos e traiçoeiros, e a atravessá-los havia só uma trilha tortuosa de caminheiro, que, para ser encontrada, exigia a habilidade de Troteiro. Os insetos se tornaram um tormento: em particular as nuvens de mosquitos minúsculos que subiam pelas mangas e calças e entravam debaixo do cabelo deles.

"Estou sendo devorado vivo!", disse Odo. "Pântanos dos Mosquitos! Há mais mosquitos do que pântanos. Do que eles se alimentam quando não conseguem hobbits?"

Passaram dois dias infelizes naquela região solitária e desagradável. Os acampamentos deles ficavam úmidos e frios, pois não havia boa lenha. Braçadas de caniços, juncos e grama secos se consumiam rápido demais. E, é claro, as coisas que picavam não os deixavam dormir. Havia também alguns primos abomináveis e supercrescidos dos grilos que guinchavam para todo lado e quase deixaram Bingo alucinado. Ele odiava grilos, mesmo quando não ficava acordado por picadas para ficar escutando os insetos. Mas esses grilos eram mais estridentes do que qualquer outro que ele tivesse conhecido, e ainda mais persistentes. Ficaram mais do que contentes quando, logo cedo no quinto dia após saírem de Bri, viram que o terreno diante deles estava se elevando devagar mais uma vez, formando uma encosta até que, ao longe, ela se transformava numa linha de colinas baixas.[23]

À direita dessa linha havia uma colina alta e cônica, com um topo ligeiramente achatado. "Esse é o Topo-do-Vento", disse Troteiro. "A Estrada velha, que deixamos bem longe à nossa direita, corre ao sul dele e não se afasta muito do seu sopé. Poderemos chegar lá amanhã ao meio-dia; e suponho que seja melhor nós seguirmos para lá."

"O que quer dizer?", perguntou Bingo.

"Quero dizer: quando enfim chegarmos lá, não tenho certeza do que havemos de encontrar. Fica perto da Estrada."

"Mas Gandalf não ia acampar lá?"

"Sim – mas, com tanta coisa que aconteceu, vocês já estão três ou mesmo quatro dias atrasados em relação ao momento em que ele esperava que vocês chegassem lá. Vão estar quatro ou cinco dias atrasados no momento em que alcançarem o topo. Tenho muitas dúvidas se vamos encontrá-*lo* lá. Por outro lado, se certas pessoas foram alertadas de que vocês saíram de Bri e foram para o leste, e se não conseguiram nos achar no ermo, não é improvável que elas próprias possam ir para o Topo-do-Vento. Ele proporciona uma vista ampla de todas as terras ao redor dele. Na verdade, há muitas aves e animais nesta região que poderiam nos ver, aqui onde estamos, do topo daquela colina. Há até alguns dos caminheiros que, num dia claro, poderiam nos espiar de lá, se nos mexêssemos. E nem todos os caminheiros são de confiança, assim como as aves e as feras."

Os hobbits olhavam ansiosos para a colina distante. Odo fitou o céu pálido, como se temesse ver falcões ou águias pairando acima deles. "Você me faz sentir muitíssimo desconfortável", disse Bingo; "mas suponho que tudo isso seja para o nosso bem. Precisamos ter noção do perigo que corremos. O que nos aconselha a fazer?"

"Eu acho", respondeu Troteiro devagar, como se, pela primeira vez, não estivesse tão certo de seus planos, "eu acho que a melhor coisa é seguir em frente em linha reta, ou numa linha tão reta quanto conseguirmos, a partir deste ponto, e ir na direção daquela linha de colinas. Ali podemos seguir certas trilhas que eu conheço e, na verdade, isso vai nos levar até o Topo-do-Vento a partir do Norte, e menos abertamente. Aí veremos o que veremos."

Não parecia haver nada mais a fazer. De qualquer modo, eles não podiam ficar parados naquela terra sem abrigo, e a linha de marcha que Troteiro propusera ia mais ou menos na direção que deviam seguir se queriam chegar a Valfenda algum dia. Durante todo aquele dia eles se forçaram a continuar, até que veio o frio e a noite caiu cedo. A terra foi ficando mais seca e menos fértil; mas névoas e vapores jaziam atrás deles nos grandes charcos. Algumas aves melancólicas piavam, até o sol redondo e rubro se esconder devagar nas sombras do oeste. Ficaram imaginando como sua luz suave estaria atravessando as janelas alegres que davam para o jardim de Bolsão, longe dali. Chegaram a um riacho que descia serpenteando das colinas para se perder nos charcos estagnados, e o seguiram enquanto a luz durou. Já estava quase escuro quando acamparam debaixo de alguns amieiros nas beiradas pedregosas do riacho; agora, escura diante deles, erguia-se a encosta nua da colina mais próxima, tristonha e estéril. Organizaram uma vigília naquela noite, mas os que não estavam vigiando dormiram de modo inquieto. A lua estava crescendo e, nas primeiras horas da noite, havia uma luz cinzenta e fria sobre a terra.

Na manhã seguinte, partiram de novo logo depois da aurora. O ar estava gelado, e o céu era de um azul limpo e pálido. Sentiam-se revigorados, como se tivessem tido uma boa noite de sono, e estavam contentes de deixar o ar úmido e pesado dos pântanos. Já estavam se acostumando a caminhar longe, com provisões escassas (ou poucas, de qualquer jeito, se comparadas com o que teriam achado possível continuar caminhando no Condado). Odo declarou que Bingo parecia o dobro do hobbit que tinha sido.

"Muito esquisito", disse Bingo, apertando o cinto, "considerando que, na verdade, há bem menos de mim. Espero que o processo de emagrecimento não continue indefinidamente, pois do contrário vou me transformar num espectro."

"Não fale nessas coisas!", disse Troteiro depressa e com sinceridade surpreendente.

Não demorou muito para que alcançassem a base das colinas; e ali eles encontraram, pela primeira vez desde que tinham deixado a Estrada, uma trilha que era fácil de ver. Tomaram-na, virando e seguindo-a para o sudoeste.[24] Ele os foi levando para cima e para baixo, seguindo uma linha do terreno que conseguia deixá-los ocultos da vista alheia com a maior frequência e pela maior distância possível, seja do ponto de vista do alto das colinas acima deles ou das regiões planas a Oeste. A trilha mergulhava em vales, e subia barrancos íngremes, e atravessava riachos, e contornava os charcos que esses riachos formavam em pontos mais baixos. Nos lugares onde ela atravessava um espaço mais plano e mais aberto, muitas vezes tinha fileiras de pedregulhos grandes dos dois lados, escondendo os viajantes, quase como uma sebe.

"Pergunto-me quem fez esta trilha e para quê", disse Frodo enquanto passavam por uma dessas avenidas, onde as pedras eram incomumente grandes e postas bem juntas. "Não tenho certeza se gosto mesmo disso – essas pedras têm um ar, bem, bastante cousa-tumulesco, não? Existe algum túmulo no Topo-do-Vento?"

"Não!", disse Troteiro. "Não há túmulo no Topo-do-Vento, nem em qualquer dessas colinas. Os Homens do Oeste não viviam aqui. Não sei quem fez esta trilha, nem há quanto tempo, mas ela foi construída para que houvesse um caminho defensável até o Topo-do-Vento. Alguns contam que Gilgalad e Valandil [*mais tarde* > Elendil] construíram um forte e um baluarte aqui nos Dias Antigos, quando marcharam para o Leste."

"Quem foi Gilgalad?", perguntou Frodo; mas Troteiro não respondeu, e parecia estar perdido em pensamentos.[25]

Já era meio-dia quando se aproximaram da extremidade sudeste da fileira de colinas e viram diante deles, à luz pálida e clara do sol de outubro, uma encosta verde-cinzenta que conduzia, feito uma ponte pensa, ao lado norte da colina alta e cônica. Decidiram subir ao topo de imediato, enquanto o dia estava claro. Esconder-se não era mais possível, e só podiam esperar pelo melhor. Nada podia ser visto se mexendo em cima da colina.

Depois de uma hora de escalada lenta e arrastada, Troteiro alcançou o cume da colina. Bingo e Merry o seguiram, cansados e sem fôlego. A última ladeira tinha sido íngreme e pedregosa. Odo e Frodo ficaram embaixo, com a bagagem e o pônei, numa depressão abrigada sob o flanco oeste da colina. No alto, encontraram apenas uma pilha de pedras – um teso de significado esquecido muito tempo antes. Não havia nenhum sinal de Gandalf, nem de nenhuma coisa viva. Por todos os lados e abaixo deles havia uma vista ampla, em sua maior parte de uma terra vazia, abandonada e sem detalhes visíveis – exceto por trechos de mata no sul, ao longe, onde captaram também o cintilar ocasional da água distante. Debaixo dos hobbits, do lado sul, corria como uma fita a Estrada Velha, saindo do Oeste e serpenteando para cima e para baixo até sumir por trás de uma crista de terras sombrias no Leste. A estrada também estava vazia. Nada se mexia nela. Seguindo a linha dela para o leste, eles contemplaram as Montanhas – agora claramente visíveis, os sopés mais próximos amarronzados e soturnos, com formas mais altas e mais cinzentas atrás deles, e mais atrás ainda os picos elevados e alvos, chamejando fora das nuvens.

"Bem, aqui estamos!", disse Merry. "E bem tristonho e nada acolhedor tudo isso aqui parece. Não há água, nem abrigo. Não culpo Gandalf por não ficar esperando aqui! Ele teria de deixar a carroça, e os cavalos, e a maioria dos companheiros dele também, imagino, lá embaixo, perto da Estrada."

"É o que me pergunto", disse Troteiro, pensativo. "Ele certamente deve ter vindo aqui, já que disse que viria. Não é do feitio dele não deixar sinal nenhum. Espero que não tenha acontecido nada com ele – embora não seja fácil imaginar que *ele* tenha se dado mal." Ele empurrou a pilha de pedras com o pé, e as pedras do topo caíram, fazendo muito barulho. Alguma coisa branca, que se soltou, começou a pairar no ar. Era um pedaço de papel. Troteiro o agarrou com pressa e leu a mensagem rabiscada nele:

Esperei três dias. Preciso ir. O que aconteceu com vocês. Continuem até o Vau além da Mata-dos-Trols, o mais rápido que puderem. Ajuda vai chegar até lá vindo de Valfenda, o mais rápido que eu conseguir. Fiquem vigilantes. G. ᛝ

"Três dias!", disse Troteiro. "Então ele deve ter ido embora enquanto ainda estávamos nos pântanos. Imagino que estivéssemos longe demais para que tivesse algum vislumbre das nossas fogueiras minúsculas."

"Qual é a distância até o Vau e até Valfenda?", perguntou Bingo com ar cansado. O mundo, do alto da colina, parecia agreste e vasto.

"Deixe-me pensar!", respondeu Troteiro. "Não sei se a Estrada alguma vez foi medida além da Estalagem Abandonada – um dia de viagem a leste de Bri. Mas os estágios, em dias de viagem a carroça, pônei ou cavalo, ou a pé, são bastante conhecidos, é claro. Eu estimaria que são cerca de 120 milhas de Bri até o Topo-do--Vento – pela estrada, que faz curvas para o sul e para o norte. Viemos por um caminho mais curto, mas não mais rápido: entre 80 e 90 milhas nos últimos seis dias. Está mais para 40 do que para 30 milhas da Ponte do Brandevin até Bri. Não tenho certeza, mas a conta que eu faria para as milhas entre a Ponte de vocês e o Vau sob as Montanhas Nevoentas daria mais de 300 milhas. Então deve dar perto de 200 do Topo-do-Vento até o Vau. Ouvi dizer que a viagem da Ponte ao Vau pode ser feita numa quinzena, num passo firme com tempo bom; mas nunca encontrei ninguém que tivesse feito a jornada num prazo desses. A maioria demora quase um mês, e os pobres hobbits a pé demoram mais.

> Essa passagem, a partir de "Mas os estágios, em dias de viagem a carroça, pônei ou cavalo, ou a pé", foi colocada entre colchetes; e, ao lado dela, meu pai escreveu: "? Cortar – já que esse trecho, embora possa ser mantido como um guia do tempo narrativo, está muito mastigado e seco e estraga a ambientação. ?" Depois, ele escreveu o seguinte trecho substituto num pedaço de papel (cf. SA, p. 281):

"Alguns dizem que é tal distância, e outros dizem diferente. É uma Estrada esquisita. E as pessoas ficam contentes em chegarem ao fim de sua jornada, seja num tempo mais longo ou mais curto. Mas eu sei quanto tempo eu levaria para chegar, com tempo bom e sem má sorte, só um pobre caminheiro com seus próprios pés: entre três semanas e um mês seguindo firme do Brandevin até o Vau sob as Montanhas Nevoentas. Mais de dois dias da Ponte até Bri, uma semana de Bri até o Topo-do-Vento. Cobrimos essa distância em tal período, mas viemos por um caminho mais curto, pois a Estrada dá voltas para o sul e o norte. Digamos dez dias.

Então temos uma quinzena diante de nós, talvez menos, mas provavelmente mais tempo."

"Uma quinzena!", exclamou Bingo. "Muita coisa pode acontecer nesse tempo." Ficaram todos em silêncio. Bingo sentiu pela primeira vez, naquele lugar solitário, o peso completo do perigo que corria e de seu exílio. Queria que sua sorte o tivesse deixado no tranquilo e amado Condado. Fitou a Estrada odiosa – que conduzia de volta rumo ao oeste, para seu antigo lar. De repente, deu-se conta de que duas manchas negras estavam se mexendo pelo traçado da estrada, indo para o oeste, e, observando mais detidamente, viu então que várias outras estavam se arrastando lentamente para o leste para encontrá-las. Bingo deu um grito e agarrou o braço de Troteiro. "Olhe!", disse ele, apontando.

"Abaixe-se!", gritou Troteiro, puxando Bingo para que ele ficasse rente ao chão perto dele. Merry se jogou ao lado dos dois. "O que é?", sussurrou ele. "Não sei, mas estou com medo", disse Troteiro. Foram rastejando até a beira do cume achatado e espiaram para fora detrás de um afloramento rochoso. A luz não estava forte, pois a manhã, antes clara, tinha se desvanecido, e nuvens que se arrastavam lentamente a partir do Leste agora tinham alcançado o sol, conforme ele começava a seguir para o oeste. Conseguiam ver as manchas pretas, mas nem Bingo nem Merry eram capazes de discernir a forma delas com certeza. Contudo, algo lhes dizia que ali embaixo havia Cavaleiros Negros se reunindo na estrada, além da base da colina. "Sim", sentenciou Troteiro, cuja visão mais aguçada não lhe deixava dúvida. "O inimigo está aqui."

Com pressa, saíram dali aos rastos e foram se esgueirando pela face norte da colina, à procura de Odo e Frodo.

Aqui o Capítulo 7 original, que eu dividi em duas partes, termina.

NOTAS

[1] Do esboço original a lápis, que foi sobreposto pela versão B, pouco se pode ler agora; foi colocado no papel com um traçado fraco e, exceto aqui e ali, o texto à tinta, para todos os efeitos, obliterou o anterior. Entretanto, é possível ler o suficiente para demonstrar que a história era a mesma da versão B (na qual a carta de Gandalf foi entregue ao dono da estalagem, e não a Troteiro); e,

embora isso seja menos certo, suspeito que, nesse estágio, não havia menção a Cavaleiros Negros que visitaram Bri antes de Bingo, Merry, Frodo e Odo chegarem. Por outro lado, fica perfeitamente claro que, quando meu pai escreveu a versão B em cima do esboço original, ele tinha a versão A diante de si.

A explicação para essa situação estranha pode ser encontrada, creio eu, no fato de que a versão B é muito mais longa do que o rascunho a lápis e não está intimamente associada a ele; parte dela está em retalhos de papel que foram anexados ao texto. Acho que meu pai escreveu a versão A *primeiro*, com base no rascunho a lápis, mas mudou a história ao fazê-lo (transferindo a carta de Gandalf para Troteiro e inserindo a história de Carrapicho sobre os Cavaleiros que vinham à estalagem); *depois*, voltou ao rascunho a lápis e escreveu a versão B em cima dele, voltando à versão de que a carta havia sido confiada a Carrapicho e novamente apresentando a história dos Cavaleiros Negros em Bri, mas atribuindo-a agora a Troteiro, que encontrou os inimigos na Estrada. Para esse texto, ele usou a versão A e a seguiu de perto, até onde a história alterada permitia. Assim, a história textual é:

(1) Rascunho original a lápis: a carta de Gandalf é deixada com Carrapicho; (provavelmente) nenhuma história ainda sobre Cavaleiros Negros que já tinham passado por Bri.

(2) Versão A: a história mudou: a carta de Gandalf é deixada com Troteiro; Carrapicho conta sobre a chegada dos Cavaleiros à estalagem.

(3) Versão B, escrita por cima do rascunho original, mas usando muito do texto de A: a carta de Gandalf é deixada com Carrapicho; Troteiro conta sobre seus encontros com os Cavaleiros na Estrada.

Finalmente, algumas novas frases em B foram reintroduzidas em A.

[2] É com essa frase que o Capítulo 10, "Passolargo", começa em SA, mas incluo aqui a passagem anterior, uma vez que faz parte da narrativa que é abordada de maneiras alternativas (ver p. 197).

[3] Cf. p. 179, nota 7. Mas, embora a velha ideia de que Bingo gastara todo o seu tesouro (e que um objetivo vago de sua "jornada" era que ela poderia lhe trazer mais dinheiro, p. 83) tenha desaparecido, permaneceu em SA (p. 248) a afirmação de que Frodo "só trouxera pouco dinheiro".

[4] *Isso foi uns cinco dias atrás*: ver a cronologia fornecida na p. 202. Gandalf e seus companheiros chegaram à estalagem no domingo de manhã, e nesse momento era quinta-feira à noite.

[5] *Devem aparecer aqui lá pela terça-feira*: Gandalf havia presumido que eles seguiriam a Estrada desde a Ponte do Brandevin até Bri e levariam dois dias para percorrê-la. Cf. os cálculos de Troteiro (pp. 214–5): "Está mais para 40 do que para 30 milhas da Ponte do Brandevin até Bri" e "Mais de dois dias da Ponte até Bri" (a pé).

[6] Como os Cavaleiros Negros sabiam disso? Ver a p. 432, nota 7.

[7] Aqui, meu pai escreveu: "Bom, ele descreveu seu grupo com muita exatidão, senhor, mais exatamente do que o Sr. Gandalf descreveu: cor dos seus pôneis,

feição dos seus rostos", mas riscou esse trecho assim que foi escrito, provavelmente porque não era consistente com sua concepção dos Cavaleiros Negros: ele já havia dito (p. 97) que, para Espectros-do-Anel, "Tudo se torna muito tênue, como imagens-fantasma cinzentas contra o pano de fundo negro no qual você vive; mas você consegue sentir cheiros com mais clareza do que ouve ou vê". Parece muito provável que a ideia do "mundo espectral", no qual, em certo sentido, o portador de um Anel entrava se o colocasse no dedo, e no qual ele então se tornava totalmente visível para os habitantes daquele mundo, já tivesse surgido; uma sugestão disso aparece nas palavras de Gildor (p. 85), "Imagino que o uso do anel ajuda a eles mais do que a ti", e na carta de Gandalf, no presente capítulo, ele ressalta que Bingo nunca deve usar o Anel para qualquer propósito – agora que ficou sabendo que os Cavaleiros estão em seu encalço.

8 Essas palavras estão no final de uma página manuscrita. No pé da página, meu pai rabiscou a lápis:

> 19 de nov. Motivo *no encalço de Gandalf.* Gandalf os está atraindo. *Nenhum acampamento no Topo-do-Vento* ou, novamente, Gandalf faz com que eles o persigam.

Quanto a isso, cf. o acréscimo a lápis na p. 193: "Vi os Cavaleiros pela primeira vez no último sábado, bem a oeste de Bri, antes de topar com Gandalf. Não sei mesmo ao certo se eles não estavam seguindo o rastro *dele* também".

"19 de nov." presumivelmente se refere à data da anotação, ou seja, 19 de novembro de 1938; a essa altura, meu pai já havia ido bem além desse ponto da narrativa, a julgar pelo que disse em uma carta a Stanley Unwin de 13 de outubro de 1938: "Trabalhei arduamente por um mês ... em uma continuação de O Hobbit. Ela alcançou o Capítulo 11 (mas em um estado bastante ilegível) ..."

9 É a primeira menção à Colina do Topo-do-Vento; a primeira ocorrência real do nome deve estar no rascunho original a lápis da carta de Gandalf, que pode ser parcialmente decifrado (nota 13).

10 As runas são as runas do inglês antigo, como em *O Hobbit*. Gandalf usa a runa inglesa (germânica comum) ᚷ para a letra G ao escrever seu nome, mas também usa como emblema de si mesmo uma runa ᛝ. No *Angerthas* (SdA, Apêndice E, pp. 1602–03), essa runa correspondia (no uso adotado pelos Anões de Moria) ao fonema [ng].

11 Estranhamente, o manuscrito à tinta traz aqui o nome *Timóteo*, e não *Barnabas*; mas só pode ser um lapso, retornando momentaneamente ao nome original do senhorio (p. 178, nota 3).

12 *na terça, não na quinta*: ver a nota 5.

13 O final da carta pode ser lido no rascunho a lápis:

> *Não saiam depois de escurecer ou na névoa. Sigam em frente. Tão ansioso que vou esperar [?dois] dias por vocês ..... Colina do Topo-do-Vento.*

> *Se encontrarem um caminheiro (hobbit do ermo) chamado Troteiro, fiquem com ele. Disse-lhe para ficar de olho. Ele vai guiar vocês para o Topo-do-Vento e mais além, se necessário. Sigam em frente.*

[14] O texto, conforme escrito da primeira vez aqui (à tinta: o texto a lápis embaixo é ilegível), dizia: "Senti algo se movendo atrás de mim e, quando me virei, vi alguém seguindo pela Estrada". O sentido da frase revisada talvez seja "vindo na minha direção".

[15] *barrar a porta e a janela* foi escrito depois acima de *nos revezar para a vigília*, sem que a segunda parte fosse riscada. Ver a nota 16.

[16] O texto a lápis subjacente pode ser lido aqui:

> Eles não conversaram muito, mas foram adormecendo um a um. Troteiro vigiou por três horas; disse que conseguia se virar com muito pouco sono. Em seguida foi a vez de Merry. Nada aconteceu ...

A primeira versão à tinta diz:

> Conseguia se virar com muito pouco sono (dizia): "Dê-me três horas e depois me acorde, e eu vigio pelo resto do tempo." Bingo ficou com a primeira vigília; os outros conversaram um pouco e depois adormeceram.

Neste ponto, termina o Capítulo 10 de SA, "Passolargo", e começa o Capítulo 11, "Um Punhal no Escuro" – no ponto onde esse capítulo retoma a história em Bri: do ataque dos Cavaleiros Negros à casa em Cricôncavo, que é o começo do capítulo no livro, ainda não há traço algum.

[17] *20* (tostões de prata) foi posteriormente alterado para *25*.

[18] *Rob*: em ocorrências anteriores (pp. 171, 206) o nome do cavalariço n'*O Pônei Empinado* é certamente *Bob*, tal como em SA.

[19] *um ganido*, em inglês *a yowk*: o verbo *yowk*, "uivar, berrar, gritar" aparece na obra de Joseph Wright, *The English Dialect Dictionary*.

[20] Um minúsculo esboço a lápis, no próprio manuscrito, feito junto com o rascunho subjacente, mostra a Estrada, depois de ter feito uma curva ao redor do lado sul da Colina-de-Bri, virando para o norte novamente e continuando em linha reta a leste de Bri, tal como era o seu traçado a oeste da aldeia.

[21] *Valão* foi alterado a lápis para *Archet* (como em SA, p. 272).

[22] Essas duas frases, começando com *Troteiro também teve a ideia*, foram colocadas entre colchetes, provavelmente no momento em que foram escritas. Cf. o esboço (p. 204): "Troteiro os leva a uma toca de hobbit do ermo e pede para seu amigo ir na frente e mandar uma mensagem para o Topo-do-Vento de pônei?"

[23] O texto a lápis embaixo da tinta pode ser lido o suficiente para mostrar que a passagem dos pântanos (sem nome) foi descrita em poucas frases.

[24] Já que no final da frase seguinte meu pai escreveu "regiões planas a Leste", o que é um deslize óbvio e que ele posteriormente corrigiu para "Oeste",

parece provável que o curso "sudoeste" da trilha ao longo da base das colinas também é um deslize e está no lugar de "sudeste"; um pouco mais tarde, o texto afirma que eles "chegaram perto da extremidade sudeste da fileira de colinas".

[25] Para a história de Gil-galad e Elendil e a Última Aliança, na forma que tinha nessa época, ver a segunda versão de *A Queda de Númenor*, parágrafo 14 (V.40) e as pp. 270–1. Embora Elendil esteja presente em *A Queda de Númenor*, meu pai não parece ter ficado totalmente satisfeito com esse nome; aqui ele escreveu *Valandil* primeiro e, no esboço original do capítulo seguinte, trocou *Elendil* temporariamente por *Orendil* (pp. 247–8, nota 3). Em *A Estrada Perdida*, Valandil era o nome do pai de Elendil (V.76, 86), e, numa versão posterior de *A Queda de Númenor*, Valandil é o irmão de Elendil (V.46).

Na última parte deste capítulo, a partir do ponto em que as versões variantes se juntam (pp. 201, 202), toda a estrutura essencial da narrativa imediata em SA (p. 248–81) já está estabelecida, embora as implicações mais amplas e os vislumbres da história antiga estejam visivelmente ausentes. A narrativa acontece numa dimensão mais estreita, de todo modo, pelo fato de que não há Homens na história: Carrapicho é um hobbit, os "caminheiros" do ermo, categoria à qual Troteiro pertence, também são hobbits, Bill Samambaia é um hobbit (pp. 107–8) – embora seja verdade que a gama de personagens hobbits é muito ampliada por esses "Forasteiros" que vivem além das fronteiras do Condado.

Alguns pontos específicos em que há diferenças podem ser brevemente mencionados. O pônei comprado em Bri não chega a ser descrito como pertencente a Samambaia (pp. 106–7), embora isso pareça estar implícito; e a história subsequente dos cinco pôneis da Terra-dos-Buques, registrada na nota de rodapé do texto (p. 207), foi, mais tarde, alterada em larga medida (SA, pp. 269–70). O encontro de Merry com o Cavaleiro Negro fora da estalagem em Bri não termina com o hobbit sendo atacado; e é Troteiro quem representa o papel posterior de Sam, tendo um bolso cheio de maçãs e dando uma lição em Bill Samambaia jogando uma delas no nariz do sujeito.

A jornada de Bri até o Topo-do-Vento tem a mesma estrutura da narrada em SA (pp. 271–9), exceto no final. A cronologia é:

Dias após saída de Bri	*Data*	*Local*
1	Sexta, 30 de setembro	Na mata (Floresta Chet)
2	Sábado, 1º de outubro	Na mata
3	Domingo, 2 de outubro	Primeiro dia e acampamento nos pântanos
4	Segunda, 3 de outubro	Segundo dia e acampamento nos pântanos
5	Terça, 4 de outubro	Acampamento à beira do riacho debaixo de amieiros

Mas, em SA, os hobbits montam outro acampamento noturno aos pés das encostas ocidentais das Colinas do Vento – e essa foi "a noite de cinco de outubro, e fazia seis dias que tinham saído de Bri" (p. 277); esse acampamento não aparece na versão original, e, assim, naquele texto, eles alcançam o Topo-do-Vento na quarta, 5 de outubro. Troteiro, na colina, diz que eles tinham atravessado entre 80 e 90 milhas "nos últimos seis dias": na conta, ele estava incluindo aquele dia também, pois já tinha passado do meio-dia.

Na história mais antiga, Gandalf ficou no Topo-do-Vento por três dias, e deixou ali uma anotação numa pilha de pedras, escrita num papel. Essa mensagem ("Ajuda vai chegar até lá [isto é, até o Vau] vindo de Valfenda, o mais rápido que eu conseguir") traz a primeira indicação clara, na história, de quais eram as intenções de Gandalf; e isso pode se somar às palavras rabiscadas no manuscrito que são apresentadas na nota 8. Gandalf estava tentando atrair os Cavaleiros até *ele*.

Analisando retrospectivamente todo o Capítulo 7 original, a história desde a chegada dos hobbits a Bri até a visão dos Cavaleiros Negros na Estrada muito abaixo do cume do Topo-do-Vento, aparece nele novamente, e da forma mais marcante, a seguinte característica da escrita de meu pai: os elementos emergem de forma repentina e são claramente concebidos, mas seu "significado" e contexto ainda passarão por um enorme desenvolvimento posterior, ou mesmo por uma transformação completa, na narrativa posterior (cf. pp. 92–3). Um exemplo menor disso aqui é o rosto que Bingo achou "goblinesco" quando o grupo sai de Bri (p. 207) – que aqui é o rosto de Bill Samambaia (um hobbit): em SA (p. 271) será o do "o sulista estrábico" que Frodo vislumbrou pela janela da casa de Samambaia e pensou que ele parecia "mais do que metade gobelim". Em um estado de "crisálida" ainda estão os "Caminheiros", viandantes do ermo, e Troteiro é um Caminheiro, sombrio e de rosto vincado, conhecedor profundo do mundo selvagem e de muitos outros assuntos; mas eles são hobbits, e não há indícios de qualquer significado maior ou mais amplo que eles possam ter na história da Terra-média. Troteiro é imediatamente retratado de forma tão completa que seu tom, nessa parte da narrativa (e, de fato, uma quantidade considerável das palavras que pronuncia) nunca foi alterado depois; no entanto, o pouco que se vislumbra de sua história nesse estágio não tem nenhuma relação com a de Aragorn, filho de Arathorn. Ele é um hobbit, caracterizado por usar sapatos de madeira (daí seu nome, Troteiro); parece haver algo em sua história que lhe dá um conhecimento especial e um horror dos Espectros-do-Anel (p. 193); e Bingo vislumbra algo nele que o distingue de outros "Caminheiros" e é, de certa forma, familiar (p. 194). Essas coisas serão explicadas mais tarde, antes de serem finalmente varridas da narrativa.

10

O Ataque ao Topo-do-Vento

Este capítulo, com a numeração 8 e, como de costume, sem título (embora meu pai mais tarde tenha escrito a lápis "Um Punhal no Escuro"), começa na mesma página manuscrita em que está o fim do capítulo anterior; obviamente, o trabalho foi contínuo, e o manuscrito prossegue tal como antes, à tinta, rápido, mas sempre legível, por cima de rascunhos a lápis dos quais apenas palavras ou frases, aqui e ali, são visíveis (ver a p. 235). O texto continua até o Capítulo 12 de SA, "Fuga para o Vau", sem nenhum tipo de interrupção, mas, tal como acontece com o Capítulo 8 original, eu o dividi em duas partes (ver a tabela na p. 169).

Havia um pequeno vale oco sob a projeção noroeste do Topo-do-Vento, logo abaixo do longo espinhaço que o unia às colinas atrás dele. Ali Odo e Frodo tinham ficado esperando por eles. Os dois tinham encontrado os sinais de um acampamento e de uma fogueira recentes e, o que era uma ajuda grande (e totalmente inesperada), atrás de uma grande rocha estava empilhado um pequeno depósito de lenha. Melhor ainda, debaixo da lenha encontraram uma caixa de madeira com um pouco de comida. Havia principalmente bolos-de-cram, mas também um pouco de toucinho e algumas frutas secas. Havia também algum tabaco!

A palavra *cram*, como você talvez se lembre, vinha da língua dos homens de Valle e do Lago Longo e era usada para descrever uma comida especial que eles preparavam para longas viagens. O *cram* não estragava por tempo indeterminado e dava muita sustança, mas não era interessante de comer, pois exigia muita mastigação e não tinha nenhum gosto especial. Bilbo Bolseiro trouxe consigo a receita – ele consumia o alimento, depois que voltou para casa, em algumas de suas longas e misteriosas caminhadas.

Gandalf também começou a levá-lo em suas jornadas intermináveis. Disse que gostava de comê-lo amolecido na água (mas isso é difícil de acreditar). Mas o *cram* não era de se desprezar no ermo, e os hobbits ficaram extremamente gratos pela consideração de Gandalf. Ficaram ainda mais gratos quando os outros três desceram com suas notícias alarmantes, e todos eles perceberam que ainda tinham uma longa jornada pela frente, antes que pudessem esperar obter ajuda. Imediatamente se reuniram em conselho e perceberam que era difícil decidir o que fazer. Foi a presença da lenha (da qual eles não conseguiriam carregar muitas achas) que finalmente os fez decidir que não seguiriam viagem naquele dia, e que acampariam, naquela noite, no vale.[1] Parecia inseguro, para não dizer desesperado, seguir em frente de uma vez, ou antes que descobrissem se a chegada deles à colina era conhecida ou esperada. Pois, a menos que fizessem um longo desvio de volta para noroeste ao longo das colinas, e abandonassem completamente a rota na direção de Valfenda por algum tempo, não seria fácil encontrar qualquer cobertura ou esconderijo. A Estrada em si era impossível; mas eles tinham de pelo menos atravessá-la, se quisessem entrar na região mais irregular, cheia de matagais e arbustos, imediatamente ao sul dela. A norte da Estrada, além das colinas, a terra era árida e plana por muitas milhas.

"O... hum... inimigo consegue *enxergar*?", perguntou Merry. "Quero dizer, eles geralmente parecem ter *farejado* a gente, em vez de enxergar, pelo menos durante o dia. Mas você fez a gente deitar no chão."

"Não sei como eles percebem o que procuram", respondeu Troteiro; "mas eu os temo. E seus cavalos conseguem enxergar."[2]

Já era fim de tarde. Eles não comiam desde o desjejum. Apesar do medo e da incerteza, estavam com muita fome. Portanto, no vale, onde tudo estava parado e quieto, fizeram uma refeição – uma refeição tão boa quanto arriscaram fazer, depois de examinarem seus estoques de comida. Se não fosse pelo presente de Gandalf, não teriam arriscado mais do que mastigar alguma coisa. Tinham deixado para trás as regiões onde podiam encontrar estalagens ou aldeias. Havia gente do Povo Grande (pelo que dizia Troteiro) ao Sul deles. Mas a Norte e a Leste as terras vizinhas estavam vazias de tudo, exceto aves e feras, lugares inóspitos abandonados por todas as raças do mundo: Elfos, Homens, Anãos ou Hobbits, e até mesmo por gobelins. Os Caminheiros mais aventurosos viajavam ocasionalmente para essas regiões, mas passavam e não ficavam. Outros andarilhos eram raros, e de um tipo nada bom: os trols às vezes podiam se desgarrar das colinas e Montanhas mais distantes. Somente na Estrada se encontravam viajantes, raramente do Povo Grande naqueles dias, Elfos talvez às vezes, na maioria das vezes Anãos apressando-se em seus próprios afazeres, sem prestar auxílio e com poucas palavras para trocar com estranhos.

Portanto, agora – já que Gandalf se fora –, eles tinham de se virar com o que carregavam consigo – provavelmente até que, por fim, encontrassem o caminho para Valfenda. Para obter água, seriam obrigados a confiar na sorte. Quanto à comida, talvez tivessem conseguido aguentar dez ou onze dias; e agora, com os acréscimos de Gandalf, poderiam, com economia, provavelmente resistir por mais de uma quinzena. Poderia ser pior. Mas passar fome não era seu único medo.

Ficou muito frio quando a noite caiu. Havia novamente alguma névoa sobre os pântanos distantes; mas o céu acima deles clareou novamente, e as nuvens foram sopradas por um vento frio vindo do leste. Olhando para fora da borda do vale, não conseguiam ver nada além de uma terra cinzenta que ia desaparecendo rapidamente nas sombras, debaixo de um céu aberto que aos poucos enchia-se de estrelas piscantes.

Acenderam uma pequena fogueira no ponto mais baixo da depressão e se sentaram em volta dela vestidos e envoltos em todas as roupas e cobertores que possuíam: pelo menos foi o que Bingo e seus companheiros fizeram. Troteiro parecia se contentar com um único cobertor e se sentou um pouco longe do fogo, fumando seu cachimbo curto. Eles se revezaram para ficar de guarda na beira do vale, em um ponto onde as laterais íngremes da Colina do Topo-do-Vento, e a encosta mais suave que descia do espinhaço, podiam ser vistas – até o ponto em que qualquer coisa podia ser vista no crepúsculo que se fechava.

À medida que o entardecer prosseguia, Troteiro começou a lhes contar histórias para desviar suas mentes do medo. Sabia muito sobre animais selvagens e afirmava falar algumas de suas línguas; e tinha histórias estranhas para contar sobre as vidas deles e aventuras pouco conhecidas. Também conhecia muitas histórias e lendas dos tempos antigos, dos hobbits quando o Condado ainda era selvagem, e de coisas além das névoas de memória das quais os hobbits tinham vindo. Perguntavam-se onde ele havia aprendido todo o seu saber.

"Fale-nos de Gil-galad!", disse Frodo – "você pronunciou esse nome não faz muito tempo,[3] e ele ainda está ressoando em meus ouvidos. Quem foi ele?"

"Você não sabe?", disse Troteiro. "Gil-galad foi o último dos grandes Reis-élficos: Gil-galad é Luz das Estrelas na língua deles. Sobrepujou o Inimigo, mas ele próprio pereceu. Mas não contarei essa história agora; embora vocês devam ouvi-la, creio eu, em Valfenda, quando chegarmos lá. Elrond deveria contá-la, pois a conhece bem. Mas vou lhes contar o conto de Tinúviel – brevemente, pois em sua forma completa é uma longa história, cujo fim não é conhecido, e não há ninguém que a recorde completamente, tal como era contada outrora, a não ser Elrond. Mas mesmo em sua forma breve é uma bela história – a mais bela que foi transmitida desde os dias mais antigos." Ficou em silêncio um momento e depois começou não a falar, mas a entoar versos suavemente:

Inserir *Leve na Tília* [*sic*] na versão emendada. Ou os versos aliterantes. Prosseguir com breve história de Tinúviel.

Meu pai então prosseguiu diretamente, no manuscrito, para o início de um resumo em prosa da história de Beren e Lúthien. Ele não tinha avançado muito nessa passagem, no entanto, quando a abandonou e, retornando às palavras de Troteiro sobre a história, mudou o final delas para: "É uma bela história, apesar de triste, como são as histórias da Terra-média, e mesmo assim pode levantar os corações dos inimigos do Inimigo." Depois, ele escreveu:

Sus Beren Gamlost de bravo coração[4]

mas também riscou esse verso. Ele tinha sugerido, logo acima, que "os versos aliterantes" poderiam ser usados. Estava se referindo à passagem em versos aliterantes que precedeu *Leve como Folha de Tília* da forma como o poema foi publicado em *The Gryphon* (Universidade de Leeds) em 1925,[5] uma passagem que tem relação próxima com versos na segunda versão do poema aliterante *A Balada dos Filhos de Húrin*, verso 355 e seguintes, em que Halog, um dos guias de Túrin na viagem até Doriath, cantou essa canção "para levantar os corações" conforme eles vagavam na floresta. Mas nesse momento ele decidiu não usar os versos aliterantes no trecho em questão e escreveu no manuscrito uma nova versão de *Leve como Folha de Tília*. Esse texto do poema faz com que ele avance bastante rumo à versão final em SA, pp. 286–87, mas traz elementos sobreviventes do poema antigo que mais tarde se perderam, assim como elementos que não aparecem em nenhuma das versões. Há muitas emendas posteriores ao texto, e muitas formas alternativas (a maioria incorporada na versão final) escritas no momento da composição; mas aqui apresento o texto primário, sem variantes ou correções posteriores.

Longas as folhas, fina a grama,
Tinha muitos anos a serrapilheira,
Vinham e voltavam raiz e rama,
Via-se a lua nascente cintilando.
Saltava ela em passada ligeira
Ao som que a flauta de Ilverin[6] *derrama:*
Sob a flor da cicuta fagueira
Tinúviel estava chamejando.

Da mariposa a asa não se abria,
Perdera-se a luz entre as folhas,
Quando Beren da montanha fria
Chegou vagando e lamentando.
Olhou por entre a multidão de folhas
E o ouro viu, que em cada flor surgia
No traço de seu manto em maravilhas,
As sombras do cabelo acompanhando.

Seus pés exaustos tomou o encanto
De pedra em pedra a vagar,
Correndo sempre, forte entanto,
Raios da lua alcançando.
Em mata trançada do élfico lar
Fugiram os pés dela a dançar enquanto
Ele ficava só a vagar,
No bosque silente escutando.

O som por vezes ele ouvia,
Pés leves tal folhas de tília,
Acorde que do solo saía
Nos salões ocultos de Doriath.
Mas murchava a cicuta em sua forquilha
E uma a uma em lamento caía
A folha da faia que se desvencilha
No bosque invernal de Doriath.

Buscou-a sempre, vagando com lastros
Nas folhas dos anos na terra crua,
Através do luar e dos raios dos astros
Brilhando em todo o frio firmamento.
Seu manto cintilava à lua,
Enquanto dançava e deixava seus rastros
Num cume longínquo, e na relva nua
Uma névoa de prata em movimento.

Passado o inverno outra vez ela veio,
E seu canto anunciou a fugaz primavera,
A chuva a cair, cotovia em gorjeio,
A água da neve que se derrama.
Ouviu Beren a voz clara e sincera,
E dele caiu do inverno o arreio;
Findava agora a longa espera
Por seu canto e dança sobre a grama.

Outra vez foi-se ela, mas o ouviu:
Tinúviel, Tinúviel.
Parou quando a voz dele insistiu
E diante dele ficou cintilando.
Sobreveio a ela o fado de fel
Quando dos montes o eco caiu;
Tinúviel, Tinúviel,
Nos braços de Beren chamejando.

E Beren, pondo os olhos nos dela,
Nas sombras que seu cabelo lançava,
Do céu a vibrante luz da estrela

Lá viu retratada em brilhante reflexo.
Tinúviel! Que linda o fitava!
Dos elfos imortal donzela,
Em volta dele os cabelos lançava,
Tão alvos seus braços no amplexo.

O destino os levou por muitos apuros,
Por frias, cinzentas montanhas afora,
Por salas de ferro e portais escuros,
E bosques sem aurora. Os Mares
Divisores se estendiam de fora a fora,
Voltaram porém a juntar-se sozinhos,
E faz muito tempo que foram embora
Na floresta cantando sem pesares.[A]

Ele fez uma pausa antes de voltar a falar. "Essa é uma canção que fala do encontro de Beren, o mortal, e Lúthien Tinúviel, a qual é apenas o começo da história", disse ele.

"Lúthien era filha do Rei-élfico Thingol de Doriath no Oeste do mundo-médio, quando a terra era jovem. A mãe dela era Melian, que não era da raça-dos-Elfos, mas veio do Extremo Oeste, da terra dos Deuses e do Reino Abençoado de Valinor. Diz-se que a filha de Thingol e Melian era a donzela mais bela que jamais existiu ou há de existir entre todos os filhos do mundo. Jamais membros tão belos hão de correr de novo sobre a terra verde, nenhum rosto tão belo há de contemplar o céu, até que todas as coisas sejam mudadas."

A passagem em louvor a Lúthien que se segue é quase palavra por palavra a mesma do *Quenta Silmarillion* (1937), quase toda mantida na obra publicada (p. 227, "Azul era a sua vestimenta ...").

"Mas Beren era filho de Barahir, o Bravo. Naqueles dias, os pais dos pais dos Homens vieram do Leste; e houve alguns que viajaram até mesmo para o Oeste da Terra-média, e lá encontraram os Elfos, e foram instruídos por eles e se tornaram sábios, mas eram mortais e de vida curta, pois tal é o seu fado. Contudo, muitos deles auxiliaram os Elfos em suas guerras. Pois naquele tempo os Elfos sitiaram o Inimigo em sua terrível fortaleza no Norte. Angband é como era chamada, os Salões de Ferro sob as torres trovejantes da montanha negra Thangorodrim.

"Mas ele rompeu o cerco e empurrou Elfos e Homens cada vez mais para o sul; e Barahir foi morto. A ruína sobreveio às Terras-do-Oeste, mas Doriath resistiu por muito tempo por causa do poder e encantamento de Melian, a Rainha, que a cercou para que nenhum mal pudesse entrar. A canção conta[7] como Beren, fugindo para o sul através de muitos perigos, chegou afinal ao reino oculto e contemplou Lúthien. Tinúviel é como ele a chamava, isto é, Rouxinol, pois ainda não sabia o nome dela.

"Mas Thingol, o Rei-élfico, tornou-se iracundo, desprezando-o por ser um mortal e um fugitivo; e ele enviou Beren em uma demanda sem esperança como condição para que conquistasse Lúthien. Pois o rei ordenou que ele lhe trouxesse uma das três joias da coroa do Rei de Angband, tirando-a das profundezas dos Salões de Ferro. Tais joias eram as Silmarils, renomadas em canção, repletas de poder e de uma luz sacra, pois tinham sido feitas pelos Elfos no Reino Abençoado, mas o Inimigo as tinha roubado e as guardava com todas as suas forças. Contudo, Beren cumpriu aquela Demanda, pois Lúthien fugiu do reino de seu pai e o seguiu; e, com a ajuda de Húan, o mastim dos Deuses, que viera de Valinor, ela o encontrou de novo; e, juntos, dali em diante passaram por perigo e escuridão; e chegaram até mesmo a Angband e lançaram engodo contra o Inimigo, e o sobrepujaram, e tomaram uma Silmaril e fugiram.

"Mas o lobo-vigia do portão sombrio de Angband arrancou com uma mordida a mão de Beren, que segurava a Silmaril, e ele ficou perto da morte. Contudo, conta-se que por fim Lúthien e Beren escaparam e retornaram a Doriath, e o rei e todo o seu povo ficaram maravilhados. Mas Thingol recordou a Beren que ele jurara não retornar, exceto se tivesse uma Silmaril em sua mão.

"'Ela está em minha mão agora mesmo', respondeu ele.

"'Mostra-ma!', disse o rei.

"'Isso não posso fazer', disse Beren, 'pois minha mão não está aqui', e ergueu alto seu braço aleijado. E a partir daquela hora recebeu o nome de Beren Erhamion, o de Uma-mão.

"Então o conto da Demanda foi contado no salão do rei, e seu ânimo se suavizou, e Lúthien pôs sua mão na de Beren diante do trono de seu pai.

"Mas o medo logo sobreveio a Doriath. Pois o temido lobo-vigia de Angband, tendo enlouquecido pelo fogo da Silmaril que consumia suas carnes malignas por dentro, vagava pelo mundo, selvagem e terrível. E por destino e pelo poder da joia ele atravessou as fronteiras guardadas e veio assediar até mesmo Doriath; e todas as coisas fugiam diante dele. Assim se deu a Caçada ao Lobo de Doriath, e àquela caçada foram o Rei Thingol, e Beren Erhamion, e Beleg, o Arqueiro, e Mablung da Mão-Pesada, e Húan, o mastim.

"E o grande lobo saltou sobre Beren e o derrubou, e duramente o feriu; e Húan matou o lobo, mas ele próprio foi morto. E Mablung arrancou a Silmaril do ventre do lobo, e a deu a Beren, e Beren a deu a Thingol. Então levaram Beren de volta, com Húan a seu lado, para o paço do rei. E Lúthien lhe disse adeus diante dos portões, pedindo-lhe que a esperasse além dos Grandes Mares; e ele morreu nos braços dela.

"Mas o espírito de Lúthien caiu em escuridão, pois tal era o destino da donzela-élfica, por causa de seu amor a um homem mortal; e ela se desvaneceu lentamente, como se dá com os Elfos que estão sob o fardo de insuportável pesar. Seu belo corpo jazia como uma flor que de súbito é cortada e jaz por algum tempo na relva, sem fenecer;[8] mas seu espírito viajou acima dos Grandes Mares. E o que se diz é que ela cantou diante dos Deuses, e sua canção foi feita a partir dos pesares das duas gentes, a dos Elfos e a dos Homens. Tão bela era ela, e tão comovente foi sua canção, que eles foram levados a ter piedade. Mas não tinham o poder de restringir por muito tempo, dentro dos confins do mundo, os espíritos dos homens mortais que morriam; nem de alterar os fados separados das duas gentes.

"Portanto, deram esta escolha a Lúthien. Por causa de seu pesar e da Silmaril que foi recobrada do Inimigo, e porque a mãe dela, Melian, viera de Valinor, ela deveria ser libertada dos Salões de Espera e não retornar às dores da Terra-média, mas ir para o Reino Abençoado e habitar com os Deuses até o fim do mundo, esquecendo toda a tristeza que em vida conhecera. Para lá Beren não podia ir. A outra escolha era esta. Ela poderia retornar à terra, e tomar consigo Beren por algum tempo, para lá habitar com ele outra vez, mas sem certeza de vida ou alegria. Então tornar-se-ia mortal, tal como ele; e, em breve, havia de deixar o mundo para sempre, e sua beleza tornar-se-ia apenas uma memória em canção, até que isso também fenecesse. Esse destino ela escolheu, abandonando o Reino Abençoado, e assim eles se encontraram de novo, Beren e Tinúviel, além dos Grandes Mares, tal como ela dissera; e seus caminhos seguiram juntos e passaram há muito além dos confins do mundo. Assim foi que Lúthien apenas, de todos os da gente-élfica, morreu de fato. Mas pela escolha dela as Duas Gentes foram unidas, e ela é a primeira mãe de muitos nos quais os Elfos veem ainda, embora o mundo esteja a mudar, a semelhança de Lúthien, a bem-amada que eles perderam."[9]

Enquanto Troteiro estava falando, a escuridão se fechava; a noite caía sobre o mundo. Eles podiam ver seu rosto esquisito e emocionado, fracamente iluminado pelo fulgor vermelho da fogueira. Acima dele havia um céu negro e estrelado. De repente, uma luz pálida apareceu detrás do cume do Topo-do-Vento atrás dele. A lua, agora quase metade cheia, subia devagar acima da colina que lhes fazia sombra. As estrelas acima de seu topo empalideceram.

A história terminou. Os hobbits remexeram-se e se espreguiçaram. "Olhem!", disse Merry. "A lua está nascendo. Deve estar ficando tarde." Os demais ergueram os olhos. Assim que o fizeram, viram algo pequeno e escuro no topo da colina, contra o luzir da lua. Talvez fosse apenas uma pedra grande ou uma rocha saliente que se destacava na luz pálida.

Naquele momento, Odo, que tinha ficado de guarda (relutando menos que os outros em perder a contação de histórias de Troteiro), desceu apressado até a fogueira. "Não sei o que é", disse, "mas *sinto* que alguma coisa está rastejando colina acima. E *acho* (embora não tenha como ter certeza) que lá longe, do lado oeste, onde a luz da lua está chegando, há duas ou três formas negras. Pareciam estar vindo para cá."

"Fiquem bem perto do fogo, com o rosto virado para fora!", ordenou Troteiro. "Fiquem com algumas dessas toras de pinho já prontas nas mãos!"

Durante muito tempo eles ficaram sentados, em silêncio e alertas, com as costas voltadas para a pequena fogueira, a qual, assim, ficou quase inteiramente tapada. Nada aconteceu. Não se ouviu nenhum som, não houve nenhum movimento. Bingo estava prestes a fazer uma pergunta sussurrada a Troteiro, que estava sentado ao lado dele, quando Frodo engoliu em seco: "O que é aquilo?". "Xiu", fez Troteiro.

Era exatamente o que Odo tinha dito: acima da beirada da depressão, do lado mais distante da colina, eles *sentiram* uma sombra se erguer, uma sombra ou mais de uma. Apertaram os olhos, e as sombras pareceram crescer. Logo não restava dúvida: três ou quatro vultos altos e negros estavam de pé ali, na encosta acima deles. Bingo imaginou estar ouvindo um som fraco, como o de respiração inalada com um cicio. Então as sombras avançaram devagar.

O terror tomou conta de Odo e Frodo, e eles se jogaram no chão. Merry se encolheu ao lado de Bingo. Bingo não estava com menos medo do que eles; tremia como se sentisse um frio imenso. Mas seu temor foi engolido pela súbita tentação de colocar o Anel no dedo. A tentação tomou conta dele, e Bingo não conseguia pensar em mais nada. Não se esquecera do Túmulo, nem da mensagem de Gandalf, mas sentia um desejo desesperado de descartar todos os alertas. Algo parecia estar forçando-o a isso; ele ansiava por ceder. Não com esperança de escapar, ou de fazer qualquer coisa, fosse boa ou má. Ele simplesmente sentia que precisava pegar o Anel e colocá-lo no dedo. Não conseguia falar. Lutou por algum tempo, mas a resistência se tornou insuportável; e, por fim, lentamente tomou a corrente na mão, tirou o Anel dela e o colocou no indicador da mão esquerda.

Imediatamente – apesar de tudo o mais continuar como antes, obscuro e sombrio – as formas se tornaram terrivelmente nítidas. Ele parecia capaz de ver debaixo de suas roupas negras. Havia três vultos altos: em seus rostos brancos ardiam olhos penetrantes e implacáveis; sob seus mantos negros havia longas vestes cinzentas, sobre seus cabelos grisalhos havia elmos de prata;[10] em suas mãos magras havia espadas de aço. O olhar das figuras caiu sobre ele e o trespassou, conforme correram na direção dele. Desesperado, Bingo sacou sua própria espada; e lhe pareceu que ela tremeluzia vermelha, como se fosse um tição em brasa. Dois dos vultos pararam. Mas o terceiro era mais alto que os outros. Seu cabelo era longo e luzente, e em cima dele havia uma coroa. A mão que segurava a espada longa brilhava com luz pálida. Ele saltou para a frente e atacou Bingo.

Naquele momento, Bingo se jogou para a frente no chão e escutou a si mesmo gritando (embora não soubesse o porquê): *Elbereth! Gilthoniel! Gurth i Morthu.*[11] Ao mesmo tempo, golpeou os pés de seu inimigo. Um grito estridente ecoou na noite; e ele sentiu uma dor semelhante a um dardo de gelo envenenado tocar seu ombro [*acrescentado*: esquerdo]. Embora já estivesse desmaiando, Bingo teve um vislumbre de Troteiro saltando da escuridão com um tição em chamas em cada mão. Com um último esforço, tirou o Anel do dedo e fechou a mão em volta dele.

NOTAS

1 Essa passagem, a partir de "Melhor ainda, debaixo da lenha encontraram uma caixa de madeira", é uma inserção num pedaço de papel, certamente escrita ao mesmo tempo, substituindo o texto (à tinta) que tinha sido usado de início:

> Gandalf, ao que parecia, tinha pensado neles. Foi a presença da lenha que os fez decidir não seguir adiante naquele dia e montar acampamento no pequeno vale.

Quanto à passagem sobre o *cram*, que não está presente em SA, cf. *O Hobbit*, Capítulo 13, "Fora de Casa":

> Se você quer saber o que é *cram*, só posso dizer que não conheço a receita; mas lembra biscoito, não estraga por tempo indeterminado, supõe-se que dá sustança e certamente não é uma delícia, sendo, de fato, bastante desinteressante, exceto como exercício de mastigação. Era feito pelos Homens-do-lago para longas jornadas.

Nas *Etimologias* (V.442), o termo *cram* — definido como "biscoito de farinha comprimida ou refeição (contendo geralmente mel e leite) usado em longas jornadas" — é citado como uma palavra noldorin (da raiz KRAB-, "pressionar"). Em SA, a lenha é a única das provisões deixadas no Topo-do-Vento que sobreviveu, mas foi deixada pelos Caminheiros, não por Gandalf.

2 Passolargo apresenta um relato muito mais detalhado e bem-informado sobre as percepções dos Espectros-do-Anel em SA (p. 283). Ver pp. 216–7, nota 7.

3 Ver a p. 212 e a nota 25.

4 O epíteto de Beren, *Camlost* ou *Gamlost* ("O de mão vazia") está presente no *Quenta Sillmarillion* (interrompido no fim de 1937); sobre a variação da consoante inicial, ver V.357, 361.

5 Para o texto e a história textual de *Leve como Folha de Tília*, ver III.133–35, 145–48.

6 *Ao som que a flauta de Ilverin derrama*: em *Leve como Folha de Tília* (III.133), o nome citado é o de Dairon. O nome Ilverin aparece em *O Livro dos Contos Perdidos* como uma das muitas designações de Coração-Pequeno, o "Guardião--do-Gongo" de Mar Vanwa Tyaliéva (I.63, 309), mas não parece haver base para inferir nenhum tipo de conexão com ele. Na margem, meu pai, em algum momento, escreveu outros nomes a lápis: *Neldorín, Elberin, Diarin*. Ver o fim da nota 9.

[7] Troteiro não mencionou canção alguma, mas é claro que ele se refere à *Balada de Leithian*.

[8] Riscado no momento da escrita:

> Mas o espírito dela veio até os Salões de Espera, onde estão os lugares designados para a Gente-élfica além dos Reinos Abençoados no Oeste, nos confins do mundo. E ela se ajoelhou diante do Senhor [dos Salões de Espera]

[9] Esse parágrafo de conclusão do conto de Troteiro é muito próximo do relato sobre as Escolhas de Lúthien que meu pai tinha escrito enquanto o *Quenta Silmarillion* estava com os editores no fim de 1937, e que aparece no *Silmarillion* publicado, na p. 255; ver V.350, 364–65.

Há outros textos escritos de forma bastante rudimentar, trazendo um resumo de uma parte de "O Silmarillion", que se encontram entre os manuscritos nesse ponto. Tais textos procuram condensar uma parte muito maior da história dos Dias Antigos do que aquela estritamente ligada à narrativa de Beren e Lúthien, e eles têm características interessantes que devem ser mencionadas, embora uma discussão acerca deles dificilmente tenha a ver com a história da escrita de *O Senhor dos Anéis*. A passagem mais notável é a seguinte:

> Pois, como se conta, os Reinos Abençoados do Oeste eram iluminados pelas Duas Árvores, Galathilion, a Cerejeira de Prata, e Galagloriel, isto é, a Chuva D'Ouro. Mas Morgoth, o maior dos Poderes, fez guerra aos Deuses, e ele destruiu as Árvores, e fugiu. E tomou consigo as gemas imortais, as Silmarils, que foram feitas pelos Elfos a partir da luz das Árvores, e que agora eram as únicas nas quais a antiga radiância dos dias de ventura permanecia. No norte da Terra-média ele dispôs seu trono de Angband, os Salões de Ferro sob Thangorodrim, a Montanha do Trovão; e ele cresceu em força e em treva; e fez surgir os Orques e gobelins, e os Balrogs, demônios de fogo. Mas os Altos Elfos do Oeste abandonaram a terra dos Deuses e retornaram à terra, e fizeram guerra a ele para recobrar as joias.

Os nomes *Galathilion* e *Galadlóriel* aparecem pela primeira vez no *Quenta Silmarillion* (V.248) como as designações gnômicas de Silpion e Laurelin. "Cerejeira de Prata" e "Chuva D'Ouro" não são os significados reais dos nomes (como parece ser a implicação aqui): ver as *Etimologias* no vol. V, raízes GALAD- (em que a forma *Galagloriel* também é usada), LAWAR-, THIL-. Entretanto, a afirmação de que a florada de Silpion era semelhante à de uma cerejeira e de que as flores de Laurelin lembravam as do laburno ("Chuva D'Ouro") é frequente (ver p. ex. V.248).

Sobre Morgoth, "o maior dos Poderes", ver V.187 e a nota 4. O que é muito curioso é a afirmação aqui de que, quando Morgoth retornou à Terra-média depois da destruição das Árvores, "ele fez surgir os Orques e gobelins, *e os Balrogs, demônios de fogo.*" Certamente a visão de meu pai nesse período era a de que os Orques foram engendrados pela primeira vez então (ver V.276, parágrafo 62 e comentário), mas os Balrogs eram muito mais antigos em seu princípio (V.251, parágrafo 18), e, de fato vieram resgatar Morgoth de Ungoliantë na época do retorno dele: "Em seu auxílio vieram os Balrogs que viviam ainda nos lugares mais profundos de sua antiga fortaleza".

O termo "Altos Elfos" é usado aqui para designar os Elfos de Valinor, e não, como no *Quenta Silmarillion*, a Primeira Gente (*Lindar, Vanyar*): ver V.254, parágrafo 25 e comentário.

Um detalhe muito surpreendente é a menção, um pouco depois nesse texto, a *Finrod Inglor, o belo* (ver pp. 93–4). Na primeira edição do SdA (Apêndices), *Finrod* ainda era o nome do terceiro filho de Finwë, tal como no *Quenta Silmarillion*, e o filho dele era *Felagund* (em QS, também designado *Inglor*); foi só na segunda edição, de 1966, que Finrod, filho de Finwë se tornou Finarfin, e seu filho Inglor Felagund passou a ser *Finrod Felagund.*

Em outro desses esboços, o menestrel de Doriath recebe o nome de *Iverin*, não Dairon; ver a nota 6.

10 Meu pai, de início, escreveu aqui: "em cima de seus longos cabelos grisalhos havia coroas e elmos de ouro pálido". Isso, sem dúvida, foi alterado logo, com o aparecimento, imediatamente na sequência, do rei de estatura elevada, com uma coroa em seus cabelos longos. Ver a p. 248, nota 6.

11 Sobre *Morthu*, ver V.479, raiz THUS-.

❧

O costume de meu pai, nessa época, de escrever por cima de seus primeiros rascunhos a lápis impede, em grande parte, a possibilidade de ver as primeiras formas da narrativa. Neste capítulo, o texto subjacente só pode ser discernido aqui e ali e com grande dificuldade; mas pelo menos é possível ver que a passagem de abertura rapidamente se transformou em um esquema abreviado da história. A ideia é que os contos de Troteiro diriam respeito apenas aos animais do ermo; e depois disso vem imediatamente a frase: "Luta no pequeno vale", com um esboço em poucas linhas, rabiscado com grande velocidade, do qual, no entanto, algo pode ser desenterrado:

Bingo fica tentado a colocar o anel. Ele faz isso. Os cavaleiros [?vêm] até ele. Ele os vê com clareza – ferozes rostos brancos ..... Ele desembainha sua espada e ela brilha como fogo. Eles recuam, mas um Cavaleiro com longos cabelos prateados e uma [?mão vermelha] dá um salto para a frente. Bingo ..... ouve a si mesmo gritando *Elbereth Gilthoniel* ..... golpeou a perna do Cavaleiro. Ele sentiu ..... [?dor] fria no ombro. Houve um clarão .....

O ataque no vale surgiu antes da ideia de que Troteiro deveria cantar para os hobbits e lhes contar uma história dos tempos antigos; e o material que compõe esse conto permanece, nesse manuscrito, num estado muito rudimentar, o estágio primário de composição, obviamente exigindo a compressão que posteriormente recebeu.

Esboços a lápis mais desenvolvidos retomam a narrativa a partir do ponto em que Troteiro chega ao fim da história que estava contando e, pelo que pode ser lido, parece que a cena final do ataque dos Espectros-do-Anel estava agora totalmente presente. Então, com exceção de alguns detalhes (como o fato de haver três Espectros-do-Anel, não cinco), o texto escrito à tinta por cima do rascunho chegou à história finalizada: nenhum elemento dessa cena poderosa – o suspense assustador na encosta fria ao luar, as formas escuras olhando para os hobbits amontoados em volta do fogo, a pressão irresistível sobre o Portador do Anel para que ele revelasse a si mesmo e a revelação final do que estava por baixo dos mantos negros mantos dos Cavaleiros – está ausente, e tudo é contado usando virtualmente as mesmas palavras do texto de *A Sociedade do Anel*. A significância do Anel, com seu poder de revelar e de ser revelado, seu funcionamento como ponte entre dois mundos, dois modos de ser, foi estabelecida de uma vez por todas.

A completude e a ressonância dessa cena na Colina do Topo-do-Vento são ainda mais notáveis quando consideramos que (em relação a *O Senhor dos Anéis*, na forma que o livro acabou assumindo em última instância) toda a narrativa ainda era extremamente restrita em escopo. Se a natureza do Anel, com seu efeito sobre o portador, agora tinha sido concebida de forma plena, ainda não há nenhuma sugestão de que o destino da Terra-média esteja traçado em seu pequeno círculo. Na verdade, ainda estamos longe de afirmar com certeza que a ideia do Anel Regente já tinha surgido. Das grandes terras e histórias a leste e ao sul das Montanhas Nevoentas – Lothlórien, Fangorn, lsengard, Rohan, os reinos númenóreanos – não há nem sombra de indício. Duvido muito que, quando os Espectros-do-Anel se levantaram sobre a borda do pequeno vale debaixo do Topo-do-Vento, meu pai tivesse previsto mais alguma coisa da jornada além da ideia de que o Anel deveria atravessar as Montanhas e encontrar seu fim nas profundezas da Montanha de Fogo (p. 161). Em outubro de 1938, ele ainda podia dizer a Stanley Unwin (ver p. 217) que tinha esperanças de poder entregar a nova história no início do ano seguinte.

11

Do Topo-do-Vento ao Vau

O manuscrito do Capítulo 8 original continua, sem qualquer interrupção, da mesma forma, com o texto à tinta por cima do escrito a lápis. Enquanto na parte anterior desse capítulo eu apresentei o texto original completo até mesmo na passagem de conclusão, onde quase não há diferenças de monta em relação a SA (já que o ataque dos Espectros-do-Anel é uma cena de importância excepcional), nesta parte não farei isso ao longo de todo o capítulo. A narrativa é muito parecida com a do Capítulo 12 de SA, "Fuga para o Vau" (com um número considerável de diferenças menores, e outras não tão menores), e, em grande parte de sua extensão, o fraseado é quase o mesmo. Nesses trechos onde o texto original não é apresentado, entretanto, pode-se depreender que todas as diferenças significativas serão abordadas.

Depois que o texto diz que os hobbits (Sam em SA) ouviram a voz de Bingo gritando palavras estranhas, afirma-se ainda que eles "viram um clarão vermelho; e Troteiro veio correndo com madeira em chamas." Isso também aparece no esquema fragmentário apresentado nas pp. 235–6: "Houve um clarão"; mas está ausente de SA. Talvez seja uma referência à espada de Bingo, que "tremeluzia vermelha, como se fosse um tição em brasa" (p. 232), um detalhe preservado em SA, p. 291. O primeiro retorno de Troteiro ao pequeno vale é contado de maneira ligeiramente diferente, mas isso ocorre principalmente porque a desconfiança de Sam em relação a Passolargo está ausente, e não há nada na versão antiga correspondente às palavras de Passolargo para Sam em particular (SA, p. 293). Quando Troteiro levanta a capa preta do chão, ele diz apenas: "Isto foi o golpe da sua espada. Que mal isso causou ao Cavaleiro eu não sei. O fogo é melhor."

Não se afirma que a *athelas* foi trazida por Homens do Oeste para a Terra-média: "É uma planta curativa, conhecida apenas dos Elfos, e de alguns daqueles que andam pelo ermo: *athelas* é o nome que lhe dão".[1] Um detalhe curioso é que, quando a *athelas* é aplicada ao ferimento de Bingo, ele "sentiu que a dor e a sensação de frio gélido diminuíram em seu flanco direito"; e novamente, mais tarde no capítulo, "seu braço direito estava inerte" (SA, p. 300). Da mesma forma, quando Bingo desembainha sua espada e enfrenta os Cavaleiros no Vau, meu pai escreveu, de início: "Sua espada ele tinha pendurado do lado direito do corpo; com a mão esquerda, agarrou o cabo e o puxou", embora tenha riscado esse trecho. Evidentemente, decidiu que o ombro esquerdo de Bingo é que tinha sido apunhalado e, portanto, escreveu a palavra "esquerdo" na descrição do ferimento propriamente dito (pp. 232–3); mas não corrigiu as ocorrências da palavra "direito" que acabamos de mencionar.

Quando os hobbits deixaram o vale abaixo do Topo-do-Vento, levaram a lenha de Gandalf consigo ("Pois Troteiro disse que, dali em diante, a lenha deveria sempre fazer parte de seus estoques quando estivessem longe de árvores"). Nada se diz sobre o rejuvenescimento do pônei de Bill Samambaia (se é que o animal era mesmo dele, p. 219). Os gritos distantes dos Cavaleiros Negros que ouviram quando cruzaram a Estrada em SA (p. 295) estão ausentes da versão antiga.

A descrição da jornada para leste a partir do Topo-do-Vento é, de início, bastante próxima da presente em SA, embora o ritmo seja ligeiramente diferente; mas a geografia seria alterada de modo significativo. Apresento a seguir a passagem que vem depois da frase "O próprio Troteiro parecia cansado e pesaroso" (SA, p. 296) em sua forma completa.

Antes que terminasse a caminhada do primeiro dia, a dor de Bingo recomeçou a aumentar, mas por muito tempo ele ficou sem falar nela. Três ou quatro dias se passaram dessa maneira, sem que o terreno ou o cenário se alterassem muito, exceto pelo fato de que atrás deles o Topo-do-Vento submergia devagar, e à frente as montanhas distantes assomavam um pouco mais próximas. O tempo permaneceu seco, mas encoberto de nuvens cinzentas; e eles se sentiam oprimidos pelo temor da perseguição. Mas disso não havia sinal durante o dia; e, embora montassem guarda à noite, nada aconteceu. Temiam ver formas negras espreitando na noite escura e cinzenta, sob a lua crescente, velada por nuvens finas; mas eles não viam nada e nada ouviam, exceto o suspiro das folhas secas e da grama. Parecia que, de um modo que mal ousavam esperar, sua rápida travessia da Estrada não havia sido espionada, e seu inimigo tinha, por ora, perdido o rastro deles.

Ao fim do quarto dia o terreno recomeçou a subir lentamente, saindo do vale largo e raso aonde tinham entrado. Troteiro então redirecionou o curso deles novamente rumo ao nordeste; e, em pouco tempo, quando chegaram ao topo de uma encosta que escalaram devagar, viram à frente um amontoado de colinas arborizadas. No final do quinto dia, chegaram a um espinhaço onde se erguiam alguns abetos magricelas. Um pouco abaixo deles, a Estrada podia ser vista curvando-se em direção a um pequeno rio que reluzia pálido num débil raio de sol, ao longe, à direita. No dia seguinte, de manhã cedo, cruzaram novamente a Estrada. Olhando ansiosamente para o trajeto dela, para o oeste e o leste, atravessaram apressados e foram em direção às colinas cobertas de mata.

Troteiro ainda os conduzia em uma linha tão reta quanto a região permitia, em direção ao Vau distante. Nas colinas, seu caminho seria mais incerto, mas eles não podiam mais se manter do lado sul da Estrada, porque a terra se tornou nua e pedregosa, e à frente estava o rio. "Aquele rio", disse ele, "desce das montanhas e flui pelo meio de Valfenda.[2] Não é largo, mas é profundo e forte, sendo alimentado por muitas pequenas torrentes que saem das colinas arborizadas. Por cima delas a estrada vai passando, por pequenos vaus ou pontes; mas não há vau ou ponte sobre o rio até chegarmos ao Vau sob as Montanhas." Os hobbits olharam para as colinas escuras à frente e, embora estivessem contentes de deixar as terras tristonhas atrás de si, a terra à frente parecia ameaçadora e inamistosa.

Na geografia mais desenvolvida presente no livro publicado, a Estrada atravessa dois rios entre o Topo-do-Vento e Valfenda: o Fontegris ou Mitheithel, que descia da Charneca Etten, sendo cruzado pela Última Ponte, e o Ruidoságua ou Bruinen, cruzado pelo Vau de Valfenda; esses rios se juntavam muito depois, ao sul, transformando-se no Griságua. Na história original, por outro lado, existe apenas um rio, sem nome, que passa por Valfenda e é atravessado pelo Vau.

Em SA os viajantes descem para a Estrada no início da manhã do sétimo dia desde sua saída do Topo-do-Vento (ou seja, aproximam-se da Estrada pelo sul) e a seguem por uma ou duas milhas até a Última

Ponte, onde Passolargo encontra a pedra-élfica caída na lama; atravessam a ponte e, depois de mais uma milha, saem da Estrada pelo lado esquerdo e sobem as colinas. Na história original, eles chegam à Estrada no início do sexto dia e a cruzam, subindo as colinas; não há rio (Fontegris) nem ponte. O texto explica por que eles tinham de cruzar a Estrada ali, sem mais permanecer ao sul dela: "a terra se tornou nua e pedregosa, e à frente estava o rio." Mas o fato de não haver vau ou ponte sobre o rio, exceto abaixo de Valfenda, significava apenas que era por ali que eles teriam de atravessar; não explica, por si só, por que eles não puderam ficar ao sul da Estrada até chegarem lá. Assim, é apenas a natureza "nua e pedregosa" da terra ao sul da Estrada que realmente oferece uma explicação: será que Troteiro procurou passar por uma região que fornecia mais maneiras de eles se esconderem? A razão "real" (pode-se dizer) pela qual eles cruzaram a Estrada e subiram para as colinas cobertas de árvores é bem outra: meu pai já havia sugerido, ao esboçar a história desde as Colinas-dos-túmulos até Valfenda (p. 161), que os hobbits deveriam "se desviar tolamente para visitar Pedras dos Trols". Por outro lado, Troteiro estava seguindo a linha mais reta possível para o Vau (p. 240), e os esboços na p. 252 mostram claramente que a grande curva sul da Estrada (já mencionada no texto original, p. 249–50) devia forçá-lo a atravessá-la e subir para as colinas ao norte. – Sobre a cronologia diferente nas duas versões, ver o Nota sobre a Cronologia, p. 274.

Quando os hobbits chegam às colinas, a conversa com Troteiro, motivada pela vista das torres em ruínas, é um tanto diferente daquela envolvendo Passolargo em SA (p. 298):

"Quem vive nesta terra?" perguntou ele [Bingo]; "e quem construiu essas torres? É região de trols?"

"Não", disse Troteiro; "trols não constroem. Ninguém vive nesta terra. Os Homens moraram aqui outrora, eras atrás. Mas não resta nenhum agora. Eles eram um povo maligno, até onde contam os contos e lendas; pois caíram sob o domínio do Senhor Sombrio. Dizem que foram sobrepujados por Elendil, como Rei dos Homens do Oeste, que auxiliou Gilgalad quando eles fizeram guerra ao Senhor Sombrio.[3] Mas isso faz tanto tempo que as colinas os esqueceram, apesar de ainda jazer uma sombra sobre a terra."

"Onde aprendeu essas histórias", perguntou Frodo, "se toda a terra está vazia e esquecida? As aves e feras não contam histórias desse tipo."

"Muitas coisas são recordadas em Valfenda", respondeu Troteiro.

"Você esteve muitas vezes em Valfenda?", indagou Bingo.

"Sim", disse Troteiro; "muitas vezes; e agora me admiro por ter sido tão tolo a ponto de deixar Valfenda. Mas não é minha sina ficar sentado e quieto, mesmo na bela casa de Elrond."

A jornada pelas colinas a norte da Estrada tinha durado três dias quando o tempo ficou chuvoso, mas o período é de dois dias em SA (p. 299); assim, a jornada mais curta do Topo-do-Vento até o retorno à Estrada acaba sendo compensada, embora ainda haja uma diferença de um dia, já que o grupo tinha chegado à colina um dia antes na história original (pp. 219–20): pelo que entendo, a primeira manhã depois da chuva (SA, pp. 299–300) tinha sido, na versão antiga, a do dia 16 de outubro, mas em SA é a do dia 17. Quando a chuva para, no décimo-primeiro dia depois da saída do Topo-do-Vento, e Troteiro sobe uma encosta para ver o panorama da região, ele diz o seguinte quando retorna:

"Viemos longe demais para o Norte; e *temos* de encontrar uma maneira de virar na direção do sul, ou pelo menos direto para o Leste. Se continuarmos nesta direção, entraremos em uma região intransponível entre as faldas das Montanhas. De uma forma ou de outra, temos de pegar a Estrada novamente antes que ela chegue ao Vau. Mas, mesmo se dermos um jeito de fazer isso mais ou menos rápido, só vamos conseguir chegar a Valfenda daqui a alguns dias, temo que dentro de uns quatro ou até cinco."

Durante a noite que passaram na crista elevada (SA, p. 301), a pergunta de Sam a Passolargo sobre o ferimento de Frodo é atribuída a Merry; e o sonho de Frodo, no qual "infindas asas escuras voavam acima dele, e que nas asas estavam montados perseguidores que o buscavam em todas as covas das colinas", está presente. Não se diz no texto original que "as árvores em redor lhe pareciam sombrias e apagadas", nem que, no dia seguinte, "uma névoa parecia obscurecer-lhe a visão" (SA, pp. 300, 302); mas, mais tarde, quando Glorfindel examinou a ferida de Bingo com os dedos (SA, p. 310), "ele viu os rostos de seus amigos com mais clareza, embora durante todo o dia, tivesse sido atormentado pela sensação de que uma sombra ou névoa estava se formando entre ele e os demais".

Quando chegam aos velhos trols transformados em pedra, "Troteiro avançou despreocupadamente. 'Alô, William!', disse ele, e deu um tapa forte no trol curvado." Depois disso, diz: "'De qualquer forma, vocês podiam ter notado que Bert tem um ninho de pássaro atrás da orelha.'" Em SA, os nomes dos trols de *O Hobbit* foram excluídos.

Depois de "Eles descansaram na clareira por um tempo e comeram sua refeição do meio-dia à sombra das grandes pernas dos trols", a narrativa original continua diretamente com "À tarde, prosseguiram pelo meio da mata"; não há sugestão de que a Canção do Trol seria introduzida nesse ponto (ver p. 182). O retorno do grupo à Estrada é descrito desta maneira:

> Por fim, eles saíram no topo de uma alta ribanceira, acima da Estrada. Ela agora estava começando a fazer uma curva relativamente distante do rio e se mantinha aos pés das colinas, subindo um pouco pela lateral do vale estreito em cujo fundo o rio corria. Não muito longe da beira da Estrada, Troteiro apontou para uma pedra no capim; nela, entalhadas grosseiramente e bastante desgastadas, ainda se viam duas letras rúnicas, G e B, dentro de um círculo: ᚷᛒ
>
> "Essa aí", disse ele, "é a pedra que uma vez marcou o lugar onde Gandalf e Bilbo esconderam o ouro dos trols". Bingo olhou para ela com tristeza: Bilbo e ele mesmo tinham, havia muito tempo, gastado todo aquele ouro.
>
> A estrada, que agora se curvava para o norte, jazia quieta sob as sombras da noitinha que chegara cedo. Não havia sinal nenhum de outros viajantes que pudesse ser visto.

Apenas diferenças menores (com exceção de um ponto) devem ser registradas quanto ao encontro com Glorfindel: a cena inteira estava presente, e com quase a mesma formulação, desde o início. A frase em SA (p. 308), "A Frodo parecia que uma luz branca atravessava a forma e a veste do cavaleiro, como por um fino véu", está ausente.[4] Ao chamar Troteiro, Glorfindel grita: *Ai Padathir, Padathir! Mai govannen!*[5] Mas não se diz, depois disso, que ele teria falado com Troteiro "na língua-élfica" (SA, 311); em vez disso, ele conversa "num tom baixo". A bebida que Glorfindel deu aos hobbits instantaneamente os fez lembrar da que beberam na casa de Bombadil, "pois a beberagem era refrescante como água de uma fonte, mas os encheu também de uma sensação de vigor caloroso". Um "bolo de *cram*" é mencionado junto com o pão amanhecido e as frutas secas, que eram tudo o que eles tinham para comer.

A conversa com Glorfindel na estrada é diferente da que aparece em SA (pp. 308–9), pois ninguém (nem mesmo meu pai) sabia qual o número dos Cavaleiros Negros nesse estágio, e em SA Gandalf ainda não tinha chegado a Valfenda quando Glorfindel e outras pessoas foram enviados por Elrond nove dias antes – já que Elrond tinha ouvido notícias dos Elfos liderados por Gildor, os quais os hobbits tinham encontrado no Condado. O detalhe de que Glorfindel tinha deixado a joia na Última Ponte também está ausente, é claro (pp. 240–1).

"Este é Glorfindel, um daqueles que habitam em Valfenda", explicou Troteiro. "Ele trouxe notícias para nós."

"Salve e bom encontro afinal!", disse Glorfindel a Bingo. "Fui enviado de Valfenda para observar a Estrada e aguardar vossa vinda. Gandalf estava ansioso e com medo, pois, a menos que algo maligno vos tivesse acontecido, deveríeis ter chegado lá dias atrás."

"Antes de hoje, fazia muitos e muitos dias que não usávamos a estrada", contou Bingo.

"Bem, agora deveis voltar a ela e seguir a toda velocidade", advertiu Glorfindel. "A um dia de cavalgada célere daqui, no rumo oeste, há uma companhia de ginetes malignos, e eles estão viajando para cá com toda a pressa que lhes permitem as buscas frequentes pelas regiões de ambos os lados da Estrada. Não deveis parar aqui, nem em lugar algum esta noite, mas continuar a jornada pelo tempo e pela distância que puderdes. Pois, quando acharem vossa trilha, no ponto em que ela voltar à Estrada, eles não vão mais vasculhá-la, mas cavalgarão atrás de vós feito o vento. Não creio que deixarão de ver vossas pegadas onde a trilha desce da Mata-dos-trols; pois têm capacidade assustadora de caçar pelo faro, e a escuridão os ajuda, em vez de os atrapalhar."

"Então por que devemos continuar agora, à noite, contra a advertência de Gandalf?", perguntou Merry.

"Não temais agora por causa da advertência de Gandalf", respondeu Glorfindel. "A velocidade é vossa principal esperança; e agora irei convosco. E não creio que haja algum perigo à frente; mas a perseguição que vem de trás está perto."

"Mas Bingo está ferido, doente e cansado", disse Merry. "Não deveria continuar cavalgando sem descanso!"

Glorfindel sacudiu a cabeça ao ouvir, com expressão grave, o relato sobre o ataque ao pequeno vale sob o Topo-do-Vento e a ferida no braço de Bingo. Olhou para o cabo do punhal que Troteiro guardara e agora estava mostrando a ele. O elfo estremeceu.

"Há coisas malévolas escritas neste punho", afirmou ele, "embora talvez vossos olhos não estejam aptos a vê-las. Guarda-o até que cheguemos a Valfenda, Padathir, mas cuida-te e manuseia-o o quanto menos."

A principal diferença estrutural na narrativa desse capítulo em relação à de SA aparece nas palavras de Glorfindel, "não creio que haja algum perigo à frente"; ao contrário, SA diz (p. 309): "Há cinco em nosso encalço ... Onde hão de estar os outros quatro, eu não sei. Receio que possamos descobrir que o Vau já está dominado por nossos inimigos".

Apenas três Cavaleiros (de início) saem do barranco cercado por árvores através do qual a Estrada passava antes do trecho de uma milha de terreno plano até o Vau, e não cinco Cavaleiros, como em SA (pp. 312–3). A narrativa é a mesma: Bingo para, sentindo a ordem vinda dos Cavaleiros para que ele esperasse, mas, repleto de um ódio repentino, desembainha sua espada; Glorfindel grita para seu cavalo, de modo que ele dispara na direção do Vau. Mas todos os Cavaleiros vêm atrás de Bingo; não há a emboscada armada pelos quatro deles que estavam à espera no Vau. Apresento a seguir a conclusão completa do capítulo.

"Cavalga! Cavalga!", gritaram Glorfindel e Troteiro; e então Glorfindel pronunciou uma palavra na língua-élfica: *nora-lim, nora-lim*. De imediato o cavalo branco saltou para a frente e ganhou velocidade ao longo do último trecho da Estrada. No mesmo momento, os cavalos negros dos Cavaleiros saltaram para persegui-lo; e outros os seguiram, saindo velozes da mata. Bingo olhou para trás por cima do ombro e achou que conseguia contar [até uns doze >] pelo menos sete. Pareciam correr feito o vento e ficar rapidamente maiores e mais escuros conforme chegavam perto dele a cada passada. Não conseguia mais ver os amigos. Os cavaleiros agora deviam estar passando no meio deles e por cima deles. Bingo se virou e deitou-se de frente na sela, encorajando o cavalo com palavras de urgência. O Vau ainda parecia estar muito à frente. Mais uma vez, ele olhou para trás. Parecia que os cavaleiros tinham deixado de lado seus capuzes e mantos negros; a impressão é que agora estavam trajados de branco e de cinza. Tinham espadas nas mãos pálidas, havia elmos e coroas em suas cabeças;[6] seus olhos frios reluziam ao longe.

O medo tinha engolido a mente de Bingo. Não pensava mais em sua espada. Nenhum grito saiu dele. Fechou os olhos e se agarrou à crina do cavalo. O vento assobiava em seus ouvidos, e as sinetas tocavam loucamente, claras e estridentes. Parecia fazer um frio cortante.

De repente, ele ouviu o borrifo da água. Ela espumejava em volta de seus pés, Sentiu o andar tropeçante do cavalo enquanto ele lutava para subir a trilha pedregosa, subindo o barranco inclinado do outro lado do rio. Tinha atravessado o Vau! Mas agora os Cavaleiros vinham atrás, muito perto.

No alto do barranco, o cavalo parou, bufando. Bingo se virou e abriu os olhos. [*Riscado assim que foi escrito*: Esquecendo que o cavalo pertencia à gente de Valfenda e conhecia toda aquela terra, ele estava determinado a encarar seus inimigos, achando que seria inútil] Ele sentia que era inútil tentar escapar pela trilha longa e incerta que ia do Vau até a borda de Valfenda – se os Cavaleiros acabassem atravessando. Embora todos eles tivessem pensado no Vau como a meta de sua fuga e o fim do perigo, ocorria-lhe agora que não sabia de nada que impedisse os temidos Cavaleiros de atravessar com a mesma facilidade que ele. De qualquer modo, sentia agora que estavam ordenando urgentemente que parasse, e, embora mais uma vez o ódio se agitasse dentro dele, não tinha mais forças para recusar. Viu o corcel do Cavaleiro da frente estacar diante da água e empinar. Com grande esforço, ficou de pé nos estribos e brandiu a espada.

"Voltem!", gritou. "Voltem para o Senhor Sombrio e não mais me sigam."[7] A voz de Bingo soava estridente em seus ouvidos. Os Cavaleiros pararam, mas Bingo não tinha o poder de Tom Bombadil.[8] Começaram a rir – um riso áspero e gélido. "Venha cá! Venha cá!", chamaram. "A Mordor o levaremos."[9] "Voltem", sussurrou ele. "O Anel, o Anel", gritaram com vozes mortíferas, e de imediato o líder deles entrou na água a cavalo, seguido de perto por dois outros.

"Por Elbereth e por Lúthien, a bela",[10] disse Bingo num último esforço, erguendo a espada, "não hão de ter nem a ele nem a mim." Então o líder, que já tinha atravessado metade do rio, pôs-se de pé no estribo, ameaçador, e ergueu a mão. Bingo emudeceu; sentia a língua colar-se à boca, e seus olhos ficaram embaçados. Sua espada se partiu e caiu-lhe da mão trêmula. O cavalo empinou e bufou enquanto o cavalo negro à frente dos demais se aproximava da margem.

Nesse exato momento se ouviu um rugido e um chiado: um som de águas ruidosas fazendo rolar muitas pedras. Vagamente, Bingo viu o rio se erguer e sair galopando ao longo de seu leito numa cavalaria emplumada de ondas. Os três Cavaleiros que ainda estavam no Vau desapareceram, sobrepujados e enterrados debaixo da espuma furiosa. Os que estavam atrás recuaram apavorados.

Com seus últimos sentidos que desfaleciam, Bingo ouviu gritos, e lhe pareceu que, atrás dos Cavaleiros, surgia de repente uma figura branca e reluzente, seguida de outras figuras menores e mais imprecisas, carregando chamas. Vermelhas, flamejavam na bruma branca que cobria tudo. Dois dos Cavaleiros se viraram e cavalgaram desgovernados para a esquerda, pelo barranco do rio; os outros, carregados pelos seus cavalos, que afundavam, foram lançados na correnteza e carregados para longe. Então Bingo ouviu um rugido e sentiu que ele mesmo caía, como se a enchente o tivesse alcançado no alto do barranco e o engolfasse junto com seus inimigos. Não ouviu nem viu mais nada.

NOTAS

1 Na *Balada de Leithian* meu pai escreveu *athelas* ao lado da passagem onde

> Vem Huan com folha de cura
> mui poderosa, erva pura,
> que nas clareiras, na barranca
> cresce com folha larga e branca[A]

para tratar a ferida de Beren (III.313, 317).

2 *Aquele rio ... flui pelo meio de Valfenda*: ver a nota sobre Valfenda, pp. 256–7.

3 No texto a lápis subjacente, que aqui fica visível por um certo trecho, as palavras de Troteiro sobre o "Povo Grande" que costumava viver naquelas regiões são praticamente as mesmas, mas ele diz que eles foram sobrepujados

por *Elendil Orendil* e Gil-galad; aparentemente o nome *Elendil* foi substituído por *Orendil* no momento da escrita. Ambos os nomes foram riscados e depois *Elendil* foi escrito de novo. Ver a p. 219, nota 25.

[4] O "freio e as rédeas" do cavalo de Glorfindel rebrilhavam e piscavam, tal como na Primeira Edição, no ponto em que a Segunda Edição traz o termo "cabresto". Cf. *Cartas*, n. 211, p. 409 (14 de outubro de 1958):

> ... *rédea* foi casual e descuidadamente usada para o que suponho que deveria ter sido chamado de um *cabresto*. Ou, melhor dizendo, visto que *freio* foi adicionado (I.221) há muito tempo (o Capítulo I 12 foi escrito bem inicialmente), eu não havia considerado os modos naturais dos elfos com os animais. O cavalo de Glorfindel teria um *cabresto* ornamental, portando uma pluma e com as correias ornadas com joias e pequenos sinos; mas Glorfindel certamente não usaria um *freio*. Modificarei *rédeas e freio* para *cabresto*.

[5] O texto a lápis, depois de várias formas que foram riscadas, diz *Ai Rimbedir*; foi, então, alterado para *Ai Padathir* etc., com a tradução "Salve, Troteiro, Troteiro, é bom encontrá-lo".

[6] *havia elmos e coroas em suas cabeças*: na história do ataque ao Topo-do-Vento, meu pai primeiro escreveu que todos os três Espectros-do-Anel estavam coroados, mas alterou o texto para dizer que apenas o líder ("o rei pálido", como Bingo o chamava) usava uma coroa (p. 232 e nota 10). Cf. a citação na nota 8 abaixo.

[7] O esboço a lápis diz "Cavalguem de volta para a Torre Sombria de seu senhor". Para referências antigas à Torre Sombria, ver p. 167, nota 5.

[8] É interessante rememorar o primeiro dos esboços sobre a fuga pelo Vau (p. 160):

> Um dia, por fim, pararam num lugar elevado e olharam para o Vau adiante. Som de galope atrás. Sete (3? 4?) Cavaleiros-negros se apressam pela Estrada. Eles têm anéis e coroas de ouro. Fuga pelo Vau. Bingo [*escrito acima*: Gandalf?] joga uma pedra *e imita Tom Bombadil*. Voltem e cavalguem para longe! Os Cavaleiros param, como se estivessem espantados, e olhando para os hobbits no barranco os hobbits não conseguem ver rostos debaixo dos capuzes deles. Voltem diz Bingo, mas *ele não é Tom Bombadil*, e os cavaleiros seguem para o vau.

Nesse estágio, meu pai imaginava os hobbits cruzando o Vau juntos; e a enchente do rio não destrói os Cavaleiros: eles "recuam bem na hora assustados".

As palavras do presente texto, mantidas em SA, "Bingo (Frodo) não tinha o poder de Tom Bombadil", agora devem se referir à vitória de Tom Bombadil sobre a Cousa-tumular; mas o que subjaz a elas certamente é a ideia, não utilizada, sobre o poder dele de deter o ataque das coisas malignas erguendo a mão com autoridade: cf. o esquema apresentado na p. 142, "duas Cousas-tumulares vêm galopando atrás deles, mas param toda vez que Tom Bombadil se vira e olha para elas", e a parte anterior do esquema que acabei de citar (p. 160), na qual, quando eles chegam à Estrada a oeste de Bri, "Tom se volta e ergue a mão. Eles fogem para trás."

[9] Essa é a primeira ocorrência do nome *Mordor* em *O Senhor dos Anéis*; ver a p. 167, nota 5.

[10] No texto a lápis visível debaixo da tinta, Bingo pronuncia os nomes de Gil--galad e Elendil, junto com o de Lúthien.

❧

Nesse capítulo fica claro que as ordens dadas pelos Espectros-do--Anel são comunicadas sem palavras para o portador do Anel, e que eles têm grande poder sobre a vontade de Bingo. Ademais, acaba de ser introduzida a ideia de que a ferida provocada pelo punhal do Espectro-do-Anel produz, ou começa a produzir, um efeito similar ao trazido quando alguém coloca o Anel: o mundo se torna sombrio e impreciso aos olhos de Bingo, e, no fim do capítulo, ele consegue enxergar os Cavalheiros com clareza, debaixo dos panos negros que, para os outros, encobrem a invisibilidade desses seres.

Nota sobre o trajeto da Estrada entre o Topo-do-Vento e Valfenda

Meu pai fez várias alterações nesse elemento da geografia da Terra--média na Edição Revisada de *O Senhor dos Anéis* (1966). Apresento primeiro três passagens do capítulo "Fuga para o Vau" para fins de comparação.

(1) Página 297.

Texto original:
(o texto original não traz nenhuma passagem correspondente a essa)

Primeira Edição: "Aquele é o Ruidoságua, o Bruinen de Valfenda", respondeu Passolargo. "A Estrada corre ao longo dele por muitas milhas até o Vau."

Segunda Edição: "Aquele é o Ruidoságua, o Bruinen de Valfenda", respondeu Passolargo. "A Estrada corre ao longo da borda das colinas por muitas milhas, da Ponte até o Vau do Bruinen."

(2) Página 298.

Texto original: Agora as colinas os rodeavam. A Estrada fazia uma curva ao longe no rumo sul, na direção do rio; mas ambos já tinham sumido da vista.

Primeira Edição: Agora as colinas começavam a rodeá-los. A Estrada fazia uma curva para trás de novo no rumo sul, na direção do Rio, mas ambos já estavam escondidos de suas vistas.

Segunda Edição: Agora as colinas começavam a rodeá-los. A Estrada atrás continuava a caminho do Rio Bruinen, mas ambos já estavam escondidos de suas vistas.

(3) Página 306.

Texto original (p. 243): Por fim, eles saíram no topo de uma alta ribanceira, acima da Estrada. Ela agora estava começando a fazer uma curva relativamente distante do rio e se mantinha aos pés das colinas, subindo um pouco pela lateral do vale estreito em cujo fundo o rio corria.

Primeira Edição: Algumas milhas adiante saíram no topo de uma alta ribanceira acima da Estrada. Naquele ponto a Estrada se afastara do rio em seu vale estreito, e agora ela se apegava aos sopés das colinas, rolando e serpenteando para o leste, entre bosques e encostas cobertas de urze, rumo ao Vau e às Montanhas.

Segunda Edição: Algumas milhas adiante saíram no topo de uma alta ribanceira acima da Estrada. Naquele ponto a Estrada deixara o Fontegris muito para trás em seu vale estreito, e agora ela se apegava aos sopés das colinas, rolando e serpenteando para o leste, entre bosques (etc.)

Abordando primeiro a citação (2), com base em mapas de pequena e larga escala feitos por meu pai, não há dúvida de que a Estrada, depois de passar ao sul do Topo-do-Vento, fazia primeiro uma grande curva ou inclinação para o Nordeste: cf. SA, p. 295 – quando deixaram a colina, o plano de Passolargo era "abreviar a viagem cortando outra grande curva da Estrada: a leste, além do Topo-do-Vento, ela mudava de percurso e fazia uma larga volta para o norte". Esse detalhe remonta ao texto original. A Estrada, nesse estágio, fazia uma grande volta para o sul, ao redor da base da Mata-dos-trols, como afirmava o texto original e a Primeira Edição na citação (2). Todos os mapas feitos por meu pai mostram o mesmo trajeto da Estrada no que diz respeito a essas duas grandes curvas. Os dois esboços na p. 252 foram redesenhados com base em mapas de grande escala muito rudimentares que ele fez (o segundo, em especial, é extremamente difícil de interpretar devido à multiplicidade de linhas traçadas enquanto ele avaliava diferentes configurações do desenho).

Em 1943, fiz um mapa detalhado a lápis e giz colorido para *O Senhor dos Anéis* e um mapa semelhante para o Condado (ver p. 136, item V). Esses mapas são mencionados nas *Cartas* n. 74 e 98 (pp. 135, 176). Em meu mapa do SdA, o curso da estrada do Topo-do-Vento até o Vau é mostrado exatamente como nos mapas de meu pai, com grandes curvas para o norte e para o sul. No mapa que fiz em 1954 (publicado nos dois primeiros volumes de *O Senhor dos Anéis*), no entanto, a estrada tem apenas uma leve curva para o norte entre o Topo-do-Vento e a Ponte do Fontegris e depois segue em linha reta até o Vau. É óbvio que isso foi simplesmente um descuido devido à pressa de minha parte. Meu pai sem dúvida observou isso na época, mas sentiu que, em uma escala tão pequena assim, o erro não era muito grave: em todo caso, o mapa foi feito, já que a questão era a urgência. Mas acho que esse erro foi a razão para a mudança na Segunda Edição apresentada na citação (2), de "a Estrada fazia uma curva para trás de novo no rumo sul, na direção do Rio", para "a Estrada atrás continuava a caminho do Rio Bruinen": meu pai estava fazendo com que a discrepância com o mapa ficasse menos óbvia. Um exemplo semelhante já foi apresentado na mudança que ele fez na Segunda Edição no que diz respeito à direção da Balsa do Buqueburgo a partir da Vila-do-Bosque, p. 136. Em sua carta a Austin Olney, da Houghton Mifflin, datada de 28 de julho de 1965 (a partir da qual um extrato foi inserido em *Cartas*, n. 274), meu pai diz: "Finalmente decidi, onde isso for possível e não causar danos à história, considerar que os *mapas* estão 'corretos' e ajustar a narrativa".

Barbara Strachey (que aparentemente usou a Primeira Edição) deduziu o curso da Estrada de forma muito precisa em seu atlas *Journeys of Frodo* (1981), mapa 13, "Topo-do-Vento e as Matas-dos-Trols".

A citação (1) da Primeira Edição é perfeitamente ilustrada pelos esboços na p. 252, que mostram precisamente a Estrada que corre ao lado do Ruidoságua "por muitas léguas até o Vau". Meu pai fez vários mapas em pequena escala cobrindo uma parte maior ou menor das terras de *O Senhor dos Anéis*, em três dos quais essa região aparece; e em dois deles a Estrada é retratada aproximando-se do Ruidoságua em um ângulo bastante agudo, mas de forma alguma correndo ao longo dele. No terceiro (o mais antigo), a estrada corre perto do rio por uma longa distância antes do Vau; e isso se deve menos ao fato de que o

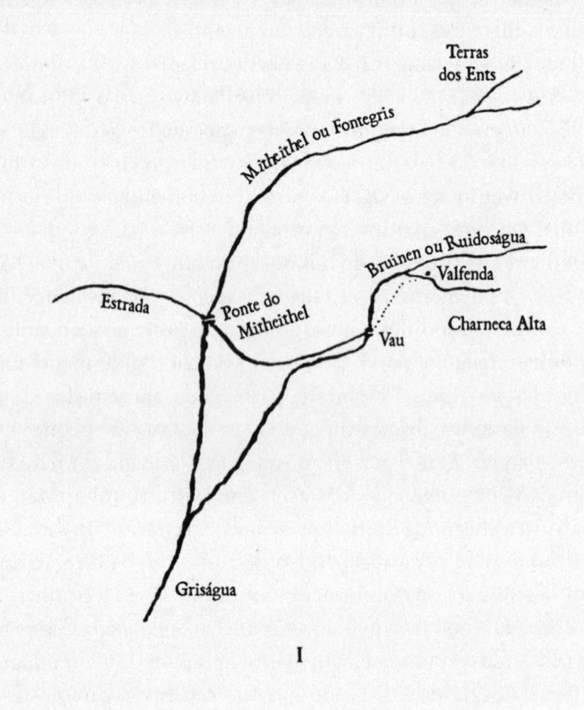
Terras
dos Ents
Mitheithel ou Fontegris
Bruinen ou Ruidoságua
Valfenda
Estrada
Ponte do
Mitheithel
Charneca Alta
Vau
Griságua

I

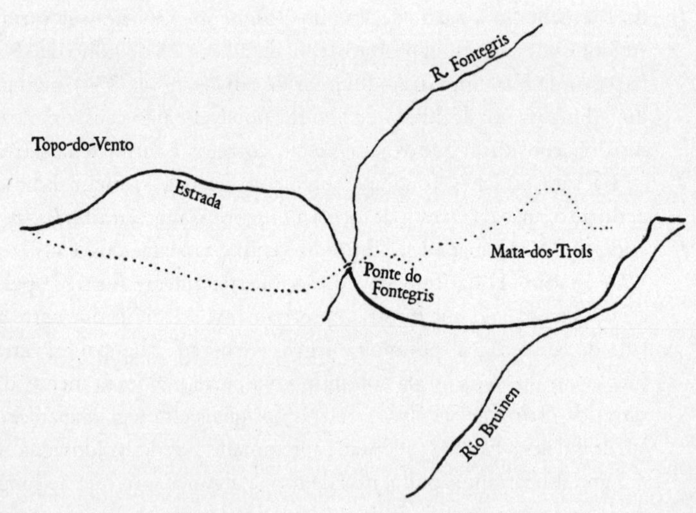
R. Fontegris
Topo-do-Vento
Estrada
Mata-dos-Trols
Ponte do
Fontegris
Rio Bruinen

curso da Estrada é diferente e mais ao fato de que, nesse mapa, o rio corre, de início (depois do Vau) em uma direção mais ocidental rumo ao Fontegris (como nos mapas esboçados).* No meu mapa de 1943 (ver acima) esse também é o caso, de forma muito marcante. No mapa publicado, por outro lado, a Estrada se aproxima do rio em um ângulo aberto; e esse foi outro erro. Está claro, creio eu, que o texto alterado da Segunda Edição na citação (1), com "corre ao longo da borda das colinas" em vez de "corre ao longo dele [ou seja, do Ruidoságua]", foi, mais uma vez, reescrito para resguardar as aparências do mapa.

A citação (3) na Primeira Edição parece contradizer (1): a Estrada corre ao longo do Ruidoságua por muitas léguas até o Vau (1), mas, quando os viajantes desceram para a Estrada saindo das Matas-dos--Trols, ela havia se afastado do rio (3). Mas provavelmente isso é menos uma contradição do que uma questão de quão estritamente a frase "corre ao longo do Ruidoságua" é interpretada. O segundo mapa esboçado parece claro pelo menos nesse ponto, pois mostra a Estrada se aproximando do rio, correndo ao lado dele por um trecho e depois se inclinando um pouco na direção oposta e "se apegando aos pés das colinas" antes de retornar para mais perto na altura do Vau.

A formulação modificada do texto na Segunda Edição no item (3) – feita para não alterar a quantidade de texto – faz com que as palavras "vale estreito" se refiram ao Fontegris, e não há mais nenhuma afirmação nesse ponto sobre o curso da Estrada em relação ao Ruidoságua. Isso claramente foi outra acomodação em favor do mapa publicado (e uma solução que não é inteiramente feliz), tal

*Barbara Strachey faz com que o Ruidoságua se curve acentuadamente para o oeste logo abaixo do Vau e flua nessa direção (antes de virar para o sul) por uma distância muito maior do que nos mapas do meu pai, de modo que a região entre o Fontegris e o Ruidoságua (chamado de "o Ângulo" em SdA, Apêndice A, p. 1477) deixa de ser triangular. Ela faz essa suposição porque, do terreno elevado acima da Última Ponte, os viajantes podiam ver não apenas o Fontegris, mas também o Ruidoságua, ao passo que, seguindo o mapa publicado, os rios "estariam separados por cerca de 100 milhas, e a colina [na qual eles estavam] teria de ser uma montanha muito alta para que [o Ruidoságua] fosse visível." Ao trazer esse rio tão longe para o oeste em seu mapa, a distância da colina acima da Última Ponte até o ponto mais próximo do Ruidoságua é reduzida para cerca de 27 milhas. Nos mapas de meu pai, a distância mais curta da Ponte até o Ruidoságua varia entre (aproximadamente) 45 (no mais antigo), 60 e 62 milhas; no mapa publicado, é de cerca de 75 milhas. Assim, a objeção de que o Ruidoságua estava muito longe para ser visto é válida; mas não pode ser resolvida dessa maneira.

como a mudança de "no rumo norte" (cf. o Esboço II), que ficou "para o leste".

Nota sobre o Rio Fontegris

A ausência do Rio Fontegris (p. 241), que ainda não tinha emergido na versão seguinte dessa parte da história (p. 444), é interessante. Na narrativa original do Capítulo 2 de *O Hobbit*, quando Bilbo, Gandalf e os Anãos estavam se aproximando das colinas cobertas de velhos castelos num entardecer de chuva forte, eles chegaram a um rio:

... começou a ficar escuro. O vento aumentou, e os salgueiros ao longo da margem do rio [*nenhum rio tinha sido mencionado*] se inclinaram e sibilaram. Não sei que rio era aquele, de correnteza forte e avermelhada, cheio com as chuvas de alguns dias antes, que descia das colinas e montanhas na frente deles.

Logo já estava quase escuro. Os ventos dissiparam as nuvens cinzentas ...

O rio, aqui, corria *ao lado* da estrada (descrita como "uma trilha muito lamacenta"); eles só o cruzaram, por fim, num vau, além do qual estava a grande encosta que subia para as Montanhas (no começo do Capítulo 3, "Um Pouco de Descanso"). Na terceira edição (1966), a passagem citada mudou:

... começou a ficar escuro conforme desciam para um vale fundo que tinha um rio na parte mais baixa. O vento aumentou, e salgueiros ao longo das margens se inclinaram e sibilaram. Por sorte, a estrada passava por uma antiga ponte de pedra, pois o rio, cheio com as chuvas, descia das colinas e montanhas ao norte.

Era quase noite quando atravessaram. O vento dissipou as nuvens cinzentas ...

O rio agora passa a ser o Fontegris, por cima do qual a estrada passava pela Última Ponte (e o rio que eles vadearam antes da subida para Valfenda ganha um nome distinto – o Ruidoságua – ao trocar "vadearam o rio" porque "vadearam um rio"). Mas meu pai não fez nada para alterar o que vem depois na história original.

Nela, o grupo parava naquele lugar para passar a noite porque era ali que estavam quando escureceu, e o local era na beira de um rio. A partir daquele ponto, a luz da fogueira dos Trols ficava visível. Com a introdução da Última Ponte nesse trecho da narrativa antiga, enquanto todo o resto permaneceu intocado, o grupo se prepara para passar a noite assim que cruza a ponte – perto o suficiente do rio para que um dos pôneis se desgarre e se jogue n'água, o que faz com que a maior parte da comida se perca – e a fogueira dos Trols, portanto, fica visível da Ponte, ou de muito perto dela. E, no fim do capítulo, os potes de ouro da toca dos Trols ainda estão enterrados "não muito longe da trilha à beira do rio" – uma frase inalterada presente na história original, quando o rio fluía ao longo da trilha.

Karen Fonstad coloca a questão de forma clara (*O Atlas da Terra-média,* p. 113), observando a inconsistência entre *O Hobbit* (em sua forma atual) e *O Senhor dos Anéis* quanto à distância entre o rio e a clareira dos Trols:

> A fogueira dos Trols estava tão próxima ao rio que podia ser vista "a alguma distância deles", e provavelmente não levou mais de uma hora até os Anãos chegarem lá. Por outro lado, Passolargo conduziu os hobbits para o norte da estrada [desviando-se uma milha depois da Ponte], onde eles perderam a trilha e passaram quase seis dias tentando alcançar a clareira onde encontraram os Trols-de-pedra. Perdidos ou não, parece quase impossível que o Caminheiro apressado teria passado seis dias tentando alcançar um lugar que os Anãos encontraram em uma hora.

Antes disso, aparentemente em 1960, em uma complexa revisão do Capítulo 2 de *O Hobbit* que nunca foi usada,* meu pai havia introduzido a Última Ponte no mesmo ponto da narrativa; mas ali a travessia do rio ocorreu pela manhã, e o acampamento de onde a fogueira dos Trols foi vista é montado no final do dia e muitos quilômetros

*Meu pai estava muito preocupado em harmonizar a jornada de Bilbo com a geografia de *O Senhor dos Anéis*, especialmente em relação à distância e ao tempo gasto nas viagens: levando em conta *O Senhor dos Anéis*, Gandalf, Bilbo e os Anãos demoraram muito, já que eles viajavam montados (veja a discussão de Karen Fonstad em *O Atlas da Terra-média*, p. 113). Mas ele nunca chegou a uma solução definitiva para esse dilema.

mais a leste. O presente texto de *O Hobbit*, derivado de correções feitas em 1965 e publicado pela primeira vez em 1966, introduz aqui um elemento de *O Senhor dos Anéis*, mas acaba não harmonizando as duas geografias. Esse lapso nem um pouco característico deve ser atribuído, sem dúvida, simplesmente à pressa com que meu pai trabalhou por conta da extrema pressão imposta a ele em 1965.

Nota sobre o rio de Valfenda

Troteiro diz expressamente que o rio que a Estrada cruza no Vau passa no meio de Valfenda (p. 240). No trecho correspondente em SA (p. 297), Passolargo cita o nome do rio: "Aquele é o Ruidoságua, o Bruinen de Valfenda". Mais tarde, em "Muitos Encontros" (SA, p. 343), afirma-se que o quarto de Bilbo "dava para os jardins e olhava para o sul por sobre a ravina do Bruinen"; e, no início de "O Conselho de Elrond" (SA, p. 345), Frodo "caminhou pelos terraços acima do Bruinen, que corria ruidoso". Isso é bastante inequívoco; os mapas, no entanto, não são totalmente claros quanto a esse ponto.

No mapa das Terras-selváticas em *O Hobbit* (papel de guarda), o rio sem nome recebe um afluente um pouco ao norte do Vau, e a casa de Elrond está disposta entre eles, perto da confluência, e mais perto do afluente – exatamente como se vê no Esboço I, da p. 252.[*] Em um de seus exemplares de *O Hobbit*, meu pai escreveu a lápis alguns nomes posteriores no mapa das Terras-selváticas, e entre eles estão *Bruinen ou Ruidoságua* ao lado do rio a norte da casa (mais uma vez, como no Esboço I) e *Merrill*[†] ao lado do afluente que corre logo ao sul dele.[‡] Quando, portanto, em *O Hobbit* (Capítulo 3), o elfo diz a Gandalf:

[*] Em dois desses mapas de pequena escala feitos por meu pai, o riacho afluente não está marcado, e Valfenda corresponde a um ponto em cima ou ao lado do Bruinen; o terceiro mapa está borrado e esmaecido demais para ter certeza, mas ele provavelmente mostra o afluente e Valfenda entre os dois cursos d'água, tal como no mapa de *O Hobbit* e, certamente, no meu mapa de 1943 (e naquele publicado em *O Senhor dos Anéis*).

[†] Seguindo o padrão de traduções de *O Senhor dos Anéis*, algo como "Ribalegre" em português [N.T.].

[‡] Esse nome, que não encontrei em nenhum outro lugar, infelizmente não está muito claro, embora *Me-* e *-ll* seguramente façam parte dele, e é difícil lê-lo de qualquer outro jeito. – Outro nome acrescentado ao mapa das Terras-selváticas é *Rhimdath*, "Corredio", o rio que fluía das Montanhas Nevoentas para o Anduin ao norte da Carrocha (ver o Índice do Vol. V, p. 527).

"Vocês estão um pouco fora do caminho: quer dizer, se estão tentando chegar ao único caminho que atravessa a água e chega à casa do outro lado. Vamos corrigir seu curso, mas é melhor vocês continuarem a pé até atravessarem a ponte."

parece que o Merrill é que precisa ser atravessado pela ponte. Barbara Strachey (*Journeys of Frodo,* mapas 15–16) mostra de forma muito clara a ravina de Valfenda como equivalente à do riacho tributário, com a casa de Elrond disposta a cerca de uma milha e meia da confluência dele com o Ruidoságua; enquanto Karen Fonstad (*O Atlas da Terra-média*, pp. 90, 117, etc.), da mesma forma, posiciona Valfenda à beira do curso d'água do sul – chamando-o (p. 143) de Bruinen.

Os traçados dos rios e da Estrada no Esboço I foram feitos inicialmente à tinta e, mais tarde, coloridos com giz azul e vermelho. Quando meu pai fez isso, ele alterou o curso do "afluente" ao sul da casa de Elrond inclinando-o para o norte e fazendo com que ele desaguasse no Bruinen um pouco mais para o leste; assim, a casa em Valfenda está na ponta ocidental de terra cercada por dois cursos d'água que descem das montanhas, separam-se e se juntam de novo. Portanto, pode-se supor que ambos eram chamados de "Bruinen" (descontando-se o nome "Merrill" escrito no mapa das Terras-selváticas em *O Hobbit*). Mas não acho que conclusões detalhadas podem ser tiradas desse mapa esboçado.

Nota sobre as Terras dos Ents

O nome *Terras dos Ents* no Esboço I exige alguma explicação. Originalmente, a região na qual o rio Fontegris nascia era chamada de *Vale-do(s)-Riacho(s)-Escuro(s)* (p. 444), mas, quando esse nome passou a ser usado de outro modo, recebeu brevemente o nome de *Valegris* (p. 530, nota 3), e depois o de *Vales Enteses, Terras dos Ents.* A palavra *ent* e o adjetivo *entês* aqui estão sendo usados no sentido de *ent* em inglês antigo, ou seja, "gigante"; as *Terras dos Ents* eram as "terras-dos-trols" (cf. os nomes posteriores *Vales Etten* e *Charnecas Etten* dessa região em SA, que contêm o termo em inglês antigo *eoten*, "gigante"), e não têm associação nenhuma com os *Ents* de *O Senhor dos Anéis*.

12

Em Valfenda

Algumas ideias preliminares para este capítulo (o qual, em SA, é o Capítulo 1 do Livro II, "Muitos Encontros") foram apresentadas nas pp. 160–1. O esboço original da narrativa está preservado num manuscrito muito rudimentar, feito primeiro à tinta, depois a lápis e terminando de modo abrupto. Recebeu várias emendas e acréscimos, mas eu o apresento aqui da forma que meu pai parece tê-lo composto originalmente – sem negar que frequentemente não há nenhuma distinção clara entre as alterações feitas de imediato e as feitas mais tarde (e, provavelmente, nenhuma distinção significativa de tempo, em todo caso). Este e os dois esboços seguintes todos levam a numeração "IX", sem título.

Ele acordou e se deu conta de que estava deitado em uma cama; e também de que estava se sentindo um bocado melhor. "Onde estou e que horas são?", disse para o teto, em voz alta. Suas vigas escuras e esculpidas estavam sendo tocadas pela luz do sol. Ao longe, ele ouvia o som de uma cachoeira.

"Na casa de Elrond e são dez horas da manhã: a manhã de 24 de outubro, para ser exato",[1] disse uma voz.

"Gandalf!", exclamou Bingo, sentando-se. Lá estava o mago, sentado numa cadeira junto à janela aberta.

"Sim", disse ele. "Estou aqui, de fato – e você tem sorte de também estar aqui, depois de todas as coisas absurdas que fez desde que saiu de casa."

Bingo se sentia demasiado pacífico e confortável para discutir – e, em todo caso, não imaginava que fosse levar a melhor na discussão: voltaram-lhe as lembranças do desastroso atalho pela Floresta Velha, de sua própria estupidez na estalagem e de sua loucura quase fatal ao pôr o Anel no dedo na Colina do Topo-do-Vento.

Fez-se um longo silêncio, interrompido apenas pelas leves baforadas do cachimbo de Gandalf enquanto ele soprava anéis de fumaça pela janela.

"O que aconteceu no Vau?", perguntou Bingo, por fim. "Tudo parecia tão impreciso, de algum modo, e ainda parece."

"Sim!", respondeu Gandalf. "Você estava começando a minguar. Eles logo acabariam fazendo de você um espectro – certamente se você tivesse colocado o Anel[2] de novo. Como está a sensação no braço e no flanco agora?"

"Não sei", confessou Bingo. "Não tenho sensação nenhuma, o que é melhor do que a dor, mas" – ele fez um esforço – "consigo mexer o braço um pouco de novo; sim: a sensação é que ele está voltando à vida. Não está frio agora", acrescentou o hobbit, tocando a mão direita com a esquerda.[3]

"Bom!", disse Gandalf. "Elrond banhou seu braço e tratou dele por horas na noite passada, depois que trouxeram você para dentro. Ele tem grande poder e habilidade, mas eu estava muito ansioso, pois as artes e a malícia do Inimigo são muito grandes."

"Trouxeram para dentro?", repetiu Bingo. "É claro: a última coisa de que me lembro é o influxo da água. O que aconteceu? Onde estão os outros? Conte logo, Gandalf!"

"O que aconteceu – até onde consigo discernir com base no que dizem Glorfindel e Troteiro (ambos têm bastante juízo, de suas maneiras diferentes) foi isto: os perseguidores foram direto na sua direção (como Glorfindel esperava que eles fizessem). Os outros poderiam ter sido pisoteados, mas Glorfindel fez com que eles saltassem de lado para fora da estrada. Nada conseguiria salvar você se o cavalo branco élfico não conseguisse; assim, seus amigos seguiram atrás cuidadosamente, a pé, ficando ocultos o máximo que conseguiam, detrás de arbustos e rochas. Quando estavam o mais próximo do Vau que ousavam chegar, acenderam depressa uma fogueira e avançaram contra os Cavaleiros com tições inflamados, bem no momento em que a inundação se desencadeou. Entre o fogo e a água, os perseguidores foram destruídos – se é que podem ser totalmente destruídos por tais meios –, todos menos os dois que desapareceram ermo adentro.

O resto do seu grupo e o elfo então cruzaram o vau, com alguma dificuldade, já que ele é fundo demais para hobbits e fundo até mesmo para um cavalo. Mas Glorfindel atravessou montado no seu pônei e recuperou o cavalo dele. Acharam você deitado, com o rosto na relva no alto da encosta: pálido e frio. De início, temeram que estivesse morto. Carregaram você para Valfenda: um trabalho lento, e não sei quando teriam chegado se Elrond não tivesse enviado alguns Elfos para ajudá-los na mesma hora em que a água foi liberada."

"Foi Elrond que criou a inundação, então?", perguntou Bingo.

"Não, fui eu",[4] disse Gandalf. "Não é uma magia muito difícil no caso de um riacho que desce das montanhas. O sol estava razoavelmente forte hoje. Mas fiquei surpreso ao ver como o rio reagiu bem. O rugido e o escoamento foram tremendos."

"Foram mesmo", concordou Bingo. "Também foi você que enviou Glorfindel?"

"Sim", respondeu Gandalf, "ou melhor, pedi que Elrond o emprestasse para mim. Ele é um elfo nobre e sábio. Bilbo é — era — muito afeiçoado a ele. Também enviei Rimbedir[5] (como o chamam por aqui) – aquele sujeito, o Troteiro. Pelo que Merry me contou, parece que ele tem sido útil."

"Eu diria que sim", ponderou Bingo. "Eu tinha muitas suspeitas sobre ele de início – mas jamais teríamos chegado aqui sem Troteiro. Passei a gostar muito dele. Na verdade, gostaria que ele continuasse vagando comigo durante todo o tempo que eu tiver de vagar. É uma coisa esquisita, sabe, mas não paro de sentir que já o vi em algum lugar antes."

"Imagino que sinta isso mesmo", disse Gandalf. "Muitas vezes tenho essa sensação quando olho para um hobbit – eles todos parecem me lembrar uns dos outros, sabe. Na verdade, eles são extraordinariamente parecidos entre si!"

"Bobagem", discordou Bingo. "Troteiro é muitíssimo peculiar. No entanto, eu mesmo me sinto extraordinariamente hobbitesco e gostaria muito que não estivesse condenado a vagar. Já encarei isso por mais de um mês, o que é uns 28 dias a mais do me agrada." Ficou em silêncio de novo e começou a cochilar. "O que aqueles perseguidores terríveis fizeram comigo no valezinho do Topo-do--Vento?", disse ele, meio que para si mesmo, à beira de um sonho impreciso.

"Tentaram varar você com a espada do Necromante", explicou Gandalf. "Mas, por alguma graça afortunada, ou por meio da sua própria coragem (ouvi um relato da luta) e da confusão causada pelo nome-élfico que você gritou, só o seu ombro foi ferido de raspão. Mas isso já foi perigoso o suficiente – em especial com o anel no dedo. Pois, enquanto usava o anel, você mesmo estava no mundo-dos-espectros e ficou sujeito às armas deles.[6] Eles podiam ver você, e você podia vê-los."

"Por que conseguimos ver os cavalos deles?"

"Porque são cavalos de verdade. Assim como as vestes negras que usam para dar forma ao seu nada são vestes de verdade."

"Então por que, quando todos os outros animais – cães, cavalos, pôneis – ficam cheios de terror diante deles, esses cavalos suportam a presença deles em seus dorsos?"

"Porque nasceram e foram criados sob o poder do Senhor maligno no reino sombrio. Nem todos os serviçais e escravos dele são espectros!"

"Tudo isso é muito ameaçador e confuso", disse Bingo, sonolento.

"Bem, você está bastante seguro por enquanto", consolou-o Gandalf, "e sarando rapidamente. Eu não me preocuparia com nada agora, se fosse você."

"Está bem", disse Bingo, e caiu num sono profundo.[7]

Bingo estava agora, como você sabe, na Última Casa Hospitaleira a oeste das Montanhas, na beira do ermo, a casa de Elrond: essa casa era (como Bilbo Bolseiro relatara havia muito tempo), "uma casa perfeita, não importava se você gostasse de comer, de dormir, de trabalhar, de contar histórias, de cantar, ou de apenas se sentar e pensar melhor no que fazer, ou de uma mistura agradável de tudo isso". Meramente estar ali era cura para o cansaço e a tristeza. À medida que a tarde avançava, Bingo acordou e percebeu que não estava mais querendo dormir, mas estava com vontade de comer e beber, de ouvir histórias e de cantar. Assim, levantou-se e descobriu que seu braço já estava quase tão usável quanto jamais fora. Logo que se vestiu, foi à procura de seus amigos. Estavam sentados na varanda da casa que dava para o oeste: sombras caíam sobre o vale, mas a luz ainda se derramava sobre as altas faces orientais das colinas bem acima deles, e o ar estava cálido. Raramente fazia frio no belo vale de Valfenda. O som das quedas d'água era alto naquela calma. Havia um perfume de árvores e flores [?em harmonia].

"Alô", disse Merry, "eis nosso nobre tio. Três vivas para Bingo, Senhor do Anel!"

"Quieto!", advertiu Gandalf. "Seres malignos não entram neste vale, mas mesmo assim não deveríamos nomeá-los. O Senhor do Anel não é Bingo, mas o Senhor da Torre Sombria de Mordor,[8] cujo poder está crescendo de novo, e aqui estamos apenas sentados numa fortaleza de paz. Lá fora está escurecendo."

"Gandalf andou dizendo muitas coisas animadoras como essa", disse Odo. "Só para nos manter na linha: mas, de algum modo, parece impossível se sentir tristonho ou deprimido na casa de Elrond. Sinto como se fosse capaz de cantar – se soubesse como: o problema é que nunca fui nem um pouco bom na hora de inventar letras ou melodias."

"Nunca foi mesmo", concordou Bingo, "mas ouso dizer que até isso poderia ser curado com o tempo, se você ficasse aqui o suficiente. Minha sensação é bem parecida. Embora, neste momento, eu sinta mais fome do que qualquer outra coisa."

A fome de Bingo logo foi curada. Pois não demorou muito para que fossem convocados para a refeição da noite. O salão estava repleto de gente: elfos, na maioria, embora houvesse alguns hóspedes e viajantes de vários tipos. Elrond estava em seu assento elevado, e ao lado dele se sentou Gandalf. Bingo não viu Troteiro nem Glorfindel: eles provavelmente estavam em um dos outros salões junto com seus amigos, mas, para sua surpresa, o hobbit achou sentado ao seu lado um anão de aparência venerável e vestes ricas – sua barba era branca, quase tão branca quanto o tecido branco-neve de suas vestes; usava um cinto de prata e uma corrente de prata e diamantes.

"Bem-vindo e bom encontro", disse o anão, levantando-se e fazendo uma reverência. "Glóin, a teu serviço!", disse, e se curvou de novo.

"Bingo Bolger-Bolseiro, ao teu e da tua família", respondeu Bingo. "Estou correto ao imaginar que és *aquele* Glóin, um dos doze companheiros do grande Thorin?"

"Estás", confirmou o anão. "E eu não preciso perguntar, uma vez que já me contaram que és o amigo e filho adotivo do nosso querido amigo Bilbo Bolseiro. Fico muito intrigado quanto ao que traz *quatro* hobbits para tão longe de suas casas. Nada semelhante a isso acontecia desde que Bilbo deixou a Vila-dos-Hobbits. Mas talvez eu não devesse perguntar isso, já que Elrond e Gandalf não parecem dispostos a contar nada?"

"Acho que não vamos falar sobre essas coisas, ao menos por enquanto", disse Bingo polidamente – ele queria esquecer seus problemas, por ora. "Embora eu esteja igualmente curioso para saber o que traz tão importante anão para tão longe da Montanha."

Glóin olhou para ele e riu – na verdade, deu até uma piscadela. "Não sou um estraga-prazeres", brincou ele. "Então, não te contarei – ainda. Mas há muitas outras coisas para contar."

Os dois passaram a refeição conversando. Bingo deu notícias do Condado, mas ouvia mais do que falava, pois Glóin tinha muito a contar a respeito do Reino-Anão sob a Montanha e de Valle. Por lá, Dáin ainda era o rei dos anões,[9] e agora estava idoso (com cerca de 200 anos), venerável e fabulosamente rico. Dos dez companheiros que tinham sobrevivido à batalha, sete ainda estavam com ele: Dwalin, Dori, Nori, Bifur, Bofur e Bombur.[10] Mas esse último agora estava tão gordo que não conseguia se locomover da cama para a cadeira, e eram precisos quatro jovens anãos para erguê-lo. Em Valle, o neto de Bard – Brand, filho de Bain – era o senhor.

Meu pai parou aqui e rabiscou algumas notas antes de começar a escrever o capítulo de novo. As notas no final do primeiro rascunho incluem as seguintes observações:

E quanto a Balin etc. Eles foram colonizar (Anel necessário para fundar uma colônia?) Bilbo deve ser visto. Quem é Troteiro?

O segundo texto é um manuscrito claro, mas não foi além do relato de Gandalf sobre a inundação no Bruinen, quando meu pai parou novamente e recomeçou. Trata-se de um texto intermediário muito mais próximo do terceiro do que do primeiro, e não precisa ser considerado mais de perto.

O terceiro texto, o último nessa fase do trabalho, mas novamente abandonado antes da conclusão (indo, de fato, pouco além do primeiro rascunho), é muito próximo do capítulo "Muitos Encontros" em SA, mas há muitas diferenças menores (descontando-se, claro, aquelas que são constantes nessa fase da escrita, como as que envolvem Troteiro/Passolargo-Aragorn e a ausência de Sam). A abertura agora é quase idêntica à de SA, mas a data é 26 de outubro, e Gandalf acrescenta, depois de "Você estava começando a minguar", a frase "Troteiro notou isso, para sua grande consternação – embora, é claro, não tenha dito nada." Mas, depois que Gandalf diz "Não é feito desprezível ..." (SA, p. 320), a narrativa antiga continua:

"... Mas estou muito contente de ver que estão todos aqui, a salvo. Na verdade, a culpa é bastante minha. Eu sabia que havia alguns riscos – mas, se eu soubesse mais antes de sair do Condado, teria arranjado as coisas de um jeito diferente. Mas as coisas estão andando rápido", acrescentou ele com voz mais baixa, como se para si mesmo, "mais rápido até do que eu temia. Eu *tinha* de chegar aqui logo. Mas se eu soubesse que os Cavaleiros já estavam à solta!"

"Você não sabia disso?", perguntou Bingo.

"Não, não sabia – não até chegarmos a Bri. Foi Troteiro que me contou.[11] E, se eu não conhecesse Troteiro e confiasse nele, teria esperado por vocês lá. E, no fim das contas, ele salvou vocês e os trouxe até aqui."

"Nunca teríamos chegado até aqui sem ele", concordou Bingo. "Eu tinha muitas suspeitas sobre Troteiro de início, mas passei a me afeiçoar muito a ele. Embora seja bastante esquisito. Gostaria que ele continuasse vagando comigo – por tanto tempo quanto eu precise vagar. É uma coisa estranha, sabe, mas não paro de sentir que já o vi em algum lugar antes – que... que eu deveria saber o nome dele, um nome diferente de Troteiro."

"Imagino que você se sinta assim mesmo", riu-se Gandalf. "Muitas vezes tenho essa mesma sensação quando olho para um hobbit: todos eles parecem me fazer lembrar uns dos outros, se sabe o que quero dizer. Eles são maravilhosamente semelhantes entre si!"

"Bobagem!", disse Bingo, sentando-se com o corpo reto de novo, em protesto. "Troteiro é muitíssimo peculiar. E ele usa sapatos! No entanto, estou me sentindo um hobbit muito comum no momento. Por ora, queria não precisar seguir adiante. Já tive mais de um mês de exílio e aventuras, e isso é mais ou menos quatro semanas a mais do que o suficiente para mim."[12]

O texto agora se aproxima muito do de SA, pp. 322–4, mas há várias diferenças. Como em SA, Bingo não consegue entender como ele pode estar errado em seu cálculo da data, mas nesta versão Gandalf diz a ele que o dia é 26 de outubro (e não 24, como em SA), e ele calcula que devem ter chegado ao Vau no dia 23 (20 em SA). Sobre essa questão, ver a Nota sobre Cronologia nas pp. 173–4. Diferentemente do primeiro rascunho, onde Gandalf diz que Bingo foi trazido para Valfenda "na noite passada", aqui ele está inconsciente há muito tempo, e o perigo mortal trazido por seu ferimento é enfatizado. Gandalf chama a arma que foi usada de "uma lâmina letal, o punhal do Necromante, o qual permanece na ferida", não "um punhal de Morgul", e ele explica a Bingo que "Você teria se tornado um Espectro-do-Anel (o único Espectro-do-Anel hobbit) e ficaria sob o domínio do Senhor Sombrio. Também teriam se apossado do Anel. E o Senhor Sombrio teria achado alguma maneira de torturá-lo por tentar privar o Anel dele, e de atacar todos os seus amigos e parentela por meio de você, se pudesse". Gandalf diz que os Cavaleiros usam vestes negras "para dar forma ao seu nada em nosso mundo"; e ele inclui entre os serviçais do Senhor Sombrio "orques e gobelins" e "reis, guerreiros e magos".

A resposta de Gandalf à pergunta de Bingo, "Valfenda está a salvo?", é parecida com a de SA (p. 324), mas tem alguns detalhes notáveis:

"Sim, é o que espero. Ele raramente sobrepujou algum dos Elfos no passado; e todos os Elfos agora são seus inimigos. Os Elfos de Valfenda são, de fato, descendentes dos seus principais inimigos: os Gnomos, os Sábios-élficos, que vieram do Extremo Oeste, e a quem Elbereth Gilthoniel ainda protege.[13] Não temem nenhum Espectro-do-Anel, pois vivem ao mesmo tempo em ambos os mundos, e cada um desses mundos tem apenas metade do poder sobre eles, enquanto eles têm poder duplo sobre ambos. Mas lugares tais como Valfenda (ou o Condado, de sua própria maneira) logo vão se transformar em ilhas sob cerco se as coisas continuarem do jeito que estão. O Senhor Sombrio está agindo de novo. Horrendo é o poder do Necromante. Ainda assim", disse ele, pondo-se subitamente de pé e estendendo o queixo enquanto sua barba se projetava feito arame eriçado, "os Sábios dizem que, no fim das contas, ele está condenado. Precisamos manter nossa coragem. Você está melhorando rápido e não precisa se preocupar com nada no momento."

A passagem em que Gandalf observa Frodo com cuidado e depois fala consigo mesmo não está presente; mas a narrativa do mago sobre os eventos no Vau é, em todos os pontos essenciais, a mesma que em SA, com alguns traços do primeiro esboço que ainda foram mantidos – o mais importante é que Gandalf ainda diz que dois dos Cavaleiros escaparam para o ermo. A travessia difícil por causa da profundidade do vau ainda aparece, tal como no primeiro esboço, e Gandalf ainda diz "Fiquei surpresa ao descobrir como o rio reagiu bem a um pouco de magia simples". Mas o poder de Elrond sobre o rio, e as ondas de Gandalf, semelhantes a cavalos brancos com ginetes também brancos, são elementos inseridos agora. O fim da conversa de Bingo com Gandalf, entretanto, tem algumas diferenças:

"... Pensei que estava me afogando – com todos os meus amigos e inimigos juntos. É maravilhoso que Elrond e Glorfindel e outras pessoas importantes se deem a tanto trabalho por minha causa – para não falar de Troteiro.

"Bem – há muitos motivos para isso. Eu sou um bom motivo. Pode ser que você descubra outros.[14] Por exemplo, eles são – eram – muito afeiçoados a Bilbo Bolseiro.

"O que você quer dizer com 'são afeiçoados a Bilbo'?", perguntou Bingo, sonolento.

"Eu disse isso? Foi só um deslize", respondeu Gandalf. "Achei que tinha dito 'eram'."

"Gostaria que o velho Bilbo estivesse aqui e ouvisse a respeito de tudo isso", murmurou Bingo. "Eu poderia fazê-lo dar umas risadas. A vaca saltou sobre a lua. Alô, William!", disse ele. "Coitado do velho trol!", e então caiu no sono.

A seção seguinte da narrativa segue o primeiro esboço (p. 261) bem de perto, mas o momento em que Bingo descobre as roupas verdes arrumadas para ele agora é inserido na história, com mais um acréscimo que só sobreviveu em parte no texto de SA:

Ele colocou o seu melhor colete, com os botões de ouro (que tinha trazido na bagagem como seu único tesouro remanescente). Mas parecia muito folgado. Olhando-se num pequeno espelho, Bingo ficou espantado ao ver um reflexo muito mais magro de si mesmo do que aquele que tinha visto tempos antes. Parecia-se notavelmente com o jovem sobrinho de Bilbo que costumava sair perambulando com o tio no Condado, apesar do rosto um pouco pálido. "E estou com vontade de passear mesmo", disse, dando um tapinha no peito e apertando a correia do colete. Depois, foi em busca de seus amigos.

Não há nada correspondente ao momento em que Sam entra no quarto de Frodo.

O banquete na casa de Elrond se aproxima muito do texto final. As descrições de Elrond, Gandalf e Glorfindel agora aparecem (foram escritas num pedaço de papel inserido no texto, mas parecem ter sido feitas no mesmo período) e contêm quase as mesmas palavras que as de SA (p. 329) – mas há uma menção ao sorriso de Elrond, "como o sol de verão", e ao seu riso. Não há menção a Arwen. Bingo "não conseguia ver Troteiro, nem seus sobrinhos. Tinham sido levados a outras mesas".

A conversa com Glóin segue como no primeiro esboço, com alguns toques e frases que a aproximam mais do texto final (SA, p. 331). Glóin agora é descrito como "um anão de dignidade solene e rico traje", mas ele ainda pisca para Bingo (o que não acontece em SA).

No ponto em que o primeiro rascunho termina (p. 263), meu pai acrescentou apenas mais algumas linhas antes de parar novamente:

Em Valle, governava o neto de Bard, o Arqueiro, Brand, filho de Bain, filho de Bard, e ele se tornara um rei forte, cujo reino incluía Esgaroth e muitas terras ao sul das grandes cachoeiras.[15]

No verso da folha, a conversa continua com letra e tinta diferentes: Glóin relata a história de Balin (seu retorno a Moria) – mas é Frodo, e não Bingo, com quem ele está falando, e esse lado da página faz parte de uma fase posterior na escrita do livro (ver pp. 456, 483).

Uma passagem num pedaço de papel separado, que faz parte da conversa de Gandalf com Bingo, parece corresponder à época do terceiro rascunho deste capítulo. Não há indicações sobre como inseri-la no texto, e não há eco dela em SA.

As coisas acabam dando certo de um jeito esquisito. Se não fosse por aquele "atalho", vocês não teriam conhecido o velho Bombadil, nem ficariam com o único tipo de espada que os Cavaleiros temem.[16] Por que não pensei em Bombadil antes! Se ao menos ele não estivesse tão longe, eu voltaria imediatamente para consultá-lo. Nós nunca tivemos muito a ver um com o outro até agora. De algum modo, não acho que ele aprova muito o que eu faço. Bombadil pertence a uma geração muito mais antiga, e meus hábitos não são como os dele. Fica lá consigo mesmo e não acredita nesse negócio de viajar. Mas imagino que, de algum modo, todos haveremos de precisar da ajuda dele, no fim das contas – e que ele talvez tenha de se interessar um pouco pelas coisas fora de sua própria região.

Entre as ideias mais antigas de meu pai sobre essa parte da história (p. 160) aparece a frase "Gandalf espantado ao ouvir falar de Tom".

Outra passagem breve na mesma folha de papel foi riscada no momento da escrita:

Para não falar de coragem – e também espadas e um nome estranho e antigo. Mais tarde você precisa me contar sobre aquela sua espada curiosa e sobre como você sabia o nome de Elbereth."

"Achei que você sabia de tudo."

"Não", disse Gandalf. "Você

Algumas notas que foram colocadas rapidamente no papel em Sidmouth, na região de Devon, no fim do verão de 1938 (ver Carpenter, *Biografia*, pp. 257–8), numa folha de rabiscos, evidentemente representam as ideias de meu pai para os próximos estágios da história naquela época:

Conselho. Passagem de M[ontanhas] N[evoentas]. Descida de Grande Rio até Mordor. Torre Sombria. Além (?) que é a Colina de Fogo.

História de Gilgalad contada por Elrond? Quem é Troteiro? Glorfindel fala de seus ancestrais em Gondolin.

"A Demanda da Montanha de Fogo" (frase precedida por "Hobbits se aconselham com Elrond e Gandalf") foi mencionada no esquema narrativo das pp. 160–1, mas esta é a primeira indicação da jornada a partir de Valfenda, e a primeira menção ao Grande Rio no contexto de *O Senhor dos Anéis*.

Meu pai já tinha feito a pergunta "Quem é Troteiro?", e voltaria a fazê-la. Uma pista da solução, que no fim acabou sendo rejeitada, já apareceu nas palavras de Bingo para Gandalf neste capítulo: "Não paro de sentir que já o vi em algum lugar antes – que, que eu deveria saber o nome dele, um nome diferente de Troteiro"; e, de fato, antes disso na estalagem em Bri (p. 194): "Tinha um ar soturno – e, no entanto, havia algo nele ... que parecia amigável, e até familiar".

O que também é muito notável é a frase "Glorfindel fala de seus ancestrais em Gondolin". Anos mais tarde, muito depois da publicação de *O Senhor dos Anéis*, meu pai dedicou muita reflexão ao tema de Glorfindel e, naquele momento, escreveu: "[O uso do nome *Glorfindel*] em *O Senhor dos Anéis* é um dos casos do emprego um tanto aleatório de nomes encontrados nas lendas mais antigas, agora chamadas de *O Silmarillion*, que escaparam a reconsiderações na versão final publicada de *O Senhor dos Anéis*". Ele chegou à conclusão de que Glorfindel de Gondolin, que morrera numa queda durante o combate com um Balrog depois do saque da cidade (II.235, IV.166), e Glorfindel de Valfenda eram a mesma pessoa: ele fora liberado de Mandos e retornara à Terra-média na Segunda Era.

Uma única página solta, que não tem ligação nenhuma com qualquer outro manuscrito, talvez seja a "história de Gilgalad contada por Elrond" que é mencionada nessas anotações, e vou apresentá-la aqui. Com exceção da primeira alteração, as demais foram feitas mais tarde, a lápis, no manuscrito produzido à tinta.

"Ora, nos dias sombrios, Sauron, o Mágico [*escrito inicialmente* Necromante; *depois* Necromante *foi novamente escrito acima de* Mágico] fora muito poderoso nas Grandes Terras, e quase todas as coisas vivas o tinham servido por medo. E ele perseguia os Elfos que viviam deste lado do Mar Divisor com especial ódio, pois não o serviam, embora lhe tivessem medo. E havia alguns Homens que eram amigos dos Elfos, embora não muitos nos mais sombrios dos dias."

"E como", perguntou Bingo, "veio a acontecer a derrota dele [> o poder dele se tornou mais fraco]?"

"Foi desta maneira", explicou Elrond. "As terras e ilhas do Noroeste das Grandes Terras do Velho Mundo eram chamadas, muito tempo atrás, de Beleriand. Aqui os Elfos do Oeste tinham habitado por muito tempo até [> durante] as guerras com o Poder das trevas, nas quais esse Poder foi derrotado, mas a região, destruída.

Sauron apenas, entre seus serviçais mais importantes, escapou. Mas ainda assim, depois que a maioria dos Elfos tinha partido [> Embora a maioria dos Elfos tivesse retornado] de volta para o Oeste, havia muitos Elfos e Amigos-dos-Elfos que habitavam [> ainda habitavam em dias posteriores] naquela região. E para lá foram muitos dos Grandes Homens de outrora, vindos da Ilha do Extremo Oeste que era chamada de Númenor pelos Elfos (mas, por alguns, Avallon) [> da terra de Ociente (que eles chamavam de Númenor)]; pois Sauron tinha destruído a ilha [> terra] deles, e eram exilados e o odiavam. Havia um rei em Beleriand, de raça númenóreana, e ele era chamado de Elendil, isto é, Amigo-dos-Elfos. E ele fez uma aliança com o rei-élfico daquelas terras, cujo nome é Gilgalad (Luz das Estrelas), um descendente de Fëanor, o renomado. Lembro-me bem do conselho deles – pois me fez recordar os grandes dias da antiga guerra, tantos eram os belos príncipes e capitães que nele estavam, mas nem tantos nem tão belos quanto antes houvera."

"Vós vos lembrais?", disse Bingo, olhando assombrado para Elrond. "Mas pensei que esse conto vinha de dias há muito tempo atrás."

"Assim é", disse Elrond, rindo. "Mas minha memória remonta a um longo intervalo [> há muito tempo atrás]. Meu pai era Ëarendel, que nasceu em Gondolin sete anos antes que a cidade caísse, e minha mãe era Elwing, filha de Lúthien, filha do Rei Thingol de Doriath, e já vi muitas eras no Oeste do mundo. Eu estava no conselho de que falei, pois eu era o menestrel e conselheiro de Gilgalad. Os exércitos de Elfos e Homens se uniram uma vez mais, e nós marchamos para o leste, e cruzamos as Montanhas Nevoentas, e passamos para as terras do interior, distantes da memória do Mar. E ficamos exaustos, e a enfermidade pesava sobre nós, criada pelos feitiços de Sauron – pois tínhamos enfim chegado a Mordor, o País Sombrio, onde Sauron reconstruíra sua fortaleza. É numa parte daquela terra desolada que a Floresta de Trevamata agora está,[17] e ela deriva sua escuridão e terror desse mal antigo [*acrescentado*: no solo]. Sauron não conseguia nos rechaçar, pois o poder dos Elfos ainda era, naqueles dias, muito grande, embora se desvanecesse; e pusemos a praça-forte dele sob cerco por 7 [> 10] anos. E, por fim, Sauron saiu em pessoa, e lutou corpo a corpo com Gilgalad, e Elendil veio ao resgate dele, e ambos foram mortalmente feridos; mas Sauron foi lançado por terra, e sua forma corpórea foi destruída. Seus serviçais foram dispersados e a hoste de Beleriand fez em pedaços sua praça-forte e arrasou-a de cima a baixo. Gilgalad e Elendil morreram. Mas o espírito maligno de Sauron fugiu para longe e se escondeu por muito tempo em lugares desolados. Contudo, depois de uma era, tomou forma de novo e há muito tem atormentado o mundo setentrional [*acrescentado*: mas seu poder é menor do que outrora].

Se esse texto extremamente interessante for comparado com o final da segunda versão de *A Queda de Númenor* ("QdN II") em V.40, ficará claro que, enquanto um novo e importante elemento foi inserido, os dois textos têm parentesco próximo entre si e incluem frases muito similares: para citar a forma usada em QdN II, "em Beleriand surgiu um rei, que era da raça númenóreana, e era chamado Elendil, que é Amigo-dos-Elfos"; as hostes da Aliança "atravessaram as montanhas e entraram nas terras interiores longe do Mar"; "chegaram por fim a Mordor, o País Negro, onde Sauron ... reconstruíra suas fortalezas"; "Thû foi derrubado, e sua forma corpórea, destruída, e seus serviçais foram dispersados, e a hoste de Beleriand destruiu sua habitação"; "o espírito de Thû fugiu para longe, e ficou escondido em lugares desolados". Além disso, em ambos os textos, Gil-galad é descrito como descendente de Fëanor. O elemento novo é a aparição de Elrond como menestrel e conselheiro de Gil-galad (em QdN II, parágrafo 2, Elrond é o primeiro Rei de Númenor, sendo mortal; uma concepção que, é claro, agora foi abandonada, com o surgimento de Elros, irmão dele, V.398, parágrafo 28). Aqui não há sugestão nenhuma de que algum tipo de "Conselho" esteja acontecendo; em vez disso, parece que Elrond está recontando a história para Bingo, conforme Troteiro dissera no Topo-do-Vento (p. 225): "vocês devem ouvi-la, creio eu, em Valfenda, quando chegarmos lá. Elrond deveria contá-la, pois a conhece bem". Mas um elemento sobreviveu em SA (II), Capítulo 2, "O Conselho de Elrond": o assombro de Bingo diante da vasta idade de Elrond, e a resposta de Elrond, com os nomes dos membros de sua linhagem e a lembrança das hostes da Última Aliança.[18]

NOTAS

1 Sobre essa data intrigante, ver a Nota sobre Cronologia, pp. 273–4.

2 *o Anel*: alteração do original *aquele anel.*

3 *tocando a mão direita com a esquerda*: sobre o fato de o ferimento estar originalmente no ombro direito de Bingo, ver a p. 239.

[4] "*Não, fui eu*" é uma alteração do original "*Sim*". Cf. o esboço original da história (p. 160): "Gandalf tinha mandado a água descer com permissão de Elrond".

[5] *Rimbedir* como o nome élfico de Troteiro aparece no rascunho a lápis do capítulo anterior, p. 248, nota 5 (*Padathir* no texto à tinta escrito por cima). Isso mostra que o presente texto foi composto antes que meu pai reescrevesse o capítulo anterior, ou pelo menos antes de completá-lo. Mais tarde, ele substituiu *Rimbedir* por *Padathir* na presente passagem. Ao afirmar "Também enviei Rimbedir", Gandalf deve estar querendo dizer que enviou Troteiro até eles no *Pônei Empinado*.

[6] Essa passagem foi alterada no texto seguinte para a forma em SA (p. 323), ou seja, "você próprio estava *metade* no mundo dos espectros, e poderiam tê-lo agarrado", e as palavras "e ficou sujeito às armas deles" foram retiradas.

[7] A partir desse ponto, a continuação do manuscrito foi composta rapidamente a lápis.

[8] *a Torre Sombria de Mordor:* ver nota 17.

[9] Sobre a forma plural *anões*, ver V.330.

[10] Glóin é omitido (assim como no terceiro texto, onde seu nome foi inserido posteriormente). Os companheiros de Thorin não citados são (tal como em SA) Balin, Ori e Óin.

[11] *Foi Troteiro que me contou*: Gandalf deixou uma carta para Bingo em Bri antes de partir na segunda-feira, 26 de setembro, e na mensagem ele dizia que tinha ficado "*sabendo de algumas notícias no caminho*" (saindo da Vila-dos-Hobbits): "Perseguição está chegando perto: há 7, pelo menos, talvez mais" (p. 194). Quando meu pai escreveu isso, ele não podia ter em mente o encontro de Troteiro com Gandalf na Estrada na manhã de domingo (pp. 189, 194–5), porque o primeiro Cavaleiro Negro só chegou a Bri na noite de segunda-feira (pp. 191, 197). Foi, sem dúvida, quando ele decidiu que Gandalf ficou sabendo da presença dos Cavaleiros Negros ao falar com Troteiro que ele acrescentou a passagem na p. 193, na qual Troteiro afirma "Vi os Cavaleiros pela primeira vez no último sábado, bem a oeste de Bri, antes de topar com Gandalf", e na p. 195, em que ele diz que a conversa entre eles também abordou os Cavaleiros Negros.

[12] *mais de um mês* (tal como no primeiro esboço) substituiu a expressão *30 e tantos dias* no momento da escrita. Ver a Nota sobre Cronologia nas pp. 273–4.

[13] *Os Elfos de Valfenda são, de fato, descendentes dos seus principais inimigos: os Gnomos, os Sábios-élficos*: ver a p. 93.

[14] Meu pai acrescentou a seguinte frase a lápis, no pé da página, mas é impossível dizer quando o fez: "O Anel é outra razão, e está se tornando cada vez mais importante".

[15] Cf. *O Hobbit*, Capítulo 10, "Cálida Acolhida":

> Na extremidade sul [do Lago Longo], as águas redobradas [do Rio Rápido e do Rio da Floresta] se despejavam de novo em altas

cachoeiras e corriam apressadas para terras desconhecidas. No entardecer tranquilo, o barulho das quedas podia ser ouvido como um rugido distante.

[16] Uma nota isolada diz: "E quanto à espada das Cousas-tumulares? Por que os Cavaleiros Negros a temem? – porque pertenceu aos Homens do Oeste." Cf. *As Duas Torres*, livro III, cap. 1, p. 626.

[17] É interessante a afirmação de Elrond de que a própria Trevamata fica dentro de Mordor, "o País Sombrio", e de que a floresta "deriva sua escuridão desse mal antigo", do tempo em que Sauron tinha sua fortaleza naquela região. Tanto aqui quanto na passagem bastante similar na segunda versão de *A Queda de Númenor* (V.40), afirma-se que Sauron tinha "reconstruído" sua(s) fortaleza(s) em Mordor, e considero que isso significa que foi em Mordor que ele se estabeleceu após a derrocada de Morgoth e a destruição de Angband. Essa fortaleza foi destruída pelas hostes da Última Aliança; e, na primeira versão de *A Queda de Númenor* (V.27), quando Thû foi derrotado e sua morada destruída, "ele fugiu para uma floresta sombria, e escondeu-se". Em *O Hobbit*, a "torre sombria" do Necromante ficava no sul de Trevamata. No fim da aventura de Bilbo, afirma-se que os magos brancos "tinham afinal expulsado o Necromante de seu forte sombrio, no sul de Trevamata", mas o texto não diz que a fortaleza tinha sido destruída. Se "é numa parte daquela terra desolada que a Floresta de Trevamata agora está", poderíamos argumentar que (nesse estágio do desenvolvimento da história) Sauron tinha retornado para lá, para "a Torre Sombria de Mordor" – no sul de Trevamata. (Parece não haver evidências claras de que a geografia da Terra-média já tinha sido ampliada para o sul e para o leste do mapa das Terras-selváticas em *O Hobbit*, descontando-se a concepção da Montanha de Fogo, cuja localização exata parece ser totalmente vaga; e certamente não se pode presumir que meu pai já tivesse concebido a terra de Mordor, com suas defesas montanhosas, numa região distante do Sudeste.)

Mas não acho que isso seja provável de forma alguma. Não muito depois do ponto que acabamos de alcançar, meu pai escreveu, no capítulo "História Antiga" (p. 316), que o Necromante "tinha fugido de Trevamata [isto é, depois de ser expulso pelos magos brancos] *apenas para reocupar sua antiga praça-forte no Sul*, perto do centro do mundo naqueles dias, na Terra de Mordor; e havia rumores de que a Torre Negra tinha sido erigida de novo". "Sua antiga praça--forte" era, é claro, a fortaleza destruída na Guerra da Última Aliança.

[18] Para referências anteriores à história de Gil-galad e Elendil nos textos apresentados até agora, ver as pp. 212, 225, 241.

Nota sobre a Cronologia

No primeiro esboço deste capítulo, Gandalf diz a Bingo, quando o hobbit acorda na casa de Elrond, que aquela é a manhã de 24 de outubro; mas isso parece estar em desacordo com todas as indicações de data que foram dadas pelo texto. (24 de outubro é a data em SA, p. 319, mas o texto final chega a esse número de maneira diferente.)

No Topo-do-Vento, há um dia de diferença entre a cronologia original e a de SA: eles chegaram à colina em 5 de outubro na versão antiga e no dia 6 em SA (ver pp. 219–20). Os hobbits voltaram para a Estrada novamente, vindo das terras ao sul da colina, e a atravessaram, no sexto dia após saírem do Topo-do-Vento (pp. 240–1), ou seja, em 11 de outubro, enquanto em SA eles levaram um dia a mais (compare "Ao fim do quarto dia, o terreno recomeçou a subir lentamente" na versão antiga, p. 240, com SA, p. 296, "Ao fim do quinto dia"): assim, há agora um atraso de dois dias entre os dois relatos, e em SA eles voltaram para a Estrada e cruzaram a Última Ponte em 13 de outubro. Nas colinas ao norte da Estrada, por outro lado, eles passaram um dia a mais na versão antiga (ver p. 242) e, assim, desceram das colinas e encontraram Glorfindel na noite do dia 17 (dia 18 em SA). Não há mais diferenças em relação à cronologia neste capítulo e, portanto, na história original, eles chegaram ao Vau em 19 de outubro (20 de outubro em SA). Como então Bingo poderia ter acordado em Valfenda no dia 24 de outubro se, como diz Gandalf, ele foi "trazido para dentro na noite passada"?

Na segunda e terceira versões da abertura deste capítulo, a data em que Bingo acordou na casa de Elrond passa a ser 26 de outubro, e ele diz que deveria ser o dia 24: "a menos que eu tenha perdido as contas em algum lugar, deveríamos ter chegado ao Vau no dia 23". Gandalf diz que Elrond cuidou dele por "três noites e dois dias, para ser exato. Os elfos trouxeram você para Valfenda na noite do dia 23, e foi aí que você perdeu as contas"; e ele se refere ao fato de que Bingo tinha carregado o fragmento do punhal no corpo por "quinze dias ou mais" (dezessete em SA). Isso não ajuda em nada o quebra-cabeças cronológico, pois, em todos os rascunhos da abertura do Capítulo 9, meu pai estava presumindo que os hobbits chegaram ao Vau em 23 de outubro, e não, como a narrativa real parece mostrar claramente, em 19 de outubro. É igualmente estranho que Gandalf diga que Bingo carregou o fragmento da lâmina por "quinze dias ou mais", se a travessia do Vau realmente foi no dia 23 e Elrond finalmente removeu o fragmento "ontem à noite" (25 de outubro): o total de dias deveria ser 20 (de 6 a 25 de outubro); em SA, o número é de dezessete dias (de 7 a 23 de outubro).

13

"Dúvidas e Alterações"

Neste capítulo, apresento uma série de notas que meu pai chamou de *Dúvidas e Alterações*. Acho que é possível demonstrar claramente que elas foram escritas na época que acabamos de alcançar.

Ele tinha abandonado o terceiro esboço do Capítulo 9 (que mais tarde seria chamado de "Muitos Encontros") no ponto em que Glóin estava contando a Bingo sobre o Rei Brand de Valle; esse trecho está no pé de uma página que traz o número 9.8. Como já observei (p. 267), a conversa continua – mas obviamente não é uma continuação do que veio antes, estando escrita com uma tinta e uma letra diferentes, e Glóin agora está falando com "Frodo", não com "Bingo"; e, de fato, depois desse ponto na narrativa de *O Senhor dos Anéis*, o nome "Bingo" nunca mais aparece de novo.

Ora, a primeira dessas Dúvidas e Alterações diz respeito precisamente à conversa entre Bingo e Glóin, e, na verdade, refere-se à última página da parte do capítulo que usa o nome "Bingo", 9.8 (o trecho talvez tivesse acabado de ser escrito). Em outra dessas notas, meu pai, pela primeira vez, estava considerando trocar "Bingo" por "Frodo"; mas, nesse texto, decidiu não fazer isso – e, quando veio a escrever uma nova versão de "Uma Festa Muito Esperada" (uma questão que é discutida nessas mesmas notas), o herdeiro de Bilbo ainda era "Bingo", e não "Frodo".

Concluo, portanto, que foi exatamente na época em que abandonou o Capítulo 9 que ele escreveu *Dúvidas e Alterações*; que, quando abandonou esse capítulo, retornou mais uma vez ao início do livro; e que transcorreu um tempo considerável – durante o qual "Bingo" se tornou "Frodo" – antes que ele retomasse mais uma vez a conversa com Glóin em Valfenda.

Existem duas páginas dessas notas, a maioria escrita à tinta, de modo ordeiro e legível; mas também há muitos acréscimos apressados a lápis, e esses podem ou não, em casos individuais, ter sido feitos na mesma época (levando em conta que os intervalos de tempo provavelmente não são grandes: mas, ao tentar reconstruir essa história, o que é mais significativo são as "camadas" e "fases", não as semanas ou meses). Algumas das sugestões presentes nessas notas não tiveram futuro, mas outras são do maior interesse para demonstrar o surgimento exato de novas ideias.

Vou apresentá-las no que parece ser a ordem em que foram colocadas no papel, incorporando os acréscimos quando isso for conveniente e relevante e incluindo uma ou duas outras notas que correspondem a essa fase.

(1) Homens de Valle e Anões na Festa – isso funciona? Acaba estragando encontro de Bingo e Glóin (9.8). Também não é boa ideia trazer membros do Povo Grande para Vila-dos-Hobbits. Simplesmente fazer com que Gandalf e anões tragam coisas de Valle.

Sobre os "grandes Homens corpulentos e de cabelo loiríssimo" que acabaram "pisoteando a estrada dos hobbits feito elefantes" e beberam toda a cerveja na estalagem da Vila-dos-Hobbits, ver p. 31 (o relato sobre eles sobreviveu sem alterações na quarta versão de "Uma Festa Muito Esperada"). Com a frase "Homens de Valle e Anões na Festa", meu pai quis dizer "na Vila-dos-Hobbits naquele momento", e não, é claro, que eles estavam presentes na Festa. Os Homens seriam abandonados na versão seguinte de "Uma Festa Muito Esperada", mas os Anãos continuaram sendo citados em SA (p. 68). Talvez meu pai achasse que, enquanto os Homens certamente teriam contado a Bingo as notícias de Valle, os Anões não precisavam ter uma ligação especial com a Montanha Solitária.

(2) *Excesso de hobbits.* Além disso, Bingo Bolger-Bolseiro é um nome ruim. Agora Bingo = Frodo, filho de Prímula Brandebuque, e seu pai é Drogo Bolseiro (primo de primeiro grau de Bilbo). Portanto, Frodo (= Bingo) é primo-irmão de Bilbo saltando uma geração, tanto do lado Tûk quanto do lado Bolseiro. Ele também tem o sobrenome *Bolseiro.*

[O nome "Frodo" é *riscado*] Não, agora estou acostumado demais com Bingo.

Frodo [*isto é,* Frodo Tûk] e Odo estão cientes de tudo e se despedem de Bingo no portão depois da festa. Não seria bom cancelar a *venda* e retratar Odo como herdeiro e responsável? – embora muitas coisas pudessem ser doadas. Os Sacola-Bolseiros poderiam brigar com Odo?

Frodo (e possivelmente Odo) seguem para o primeiro estágio da jornada (porque as notícias de Frodo sobre os Cavaleiros Negros são necessárias) [ver p. 74].

Mas Frodo se despede em Buqueburgo. Apenas Merry e Bingo seguem para o exílio – porque *Merry insiste*. Bingo originalmente pretendia ir sozinho.

Provavelmente, o melhor seria incluir apenas Frodo Tûk – que vai com Bingo até Buqueburgo; e depois Merry. *Cortar Odo*. Ainda melhor, inserir Frodo e *Merry* na cena do portão: Frodo se despede nesse momento e fica encarregado do Condado [ou seja, "no Condado", em Bolsão]. *Merry* vê Cavaleiros Negros no Norte.

Tudo isso, a começar por "Não, agora estou acostumado demais com Bingo", foi riscado a lápis e, ao mesmo tempo, meu pai escreveu "Sam Gamgi" na margem, e à frase "Bingo originalmente pretendia ir sozinho" ele acrescentou "com Sam". Talvez tenha sido aqui que ele colocou no papel o nome de Sam Gamgi pela primeira vez.

Há uma primeira indicação aqui, na frase "Frodo se despede em Buqueburgo", do hobbit que ficaria para trás em Cricôncavo quando os outros entrassem na Floresta Velha; enquanto "Excesso de hobbits" e "Cortar Odo" são os primeiros sinais do que em pouco tempo se tornaria um grande problema e uma confusão quase impenetrável.

A genealogia, com o formato que tinha agora na quarta versão de "Uma Festa Muito Esperada", pode ser vista nas pp. 51–2. Bingo já era primo de primeiro grau de Bilbo (saltando uma geração) do lado Tûk da família, mas seu pai era Rollo Bolger (e, quando Bilbo o adotou, Bingo alterou seu sobrenome de Bolger para Bolger-Bolseiro). Com o aparecimento de Drogo Bolseiro, Bingo se tornaria o primo-irmão de Bilbo (saltando uma geração) do lado Bolseiro da família também: devemos supor que o pai de Drogo seria irmão do pai de Bilbo, Bungo Bolseiro. Na genealogia posterior, Drogo se tornou primo de segundo grau de Bilbo, como o Feitor Gamgi explicou ao seu público na *Moita de Hera*: "Então o Sr. Frodo é primo dele [de Bilbo] em primeiro *e* segundo grau, com uma geração de diferença, como costumam dizer, se é que me entendem (SA, pp. 65–6).

Uma genealogia abandonada em uma dessas páginas mostra meu pai desenvolvendo o *pedigree* dos Bolseiros. Essa pequena tabela começa com Inigo Bolseiro (sobre um detentor anterior desse nome, ver a p. 28), cujo filho era Mungo Bolseiro, pai de Bungo: Mungo, aparecendo aqui pela primeira vez, sobreviveu na árvore genealógica final. Bungo tem uma irmã chamada Rosa, que se casou com o "Jovem Tûk"; Rosa também sobreviveu, mas não como tia de Bilbo – ela se tornou prima-irmã de Bungo, ainda com um marido Tûk (Hildigrim). Nessa tabela, Drogo é irmão de Bungo, mas foi nessa altura que o esquema foi abandonado.

A referência nessa nota à "venda" é, à primeira vista, muito intrigante. O capítulo "Uma Festa Muito Esperada" ainda estava em sua quarta versão – na qual quem dá a festa é Bingo Bolger-Bolseiro, e a revisão de grande escala, em que a festa volta a ser de Bilbo, ainda não havia sido realizada. Então, a que o termo "venda" se refere? Não houve venda de Bolsão: Bingo "estabelece doações e entrega para usufruto sem custos a desejável propriedade" para os Sacola-Bolseiros (p. 54). A venda de Bolsão para os Sacola-Bolseiros só surgiu com a mudança da história. Há, no entanto, outra referência à *venda*, em uma lista rabiscada dos dias da jornada dos hobbits a partir da Vila-dos-Hobbits, encontrada no manuscrito da Canção do Trol que Bingo deveria cantar em Bri (pp. 179–80, nota 11). Essa lista começa com "Festa *Quinta-feira, Sexta-feira* 'Venda' e partida de Odo, Frodo e Bingo" etc. O fato de que aqui a palavra está marcada com aspas pode sugerir que meu pai simplesmente estivesse pensando no leilão de Bolsão que Bilbo encontrou ao voltar para casa no final de *O Hobbit*: o esvaziamento anterior da casa de Bilbo, que foi uma venda, fez com que a palavra resumisse de forma conveniente, embora enganosa, o esvaziamento da casa na nova história, que não correspondia a uma venda.

No pé da página, a seguinte nota foi rabiscada apressadamente a lápis e depois riscada:

(3) Gandalf é contra Bingo informar *a qualquer um* para onde está indo. Bingo deve levar *Merry* consigo. Bingo reluta em causar problemas a Odo e Frodo. Conta tudo a eles – despedindo-se

de repente, e Frodo (Odo) encontra o que parece ser *um hobbit* no caminho colina acima. Ele pergunta por Bingo – e Frodo ou Odo responde que ele está indo para Buqueburgo. Assim, os Cavaleiros Negros ficam sabendo e saem atrás de Bingo.

Trata-se do embrião da história final, a de que um Cavaleiro apareceu e falou com o Feitor Gamgi, que, por sua vez, sugeriu que ele fosse para Buqueburgo (SA, p. 127).

(4) *Ferroada*. Bilbo a levou? E a armadura? Várias possibilidades: (a) Bingo está com armadura, mas a perde no Túmulo; (b) Gandalf o incentiva a levar armadura, mas ela é pesada e ele a deixa em Buqueburgo; (c) ele gosta da armadura, e ela o salva no Túmulo, mas acaba sendo *roubada* em Bri.

A questão é, claro, que ele não poderia estar usando armadura em Topo-do-Vento. Compare essa nota com a menção, no "esquema" original para o Capítulo 9 (p. 160), à "cota-de-malha de Bingo no túmulo" – isso aparentemente seria um elemento incluído em "algumas explicações" quando os hobbits chegassem a Valfenda.

Outra nota, em outra página, é quase igual a essa, mas afirma que Bilbo levou Ferroada e diz que, se a armadura de Bingo foi roubada em Bri, "a descoberta dos quartos invadidos acontece antes da noite". O significado disso é presumivelmente que, de acordo com a história existente (p. 205), os hobbits levaram todos os seus pertences dos quartos para a sala de estar antes do ataque, e que isso teria de ser alterado.

Em SA (p. 395), Bilbo dá Ferroada para Frodo em Valfenda, junto com a cota de malha de mithril.

(5) O povo de Bri *não* deve ser formado por hobbits. Inserir um pedaço sobre as *janelas do andar de cima*. Como os hobbits não gostam desse tipo de coisa, o taverneiro cede a eles quartos na lateral da casa, onde o segundo andar é nivelado com o solo devido à inclinação da colina.

O "pedaço sobre as janelas do andar de cima" é presumivelmente a passagem no Capítulo 3 original (p. 119) na qual os hobbits, chegando perto da casa do Fazendeiro Magote, discutem as inconveniências de morar numa residência com mais de um andar. – De fato, no início original do capítulo do *Pônei Empinado* (p. 168), o povo de Bri era formado principalmente por homens (com "hobbits por perto", "alguns mais acima, nas encostas da própria Colina-de-Bri, e muitos na descida de Valão, do lado leste"); de modo que essa nova ideia foi, em certa medida, uma reversão. Mas uma nota a lápis na mesma página, acrescentada como reflexão posterior, pergunta: "O que deve acontecer em Bri agora? Que tipo de conversa pode acabar denunciando o Sr. Monte?" – e entendo que a implicação disso é que o povo de Bri agora seria composto exclusivamente por Homens (pois eles seriam menos curiosos e estariam menos informados sobre o Condado). Ver a p. 295.

(6) É melhor que os Caminheiros *não* sejam hobbits, talvez. Mas ou Troteiro (como caminheiro) *não* deve ser um hobbit, ou alguém muito conhecido, como Bilbo, por exemplo. Mas fazer isso é estranho levando em conta o "feliz para sempre". Pensei em transformar Troteiro em Fosco Tûk (primo-irmão de Bilbo) que desapareceu quando menino, devido a Gandalf. Quem é Troteiro? Ele deve ter tido algum contato assustador com Espectros-do-Anel etc.

Essa nota sobre Troteiro deve ser enxergada em conjunto com a sensação de Bingo de que tinha encontrado o hobbit antes e deveria ser capaz de imaginar qual era o nome verdadeiro dele (ver pp. 268–9). O primo de primeiro grau de Bilbo, Fosco Tûk, não foi mencionado antes; é possível que fosse o filho da tia de Bilbo, Rosa Bolseiro, que se casou com um Tûk de acordo com a pequena tabela genealógica descrita acima (p. 278). A atribuição do desaparecimento de Fosco à ação de Gandalf é uma referência ao início de *O Hobbit*, quando Bilbo diz ao mago: "Não o Gandalf que foi responsável por levar tantos rapazes e raparigas tranquilos a desaparecer na Lonjura em aventuras desvairadas?".

Há aqui a primeira sugestão de que meu pai, ao ponderar sobre o mistério de Troteiro, enxergou a possibilidade de que ele não fosse um hobbit. Mas essa nota, tal como várias das outras, está formulada de modo elíptico. O significado dela, creio eu, é: se os caminheiros não são hobbits, então Troteiro também não é; mas, se mesmo assim, ele *for* ambas as coisas, então tem de ser um hobbit muito conhecido.

(7) Bingo NÃO deve colocar seu Anel quando os Cavaleiros Negros passarem perto dele – tendo em vista os desenvolvimentos posteriores. Ele deve *pensar* em fazer isso, mas de alguma forma, ser impedido de fazê-lo. A tentação deve ficar cada vez mais forte.

Essa nota se refere ao segundo capítulo original, pp. 73, 78. Sobre as maneiras pelas quais, na história posterior, Frodo foi impedido de colocar o Anel, ver SA, pp. 134, 139. "Desenvolvimentos posteriores" é uma expressão que se refere, é claro, à evolução do conceito do Anel que já havia acontecido: os Cavaleiros conseguiam ver o Portador-do-Anel, tal como ele conseguia vê-los, quando colocava o objeto no dedo. A tentação de fazer isso vinha do poder dos Espectros-do-Anel de comunicar seus comandos ao Portador-do-Anel e fazer com que aquela ação parecesse ser o desejo urgente dele próprio (ver p. 249); mas Bingo não deveria se render à tentação até o desastre no pequeno vale sob o Topo-do-Vento.

(8) Alguma razão para a inquietação de Gandalf e a fuga de Bingo que não inclua os Cavaleiros Negros deve ser encontrada. Gandalf sabia da existência deles (é claro), mas não fazia ideia de que eles já estavam à solta. Mas Gandalf pode fazer algum tipo de advertência contra o uso do Anel (depois que ele deixar o Condado?). Talvez a ideia de usar o anel de repente na festa como uma brincadeira final deva ser um "bingoísmo" e contrário a Gandalf (não algo aprovado por ele, como no meu prefácio).

O "prefácio" citado aqui é o texto apresentado na p. 99 e seguintes, que é a forma mais antiga do Capítulo 2 de SA, "A Sombra do Passado" – onde, de fato Gandalf não apenas "aprova" a ideia, mas é ele mesmo que a sugere (p. 108).

No que diz respeito à primeira frase dessa nota, no "prefácio" há uma referência a "certos estranhos sinais e portentos de problemas fermentando depois de um longo tempo de paz e quietude", mas não há indicação do que seriam essas coisas (p. 109, nota 9). No mesmo texto, Gandalf diz que "Gollum muito provavelmente é o princípio do nosso atual problema"; mas, se "nosso atual problema" é o fato de Gandalf saber que o Senhor Sombrio estava procurando o único Anel faltante perto do Condado, não se explica de maneira alguma como ele sabia disso. Esse era um problema muito sério da estrutura narrativa: Gandalf não tem como saber da vinda dos Espectros-do-Anel, pois, se soubesse, nunca teria permitido que Bingo e seus companheiros partissem sozinhos. A solução exigiria uma reestruturação complexa de partes da narrativa de abertura, na forma que ela tinha agora, quanto aos movimentos de Gandalf no verão daquele ano (tais movimentos, por sua vez, estavam envolvidos com a história alterada da Festa de Aniversário); e, em última instância, isso levaria a Isengard.

(9) Por que Gandalf estava com pressa? Por que o Senhor Sombrio *o* conhecia e odiava. Ele tinha de voltar rápido para Valfenda e achava que estava desviando a perseguição de Bingo. Também sabia que um conselho tinha sido convocado em Valfenda para o meio de setembro (Glóin etc. chegando para ver Bilbo?). O conselho foi adiado quando as notícias sobre os Cavaleiros Negros chegaram a Valfenda, e ele só foi realizado depois que Bingo chegou.

Sobre a ideia de que Gandalf estava tentando atrair para si mesmo a perseguição dos Cavaleiros Negros, ver a p. 217, nota 8; cf. também o que ele diz a Bingo em Valfenda (p. 264): "Mas as coisas estão andando rápido, mais rápido até do que eu temia. Eu *tinha* de chegar aqui logo. Mas se eu soubesse que os Cavaleiros já estavam à solta!"

Esse é provavelmente o ponto no qual a ideia do Conselho de Elrond surgiu, embora existissem menções prévias a um "aconselhamento" com Elrond quando os hobbits chegassem a Valfenda (pp. 161, 268).

(10) Os Elfos deveriam ter Anéis-do-Necromante? Ver nota sobre eles "existirem em ambos os mundos". Mas talvez apenas os Altos Elfos do Oeste? Além disso, talvez os Elfos – se corrompidos – usariam os anéis de maneira diferente: normalmente eles seriam *visíveis em ambos os mundos* o tempo todo e, do mesmo modo, com um anel, poderiam aparecer *em um só mundo* se assim decidirem.

No mais antigo texto sobre os Elfos e os Anéis (p. 97), afirma-se que "os Elfos tinham muitos, e agora há muitos espectros-élficos no mundo, mas o Senhor-do-Anel não é capaz de regê-los"; esse trecho foi repetido de forma exata no "prefácio" (p. 101), mas sem as palavras "mas o Senhor-do-Anel não é capaz de regê-los". Não encontrei nenhuma "nota" sobre os Elfos "existirem em ambos os mundos", mas meu pai pode estar se referindo às palavras de Gandalf no capítulo anterior (p. 265): "[Os Elfos de Valfenda] não temem nenhum Espectro-do-Anel, pois vivem ao mesmo tempo em ambos os mundos, e cada um desses mundos tem apenas metade do poder sobre eles, enquanto eles têm poder duplo sobre ambos." Sobre a observação dele aqui, "Mas talvez apenas os Altos Elfos do Oeste [existam em ambos os mundos]?", cf. a forma final dessa mesma passagem em SA (p. 324): "Eles não temem os Espectros-do-Anel, pois *os que habitaram no Reino Abençoado vivem ao mesmo tempo em ambos os mundos* e têm grande poder contra o Visível e o Invisível."

(11) Em Valfenda, Bilbo deve ser visto por Bingo etc.
Dormindo – aposentado?
Sombras se ajuntam no Sul. Suspeita-se que o Senhor de Valle foi corrompido em segredo. Homens estranhos são vistos em Valle?
O que aconteceu com Balin, Ori e Óin? Eles partiram para fundar colônias – ficando sabendo de ricas colinas no Sul. Mas, depois de algum tempo, não se ouviu mais nenhuma notícia deles. Dáin temia o Senhor Sombrio – rumores de seus movimentos chegaram até ele. (Uma ideia era que os anãos precisavam de *um Anel* como fundação de seu tesouro, e Balin ou Dáin mandaram mensagens a Bilbo para descobrir o que havia acontecido com ele. Os anãos podem ter recebido mensagens ameaçadoras de Mordor – pois o Senhor suspeitava que o Um Anel estava em seus tesouros.)

A ideia de que Troteiro na verdade era Bilbo obviamente não está presente aqui; e cf. o esboço inicial apresentado na p. 160: "Em Valfenda *Bilbo dormindo*".

Uma nota isolada em outro manuscrito* diz: "Glóin veio ver Bilbo. Notícias do mundo. Perda da colônia de Balin etc." Mas as

*Essa nota foi, de fato, escrita à tinta por cima do esquema feito com lápis fraco para a história da Cousa-tumular (p. 159), e presumivelmente é uma ideia que ocorreu a meu pai enquanto ele estava pensando na história da chegada a Valfenda que aparece no final desse esquema (p. 161).

"ricas colinas no Sul" da nota (11) são provavelmente a primeira aparição da ideia de Moria, derivada de *O Hobbit* – embora a ausência do nome aqui possa sugerir que a identificação ainda não foi feita. Cf. também as notas no final do primeiro rascunho abandonado do capítulo anterior (p. 263): "E quanto a Balin etc. Eles foram colonizar (Anel necessário para fundar uma colônia?)". No relato mais antigo sobre os Anéis (p. 98), afirma-se que os Anãos provavelmente não tinham nenhum deles ("certas pessoas dizem que os anéis não funcionam com eles: são sólidos demais"); mas, no "prefácio" (p. 101), Gandalf conta a Bingo que, dizia-se, os Anãos tinham ficado com sete anéis, "mas nada era capaz de torná-los invisíveis. Neles, era algo que apenas estimulava as chamas do fogo da cobiça, e a fundação de cada um dos sete tesouros dos Anãos de outrora era um anel dourado."

Acima das palavras *Um Anel* no final da nota (11), meu pai escreveu *faltante*. Ele pode, portanto, ter se referido apenas a "o único Anel que faltava", mas o fato de ter usado letras maiúsculas sugere sua grande importância – e, no "prefácio", o Anel que falta é o "mais precioso e potente de seus Anéis" (pp. 105, 112).

(12) O anel de Bilbo acabou se mostrando *o único Anel faltante* – todos os outros tinham voltado a Mordor: mas esse havia se perdido.
Fazer com que ele seja tirado do próprio Senhor quando Gilgalad lutou com ele e seja levado por um Elfo fugitivo. Era mais poderoso do que todos os outros anéis. Por que o Senhor Sombrio o desejava tanto?

Que o Anel de Bilbo era o único Anel faltante, e que era o mais potente de todos, é algo que (como acabamos de observar) já foi dito no "prefácio" – a primeira frase da nota (12) é a reafirmação de uma ideia existente. O que é novo é a ligação da história anterior do Anel com a luta entre Gil-galad e o Necromante (ver p. 270); no "prefácio" (p. 101), o Anel de Gollum tinha caído "da mão de um elfo conforme ele atravessava um rio a nado; e o traiu, pois ele estava fugindo de seus perseguidores nas guerras antigas, e se tornou visível para seus inimigos, e os gobelins o mataram." É aqui que a história de Isildur começou; mas agora o Elfo (que mais tarde viraria Isildur, o Númenóreano) recebe o Anel de Gil-galad, o qual, por sua vez, tomou-o do Senhor Sombrio. E a nota faz a pergunta: "Por que o Senhor Sombrio o desejava tanto?" O que significa que, uma vez que ele já é concebido como o mais potente dos Anéis e, portanto, de forma autoevidente, um dos principais objetos do desejo do Senhor Sombrio, a pergunta é "Em que consistia a potência dele?".*

Mais tarde, meu pai escreveu rápidos acréscimos a lápis a essa nota. Assinalou as palavras "todos os outros tinham voltado a Mordor" com o objetivo de rejeitá-las; e fez o seguinte acréscimo à passagem "Era mais poderoso do que todos os outros anéis":

> embora seu poder dependesse do usuário – bem como seu perigo: quanto mais simples o usuário e quanto menos o usasse. No caso de Gollum, apenas o ajudava a caçar (mas fez dele alguém desgraçado). No caso de Bilbo, o Anel era útil, mas o impeliu a vagar novamente. No caso de Bingo, o mesmo que Bilbo. Gandalf poderia ter triplicado seu poder – mas o mago não ousava utilizá-lo (não depois de descobrir tudo a respeito dele). Um Elfo poderia ter ficado quase tão poderoso quanto o Senhor, mas tornar-se-ia sombrio.

Nesse momento, ele também sublinhou as palavras "Por que o Senhor Sombrio o desejava tanto?", colocou um ponto de exclamação ao lado delas e escreveu:

> Porque, se o tivesse, podia ver onde todos os outros anéis estavam e seria mestre de seus mestres – controlando todos os tesouros-anãos e os dragões, e conhecendo os segredos dos Reis-élficos, e os [?planos] secretos dos homens malignos.

---

*Humphrey Carpenter (*Biografia*, pp. 257–8) cita essa nota, mas a interpreta como sendo o momento em que a ideia do Anel Regente emergiu:

> Havia também o problema de determinar por que o Anel parecia tão importante para todos – esse elemento ainda não fora estabelecido com clareza. Subitamente lhe ocorreu uma ideia e escreveu: "O anel de Bilbo acabou se mostrando *o único Anel dominante* – todos os outros tinham voltado a Mordor: mas esse havia se perdido". O único anel dominante que controlava todos os demais ...

Mas a nota em questão com toda certeza diz "O anel de Bilbo acabou se mostrando *o único Anel faltante*" (tal como as palavras seguintes demonstram, em todo caso), não "*o único Anel dominante*". Não haveria necessidade de perguntar "Por que o Senhor Sombrio o desejava tanto?" se a concepção do Anel Regente tivesse emergido aqui.

Aqui, a ideia central do Anel Regente claramente aparece, afinal, e talvez tenha sido aqui que ela emergiu pela primeira vez. Mas a nota feita a caneta e o acréscimo a lápis (um rabisco suave, que hoje mal é legível) foram obviamente escritos em momentos diferentes.

No verso da segunda página dessas notas há a seguinte observação a lápis:

(13) História Mais Simples.

Bilbo desaparece na festa de seu 100º [*escrito em cima*: 111º] Aniversário. Bingo é o herdeiro dele – para grande irritação dos Sacola-Bolseiros.

["Se você quiser saber o que há por trás desses eventos misteriosos, precisamos voltar um ou dois meses." Apresentar então uma conversa entre Bilbo e Gandalf.]

O falatório arrefece; e Gandalf raramente é visto de novo na Vila-dos-Hobbits.

O capítulo seguinte começa com a vida de Bingo. Visitas furtivas de Gandalf. Conversa. Bingo está entediado com Condado (inquietação-do-anel?) e decide partir para procurar Bilbo. Também tem sido bastante descuidado e o dinheiro está acabando. Assim, ele vende Bolsão para os Sacola-Bolseiros, que desse modo adquirem a casa com um atraso de 90 anos, pega o dinheiro e vai embora aos 72 anos (144) – mesma tendência à longevidade que Bilbo tivera. Gandalf o estimula por seus próprios motivos. Mas o alerta a não usar o Anel fora do Condado – se ele puder evitar [cf. nota (8)]. Bilbo o usou para uma última grande brincadeira, mas é melhor você não usá-lo. (Bingo não conta a Gandalf que procurar Bilbo era sua motivação.)

Tudo isso, mais tarde, foi riscado; e a passagem aqui colocada entre colchetes foi riscada separadamente, talvez no momento da escrita.

A estrutura narrativa, em suas relações principais, agora é a da história final:

Bilbo desaparece (colocando o Anel) em sua festa de aniversário de 111 anos, e deixa Bingo como seu herdeiro.

Anos depois, Gandalf conversa com Bingo em Bolsão; Bingo está ansioso para partir por suas próprias razões, e Gandalf o encoraja a ir (mas, aparentemente, sem lhe contar muita coisa, embora o alerte quanto a usar o Anel).

Embora a Festa agora volte a ser de Bilbo e seja realizada em seu 111º aniversário – a idade com que ele partiu do Condado na versão existente de "Uma Festa Muito Esperada" (pp. 55–6), Bingo ainda vai embora com 72 anos – a idade que tinha quando ele é quem dava a Festa. O número 144 entre parênteses, é de se imaginar, corresponde à idade de Bilbo naquele momento, tal como na versão existente, do que se depreende que, na época da Festa de Despedida de Bilbo, Bingo tinha 39 anos; o total das idades dos dois é 150. Mas o que meu pai tinha em mente nesse ponto não se pode afirmar, pois ele nunca escreveu a história com essa forma.

A passagem entre colchetes sugere que algum relato seria apresentado, no âmbito de uma conversa entre Bilbo e Gandalf um mês ou dois *antes* da festa, sobre o que tinha levado à decisão de Bilbo de deixar o Condado dessa maneira; e esse relato viria *depois* do capítulo de abertura descrevendo as festividades. O que seria o tema dessa conversa é sugerido por outra nota, sem dúvida escrita na mesma época:

> Colocar o capítulo "Gollum" depois de "Festa Muito Esperada": com a abertura "Se você quer saber o que havia por trás desses eventos misteriosos, precisamos voltar um ou dois meses".

É de se imaginar que isso significa que meu pai estava pensando em usar a conversa de Bilbo e Gandalf antes da festa (mas colocada depois dela na narrativa) para cobrir a história de Gollum e do Anel. O "capítulo de Gollum", assim, estaria em sua posição final, embora o contexto sugerido aqui para ele ainda seria totalmente alterado.

Por fim, uma nota rabiscada diz:

(14) Bilbo carrega suas "memórias" na viagem para Valfenda.

A SEGUNDA FASE

14

Retorno à Vila-dos-Hobbits

Meu pai, afinal, acabou se decidindo por seguir a "história mais simples" que tinha esboçado nas *Dúvidas e Alterações* (nota 13); e assim a Festa de Aniversário em Bolsão volta novamente a ser de Bilbo, como tinha sido no começo (pp. 22, 30, 55). O seguinte esquema rudimentar sem dúvida precedeu imediatamente a reescrita do capítulo de abertura: a quinta versão, que é um documento extremamente complicado.

Bilbo desaparece em seu 111º aniversário. Capítulo "Festa Muito Esperada"[1] devidamente alterado até o ponto no qual Gandalf desaparece dentro de Bolsão. Depois há uma conversa curta entre Gandalf e Bilbo lá dentro.

Bilbo diz que a situação está ficando cansativa – sensação de estar esticado. Precisa se livrar daquela coisa. Também está cansado da Vila-dos-Hobbits, sente um grande desejo de ir embora. Maldição do ouro do dragão? Ou Anel. Aonde você vai? Eu não sei. Cuide-se! Não me importo. Faz Gandalf prometer que vai entregar Anel para seu herdeiro, Bingo. Deixa o Anel com ele – mas não quero que Bingo se preocupe ou tente me seguir: ainda não. Então ele não fala da brincadeira nem mesmo com Bingo. No fim do capítulo, fazer Bilbo dizer adeus a Gandalf no portão, entregar a ele um pacote (com Anel) para Bingo e desaparecer.

O Capítulo 2, então, é sobre Bingo. Visitas furtivas de Gandalf. O mago o estimula a partir – por razões só suas. Bingo, por sua vez, nunca conta a Gandalf que procurar Bilbo é seu grande desejo. Gandalf não [?conta ?fala] do Anel. A questão de Gollum deve aparecer mais tarde (em Valfenda) – depois que Bingo encontrar Bilbo; e Gandalf agora ficou sabendo de muito mais coisas.

Provavelmente vai ser necessário colocar esse Capítulo 2 na frente do atual número 2, "Dois não é demais – e três mais ainda".[2]

A quarta versão de "Uma Festa Muito Esperada" tinha, na verdade, alcançado um estágio bastante avançado na maioria dos aspectos – em alguns deles, já tinha virtualmente a forma final; mas a Festa era a do aniversário de 72 anos de Bingo, já que Bilbo desaparecera discretamente do Condado uns bons trinta e três anos antes, quando ele tinha 111 anos e Bingo tinha 39, e, exceto por ter trazido os fogos de artifício, Gandalf não desempenhava papel nenhum no capítulo.

O esquema que acabei de apresentar diz que o capítulo deve ser "devidamente alterado até o ponto no qual Gandalf desaparece dentro de Bolsão", e a história agora assim: "Quando Bilbo Bolseiro, de uma família bem conhecida na Vila-dos-Hobbits, preparou-se para celebrar seu centésimo décimo primeiro (ou onzentésimo) aniversário, houve algum falatório na vizinhança" etc. (ver pp. 41, 51). A quarta versão, depois disso, é seguida[3] até "E, se estivesse em casa, você nunca sabia quem encontraria junto com ele: hobbits de famílias bastante pobres, ou gente de vilarejos distantes, anãos e até mesmo elfos às vezes" (p. 51); aqui, uma nova passagem acerca de Gandalf e Bilbo foi inserida.

Gandalf, o mago, às vezes também era visto subindo a colina. As pessoas diziam que Gandalf o "encorajava" e acusavam Bilbo de, por sua vez, "encorajar" alguns de seus sobrinhos (e primos distantes) mais vivazes, especialmente do lado Tûk da família; mas o que exatamente eles queriam dizer com isso não estava claro. Poderiam estar se referindo às ausências misteriosas de casa, e ao estranho hábito de Bilbo e seus jovens amigos encorajados – o de caminhar por todo o Condado usando roupas desalinhadas.

Conforme o tempo passava, o prolongado vigor do Sr. Bilbo Bolseiro, para não dizer sua jovialidade, também se tornou objeto de comentários. Aos noventa anos, estava praticamente igual ao que sempre fora. Aos 99, começaram a chamá-lo de "bem conservado"; mas "inalterado" teria sido a palavra mais certeira. Mesmo assim, surpreendeu a todos naquele ano ao alterar de forma considerável os seus hábitos: ele adotou como herdeiro seu sobrinho favorito e mais completamente "encorajado", Bingo. Bingo

Bolseiro era então um mero rapaz de 27 anos,[4] e, estritamente falando, não era sobrinho de Bilbo (uma designação que ele usava de modo bastante livre), mas tanto seu primo de primeiro quanto de segundo grau, com uma geração de diferença em ambos os casos,[5] mas ele calhava de fazer aniversário no mesmo dia que Bilbo, 22 de setembro, o que parecia ser um elo adicional entre os dois.[6] Era filho da pobre Prímula Brandebuque e [> que tinha se casado tarde, e como último recurso, com] Drogo Bolseiro (primo de segundo grau de Bilbo, mas, fora isso, um sujeito bem desimportante).

> Nas *Dúvidas e Alterações*, nota 2, meu pai tinha dito que estava "acostumado demais com Bingo" para alterar o nome dele para Frodo, mas agora estava seguindo as sugestões naquela nota de que *Bolger-Bolseiro* ("um nome ruim") deveria ser deixado de lado e que Bingo deveria ser um Bolseiro propriamente dito. Mais tarde, nessa passagem, Drogo substitui Rollo Bolger nos rumores sobre o acidente de barco no Brandevin (ver p. 52): "alguns diziam que Drogo Bolseiro tinha morrido ao comer demais depois de passar um tempo com o velho glutão Gorboduc; outros diziam que o peso dele é que tinha afundado o barco". O texto agora diz que Bingo tinha doze anos na época, e que ele

mais tarde morou, na maior parte do tempo, com seu avô [Gorboduc Brandebuque, p. 51] e com os cento e um parentes de sua mãe na Grande Toca de Buqueburgo,[7] a residência ancestral e muito superpovoada dos gregários Brandebuques. Mas suas visitas ao "Tio" Bilbo foram se tornando mais e mais frequentes, até que por fim, como já se disse, Bilbo o adotou quando ele era um rapaz de 27 anos.

Mas tudo isso já era história antiga. As pessoas, nos últimos 12 anos, tinham se acostumado a ver Bingo por perto. Nem Bilbo nem Bingo faziam nada escandaloso. As festas deles às vezes eram um pouco barulhentas (e não muito seletivas), talvez; mas os hobbits não ligam para esse tipo de barulho de vez em quando. Bilbo – agora, por sua vez, "encorajado" por Bingo – gastava seu dinheiro à vontade, e sua riqueza se tornou uma lenda na região. Popularmente, acreditava-se que a maior parte da Colina estava repleta de túneis entupidos de ouro e prata. Foi então que, de repente, divulgou-se que Bilbo, talvez estimulado pelo lado curioso do número 111, estava planejando realizar algo bastante incomum no ramo das festas de aniversário. 111 era uma idade respeitável, até mesmo para hobbits.[8] Naturalmente, as línguas se mexeram, e memórias antigas foram reviradas, e novas expectativas foram criadas. A riqueza de Bilbo voltou a ser alvo de especulação ... (*etc. tal como antes, ver a p. 43*).

> No relato sobre as idas e vindas em Bolsão, há algumas mudanças de pequena monta. Os Homens e a carroça pintada com a letra V (pp. 31, 43) foram retirados do texto, tal como proposto em *Dúvidas e Alterações* (nota 1), mas os Elfos, assim como os Anãos, ainda são mencionados. Os maços de fogos de artifício estão marcados não apenas com um grande G vermelho mas também com ᚸ – "Essa era a marca de Gandalf" (a mesma runa aparece na carta dele em Bri e no bilhete que ele deixa no Topo-do-Vento. As crianças desapontadas que recebem alguns tostões, mas não fogos de artifício, aparecem aqui (SA, p. 69); e agora, finalmente, aparece também a "conversa curta entre Gandalf e Bilbo dentro de Bolsão" esboçada no esquema da p. 291.

Dentro de Bolsão, Bilbo e Gandalf estavam sentados à janela aberta da sala de estar que dava para o oeste, com vista para o jardim. O fim de tarde estava luminoso e pacífico; as flores estavam vermelhas e douradas; bocas-de-leão, girassóis e capuchinhas se espalhando pelos muros de relva e espiando pelas janelas.

"Como o seu jardim está luminoso!", disse Gandalf.

"Sim", concordo Bilbo. "Gosto muito mesmo dele, e de todo o velho e querido Condado; mas acho que a hora chegou."

"Então pretende prosseguir com seu plano?", perguntou Gandalf.

"Sim, pretendo", respondeu Bilbo. "Tomei uma decisão, afinal. Realmente preciso me livrar Daquilo.[9] 'Bem conservado', essa é boa!", bufou ele. "Ora, eu me sinto todo fino, como que esticado, se você me entende: feito uma fita que não dá a volta direito no pacote, ou... ou... manteiga que foi passada por cima de muito pão. E isso não pode estar certo."

"Não!", disse Gandalf, pensativo. "Não. Ouso dizer que o seu plano é a melhor opção para você, de qualquer modo. Pelo menos, no momento, não sei de nada que vá contra ele, e não consigo pensar em nada melhor."

"Sim, imagino que possa parecer um pouco duro com Bingo", ponderou Bilbo. "Mas o que posso fazer? Não posso destruir aquilo e, depois do que você me contou, não vou jogá-lo fora; mas não o quero, e na verdade não consigo mais suportá-lo. Mas você me prometeu, não foi, ficar de olho em Bingo, e ajudá-lo se ele precisar mais tarde? Do contrário, é claro, eu é que teria de fazer isso."

"Farei o que puder por ele", respondeu Gandalf. "Mas espero que você se cuide."

"Cuide-se! Não me importo!", disse Bilbo, e então, passando de repente a falar em verso (como era cada vez mais seu costume fazer), ele prosseguiu em voz baixa, fitando a janela, com um olhar distante:

A Estrada etc. tal como em 2.5

(Essa é uma referência ao texto datilografado de "Três não é Demais", p. 72). Toda essa passagem nova, a partir da frase "Realmente preciso me livrar Daquilo", foi riscada a lápis e marcada com a expressão "Mais tarde" (ver pp. 297 e 299-300).

O texto continua: "Mais carroças subiram a Colina no dia seguinte, e depois mais carroças ainda. Poderia ter havido alguns resmungos sobre 'comércio local'" etc. (p. 31). A partir desse ponto na quarta versão (essencialmente a mesma que a terceira e a segunda, pp. 44–5, 52–3, e tal como em SA), a quinta, é claro, segue em grande medida os esboços antigos, com o nome "Bingo" sendo trocado por "Bilbo" onde necessário. Aos convidados do jantar seleto agora foram adicionados membros das famílias Rogerastrado[10] (Boncorpo em SA) e Texugo: os últimos "nem moravam no Condado, mas vinham de Valão-sob-Bri, um vilarejo na Estrada Leste do outro lado do Brandevin. Imaginava-se que eles tinham parentesco remoto com os Tûks, mas também tinham ficado amigos de Bilbo durante as viagens dele." Sobre isso, ver *Dúvidas e Alterações*, nota 5, e meu comentário sobre a nota; cf. também o Capítulo 7 original (p. 174) a respeito dos hobbits n'*O Pônei Saltitante*: "também havia alguns nomes mais naturais (para hobbits), como Ladeira, Buraqueiro, Texugo ... que não eram desconhecidos entre os habitantes mais rústicos do Condado."

Um ponto curioso é que, nesse estágio, havia "oito vintenas ou cento e sessenta" convidados para o jantar no pavilhão debaixo da árvore, não 144; e, em seu discurso, Bilbo diz: "Pois, claro, também é o aniversário de meu herdeiro e sobrinho, Bingo. Juntos, perfazemos cento e sessenta anos. O número de vocês foi escolhido para se ajustar a esse total notável." Emendas à parte anterior do capítulo têm relação com esse detalhe: a idade de Bingo quando foi adotado foi alterada de 27 para 37, de maneira que, quando Bilbo fez 111 anos (doze anos mais tarde), Bingo tinha 49 – totalizando 160. Meu pai, é claro, tinha decidido – já que a festa era de Bilbo, e que tanto ele quanto Bingo estavam presentes – que o significado do número de convidados agora precisava estar relacionado não, como anteriormente, à idade do hobbit mais velho, mas com o total das idades combinadas dos dois; mas não sei dizer por que ele não manteve o número 144 e reduziu a idade de Bingo fazendo a conta 144 menos 111.

Bilbo agora se refere ao fato de que aquele também é aniversário de sua chegada, de barril, à Cidade-do-lago; mas ainda não há um lampejo quando ele desce da cadeira e some.

Essa parte do texto logo foi revisada – de fato, isso aconteceu antes que a história prosseguisse muito,[11] e, numa versão reescrita do discurso de Bilbo, o número de convidados é revertido para 144, Bingo passa a ter 33 anos (ou seja, a idade em que atinge a "maioridade"), e há um lampejo cegante quando o velho hobbit some. Emendas ao trecho anterior do texto então alteraram a idade de Bingo ao ser adotado mais uma vez, e de forma definitiva, para 21 anos.

Durante o bafafá que se seguiu ao desaparecimento de Bilbo,

havia uma pessoa mais abalada do que todas as demais: e essa pessoa era Bingo. Ele ficou sentado por algum tempo, bem quieto em seu lugar ao lado da cadeira vazia do tio, ignorando todas as observações e perguntas; e então, abandonando a festa a si própria, esgueirou-se para fora do pavilhão, sem ser notado.[12]

"O que fazemos agora?" Essa pergunta foi ficando cada vez mais popular, e cada vez mais alta. De repente, o velho Rory Brandebuque, cujo juízo nem a idade avançada, nem a surpresa, nem um jantar enorme tinham chegado a embotar, foi ouvido gritando: "Eu nem o vi sair. Onde ele está agora, afinal? Onde está

Bilbo – e Bingo também, diacho?" Não havia sinal dos anfitriões em lugar algum.

Na verdade, Bilbo Bolseiro, ao mesmo tempo em que fazia seu discurso, estivera mexendo no anel dourado em seu bolso: seu anel mágico que mantivera em segredo por tantos anos. Ao descer da cadeira ele o pôs no dedo; e nunca mais foi visto na Vila-dos-Hobbits.

É nesse ponto que entra um elemento totalmente novo na narrativa, e foi claramente então que a passagem com a conversa entre Gandalf e Bilbo dentro de Bolsão antes da festa foi quase toda riscada e marcada com a expressão "Mais tarde" (pp. 294–5); também foi nesse momento que a conversa foi expandida novamente a partir do ponto onde Bilbo diz "Sim, pretendo. Tomei uma decisão, afinal", da seguinte maneira (cf. SA, p. 69):

"Muito bem", disse Gandalf. "Estou vendo que pretende fazer as coisas do seu jeito. Espero que ele acabe bem – para todos nós."

"Assim espero", concordou Bilbo. "Seja como for, pretendo me divertir na quinta-feira, e fazer minha pequena brincadeira do meu jeito."

"Bem, espero que você ainda esteja rindo nessa época no ano que vem", comentou Gandalf.

"E espero que você também esteja", retorquiu Bilbo.

A nova versão continua (a partir de "e nunca mais foi visto na Vila-dos-Hobbits"):

Caminhou enérgico de volta à sua toca e ficou escutando com um sorriso, por um instante, os sons das festividades que continuavam em várias partes do campo. Depois entrou. Tirou as roupas de festa, dobrou e embrulhou em papel fino o colete bordado com os botões de seda [> ouro] e o guardou. Então vestiu uns trajes velhos e desmazelados[13] e, de uma gaveta trancada na parte debaixo do armário (fedendo a naftalina), tirou uma capa e um capuz velhos, que pareciam ter sido guardados com grande cuidado, como se fossem extremamente preciosos, embora estivessem tão desgastados e cheios de remendos que mal se podia adivinhar a cor original (provavelmente verde-escuro). Eram um tanto grandes para Bilbo.

Ele colocou um envelope grande e maciço em cima do consolo da lareira, onde estava escrito BINGO.

Escolheu seu cajado reforçado favorito no suporte do salão de entrada e então assobiou. Diversos anãos apareceram, saindo dos vários cômodos onde estavam ocupados.

"Está tudo pronto?", perguntou Bilbo. "Tudo empacotado [*acrescentado*: e etiquetado]?"

"Tudo", responderam.

"Bem, então vamos indo. Lofar, você vai ficar para trás, é claro [*acrescentado*: por causa de Gandalf]: por favor se certifique de que Bingo receba a carta que está no consolo da sala de jantar assim que ele aparecer. Nar, Anar, Hannar, estão prontos?[14] Certo. Vamos lá."

Saiu pela porta da frente. Era uma noite bonita e clara, e o céu negro estava cheio de estrelas. Ergueu os olhos, farejando o ar. "Que divertido!", disse. "Que divertido partir outra vez – pela Estrada com anãos: era por isso mesmo que eu estava ansiando durante anos." Acenou para a porta: "Adeus", disse ele. Deu as costas às luzes e às vozes no campo e nas tendas e, seguido por seus três companheiros, deu a volta no jardim do lado oeste de Bolsão e saiu trotando pela longa trilha que descia. Saltaram o ponto mais baixo da sebe no final da trilha e seguiram pelos prados, passando feito um farfalhar de vento pelo capim.

No sopé da Colina, chegaram a um portão que se abria para uma alameda estreita. Conforme atravessavam, um vulto escuro com um chapéu alto se levantou da sebe.

"Alô, Gandalf!", gritou Bilbo. "Estava me perguntando se você iria aparecer."

"E eu estava me perguntando se *você* apareceria", retrucou o mago; "ou se mudaria de ideia.[15] Imagino que sinta que tudo aconteceu de modo esplêndido e exatamente como pretendia?"

"Sim", concordou Bilbo. "Embora aquele lampejo tenha sido surpreendente: aquilo *me* espantou bastante, o que dizer dos outros. Um pequeno acréscimo seu, suponho?"

"Foi", respondeu Gandalf. "Você sabiamente manteve esse Anel em segredo durante todos esses anos; e achei necessário dar a eles alguma razão para explicar por que não notaram o seu súbito desaparecimento [> dar a eles algo que achassem que explicaria o seu súbito desaparecimento]."

"Você é um velho abelhudo intrometido", riu Bilbo, "mas imagino que sabe o que é melhor, como sempre."

"Sei", concordou Gandalf, "quando sei alguma coisa. Mas não tenho tanta certeza sobre toda essa questão. Ainda assim, ela agora alcançou o ponto final. Você fez sua brincadeira e conseguiu alarmar ou ofender a maior parte de seus amigos e parentes, e deu a todo o Condado algo sobre o que falar durante nove dias, ou mais provavelmente noventa e nove. Vai em frente?"

"Vou, sim", respondeu Bilbo.[16] "Realmente preciso me livrar Daquilo, Gandalf. *Bem conservado*, essa é boa", bufou ele. "Ora, eu me sinto todo fino – como que esticado, se sabe o que quero dizer: feito uma fita que não dá a volta direito no pacote, ou, ou, manteiga que foi passada por cima de muito pão. E isso não pode estar certo."

"Não!", disse Gandalf, pensativo. "Não. Eu temia que a coisa pudesse chegar a esse ponto. Ouso dizer que o seu plano é a melhor opção para você, de qualquer modo. Pelo menos, no momento, não sinto que sei o suficiente para dizer nada em definitivo que vá contra ele."

"O que mais posso fazer? Não posso destruir aquela coisa e, depois do que você me contou, não vou jogá-la fora. Uma coisa muito estranha é que acho impossível me decidir a fazer isso – simplesmente a coloco de volta no bolso. Acho muito difícil até mesmo deixá-la para trás! E, contudo, não a quero, e na verdade não consigo mais suportá-la. Mas você prometeu ficar de olho em Bingo, não prometeu, e ajudá-lo se ele precisar mais tarde? Do contrário, é claro, eu dificilmente seria capaz de ir embora. Teria de parar com isso e aguentar."

"Farei o que puder por ele", respondeu Gandalf. "O que você fez com aquilo, nesse meio-tempo?"

"O negócio está no envelope, junto com meu testamento e outros papéis. Lofar vai entregá-lo a Bingo assim que ele entrar."

"Meu caro Bilbo! E isso com Otho Sacola-Bolseiro por aí, e aquela Lobélia, esposa dele! Você realmente *está* ficando descuidado. E imagino que tenha deixado a porta destrancada, como de costume?"

"Sim, temo que sim. Eu meio que acho que Bingo vai se esgueirar para dentro de casa antes de qualquer outra pessoa."

"Achar não é seguro o suficiente! Mas talvez você esteja certo. Ele sabe do que estamos falando, certo?"

"Ele sabe que eu tenho, ou tive, o Anel: leu minhas memórias privadas,[17] para começo de conversa; e também tem alguma ideia [> talvez tenha alguma noção] de que o Anel tem alguns outros... hmmm... efeitos além de fazer você ficar invisível na hora. Mas ele não sabe, ou não sabia, exatamente como eu estava começando a me sentir em relação ao objeto. Mas, afinal de contas, já que é algo que não pode ser destruído e só pode ser passado adiante – é melhor que seja passado adiante para ele: eu o escolhi como o melhor de todo o Condado, e ele é meu herdeiro. Bingo sabe que estou deixando o Anel para ele, junto com todo o resto. Não imagino que ele pedisse para ser eximido dessa responsabilidade, para ficar só com o dinheiro."

"Ele vai sentir demais a sua falta, sabe?"

"Sim, foi muito duro me decidir. É duro para ele – mas não duro demais, espero. Chegou a hora de ele cuidar de si mesmo. Afinal de contas, se as coisas tivessem sido mais... hmmm... normais, ele acabaria me perdendo logo, de qualquer maneira, isso se já não tivesse me perdido. Sinto muito por não proporcionar um funeral grandioso à minha gente querida – como eles gostaram do funeral do Velho Tûk! –, mas é a vida."

"Ele sabe para onde você está indo?"

"Não! Eu mesmo não tenho certeza, na verdade. E acho que isso é bom para todo mundo. Ele poderia querer me *seguir*."

"Eu também. Espero que você se cuide!"

"Cuidar de mim! Não me importo. E não fique infeliz por minha causa: estou feliz como jamais estive, e isso quer dizer muita coisa. Mas a hora chegou. Estou sendo arrebatado", acrescentou com ar misterioso, e depois, em voz baixa, como que para si mesmo, cantou suavemente no escuro.

A Estrada segue sempre avante
Da Porta onde é seu começo.
Já longe a Estrada vai, constante,
E eu vou por ela sem tropeço,
Seguindo-a com pés morosos,
Pois outra estrada vou achar
Onde há encontros numerosos.
Depois? Não posso adivinhar.[18,A]

Ficou parado, em silêncio, por um instante. Então gritou "Adeus, Gandalf!" e partiu noite adentro. Nar, Anar e Hannar o seguiram.[19] Gandalf ficou no portão por um tempo e depois, atravessando-o, foi subindo a Colina.[20]

Pode-se observar que, nessa passagem, muito diferente da que ocupa o mesmo trecho narrativo em SA, pp. 77–83, meu pai estava pensando no efeito do Anel sobre o seu possuidor de forma muito parecida com o que se vê no capítulo sobre Gollum (o "prefácio"), pp. 103–4. Ademais, em SA, a conversa (e briga) entre Bilbo e Gandalf acontece em Bolsão, de modo que os elementos da presente versão – a ansiedade de Gandalf em relação ao Anel, que ficou desprotegido num envelope em Bolsão, e o fato de que ele sobe a Colina para procurar Bingo – não aparecem; Gandalf estava sentado, esperando Frodo, quando ele entrou.

A arrumação depois da festa acompanha a versão mais antiga, é claro (SA, p. 84); mas o fim do capítulo existe em duas formas variantes, assinaladas como tais. Uma dessas variantes, muito mais longa que a outra e anterior a ela, sofreu, ela própria, grandes modificações. Falando primeiro dessa versão: a lista de presentes permanece a mesma, com algumas outras mudanças nos nomes dos hobbits.[21] Com a frase "É claro que essa é só uma seleção dos presentes", o novo texto fica muito próximo da forma que tem em SA (pp. 85–6), com as reflexões sobre a natureza atulhada das tocas de hobbit (a respeito disso, Bingo tinha observado: "Logo não vamos mais conseguir sentar com tantas banquetas, nem olhar as horas com tantos relógios, aqui em Bolsão"), e os presentes para o Feitor Gamgi (mas a coleção de brinquedos mágicos de Bilbo, pp. 47, 54, ainda permanece no texto); a dúzia de garrafas de Velhos Vinhedos fica com Rory Brandebuque, e o texto diz que elas vieram do "sul do Condado", ainda sem menção à Quarta Sul.

A partir do trecho "nem um só tostão nem um vintém de latão foram doados", há um texto rejeitado e outro que o substitui, que diferem entre si principalmente no arranjo dos elementos que os compõem. No texto escrito originalmente, os Sacola-Bolseiros entram na casa imediatamente, exigindo ver o testamento – o qual é apresentado na íntegra;[22] depois disso vem o rumor de que todos os objetos de Bolsão estão sendo distribuídos e "no meio daquela comoção", Bingo encontra Lobélia investigando, expulsa os três jovens hobbits e briga com Sancho Pé-Soberbo;[23] e a passagem termina com a frase "O fato é que o dinheiro de Bilbo tinha se tornado lendário ..." (SA, p. 88).

No texto que substitui o citado acima, a estrutura de SA (pp. 87–8) é alcançada, sendo que a única diferença importante é que o papel de Merry cabe ao anão Lofar, que tinha ficado para trás depois da partida de Bilbo (p. 298); e as únicas diferenças de menor monta em relação a SA são que Otho Sacola-Bolseiro ainda é advogado, a data em que Bingo receberá sua herança é explicitada (à meia-noite de 22 de setembro), as testemunhas do testamento são três hobbits com idade acima de 33 anos, de acordo com o costume, e os Sacola-Bolseiros "mais do que insinuaram que ele ou o mago (ou os dois juntos) estavam por trás de toda aquela história". O diálogo entre Frodo e Merry sobre o momento em que Lobélia chama Frodo de Brandebuque, é claro, não está presente – Bingo simplesmente "trancou a porta atrás dela com uma careta".

A variante curta é muito resumida e não foi adotada. A multidão que aparece na casa na manhã depois da festa simplesmente vai embora quando vê um aviso no portão dizendo: "O Sr. Bilbo Bolseiro foi embora. Não temos outras notícias. A não ser que seu assunto seja urgente, por favor não bata nem toque a campainha. Bingo Bolseiro." Os Sacola-Bolseiros "achavam que o assunto deles era urgente. Bateram na porta e tocaram a campainha várias vezes." São recebidos por Lofar, o Anão, e o restante da passagem é igual à variante longa (revisada) e à versão de SA – incluindo a conversa entre Bingo e os Sacola-Bolseiros no escritório, que termina com Bingo dizendo a Lofar para não abrir a porta da frente mesmo que trouxessem aríetes (e omite as operações complementares contra os três jovens hobbits e Sancho Pé-Soberbo). Assim, todo o "negócio" dos presentes e da invasão de Bolsão foi removido dessa variante. Quanto às intenções de meu pai aqui, ver a p. 341.

O reaparecimento de Gandalf em Bolsão agora é inserido na história e começa de forma quase exatamente igual à de SA (p. 88), mas diferenças significativas logo passam a fazer parte da conversa, a partir do ponto em que Gandalf diz a Bingo "O que você já sabe?" (SA, p. 89):

"Só conheço a história de Bilbo sobre como ele obteve o Anel[24] daquela criatura, o tal Gollum, e sobre como ele o usou mais tarde – na jornada dele, quero dizer. Não acho que ele o tenha usado muito depois que voltou para casa; embora o utilizasse para desaparecer (ou para não ficar encontrável) de forma bastante misteriosa, às vezes, se as coisas ficavam um pouco inconvenientes. Vimos os Sacola-Bolseiros chegando quando estávamos caminhando certo dia, e ele desapareceu e saiu de trás de uma sebe depois que eles tinham passado.[25] Ser invisível tem suas vantagens."

"Mas também tem suas desvantagens. Não é algo que causa muito mal quando é uma brincadeira, nem quando é para evitar 'inconveniências' – mas mesmo essas coisas precisam ser pagas. Além disso, tornar a pessoa invisível quando ela quer não é a única propriedade do Anel."

"Sei do que você está falando", disse Bingo. "Bilbo não parecia mudar muito. Diziam que ele estava bem conservado. Mas devo observar que isso também me parece ter suas vantagens. Não consigo entender por que o querido velhinho deixou o Anel para trás."

"Não, imagino que ainda não consiga. Mas você pode acabar descobrindo as desvantagens também, com o tempo. Por exemplo, Bilbo parecia estar um pouco inquieto nos últimos anos, não?"

"Sim, já fazia bastante tempo."

"Bem, creio que isso também era um sintoma. Não quero assustar você, mas quero que seja cuidadoso. Cuide do Anel, cuide-se e fique de olho em si mesmo. Não use o Anel,[26] nem deixe que ele obtenha mais, hmmm, *poder* sobre você se conseguir evitar. Mantenha-o em *segredo*, e me avise se ouvir, ver ou sentir alguma coisa que seja esquisita de alguma forma."

"Está bem. Mas por que tudo isso?"

"Não tenho muita certeza. Estou começando a fazer inferências, e não estou gostando delas. Mas agora estou indo, para tentar descobrir o máximo que puder. Antes de descobrir alguma coisa, não direi mais nada – apenas vou alertá-lo e prometer que ajudarei no que puder."

"Mas você vai mesmo embora?"

"Sim, por algum tempo. Mas você vai ficar seguro durante um ano ou dois, em todo caso. Não se preocupe. Hei de voltar para vê-lo de novo assim que puder – discretamente, você sabe. Acho que não voltarei a visitar o Condado abertamente. muitas vezes. Descobri que me tornei um tanto impopular: dizem que sou inconveniente e perturbador da paz; e algumas pessoas estão me acusando de dar um sumiço em Bilbo. Imaginam que foi um plano tramado aqui entre mim e você (se quer saber)."

"É o tipo da coisa que Otho e Lobélia diriam.[27] Que ultraje! Só queria saber por quê e para onde Bilbo se foi. Você sabe? Acha que eu conseguiria alcançá-lo ou encontrá-lo se fosse embora de imediato? Eu daria Bolsão e tudo o que há dentro para os Sacola-Bolseiros se pudesse fazer isso."

"Não acho que você deveria tentar fazer isso. Deixe o pobre do Bilbo se livrar do Anel – o que ele só conseguiu fazer (de modo relutante) entregando-o a você – por algum tempo.[28] Faça o que ele desejava e esperava que você fizesse."

"E o que seria isso?"

"Continuar a viver aqui; cuidar de Bolsão; guardar o Anel – e esperar."

"Está bem – vou tentar; mas preferiria ir atrás de Bilbo.[29] Não sei se isso é um sintoma, como você o chama – já que faz só um dia ou menos que eu sou dono do Anel?"

"Não, ainda não. Isso simplesmente quer dizer que você era afeiçoado a Bilbo. Ele sabia que seria duro para você. Odiou deixá-lo. Mas é isso. Pode ser que todos nós entendamos isso melhor antes do fim. Devo dizer adeus agora. Espere me ver – a qualquer hora, especialmente nas horas improváveis. Se precisar mesmo de mim, envie uma mensagem para os anãos mais próximos: tentarei dar a eles alguma informação sobre onde estou.[30] Adeus!"

Bingo foi até a porta com ele. O anão Lofar acompanhou Gandalf, carregando uma grande bolsa. Foram seguindo pelo caminho até o portão em velocidade espantosa,[31] mas Bingo achou que o mago parecia bastante curvado, quase como se tivesse vergado debaixo de um fardo pesado. A noitinha estava chegando, e ele logo desapareceu crepúsculo adentro. Bingo não voltou a vê-lo por longo tempo.

Por volta dessa época, meu pai escreveu uma nova abertura experimental para o capítulo, na qual os fatos e afirmações sobre a história familiar dos hobbits são transmitidos por meio da conversa entre o Feitor Gamgi, o Velho Noques e Ruivão, o moleiro, n'*A Moita de Hera*. A menção a Sam Gamgi como o jardineiro de Bolsão mostra que, na verdade, esse texto foi escrito depois do segundo capítulo, "História Antiga", que vem a seguir; pois, se o trecho já existisse, meu pai não teria incluído uma explicação sobre quem era Sam quando o personagem aparece em "História Antiga" (p. 316). Mas é conveniente fazer essa observação aqui.

Essa versão da conversa ainda exigiria muitas modificações até chegar à forma que tem em SA (pp. 65–8). A abertura do capítulo passou por uma grande compressão:

Quando o Sr. Bilbo Bolseiro de Bolsão, Soto-monte, anunciou que em breve comemoraria seu onzentésimo primeiro aniversário com uma festa de especial magnificência, houve muito falatório e agitação na Vila-dos-Hobbits. Não demorou muito para que rumores sobre o evento se espalhassem por todo o Condado, e a história e o caráter do Sr. Bolseiro tornaram-se outra vez o assunto mais popular das conversas. Os mais velhos, que recordavam algo dos estranhos acontecimentos de sessenta anos antes, descobriram que, de repente, havia demanda para suas reminiscências, e mostraram estar à altura dessa ocasião gratificante empregando invenções divertidas quando os simples fatos não eram suficientes.

Ninguém tinha uma plateia mais atenta do que o velho Ham Gamgi, comumente conhecido por Feitor. Ele discursava na *Moita de Hera*,[32] uma pequena taverna na Estrada de Beirágua; e falava com alguma autoridade, pois cuidara do jardim de Bolsão por meio século, e ajudara seu pai no mesmo emprego antes disso. Agora que tinha ficado velho e emperrado nas juntas, transmitira o emprego a um de seus próprios filhos, Sam Gamgi.

A figura de Bingo é abordada da seguinte maneira:

"E esse Sr. Bingo Bolseiro que mora com ele?", perguntou o velho Noques de Beirágua.[33] "Ouvi dizer que ele vai ficar maior de idade no mesmo dia."

"Isso mesmo", disse o Feitor. "Ele faz aniversário no mesmo dia que o Sr. Bilbo, vinte e dois de setembro. É um tipo de elo entre eles, como a gente pode dizer. Não que eles não se deem um bocado bem, e isso já faz doze anos, desde que o Sr. Bingo veio pra Bolsão. Muito parecidos de tudo quanto é jeito, esses dois, já que são parentes próximos. Embora o Sr. Bingo seja metade Brandebuque, pra ser exato, e aqueles lá são uma raça esquisita, pelo que ouvi dizer. Ficam brincando com barcos e água, e isso não é natural. Pouco admira que tenha dado encrenca, eu digo."

De resto, o Sr. Doispé, da Rua do Bolsinho, não aparece; Gorboduc Brandebuque, segundo o Feitor, é "o chefe da família, e importante pra dedéu lá na Terra-dos-Buques, pelo que me disseram"; o moleiro não sugere que havia algo mais sinistro no afogamento de Drogo Bolseiro e sua esposa do que o peso de Drogo; o hobbit que introduz o tema dos túneis entupidos de tesouros dentro da Colina não é "um visitante de Grã-Cava", mas "um dos hobbits de Beirágua"; e há muitas diferenças de fraseado.

NOTAS

[1] Na verdade, meu pai escreveu "capítulo 'F[esta] Ines[perada]'" – pensando no primeiro capítulo de *O Hobbit*. Cf. minha sugestão sobre o uso da palavra "venda" em *Dúvidas e Alterações*, nota 2.

[2] O título propriamente dito do Capítulo 2 era ""Três não é Demais e Quatro Mais Ainda" (p. 67). – Uma nota a lápis na mesma página diz: "Bingo deveria gastar todo o seu dinheiro? Não é melhor que ele esteja sacrificando alguma coisa? Embora ele deva revelar que gastou esse dinheiro."

[3] A passagem sobre o livro de Bilbo e a recepção dada a ele, que havia sobrevivido inalterada a partir da segunda versão (pp. 29–30), foi, de início, repetida aqui, mas posteriormente foi substituída pelo seguinte trecho:

> Ele contou muitas histórias sobre suas aventuras, é claro, para aqueles que quisessem ouvir. Mas a maioria dos hobbits logo se cansou delas, e apenas um ou dois de seus amigos mais jovens chegaram a levá-las a sério. Não adianta falar de dragões a hobbits comuns: ou eles não acreditam ou não querem acreditar, e, em ambos os casos, param de ouvir. À medida que envelhecia, Bilbo escreveu suas aventuras em um livro particular de memórias, no qual contou algumas coisas sobre as quais nunca havia falado (como o anel mágico); mas esse livro nunca foi publicado no Condado, e ele nunca o mostrou a ninguém, exceto a seu "sobrinho" favorito, Bingo.

[4] Essa era a idade de Bingo na época de sua adoção na quarta versão (p. 51), mas foi alterada durante a redação do presente texto (ver p. 296).

[5] Em *Dúvidas e Alterações* (nota 2), a ideia era que Drogo Bolseiro deveria ser primo de Bilbo.

[6] Essa observação sobre Bilbo e Bingo terem o mesmo aniversário foi um acréscimo a lápis, mas a ideia remonta à terceira versão (p. 42), quando Bingo era filho de Bilbo.

[7] *A Grande Toca de Buqueburgo*: a Mansão do Brandevin recebeu esse nome e foi descrita na versão original de "Um Atalho para Cogumelos" (pp. 126–7).

[8] Acrescentado a lápis:

> e o próprio Velho Tûk tinha apenas alcançando a idade de 125 anos (embora o título de Velho fosse conferido a ele, é verdade, não tanto por sua idade, mas por sua esquisitice, e por causa do enorme número de Tûks jovens, mais jovens e jovenzíssimos).

[9] Essa seria a primeira referência intencionalmente obscura ao Anel na história. Com a abreviação e a alteração dessa conversa inicial entre Gandalf e Bilbo antes da Festa (p. 297), essa referência foi retirada, de modo que só se fala do objeto pela primeira vez após o desaparecimento de Bilbo.

[10] *Rogerastrado* é *Gawkroger* no original, um sobrenome inglês (da região de Yorkshire) com o significado de "Roger desajeitado".

[11] A situação textual, de fato, é de uma complexidade assustadora nesse trecho, sendo que o manuscrito é constituído de duas "camadas", e a mais antiga das duas é constituída, em parte, de um novo manuscrito e, em parte, do texto datilografado da quarta versão. Com os textos propriamente ditos diante dos olhos, pode-se compreender como meu pai estava procedendo, mas apresentar esses detalhes num livro impresso não é nem possível nem necessário. Fica claro que a segunda "camada", com datas revisadas da biografia de Bingo e o lampejo que acompanhou o desaparecimento de Bilbo, foi inserida durante a composição do capítulo.

[12] Isso talvez sugira que Bingo não tinha sido informado sobre a "brincadeira" de Bilbo; cf. o esquema na p. 291: "Então ele não fala da brincadeira nem mesmo com Bingo." Uma correção e acréscimo a lápis mudou a passagem de forma a aproximá-la da que está presente em SA (p. 77).

> O único que não disse nada foi Bingo, o mais afetado pela situação. Seus sentimentos eram confusos. Por um lado, gostou da brincadeira (mesmo que ninguém mais tivesse gostado). Era algo bem próximo do jeito de pensar dele: se conseguisse, adoraria poder rir e dançar de divertimento com aquilo; e ficou agradecido por ter aproveitado por completo aquele suspense delicioso, pois, por outro lado, também ficaria com vontade de chorar. Tinha imensa afeição por Bilbo, e o golpe era esmagador. Será que realmente nunca mais iria vê-lo – nem mesmo para lhe dizer outro adeus? Ficou sentado por algum tempo em silêncio na cadeira …

[13] Acrescentado posteriormente:

> e prendeu um cinto de couro à cintura. Nele pendia uma espada curta em uma velha bainha de couro preto.

Cf. *Dúvidas e Alterações*, nota 4, a respeito de Ferroada.

[14] Meu pai tirou todos esses quatro nomes de Anãos da mesma fonte na *Edda Poética* em islandês antigo da qual vieram os nomes de *O Hobbit*.

[15] Acrescentado posteriormente:

> Mas quero apenas dar uma última palavrinha com você. Agora, meus bons anãos, andem um pouco pela alameda. Não vou demorar muito tempo!" Gandalf se voltou para Bilbo. "Bem", disse ele em voz baixa.

[16] A partir desse ponto, a versão anterior rejeitada da conversa entre Bilbo e Gandalf antes da Festa (pp. 294–5, marcada ali com a expressão "Mais tarde") é retomada, mas não com a mesma forma, e passa por uma grande ampliação.

[17] Um acréscimo a lápis aqui provavelmente diz: "(foi o único que leu)"; ver a nota 3.

[18] Esse poema começou sua existência dentro da versão original do capítulo "Três não é Demais" (pp. 65, 72), onde passou a ser uma recordação do poema de Bilbo declamado anos antes. As duas versões são idênticas, exceto pelo fato de que, nos versos 4 e 8, a forma declamada por Bilbo usa o pronome *eu* no lugar de *nós*. Em SA (pp. 83, 132), ambas as versões usam *eu*, e não *nós*; mas a de Bilbo fala em *pés ansiosos* no quinto verso, enquanto a de Frodo diz *pés morosos*. No presente texto, a palavra *ansiosos* está escrita acima de *morosos* e, com essa alteração, a forma final foi alcançada no caso desse trecho (ver a p. 351, nota 10).

[19] Essa frase foi riscada quando o acréscimo da nota 15 foi feito.

[20] O restante dessa parte do texto está numa forma bastante rudimentar, a lápis, com uma alteração da última passagem à tinta que a precede:

> "Adeus, Gandalf!", gritou ele, e partiu noite adentro. Gandalf ficou no portão por um instante, fitando o escuro atrás do hobbit. "*Adieu*, meu caro Bilbo", disse, " – ou *au revoir*." [Essa fala foi marcada com um X: Gandalf não usaria o francês, por mais útil que fosse a distinção.] Depois, ele pulou por cima do portão baixo e foi subindo a Colina ràpidamente. "Se eu achar Lobélia fuçando nas coisas", resmungou o mago, "vou transformá-la numa fuinha!"
>
> Mas ele não precisava ter se preocupado. Em Bolsão, encontrou Bingo sentado numa cadeira no salão de entrada, com o envelope na mão. O hobbit se recusou a continuar na festa.

[21] O guarda-chuva agora vai não para Mungo Tûk, mas para Uffo Tûk (Adelard Tûk em SA). Semolina Bolseiro passa a ser a irmã de Drogo, com 92 anos de idade (em SA ela é Dora Bolseiro, de 99 anos). A cama de penas agora vai não para Fosco Bolger (que tinha sido tio de Bingo quando ele ainda era um Bolger), mas para Rollo Bolger (um destinatário igualmente adequado), "de seu amigo"; Rollo Bolger sobreviveu à perda de seu papel como marido de Prímula Brandebuque e vítima de afogamento no Brandevin. O serviço de jantar "bastante floreado" fica com Primo (e não Inigo) Fossador; e o Corneteiro que recebe o barômetro agora se transforma de Cosimo (passando por Carambo) em Colombo. Caramella Roliço, Orlando Covas, Angélica Bolseiro, Hugo

Justa-Correia e, é claro, Lobélia Sacola-Bolseiro continuam no texto, assim como seus presentes. Para as listas mais antigas, ver pp. 25–6, 46–7, 53–4.

[22] "Este era o conteúdo do testamento:

> *Bilbo (filho de Bungo, filho de Mungo, filho de Inigo) Bolseiro, doravante designado o testador, que agora está partindo, sendo o proprietário de direito de todas as propriedades e bens doravante citados, por meio deste estabelece, entrega e lega a propriedade e moradia ou toca-de-habitação conhecida como Bolsão Sotomonte perto da Vila-dos-Hobbits com todas as terras a ela pertencentes ou anexas a seu primo e herdeiro adotado, Bingo (filho de Drogo, filho de Togo, filho de Bingo, filho de Inigo) Bolseiro, doravante designado o herdeiro, para que ele a tenha, possua, ocupe, alugue, venda ou de outra forma disponha a seu bel-prazer a partir da meia-noite do vigésimo-segundo dia de setembro no centésimo décimo primeiro ou onzentésimo primeiro ano do dito Bilbo Bolseiro. Ademais, o dito testador estabelece e lega ao dito herdeiro todos os dinheiros em ouro, prata, cobre, latão ou estanho e todas as quinquilharias, armaduras, armas, metais não cunhados, gemas, joias ou pedras preciosas e toda a mobília, aparatos, bens perecíveis ou imperecíveis e posses móveis ou imóveis pertencentes ao testador que, após sua partida, encontram-se abrigados, guardados, armazenados ou inseridos em qualquer parte da dita toca e residência de Bolsão ou das terras a ela anexas, salvo apenas aqueles bens ou objetos móveis que constam da lista subjacente, os quais foram selecionados e direcionados como presentes de despedida para os amigos do testador e os quais o herdeiro há de despachar, oferecer ou entregar de acordo com sua conveniência. O testador, por meio desta, abre mão de todos os direitos ou reivindicações a todas essas propriedades, dinheiros, bens ou objetos e dá adeus a todos os seus amigos. Assinado Bilbo Bolseiro.*
>
> Otho, que era advogado, leu esse documento com cuidado e bufou. Aparentemente estava tudo correto e incontestável, de acordo com as opiniões legais dos hobbits. 'Frustrados outra vez!', disse ele à esposa ..." (etc., tal como em SA, p. 87).

[23] "O filho do Velho Pé-Soberbo" (em SA, "neto do velho Odo Pé-Soberbo", p. 88).

[24] Essa frase foi ampliada a lápis da seguinte forma:

> "Só o que dizia a carta de despedida de Bilbo: 'Aqui está o Anel. Por favor, aceite-o. Cuide dele e de você mesmo. Pergunte a Gandalf, se quiser saber mais'. E é claro que li e ouvi a história de Bilbo sobre como ele o obteve ..."

[25] Essa menção ao desaparecimento de Bilbo quando viu os Sacola-Bolseiros se aproximando foi riscada a lápis, com a nota "Colocar isso depois". Ver a p. 371.

[26] A frase "Não use o Anel" foi riscada a lápis, sendo substituída por "Se você seguir meu conselho, não usará o Anel"; e, antes das palavras "Mantenha-o em *segredo*" na frase seguinte, foi acrescentada a frase "Mas carregue-o com você sempre".

[27] Nessa versão, Otho e Lobélia praticamente disseram isso a Bingo (p. 302) – uma passagem que não está em SA.

[28] Esse trecho foi reescrito a lápis: "Acho que não devo tentar fazer isso. Não acho que agradaria ou ajudaria Bilbo. Deixe-o se livrar do Anel – o que ele só pode fazer, se você aceitar isso, por um tempo."

[29] A passagem foi reescrita a lápis: "Tudo bem – vou tentar. Mas quero seguir Bilbo. Acho que acabarei fazendo isso, de qualquer maneira, se não for tarde demais para encontrá-lo novamente."

[30] Essa frase ("Se precisar mesmo de mim ...") foi colocada entre parênteses (à tinta) para provável exclusão.

[31] Esse trecho foi reescrito a lápis:

> Bingo acompanhou Gandalf até a porta. Lá o anão Lofar estava esperando. Ele apareceu quando a porta foi aberta e pegou uma sacola grande que estava na varanda. "Adeus, Bingo", disse ele, fazendo uma profunda reverência. "Vou com Gandalf." "Adeus", despediu-se Bingo. Gandalf fez um último aceno com a mão e, com o anão ao seu lado, foi descendo o caminho em velocidade espantosa ...

No final do capítulo, meu pai escreveu: "Talvez alterar isso — Gandalf *está com anel.* Encontro no portão combinado anteriormente: anel entregue lá. Última visita de Gandalf é para entregá-lo a Bingo?" Ele riscou essas frases e escreveu "Não" do lado. Essa, de fato, tinha sido a ideia dele quando escreveu o esquema apresentado na p. 291, no qual Bilbo iria "dizer adeus a Gandalf no portão, entregar a ele um pacote (com Anel) para Bingo e desaparecer."

[32] *Moita de Hera*: alterado, no momento da escrita, em relação ao original *Dragão Verde*. Ver a nota 33.

[33] *o velho Noques de Beirágua*: alteração feita no momento da escrita em relação ao original *Ted Ruivão, o filho do moleiro*. Essa é mais uma indicação de que essa versão da abertura de "Uma Festa Muito Esperada" veio depois de "História Antiga", texto no qual o filho do moleiro é chamado de Tom até muito perto do fim (p. 332, nota 9). A conversa entre Sam Gamgi e Ted Ruivão em "História Antiga" acontece n'*O Dragão Verde*, em Beirágua, e meu pai provavelmente alterou o ponto de encontro dos compadres do Feitor Gamgi para *A Moita de Hera* (nota 32) pela mesma razão que o levou a trocar o filho do moleiro pelo Velho Noques.

∽

Apresento aqui o máximo da genealogia de Bilbo e Bingo que se pode estabelecer a partir do texto nessa etapa. A ascendência dos Bolseiros deriva do testamento de Bilbo (nota 22); os nomes entre parênteses são os que diferem do Apêndice C do SdA, *Bolseiros da Vila-dos-Hobbits.*

O Velho Tûk evidentemente já era conhecido por ter tido muitos filhos além de suas "três impressionantes filhas" (ver a nota 8).

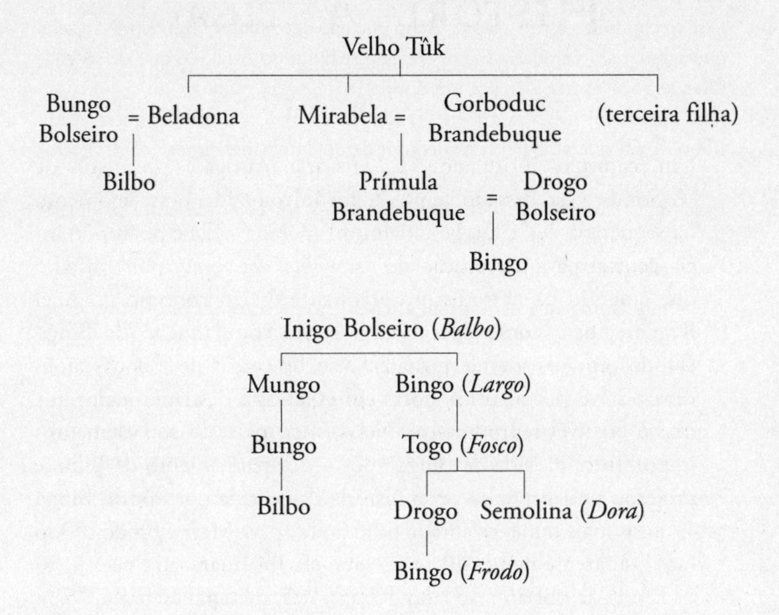

15

História Antiga

Um capítulo intitulado "2: História Antiga", precursor de "A Sombra do Passado" em SA, foi introduzido nesse momento na sequência de "Uma Festa Muito Esperada". Ele é de importância central para a evolução de *O Senhor dos Anéis*, pois foi aqui que emergiu na narrativa propriamente dita o conceito do Anel Regente, bem como Sam Gamgi como companheiro de Bingo (Frodo) em sua grande jornada. Não há traços de esboços anteriores, salvo por algumas notas tão esparsas e desconjuntadas que mal é possível reproduzi-las. Nelas, meu pai rabiscou elementos importantes da vida de Bingo após o desaparecimento de Bilbo e projetou pela primeira vez a história da partida do próprio Bingo 17 anos mais tarde, celebrada num jantar para Merry, Frodo e Odo (aqui, aparentemente, afirma-se que ela foi financiada pelo lucro da venda de Bolsão). Ao lado dessas notas, meu pai escreveu: "Sam Gamgi vai substituir Odo" (cf. *Dúvidas e Alterações*, p. 277).

O manuscrito tem aspecto tosco – em certos lugares, muito tosco – mas é legível em virtualmente toda a sua extensão. Há algumas emendas ligadas a uma fase posterior da escrita, ignoradas aqui, e uma quantidade considerável de alterações a lápis que podem, em alguns casos, ter sido feitas enquanto o capítulo estava sendo escrito. As que correspondem a esse segundo caso foram adotadas no texto, mas, em certos momentos, refiro-me a elas nas notas ao texto conforme escrito originalmente.

O falatório não diminuiu em nove, nem mesmo noventa e nove dias. O segundo e definitivo desaparecimento do Sr. Bilbo Bolseiro foi discutido na Vila-dos-Hobbits e em Beirágua, e, na verdade, em todo o Condado, por um ano e um dia, e continuou a ser lembrado por muito mais tempo do que isso. Transformou-se numa história ao pé da lareira para os jovens hobbits; e, por fim (mais ou menos um século mais tarde), o Bolseiro Louco, que costumava sumir com um estrondo e um clarão e reaparecer com sacos de ouro e joias, tornou-se um personagem predileto das lendas e continuou vivendo muito tempo depois de todos os acontecimentos reais estarem esquecidos.

Mas, nesse meio-tempo, os adultos sérios gradualmente chegaram à opinião de que Bilbo, finalmente (depois de mostrar por muito tempo os sintomas do que ia acontecer) tinha ficado doido de repente e saíra correndo mundo afora; onde, inevitavelmente, tinha caído num buraco ou numa lagoa e chegado a um fim trágico, mas não necessariamente precoce. Lá se ia mais um Bolseiro, e era a vida.[1] Diante das evidências de que esse desaparecimento tinha sido programado e arranjado pelo próprio Bilbo, Bingo, no fim das contas, deixou de ser considerado suspeito. Também estava claro que a partida de Bilbo era uma tristeza para ele – mais do que para qualquer outra pessoa, mesmo entre os amigos mais próximos do hobbit. Mas Gandalf, em última instância, era considerado responsável por incitar e encorajar o "coitado do velho Sr. Bilbo" – para seus próprios fins sombrios e desconhecidos.

"Ah, se aquele mago deixar o jovem Bingo em paz, quem sabe ele se acalme e desenvolva algum bom-senso de hobbit", diziam. E ao que parecia o mago deixou mesmo Bingo em paz, e ele se acalmou mesmo, mas o desenvolvimento de bom-senso de hobbit não era muito perceptível. Na verdade, Bingo imediatamente começou a perpetuar a reputação de esquisitice de seu tio. Recusou-se a vestir luto; e no ano seguinte deu uma festa em homenagem ao 112º aniversário de Bilbo, que chamou de Banquete do Quintal; embora apenas uns poucos amigos tenham sido convidados, e eles mal tenham comido um quintal de comida somados. As pessoas ficaram bastante chocadas; mas ele manteve o costume de celebrar "a festa de aniversário de Bilbo" ano após ano, até que se acostumaram com isso. Dizia que não achava que Bilbo estivesse morto. Quando perguntavam: "Então onde ele está?", ele dava de ombros.[2] Morava sozinho, mas zanzava bastante com certos hobbits mais jovens a quem Bilbo tinha se afeiçoado, e continuava a "encorajá-los". Os principais entre eles eram Meriadoc Brandebuque (normalmente chamado de Merry), Frodo Tûk e Odo Bolger.[3] Merry era filho de Caradoc Brandebuque (primo de Bingo) e Yolanda Tûk, e, portanto, primo de Frodo, filho de Folco (de quem Yolanda era irmã). Frodo, ou Frodo Segundo, era trineto de Frodo Primeiro (também conhecido como o Velho Tûk) e herdeiro e esperança um tanto desesperada da Toca de Tûk, como chamavam o clã. Odo também tinha uma mãe da família Tûk e era primo de terceiro grau dos outros dois.[4] Junto com esses hobbits, Bingo zanzava (muitas vezes usando roupas desalinhadas) e caminhava por todo o Condado. Frequentemente ficava longe de casa. Mas continuava a gastar seu dinheiro à vontade e, de fato, mais à vontade do que Bilbo. E ainda parecia haver um bocado dele, de modo que, naturalmente, suas esquisitices eram ignoradas, até onde era possível. Conforme o tempo passava, é verdade que começaram a notar que Bingo também mostrava sinais de boa "conservação": externamente mantinha a aparência de um hobbit forte e bastante grande e bem fornido, recém-saído da "vintolescência". "Tem gente que fica com toda a sorte", diziam, referindo-se a essa combinação invejável de dinheiro e conservação; mas não atribuíam nenhum significado especial a isso, nem mesmo quando Bingo começou a se aproximar da idade mais sóbria de 50 anos.

O próprio Bingo, após o primeiro choque da perda e da mudança, até que gostou de ser dono do próprio nariz e de virar *o* Sr. Bolseiro de Bolsão. Por algum tempo, e, de fato, por vários anos, sentiu-se muito feliz e não pensou muito no futuro. Sabia, é claro, ainda que ninguém mais soubesse, que o dinheiro não era ilimitado e estava desaparecendo rápido. O dinheiro demorava um tempo prodigioso para ser gasto naqueles dias, e também era possível conseguir muitas coisas sem ele; mas Bilbo fizera grandes incursões em sua herança e nos tesouros que adquirira ao longo de sessenta anos, e esbanjara pelo menos 500 peças de ouro naquela última Festa.[5] Portanto, mais cedo ou mais tarde, o dinheiro chegaria ao fim. Mas Bingo não se preocupava. Lá no fundo dele, ainda que suprimido, permanecia seu desejo de seguir Bilbo ou, de qualquer maneira, de deixar o Condado e cair no Mundo, ou onde quer que a sorte o levasse.

Um dia, pensava ele, era o que faria. Conforme se aproximava dos 50 anos – um número que, de certa maneira, ele acreditava ser significativo (ou agourento), já que era, de qualquer modo, a idade em que a aventura acometera Bilbo pela primeira vez – ele começou a pensar nisso com mais seriedade. Sentia-se inquieto.

Costumava olhar mapas e se perguntar como era além de suas beiradas: mapas hobbits, feitos no Condado, não se estendiam muito para leste ou oeste das fronteiras da região. E começou a sentir, às vezes, uma sensação de que estava ficando fino, como se estivesse sendo esticado ao longo de um monte de dias e semanas e meses, mas não estivesse totalmente ali, de alguma forma. Não conseguia explicar isso a Gandalf de um jeito melhor, embora tentasse. Gandalf acenava com a cabeça, pensativo.

Gandalf tinha começado a aparecer para vê-lo de novo – quieto, em segredo, e normalmente quando ninguém estava por perto. Dava batidas na janela ou na porta de um jeito que tinham combinado, e Bingo o deixava entrar: normalmente estava escuro quando ele chegava e, enquanto ficava ali, Gandalf não saía. Depois, partia de novo, muitas vezes sem aviso, fosse à noite ou bem no começo da manhã, antes de o sol nascer. As únicas pessoas além de Bingo que sabiam dessas visitas eram Frodo e Merry; embora, sem dúvida, o pessoal da região o vislumbrasse seguindo pela estrada ou pelos campos, e coçasse a cabeça – ou tentando lembrar quem ele era ou se perguntando o que estava fazendo.

Gandalf apareceu de novo pela primeira vez três anos depois da partida de Bilbo, deu uma olhada em Bingo, escutou as notícias desimportantes do Condado e logo foi embora de novo, vendo que Bingo ainda estava bastante assentado. Mas voltava uma ou duas vezes por ano (com exceção de outro grande intervalo de quase dois anos), isso até o décimo quarto ano. Bingo, nessa época, tinha 47 anos de idade. Depois disso, passou a vir com frequência e a ficar mais tempo.[6] Começou a ficar preocupado com Bingo; e, além disso, coisas estranhas estavam acontecendo. Boatos sobre elas já tinham começado a alcançar os ouvidos dos hobbits mais surdos e provincianos. Bingo já tinha ouvido falar de muito mais coisas do que qualquer outro hobbit do Condado, pois, é claro, tinha mantido o hábito de Bilbo de receber anãos e estrangeiros esquisitos, e até mesmo de visitar elfos. Seus amigos próximos Merry e Frodo, pelo menos, acreditavam que os elfos tinham amizade com ele [*colocado entre colchetes no momento da escrita*: e que ele sabia onde ficavam algumas de suas poucas moradas. Isso, de fato, era bastante verdadeiro. Bilbo tinha ensinado a Bingo tudo o que sabia e até mesmo o instruíra sobre o que tinha aprendido das duas línguas-élficas usadas naquelas épocas e lugares (pelos elfos entre eles mesmos). Havia muito poucos elfos no Condado propriamente dito, e raramente alguém os via, salvo Bilbo e Bingo. *Esse trecho foi substituído no momento da escrita por:*] e que ele sabia algo de suas línguas secretas – tendo provavelmente aprendido com Bilbo. E estavam bastante corretos.

Tanto elfos quanto anãos estavam preocupados, especialmente aqueles que ocasionalmente chegavam ou passavam, vindos de longe, do Leste ou do Sul. Raramente, entretanto, diziam alguma coisa muito categórica. Mas mencionavam constantemente o Necromante, ou o [Senhor Sombrio >] Inimigo; e às vezes se referiam à Terra de Mor-dor e à Torre Negra. Parecia que o Necromante entrara em ação de novo, e que a confiança de Gandalf de que o Norte estaria livre dele por muitas eras não tinha sido justificada.[7] Ele tinha fugido de Trevamata apenas para reocupar sua antiga praça-forte no Sul, perto do centro do mundo naqueles dias, na Terra de Mordor; e havia rumores de que a Torre Negra tinha sido erigida de novo. O poder dele já se espalhava por muitas terras outra vez, e as montanhas e os bosques tinham se tornado sombrios. Os Homens estavam inquietos e seguiam para o Norte e para o Oeste, e muitos pareciam agora estar, em parte ou totalmente, sob o domínio do Senhor Sombrio. Havia guerras, e havia profusão de incêndios e ruína. Os anãos estavam ficando com medo. Gobelins se multiplicavam mais uma vez e reapareciam. Trols de um tipo novo e muitíssimo malevolente estavam à solta; falava-se de gigantes, um Povo Grande, só que muito maior e mais forte que os Homens, o Povo Grande [?comum], e não mais estúpido que este – de fato, muitas vezes cheio de esperteza e feitiçaria. E havia vagas pistas de coisas ou criaturas mais terríveis que gobelins, trols ou gigantes. Os Elfos estavam desaparecendo ou vagando constantemente para o oeste.

Na Vila-dos-Hobbits começou a se ouvir algum falatório sobre a gente esquisita que estava à solta e às vezes se desgarrava pelas fronteiras do Condado. O seguinte relato de uma conversa no *Dragão Verde*, em Beirágua, certa noite [por volta dessa época >], na primavera do 49º? 50º? [*sic*] ano[8] de vida de Bingo dá alguma ideia da sensação que havia no ar.

Sam Gamgi (filho [mais velho >] mais novo do velho Feitor Gamgi e um jardineiro de mão cheia) estava sentado num canto, perto do fogo, e à sua frente estava Ted Ruivão,[9] o filho do moleiro, da Vila-dos-Hobbits; e vários outros hobbits rústicos estavam escutando a conversa.

"Coisas esquisitas a gente ouve esses dias, com certeza, Ted", disse Sam.

Depois disso se segue, no manuscrito, o esboço original, escrito muito rudimentar e rapidamente, da conversa no *Dragão Verde* que se encontra em SA, pp. 94–96; e esse trecho foi pouquíssimo alterado mais tarde, salvo em pequenos detalhes do fraseado. O hobbit que viu o Homem-árvore além dos Pântanos do Norte (em SA, trata-se do primo de Sam, Halfast Gamgi, que trabalhava para o Sr. Boffin em Sobremonte) aqui é "Jô Botão, aquele lá que trabalha pros Rogerastrados [ver p. 295] e costuma ir caçar no Norte". A referência de Sam a "gente estranha" sendo rechaçada pelos Fronteiros nas divisas do Condado está ausente; ele fala dos Elfos que estão viajando para os ancoradouros "lá longe no Oeste, lá depois das Torres",[10] mas a referência aos Portos Cinzentos não está presente.

O mais interessante é a referência aos Homens-árvores. Na fala original de Sam escrita por meu pai, o hobbit diz: "Mas e esses – como é que a gente chama mesmo – gigantes? Dizem que um quase tão grande quanto uma torre, ou pelo menos uma árvore, foi visto lá longe, além dos Pântanos do Norte, não faz muito tempo." Esse trecho foi alterado no momento da escrita para "Mas e esses Homens-Árvores, aqueles lá – os gigantes? Dizem que um quase tão grande quanto uma torre foi visto" etc. (Será que essa passagem – preservada em SA, p. 94 – foi a primeira premonição da existência dos Ents? Mas, muito antes disso, meu pai tinha se referido a "Homens-árvores" ligados às viagens de Eärendel: II.305, 314).

As palavras de Sam sobre os Bolseiros no fim da conversa são diferentes (e explicam porque o desbocado Ted Ruivão usa a palavra "biruta" em SA):

"Bom, sei lá. Mas aquele Sr. Bolseiro de Bolsão, ele acha que é verdade; foi o que ele contou pra mim e pro meu pai; e tanto ele quanto o velho Sr. Bilbo sabem um pouco a respeito dos Elfos, ou é o que o meu pai diz, e ele deve saber. Ele conhece o povo de Bolsão desde que era moleque, e trabalhou nos jardins deles até ficar biruta de tanto dobrar o corpo, e aí eu assumi o trabalho."

"E os dois são birutas ..."

Depois das últimas palavras de Ted Ruivão,

Sam ficou sentado em silêncio e não falou mais nada. Estava combinado que ele trabalharia no jardim de Bingo no dia seguinte, e estava pensando que teria a chance de dar uma palavrinha com Bingo, para quem tinha transferido a reverência de seu pai pelo velho Bilbo. Era abril, e o céu estava claro e limpo depois de muitas chuvas. O sol se fora, e o céu fresco e pálido estava esmaecendo devagar. Foi para casa atravessando a Vila-dos-Hobbits e subindo a colina, assobiando baixinho, pensativo.

Mais ou menos na mesma hora, Gandalf estava passando em silêncio pela porta da frente entreaberta de Bolsão.

Na manhã seguinte, depois do desjejum, duas pessoas, Gandalf e Bingo, estavam sentadas perto da janela aberta. Havia um fogo intenso na lareira; mas o sol estava quente, e o vento vinha do sul: tudo parecia fresco, e o verde novo da Primavera rebrilhava nos campos e nas pontas dos dedos das árvores. Gandalf pensava numa primavera, quase 80 anos antes, quando Bilbo saíra correndo de Bolsão sem um lenço. Os cabelos de Gandalf talvez estivessem mais brancos do que naquela época, e sua barba e suas sobrancelhas, mais compridas, e seu rosto, mais sábio; mas seus olhos não estavam menos brilhantes e potentes, e ele fumava e soprava anéis de fumaça com o mesmo grande vigor e deleite de sempre. Agora fumava em silêncio, pois tinham falado sobre Bilbo (como faziam com frequência) e sobre [outras coisas >] o Necromante e o Anel.

"É tudo muitíssimo perturbador e, na verdade, aterrorizante", disse Bingo. Gandalf grunhiu: o som aparentemente significava "Claro que concordo, mas seu comentário não ajuda muito". Houve silêncio de novo. O som de Sam Gamgi dando um primeiro corte na grama vinha do jardim.

"Faz quanto tempo que você sabe de tudo isso?", perguntou Bingo, por fim. "E você contou essas coisas a Bilbo?"

"Inferi bastante coisa de imediato", respondeu Gandalf, devagar ...

Meu pai, agora, tinha voltado ao texto apresentado na p. 99 e seguintes, o "prefácio", como o chamava (ver a p. 281), que eu discuti nas páginas 110–2, e no qual, é claro, estava presente a história de que Bingo tinha dado a Festa: a conversa com Gandalf ocorrera algumas semanas antes dos festejos, os quais, de fato, tinham sido ideia de Gandalf. Mas meu pai seguiu de perto partes do texto antigo, embora o ampliasse de certas maneiras muito importantes. Na resposta de Gandalf à pergunta de Bingo (p. 100 do texto original), o mago diz:

"Inferi muita coisa, mas, de início, falei pouco. Achei que estava tudo bem com Bilbo, e que ele estava suficientemente seguro, pois aquele tipo de poder não tinha poder sobre ele. Assim pensei, e estava correto, de certa maneira; mas não totalmente correto. Fiquei de olho nele, é claro, mas talvez não tenha sido cuidadoso o suficiente. Na época, não sabia qual dos muitos Anéis era esse. Se soubesse, poderia ter agido de modo diverso – mas talvez não. Mas agora eu sei." A voz dele se transformou num sussurro. "Pois voltei à terra do Necromante – duas vezes."[11]

"Tenho certeza de que você fez tudo o que pôde", disse Bingo ...

Gandalf fala bem mais sobre Bilbo: "Não fiquei muito preocupado com Bilbo – a educação dele estava quase completa, e eu não me sentia mais responsável por ele. Bilbo tinha de seguir suas próprias ideias, assim que elas estivessem consolidadas." E ele fala dos hobbits do Condado sendo "escravizados" (tal como em SA, p. 101), não "se tornando Espectros".

Mas, com a resposta de Gandalf à frase de Bingo, "Ainda não compreendo bem o que tudo isso tem a ver comigo, com Bilbo e o Anel", meu pai se afastou de vez do texto original.

"Para dizer a verdade", respondeu Gandalf, "acredito que até agora, *até agora*, veja bem, ele deixou de notar por completo a existência dos hobbits – tal como o fez Smaug, o dragão. Você pode ser grato por isso. E não acho que, mesmo agora, ele os queira de algum modo particular: eles seriam serviçais obedientes, talvez, mas não terrivelmente úteis. Mas existe uma coisa que se chama malícia e vingança. Hobbits miseráveis seriam mais do agrado dele do que hobbits felizes. E, quanto ao que isso tem a ver com você e o Anel: acho que posso explicar – em parte, pelo menos. Ainda não sei exatamente tudo. Dê-me o Anel um instante."

Bingo o tirou do bolso da calça, onde estava preso numa corrente que dava a volta no corpo dele, como se fosse um cinto. "Ótimo", disse Gandalf. "Vejo que você fica com ele o tempo todo. Continue assim." Bingo desprendeu o Anel e o entregou a Gandalf. Parecia pesado, como se o objeto, ou Bingo, estivessem relutantes, de alguma forma curiosa, de que Gandalf o tocasse. O Anel parecia ser feito de ouro puro e sólido, espesso, achatado e sem juntas.[12] Gandalf o ergueu.

"Consegue ver alguma marca nele?", perguntou o mago. "Não!", respondeu Bingo. "É bem liso e não mostra nem mesmo arranhões ou marcas de uso."

"Bem, então veja", disse Gandalf e, para espanto e desconforto de Bingo, o mago lançou o anel no meio de um canto incandescente da lareira. Bingo deu um grito e procurou o atiçador às apalpadelas; mas Gandalf o deteve. "Espere!", exclamou ele em tom de comando, dando uma olhadela rápida em Bingo por debaixo das sobrancelhas.

Nenhuma mudança aparente aconteceu no Anel. Pouco depois Gandalf ergueu-se, fechou as venezianas do lado de fora da janela redonda e puxou a cortina. O recinto ficou escuro e silencioso. O estalo da tesoura de Sam, agora mais perto da toca, podia ser ouvido lá fora. Gandalf ficou de pé por um instante, olhando para o fogo; depois se inclinou, removeu o Anel com as tenazes e o apanhou de imediato. Bingo engoliu em seco.

"Está bem frio", disse Gandalf. "Pegue-o!"

Frodo o recebeu na palma da mão, que se retraía: o objeto parecia estar mais frio e até mais pesado do que antes. "Levante-o!", orientou Gandalf, "e olhe a parte de dentro." Ao fazer isso, Bingo viu linhas finas, mais finas que os mais finos traços de pena, espalhando-se pelo lado interno do Anel – linhas de fogo que pareciam formar as letras de um alfabeto estranho. Brilhavam fortes, com brilho penetrante, e, contudo, pareciam remotas, como se viessem de grande profundeza.

"Não consigo ler as letras de fogo", disse Bingo, com voz trêmula. "Não", observou Gandalf; "mas eu consigo – agora. A escrita diz:

Um Anel que a todos rege, Um Anel para achá-los,
Um Anel que a todos traz para na escuridão atá-los.[13,A]

É parte de um poema que agora conheço inteiro.

Três Anéis para os élficos reis sob o céu,
Sete para os Anãos em recinto rochoso,
Nove para os Homens, que a morte escolheu,
Um para o Senhor Sombrio no espaldar tenebroso
Na Terra de Mor-dor aonde a Sombra desceu.
Um Anel que a todos rege, Um Anel para achá-los,
Um Anel que a todos traz para na escuridão atá-los
Na Terra de Mor-dor aonde a Sombra desceu.[14,B]

"Este", disse Gandalf, "é o Anel-Mestre: o Um Anel que a todos rege! Este é o Um Anel que ele perdeu muitas eras atrás – para grande enfraquecimento de seu poder; e que ele ainda tão grandemente deseja.[15] Mas *não* deve recuperá-lo!"

Frodo ficou sentado em silêncio e imóvel. O medo parecia estender uma vasta mão, como uma nuvem escura que se erguesse no Leste e assomasse para engolfá-lo. "Este Anel?", balbuciou. "Como foi que ele veio parar comigo?"

"Posso lhe contar a parte da história que conheço", respondeu Gandalf. "Em dias antigos, o Necromante, o Senhor Sombrio Sauron,[16] fez muitos anéis mágicos, com diversas propriedades, que davam diversos poderes a seus possuidores. Ele os distribuiu fartamente e os espalhou mundo afora para apanhar todos os povos, mas especialmente Elfos e Homens. Pois aqueles que usavam os anéis, de acordo com sua força e vontade e ânimo, caíam, mais cedo ou mais tarde, sob o poder dos anéis, e sob o domínio do criador deles.[17] Três, Sete, Nove e Um ele criou, dando-lhes especial potência:[18] pois seus possuidores se tornavam não apenas invisíveis para todos neste mundo, se assim o desejassem, mas podiam ver tanto o mundo sob o sol quanto o outro lado, no qual coisas invisíveis se movem.[19] E eles tinham (o que se chama de) boa sorte, e (o que parecia ser) vida sem fim. Embora, como eu disse, o poder que os Anéis conferiam a cada possuidor dependia do uso que faziam deles – do que esses possuidores eram e do que desejavam.

"Mas os Anéis estavam sob o comando de seu criador e estavam sempre atraindo os possuidores de volta até ele. Pois ele mantinha consigo o Anel regente, o qual, quando *ele* o usava, permitia-lhe ver todos os outros e ver até mesmo os pensamentos daqueles que os possuíam.[20] Mas ele perdeu esse Anel e, consequentemente, perdeu o controle de todos os outros. Lentamente, ao longo dos anos, ele os tem amealhado e buscado – esperando encontrar o Um perdido. Mas os Elfos resistem ao poder dele mais do que todas as outras raças; e os altos-elfos do Oeste, dos quais alguns ainda permanecem no mundo-médio, percebem e habitam ao mesmo tempo tanto este mundo quanto o outro lado sem a ajuda de anéis.[21] E eles, tendo sofrido e lutado longamente contra Sauron, não são facilmente arrastados para sua rede ou iludidos por ele. O que aconteceu com os Três Anéis da terra, do ar e do céu eu não sei.[22] Alguns dizem que eles foram carregados para longe através do mar. Outros dizem que Reis-élficos ocultos ainda os guardam. Os anãos também se mostraram resistentes e intratáveis: pois não suportam levianamente qualquer obediência ou dominação (mesmo que de sua própria gente). Nem são facilmente transformados em sombras. Com os anãos, o poder principal dos Anéis era inflamar em seus corações o fogo da cobiça (donde costuma vir um mal que auxilia Sauron). Dizem que a fundação de cada um dos Sete Grandes Tesouros dos anãos de outrora era um Anel dourado. Mas dizem que esses tesouros foram saqueados, e que os dragões os devoraram e os Anéis pereceram, derretidos, no fogo deles; porém, também se diz que nem todos os tesouros foram destroçados, e que alguns dos Sete Anéis ainda estão guardados.

Mas todos os Nove Anéis dos Homens voltaram para Sauron, e levaram consigo seus possuidores, reis, guerreiros e magos de outrora,[23] que se tornaram Espectros-do-Anel e serviram seu criador, e eram seus mais terríveis serviçais. Os Homens, de fato, ficaram sob o domínio dele com mais frequência, e agora mais uma vez, pela terra-média,[24] estão caindo sob seu poder, especialmente no Leste e no Sul do mundo, onde os Elfos são poucos."

"Espectros-do-Anel!", exclamou Bingo. "O que eles são?"

"Não falaremos deles agora", disse Gandalf. "Não falemos de coisas horrendas sem necessidade. Eles pertencem aos dias antigos, e esperemos que nunca mais se reergam. Pelo menos Gilgalad conseguiu isso."[25]

"Quem foi Gilgalad?", perguntou Bingo.

"Aquele que privou o Senhor Sombrio do Um Anel", respondeu Gandalf. "Ele foi o último, na terra-média, dos grandes Reis-élficos da alta raça do oeste, e fez uma aliança com Orendil,[26] Rei da Ilha, que voltou para o mundo-médio naqueles dias. Mas não contarei toda essa história agora. Um dia, talvez, pode ser que você a ouça de alguém que a conhece de verdade. Basta dizer que eles marcharam contra Sauron e o puseram sob cerco em sua torre; e ele saiu e lutou corpo a corpo com Gilgalad e Orendil, e foi sobrepujado. Mas ele abandonou sua forma corpórea e fugiu feito um fantasma para lugares ermos, até que repousou em Trevamata e tomou forma novamente na escuridão. Gilgalad e Orendil foram ambos mortalmente feridos e pereceram na terra de Mordor; mas Isildor, filho de Orendil, cortou o Um Anel do dedo de Sauron e o tomou para si.[27]

Mas, na marcha de seu retorno de Mordor, a hoste de Isildor foi sobrepujada por Gobelins que vieram como um enxame das montanhas. E conta-se que Isildor colocou o Anel e desapareceu da vista deles, mas eles o seguiram pelo rastro e pelo cheiro, até que ele chegou à beira de um rio largo. Então Isildor mergulhou nele e o atravessou a nado, mas o Anel o traiu,[28] e deslizou de sua mão, e ele se tornou visível para seus inimigos; e eles o mataram com suas flechas.[29] Mas um peixe engoliu o Anel e foi tomado de loucura, e nadou rio acima saltando rochas e subindo quedas d'água, até que se lançou sobre um barranco, e cuspiu o Anel e morreu." Gandalf fez uma pausa. "E ali", prosseguiu ele, "o Anel escapou do conhecimento e da lenda; e até o que contei sobre essa história agora é sabido e recordado por poucos. Contudo, agora posso acrescentar algo a ela, creio.

Muito tempo depois, mas ainda muito tempo atrás, vivia junto à margem de um córrego, na beirada das Terras-selváticas, uma pequena família sábia, de mãos hábeis e pés silenciosos ...

Para a história pregressa de Gollum, meu pai seguiu o texto original (pp. 102–3) muito de perto, introduzindo apenas uma ligeira mudança de redação aqui e ali: assim, Dígol ainda é o próprio Gollum, e não seu amigo. No final da passagem, as palavras "e até o Mestre o perdeu de vista" mudam para "e mesmo o criador dele, quando seu poder cresceu novamente, não pôde descobrir nada a seu respeito", e a frase seguinte, sobre o Necromante contando seus anéis e sempre percebendo que faltava um deles, foi, é claro, removida do texto.

A discussão de Gandalf sobre a mente e as motivações de Gollum na época do encontro de Bilbo com ele (ainda, é claro, baseada na história original em *O Hobbit*, ver pp. 110–1) também continua muito próxima da versão antiga (p. 103–4). De fato, ocorrem muitas pequenas melhorias no fraseado; mas apenas duas mudanças precisam ser observadas. As palavras de Gandalf sobre a longevidade concedida ao possuidor do Anel (p. 103) recebem uma extensão interessante, assim:

... Assustadoramente cansativo, Bingo; de fato, no fim das contas, um tormento (mesmo que você não se torne um Espectro). Apenas Elfos são capazes de suportar isso, e até eles acabam se desvanecendo.

E quando Gandalf fala da "chegada inesperada de Bilbo" (p. 104), ele agora prossegue:

... Você se lembra de como ele ficou surpreso e de como logo começou a falar sobre um presente, embora desse a si mesmo uma a chance de ficar com ele se a sorte ajudasse. Mesmo assim, ouso dizer que seus velhos hábitos poderiam tê-lo vencido no final, e ele poderia ter tentado devorar Bilbo, se fosse fácil. Mas não tenho certeza: acho que ele estava usando o Jogo de Adivinhas (no qual nem mesmo um Gollum ousaria trapacear, já que é sagrado e de imensa antiguidade) como uma espécie de cara ou coroa para decidir por ele. E, de qualquer maneira, Bilbo estava com a espada Ferroada, se você se lembra, então não era fácil.

Mas, a partir do ponto em que Bingo observa que Gollum nunca deu o Anel a Bilbo, pois Bilbo já estava com ele, a história de Gandalf dá um grande passo à frente, com seu anúncio de que ele mesmo havia encontrado Gollum (no texto original, não há explicação de como ele conhecia a história da criatura). Apresento na íntegra o próximo trecho do capítulo, boa parte do qual se encontra num estado muito rudimentar.

"Eu sei", disse Gandalf. "E é por isso que eu disse que a ancestralidade de Gollum explicava apenas parcialmente os eventos. Havia, é claro, algo muito mais misterioso por trás de todo esse caso – algo provavelmente muito além do desígnio do próprio Senhor dos Anéis, algo peculiar a Bilbo e sua Aventura particular. Não posso expressá-lo mais simplesmente senão dizendo que *Bilbo estava 'destinado' a ficar com o Anel*, e que talvez ele tenha se envolvido na Demanda do tesouro principalmente por essa razão. Nesse caso, você estava destinado a ficar com ele. O que pode (ou não) ser um pensamento reconfortante. E também sempre houve um destino esquisito influenciando os Anéis, por si sós. Eles costumam se perder e aparecer em lugares estranhos. O Um já havia se desgarrado uma vez de seu dono e o traíra mortalmente. Agora, tinha se desgarrado de Gollum. Mas o mal que eles operam, de acordo com o desígnio de seu criador, muitas vezes se transforma em bem que ele não pretendia, e até mesmo leva à perda e derrota dele.[30] E isso também pode ser um pensamento reconfortante, ou não."

"Não acho nenhum dos seus pensamentos muito encorajador", disse Bingo; "embora eu não entenda de verdade o que quer dizer. Mas como você sabe ou infere tanta coisa sobre Gollum?

"Quanto às inferências, ou à capacidade de somar um mais um mais um, boa parte disso não foi muito difícil", explicou Gandalf. "O Anel que você recebeu de Bilbo, e que Bilbo recebeu de Gollum, a escrita-de-fogo demonstrou que é o Um Anel. E, quanto a isso, a história de Gilgalad e Isildor é conhecida – dos sábios. Preencher a história de Gollum e encaixá-la nas lacunas não apresenta nenhuma dificuldade especial: para alguém que conhece muito das histórias e das mentes e maneiras das criaturas da terra-média que não chegou a lhe contar. Qual foi a primeira adivinha que Gollum propôs, você está lembrado?"

"Sim", disse Bilbo, pensando.

O que tem raiz que ninguém vê,
Sobe a mais não poder,
Vence a árvore mais alta,
Mas o crescer lhe falta?[C]

"Mais ou menos correto", exclamou Gandalf. "Raízes e montanhas! Mas, na verdade, eu não precisei ficar fazendo muitas inferências com base em pistas desse tipo.[31] Eu sei. Eu sei porque encontrei Gollum."

"Você encontrou Gollum!", disse Bingo, assombrado.

"Certamente era a coisa óbvia a se fazer", observou o mago.

"Então o que aconteceu depois que Bilbo foi embora? Você sabe?"

"Não tão claramente. O que lhe contei é o que Gollum estava disposto a contar; embora não, é claro, do modo como relatei a história – ele achava que tinha sido mal compreendido e maltratado, e estava cheio de lágrimas por si mesmo e ódio de todas as outras coisas. Mas, depois do Jogo de Adivinhas, ele ficou avesso a dizer qualquer coisa, exceto por alusões obscuras. Dava para entender que, de um modo ou de outro, Gollum ia recuperar o que era seu, e que as pessoas iam ver se era certo chutá-lo, desprezá-lo, deixá-lo preso num buraco, passando fome e sendo *roubado*. Talvez a coisa fosse engrossar para o lado delas; pois Gollum agora tinha amigos, amigos poderosos. Você deve conseguir imaginar as coisas vingativas que ele disse. Gollum, afinal, tinha descoberto que Bilbo tinha pegado o Anel "dele" de alguma maneira, e também sabia o nome de Bilbo."

"Como?", indagou Bingo.

"Perguntei isso, mas ele só fez cara de satisfeito e riu, dizendo: 'Gollum não é ssurdo, é, não, Gollum, e ele tem olhoss, não tem, sim, meu preciosso, sim, Gollum'. Mas[32] dá para imaginar várias maneiras pelas quais isso pôde acontecer. Ele poderia, por exemplo, ter ouvido os gobelins falando sobre a fuga de Bilbo no portão. E as notícias sobre os eventos posteriores se espalharam por todas as Terras-selváticas, e dariam muito o que pensar a Gollum. De qualquer jeito, depois de ter sido "roubado e enganado", como disse, ele deixou as Montanhas: os gobelins ali tinham se tornado poucos e ressabiados depois da Batalha; a caça estava fraca, e os lugares profundos estavam mais escuros e solitários do que nunca. Além disso, o poder do Anel o deixara: ele não estava mais atado a ele. Sentia-se velho, muito velho, porém menos tímido, embora não tivesse se tornado menos maldoso.

Seria de se esperar que o vento e até a simples sombra da luz do sol o matassem bem rápido. Mas ele era ardiloso. Conseguia se esconder da luz do dia e do luar e viajar de mansinho e rapidamente à noite, com a ajuda de seus grandes olhos pálidos – e apanhar criaturinhas amedrontadas e desatentas. De fato, por algum tempo, ele ficou mais forte com a nova comida e novos ares. Esgueirou-se para dentro de Trevamata, o que não é surpreendente."

"Você o achou lá?"

"Sim – foi lá que o segui: ele tinha deixado uma trilha de histórias horríveis atrás de si, entre as feras e aves, e até entre os

Homens-da-floresta das Terras-selváticas. Tinha desenvolvido a habilidade de escalar árvores para encontrar ninhos, e de entrar à socapa em casas para achar berços. Chegou a se vangloriar disso para mim.

Mas a trilha dele também corria para o sul, muito mais ao sul de onde eu acabei topando com ele – com a ajuda, no fim das contas, dos Elfos-da-floresta. Ele não queria explicar isso. Só sorria e fazia cara de satisfeito, e dizia *Gollum*, esfregando suas mãos horríveis, todo animado. Mas tenho uma suspeita – que agora é muito mais do que uma suspeita – de que ele seguiu de forma lenta e sorrateira, pouco a pouco, muito tempo atrás, para a terra de... *Mordor*", disse Gandalf, quase num sussurro. "Tais criaturas naturalmente seguem esse caminho; e naquela terra ele logo ficaria sabendo de muita coisa, e logo seria descoberto e examinado. Creio, de fato, que Gollum é o princípio dos nossos problemas atuais;[33] pois, se meu palpite está correto, por meio dele o Necromante descobriu o que houve com o Um Anel que ele tinha perdido. Pode-se temer até que ele, afinal, tenha ouvido falar da existência dos hobbits e agora esteja procurando o Condado, se já não descobriu onde fica. Na verdade, temo que ele possa até ter ouvido falar[34] do nome humilde e por longo tempo despercebido dos... Bolseiros."

"Mas isso é terrível!", gritou Bingo. "Muito pior do que eu temia! Ó Gandalf, o que vou fazer, já que agora estou com medo de verdade? Que pena que Bilbo não apunhalou aquela criatura bestial quando se despediu dela!"

"Quanta bobagem você diz às vezes, Bingo!", exclamou o mago. "Pena! Foi a pena que o impediu. E ele não poderia fazer isso sem fazer o mal. Era contra as Regras. Se o fizesse, não tomaria posse do Anel – o Anel é que tomaria posse dele de imediato. Ficaria escravizado pelo Necromante."

"É claro, é claro", concordou Bingo. "Que coisa dizer isso de Bilbo! O velho e querido Bilbo! Mas estou apavorado – e não consigo sentir pena nenhuma daquele vil Gollum. Quer dizer que você, e os Elfos, deixaram o deixaram continuar vivo depois de todas aquelas histórias horríveis? Seja como for, agora ele é tão mau quanto um gobelim e é apenas um inimigo."

"Sim, ele merecia morrer", assentiu Gandalf; "mas não o matamos. Ele está muito velho e muito desgraçado. Os Elfos-da-floresta o mantêm na prisão, e [o] tratam com a bondade que conseguem encontrar em seus sábios corações. Eles o alimentam com comida limpa. Mas não acho que se possa fazer muita coisa para curá-lo: contudo, até Gollum pode se mostrar útil para o bem antes do fim."[35]

"Bem, de qualquer jeito", observou Bingo, "se Gollum não podia ser morto, gostaria que você não tivesse deixado Bilbo ficar com o Anel. Por que isso aconteceu? Por que você deixou? Contou tudo isso a ele?"

"Sim, deixei", respondeu Gandalf. "Mas de início, é claro que eu nem imaginava que esse era [um] dos dezenove[36] Anéis de Poder: achei que ele não tinha ficado com nada mais perigoso que um dos anéis mágicos mais fracos que outrora tinham sido mais comuns – e que eram usados (como pretendia o criador deles) por tratantes e vilões menores, para crueldades mesquinhas. Eu não tinha medo que Bilbo fosse afetado por *esse* tipo de poder. Mas, quando comecei a suspeitar que a matéria era mais séria do que essa impressão inicial, contei a ele o máximo que minhas suspeitas permitiam dizer. Ele sabia que, em última instância, aquilo tinha vindo do Necromante. Mas você precisa recordar que era necessário levar em conta o próprio Anel. Nem mesmo Bilbo podia escapar por completo do poder do Anel Regente. Ele desenvolveu... um sentimento quanto a isso. Ficaria com o Anel como recordação. Para ser franco, passou a sentir bastante orgulho de sua Grande Aventura, e costumava dar uma olhada no Anel de vez em quando (e com cada vez mais frequência conforme o tempo passava) para aquecer suas lembranças: isso fazia com que ele se sentisse bastante heroico, embora nunca tenha perdido a capacidade de rir desse sentimento.

Mas, por fim, o Anel passou a ter controle sobre ele dessa maneira. No fim das contas, Bilbo soube que o objeto estava dando "vida longa" a ele, e afinando-o. Ficou cansado de carregá-lo – "Não consigo mais suportá-lo", dizia –, mas se livrar daquilo não era tão fácil. Descobriu que era difícil se forçar a fazer isso. Se você pensar por um instante, realmente não é muito fácil se livrar do Anel depois que ele está com você."[37]

A partir desse ponto, o texto mais uma vez acompanha a versão antiga (pp. 105–6) muito de perto. Agora Bingo, é claro, tira o Anel do bolso "de novo" com a intenção de "jogá-lo mais uma vez" no fogo; e Gandalf diz (tal como em SA, p. 116) que "Esse Anel, de qualquer forma, já passou pelo seu fogo e saiu dele ileso, e nem se aqueceu". Adam Corneteiro, o ferreiro da Vila-dos-Hobbits, é mantido no texto. Gandalf diz aqui que "você teria de achar uma das Fendas da Terra, na profundeza da Montanha de Fogo, e lançá-lo lá dentro, se realmente desejasse destruí-lo – ou deixá-lo fora do alcance de todos até o Fim." Ao lado de "Fendas da Terra" (o nome usado no texto original, p. 106), meu pai escreveu na margem, na mesma época, "? Fendas da Perdição"; na segunda ocorrência do nome, ele escreveu "Fendas da Perdição", mas colocou a palavra "Terra" em cima de "Perdição".

O texto original é desenvolvido e ampliado a partir do ponto onde Bingo diz "Eu realmente quero destruí-lo" (pp. 106–7):

... não consigo imaginar como Bilbo suportou isso por tanto tempo. E também, devo dizer, não posso deixar de me perguntar por que ele repassou o Anel para mim. Eu sabia, é claro, que estava com ele – embora eu fosse o único que sabia ou sabe; mas ele falava do assunto brincando e, nas únicas duas ou três ocasiões em que o peguei usando o Anel, o uso equivalia mais ou menos a uma piada – especialmente da última vez."

"Era o estilo de Bilbo: e, quando o destino concede a alguém tesouros tão perigosos, essa não é uma maneira ruim de lidar com eles – contanto que você consiga agir assim. Mas, quanto a lhe repassar o Anel: ele fez isso apenas porque achou que você era alguém seguro: seguro no sentido de não usá-lo para o mal; de não deixá-lo cair em mãos malignas; de estar seguro diante do poder do Anel, por algum tempo; e seguro por ser um hobbit desconhecido e sem importância no coração do pequeno Condado, um lugar calmo e que passa facilmente despercebido do... inimigo. Eu também prometi a ele que ajudaria e aconselharia você, se aparecesse alguma dificuldade. Além disso, posso dizer que eu só descobri as letras de fogo, e inferi que esse anel era o Um Anel, depois que ele já tinha se decidido a ir embora e deixar o objeto aqui.[38] E não contei isso a ele, pois, se tivesse contado, ele não teria passado esse fardo a você ou ido embora. Mas, pelo bem dele, eu sabia que Bilbo precisava partir. Ele tinha ficado com aquele Anel por 60 anos, e isso estava pesando nele, Bingo. Antes, você tentou me descrever a sua própria sensação – a sensação de estar esticado.[39] A dele era muito mais forte. O Anel acabaria desgastando-o por completo no fim das contas. Porém, a única maneira segura de livrá-lo desse fardo seria deixar que alguma outra pessoa ficasse com ele, por algum tempo. Ele está livre. Mas você é o herdeiro dele. E agora que eu descobri (desde aquela época) muito mais coisas, sei que você carrega uma herança pesada. Gostaria que a situação fosse diferente. Mas não culpe Bilbo – ou a mim, se puder evitar. Vamos suportar o que nos é imposto (se pudermos). Mas precisamos fazer alguma coisa logo. O inimigo está agindo."

Fez-se um longo silêncio. Gandalf dava baforadas em seu cachimbo, com aparente contentamento ...

A nova versão, depois disso, desenvolve o texto antigo (p. 107) até ele quase alcançar a forma que tem em SA (p. 117–8), com Bingo dizendo que muitas vezes ele tinha pensado em ir embora, mas imaginava a viagem como uma espécie de férias, e seu desejo forte e repentino, que não é comunicado à Gandalf, de seguir Bilbo e talvez encontrá-lo, e de sair correndo de Bolsão bem naquela hora. O novo texto prossegue:

"Meu caro Bingo!", exclamou Gandalf. "Bilbo não errou ao escolher você como herdeiro dele. Sim, acho que você terá de ir – em breve, mas não de imediato, e não sem um pouco de ponderação e cuidado. E não sei ao certo se você precisa ir sozinho: não se você conhecer alguém em quem possa confiar e que esteja disposto a ir ao seu lado — e que você esteja disposto a levar para perigos desconhecidos. Mas tenha cuidado ao escolher, e com o que você diz, mesmo para os seus amigos mais próximos. O inimigo tem muitos espiões, e muitas formas de ouvir o que se diz." Deteve-se de repente como se escutasse.

O restante do capítulo (o momento em que Sam é surpreendido do lado de fora da janela e a decisão de Gandalf de que ele deveria ser o companheiro de Bingo – cf. *Dúvidas e Alterações*, nota 2, p. 277) corresponde quase palavra por palavra à forma final (SA, pp. 119–20), que foi alcançada quase que de um só golpe[40] e nunca foi alterada.

NOTAS

[1] Essa passagem remonta à versão original de "Uma Festa Muito Esperada" (p. 27)

[2] Essa passagem remonta à quarta versão de "Uma Festa Muito Esperada" (p. 52) e, na verdade, em parte, também à terceira (p. 42), quando Bilbo era o pai de Bingo.

[3] *Odo Bolger*: até agora Odo tem sido considerado Odo Tûk – ou, pelo menos, ele ainda era Odo Tûk quando seu sobrenome foi mencionado pela última vez, ou seja, no texto original do capítulo de "Bri" (pp. 178–9, nota 5). No início, Odo Tûk podia dizer a Bingo para não ter "esse jeito de Bolger" (p. 68); mas talvez meu pai achasse que Odo havia desenvolvido fortes traços dos Bolgers à medida que a história avançava. No entanto, ele continua tendo uma mãe Tûk.

[4] Essa passagem, a partir de "Merry era filho de Caradoc Brandebuque", foi colocada entre colchetes, aparentemente no momento da escrita. A genealogia (parte da qual já apareceu antes, p. 128) é, claro, muito diferente da forma final, mas quando se vê que Frodo Tûk ocupa o lugar na "árvore" que depois foi assumido por Peregrin Tûk (Pippin), ela imediatamente fica muito mais próxima da versão definitiva. Na tabela a seguir, os nomes em SdA (Apêndice C, *Tûks de Grandes Smials*) são apresentados entre parênteses.

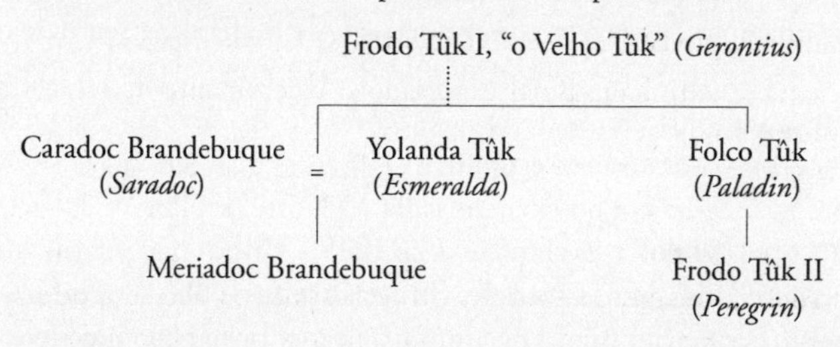

Já que se afirma aqui que Caradoc Brandebuque, pai de Merry, é primo de Bingo, pode-se presumir que a genealogia apresentada na árvore genealógica dos Brandebuques em SdA já está presente, isto é, Caradoc era filho do Velho Rory, irmão da mãe de Bingo, Prímula. Que Rory Brandebuque era tio de Bingo é algo que nunca chega a ser dito em SdA, embora, é claro, isso apareça na árvore genealógica, mas a afirmação de fato aparece em versões rejeitadas do episódio do Fazendeiro Magote (pp. 357, 366) e, de novo, mais tarde (p. 478).

Merry Brandebuque e Frodo Tûk são trinetos do Velho Tûk, tal como Merry e Pippin em SdA.

[5] Essa passagem remonta à terceira versão de "Uma Festa Muito Esperada" (p. 48). "500 peças de ouro" foi alterado mais tarde para "500 dragões-duplos (peças de ouro com o valor mais alto do Condado)"; mas o trecho não foi incorporado na versão seguinte de "História Antiga", a qual retorna a usar "500 peças de ouro". *Sessenta anos*: 111 menos 51 (ver a p. 45).

6 *As visitas de Gandalf à Vila-dos-Hobbits.* N'*O Conto dos Anos* (SdA, Apêndice B), a Festa de Despedida de Bilbo aconteceu no ano 3001; Gandalf visita Frodo durante os anos 3004–8, sendo que a última visita acontece no outono de 3008; e, por fim, ele retorna em abril de 3018 (depois de 9 anos e meio): o aniversário de 50 anos de Frodo foi em setembro daquele ano, quando ele deixou Bolsão. Cf. SA, p. 96.

No presente texto, do mesmo modo, há um intervalo de três anos depois da Festa até Gandalf aparecer de novo; mas depois disso ele passou a vir uma ou duas vezes por ano, com um intervalo de dois anos, até o 14º ano após a festa, quando Bingo tinha 47 anos, e depois disso ele vinha "com frequência". A passagem, mais tarde, foi reescrita da seguinte forma:

> ... vendo que Bingo ainda estava bastante assentado. Depois disso, ele voltou várias vezes, até que, de repente, desapareceu. Bingo não ouviu mais notícias dele entre o 7º e o 14º ano depois da partida de Bilbo, quando Gandalf, de repente, reapareceu certa noite de inverno. Depois disso o mago passou a vir com frequência e a ficar mais tempo.

Sobre o ano em que a conversa de "História Antiga" se deu (era o mês de abril, p. 318), ver a nota 8.

7 Essa é uma referência a *O Hobbit*, Capítulo 19, "O Último Estágio":

> ... e que eles tinham afinal expulsado o Necromante de seu forte sombrio, no sul de Trevamata.
>
> "Agora não vai demorar muito", ia dizendo Gandalf, "para que a Floresta se torne um pouco mais sadia. O Norte está liberto daquele horror por muitas eras."

Em sua cópia da sexta reimpressão do livro (1954), meu pai alterou as palavras de Gandalf, que ficaram assim: O Norte *ficará* liberto daquele horror por *muitos e longos anos, espero*. É esse o texto da terceira edição (1966).

A passagem seguinte é a primeira afirmação clara, ainda que muito geral, sobre a localização da Terra de Mordor; ver a p. 273, nota 17. Cf. também o relato de Gandalf sobre a jornada de Gollum (p. 327): "a trilha dele também corria para o sul, muito mais ao sul de onde eu acabei topando com ele" (ou seja, em Trevamata).

8 *na primavera do 49º? 50º? ano de vida de Bingo.* No início do próximo capítulo dessa "fase", afirma-se que Bingo tinha decidido deixar Bolsão em 22 de setembro "desse ano (que era o seu 50º)".

9 Meu pai, de início, deu ao filho do moleiro o nome de Tom Tuneloso, alterando-o, conforme escrevia, para Tom Ruivão; *Tom* foi alterado para *Ted* a lápis, antes que o capítulo fosse concluído, pois *Ted* é o nome que aparece no momento da escrita no final do texto. Ver a p. 310, nota 33.

10 O conceito que aparece aqui é muito antigo: ver II.389 e a nota 44. – Bingo descreve as Torres-élficas para seus companheiros na caminhada até a casa

do Fazendeiro Magote: diz que as viu uma vez, brilhando alvas à luz da Lua (p. 119). Troteiro, em Bri, as chama de Torres do Oeste (pp. 196, 200).

[11] Sobre as visitas de Gandalf à terra do Necromante, ver pp. 109–10, nota 12.

[12] Aqui, meu pai escreveu: "Bingo nunca o tinha visto em nenhum dedo que não fosse o seu próprio indicador", mas riscou a frase de imediato.

[13] Meu pai escreveu, de início, "Um Anel para atá-los", alterando a frase a lápis para "na escuridão atá-los", a qual é a forma escrita desde o início no verso todo que vem imediatamente depois.

[14] *O texto do poema dos Anéis.* Os esboços originais feitos por meu pai para esse poema sobreviveram. A primeira forma completa dos versos diz:

Nove para os élficos reis sob lua e constelação,
Sete para os Anãos em recinto rochoso,
Três para Homens Mortais que longe vagam,
Um para o Senhor Sombrio no espaldar tenebroso
Na Terra de Mor-dor onde as sombras estão.
Um Anel que a todos rege, Um Anel para achá-los,
Um Anel que a todos traz para na escuridão atá-los
Na Terra de Mor-dor onde as sombras estão.[D]

Nessa época, ele ainda não tinha certeza quanto à distribuição dos Anéis entre os diferentes povos. O poema no texto do presente capítulo, conforme foi escrito de início, também dizia "Nove anéis para os élficos reis" e "Três para Homens Mortais" (no texto original, p. 101, "os Elfos tinham muitos" e "os Homens receberam três anéis", mas "outros eles encontraram em lugares secretos, lançados fora pelos espectros-élficos"). Mas ele escreveu na margem do texto (à tinta e ao mesmo tempo que o poema propriamente dito) "3" ao lado de "Nove" e "9" ao lado de "Três", mudando, mais tarde, as palavras no poema em si: ver a nota 22.

Outra versão preliminar diz:

Doze para os Homens, que a morte escolheu,
Nove para os Anãos em recinto rochoso,
Três para os élficos reis de terra, mar e céu,
Um para o Senhor Sombrio no espaldar tenebroso.[E]

"Doze" e "Nove" foram, depois, trocados por "Nove" e "Sete". Sobre a existência de doze Cavaleiros Negros em certo momento, ver a p. 245. No texto do capítulo (p. 322), os Três Anéis são designados como os Anéis "da terra, do ar e do céu".

[15] O texto, conforme escrito aqui de início, era "e agora que ele sabe ou infere onde está, ele o deseja grandemente".

[16] Meu pai escreveu aqui: "Em dias antigos, o Necromante [serviçal de ???] o Senhor Sombrio Sauron." Os colchetes e pontos de interrogação foram colocados no momento da escrita ou logo depois. Só consigo explicar isso com

base no pressuposto de que ele estava pensando temporariamente em Morgoth como o Senhor Sombrio, antes que escrevesse o nome de Sauron; mas é estranho que ele não tenha simplesmente riscado as palavras "serviçal de".

[17] Ao lado dessa passagem, meu pai escreveu na margem: "Espectros-do-Anel mais tarde" (ver a p. 322). No texto original (p. 101, e cf. o esboço no qual ele estava baseado, pp. 97–8), os Espectros são mencionados nesse ponto.

[18] Meu pai escreveu os números "Nove, Sete, Três e Um", invertendo "Nove" e "Três" a lápis. – Aqui aparece explicitamente pela primeira vez a distinção entre os Anéis menores e os Anéis de Poder.

[19] O texto escrito de início, mas provavelmente alterado de imediato, era: "mas podia ver tanto o mundo sob o sol quanto o mundo fantasma [> o mundo de sombra] no qual as criaturas invisíveis do Senhor se deslocavam."

[20] Compare-se este relato sobre a relação do poder dos Anéis com as qualidades inatas daqueles que os portavam, e sobre a potência do Um Anel na mão de seu criador, com o que se diz em *Dúvidas e Alterações*, nota 12 (pp. 284–6), onde a ideia do Anel Regente aparece explicitamente pela primeira vez.

[21] Cf. a p. 265 e *Dúvidas e Alterações*, nota 10 (pp. 282–3).

[22] Aqui os *Três* Anéis dos Elfos aparecem no texto conforme escrito originalmente (bem como os *Nove* Anéis dos Homens no parágrafo seguinte): ver a nota 14. No rascunho do poema do Anel apresentado no final da nota 14, os Três Anéis são "de terra, mar e céu", enquanto aqui eles são "da terra, do ar e do céu".

[23] *magos*: cf. p. 265, onde Gandalf, em Valfenda, igualmente inclui "magos" entre os serviçais do Senhor Sombrio.

[24] *a terra-média* é uma alteração de *o mundo-médio*, termo usado anteriormente nessa passagem, e que volta a ser empregado depois.

[25] O significado desse trecho parece ser o de que, após a perda do Anel Regente para o Necromante, os Espectros-do-Anel não podiam mais funcionar como seus serviçais; não estavam definitivamente destruídos, mas não tinham nenhuma existência efetiva. Logo ficaria demonstrado que essa opinião de Gandalf estava errada, é claro; e pode ser que meu pai a tenha apresentado aqui para explicar o erro de Gandalf de não levá-los em conta. Em SA, ele é menos confiante: "Faz muitos anos desde que os Nove caminharam livremente. Mas quem sabe? À medida que a Sombra volta a crescer, também eles poderão caminhar de novo."

[26] O nome do Rei dos Homens foi, de início, grafado como *Valandil*; acima desse nome, meu pai escreveu *E* e *Orendil*. A parte seguinte da história de Gandalf foi constantemente alterada no ato da composição, e em ocorrências posteriores o nome do Rei varia entre *Valandil* > *Orendil/Elendil*, *Elendil* > *Orendil* e, por fim, *Orendil*, sem ser alterado; usei *Orendil* em todos os casos. Quanto a hesitações prévias acerca desse nome, ver a p. 219, nota 25, e pp. 247–8, nota 3.

[27] Aqui meu pai escreveu, de início: "mas, antes de tombar, Gilgalad cortou o Um Anel do dedo da mão de Sauron, e o deu a Ithildor, que estava a seu lado,

mas Ithildor o tomou para si." Isso foi alterado, no momento da escrita, para o texto já apresentado. A expressão *o dedo da mão* ficou assim mesmo; interpreto que o termo é *dedo* porque essa é a palavra usada no texto seguinte deste capítulo. – *Ithildor* foi alterado para *Isildor* em todas as ocorrências até a última nesta passagem, onde *Isildor* foi a forma escrita de início. Ver a nota 29.

28 A forma original do texto aqui era: "mas o Anel [ou >] e a sina dele o traíram."

29 A história do Um Anel agora avança um pouco mais. No texto original (pp. 101–2), o que aconteceu foi simplesmente que o Anel "caiu da mão de um elfo conforme ele atravessava um rio a nado; e o traiu, pois ele estava fugindo de seus perseguidores nas guerras antigas, e se tornou visível para seus inimigos, e os gobelins o mataram." Em *Dúvidas e Alterações*, nota 12 (p. 284), um novo elemento foi proposto: o de que o Anel foi "tirado do próprio Senhor quando Gilgalad lutou com ele e levado por um Elfo fugitivo"; sendo que a implicação claramente é que Gilgalad o pegou (conforme dito a princípio no presente texto, ver a nota 27). Agora o Elfo passa a ser Isildor, filho de Orendil (Elendil: nota 26).

30 Essa passagem, a partir de "E também sempre houve um destino esquisito", foi colocada entre colchetes com uma interrogação; e a última frase, "Mas o mal que eles operam ...", também foi posta entre colchetes duplos com uma dupla interrogação. As frases imediatamente a seguir (a de Gandalf, "E isso também pode ser um pensamento reconfortante, ou não", e a primeira parte da resposta de Bingo) são um adendo a lápis. Mas não está claro para mim por que Bingo deveria se sentir desencorajado pela sugestão de que o mal feito pelos Anéis pode se transformar em bem e ir contra os desígnios de seu criador.

31 A versão de Bingo traz leves desvios em relação ao texto de *O Hobbit* – Não fica muito evidente o que Gandalf tinha deduzido com base na primeira adivinha de Gollum.

32 No lugar desta passagem, a partir de "Gollum, afinal, tinha descoberto", o texto, da maneira como foi escrito originalmente, dizia (de forma bastante parecida com a versão original, p. 104): "Acho que é certo que Gollum soube, depois de algum tempo, que Bilbo tinha, de alguma maneira, pegado 'seu' Anel. Pode-se imaginar ..."

Com a ampliação a lápis, a explicação de Gandalf sobre como Gollum sabia que o hobbit pegara o Anel é estendida de modo a incluir o fato de que Gollum também descobriu qual era o nome dele. Mas isso é estranho, já que, tanto na história original de *O Hobbit* quanto na versão revisada, Bilbo diz a Gollum o seu nome: "'O que é ele, meu preciosso?', sussurrou Gollum. 'Sou o Sr. Bilbo Bolseiro ...'". Ver ainda a nota 34 (e cf. SA, p. 111).

33 Essa frase de Gandalf, "Creio, de fato, que Gollum é o princípio dos nossos problemas atuais", repete o que estava no texto original (p. 105), e aqui, tal como lá, parece se referir ao fato de que o Senhor Sombrio, já sabia Gandalf, estava buscando o Anel na direção do Condado. Mas ainda não chega a ser

realmente explicado que tipo de busca poderia levar Gandalf a descrevê-la como "nossos problemas atuais", uma vez que ele nada sabia dos Cavaleiros Negros (ver *Dúvidas e Alterações*, p. 281). Dificilmente ele estaria se referindo àquelas coisas mencionadas anteriormente no capítulo (p. 316): Homens se deslocando para o Norte e o Oeste, gobelins se multiplicando, novos tipos de trols; pois essas coisas, decerto, eram grandes manifestações do poder crescente do Senhor Sombrio, e não da busca pelo Anel.

[34] Depois disso, aqui, vem o seguinte: ("pois seus ouvidos são aguçados e seus espiões, uma legião"), trecho marcado a lápis para ser excluído. Essa mudança talvez acompanhe o acréscimo intrigante citado na nota 32, no qual Gandalf sugere que Gollum, por fim, tinha descoberto o nome de Bilbo; pois, nesse caso, se Gollum tinha mesmo estado em Mordor, ele próprio poderia ter contado ao Necromante que o "Bolseiro" havia pegado o Anel.

[35] A partir desse ponto, o texto está escrito a lápis, numa letra fraca.

[36] Acima de "dezenove" está escrito "20". Essa é a primeira ocorrência do termo "Anéis de Poder".

[37] A partir desse ponto, o texto mais uma vez está à tinta, um manuscrito claro e bem-acabado até o fim do capítulo.

[38] O significado disso certamente deve ser o de que Gandalf *já tinha descoberto* "as letras de fogo" no Anel antes de Bilbo ir embora da Vila-dos-Hobbits; o que é curioso, já que Gandalf também diz que não contou isso a Bilbo, e é difícil imaginá-lo conduzindo o teste sem que Bilbo ficasse sabendo. Em SA (p. 110), quando Frodo pergunta a ele quando descobriu a escrita de fogo, Gandalf responde: "Agora mesmo, nesta sala, é claro. Mas eu esperava encontrá-la. Retornei de escuras jornadas e longas buscas para fazer esse teste final." As palavras de Gandalf na p. 319 poderiam ser interpretadas com o significado de que ele não sabia até aquele momento: "Ainda não sei exatamente tudo. Dê-me o Anel um instante." Mas não é possível que o significado seja esse; e ele se refere (na p. 325) à escrita de fogo no Anel como se isso tivesse sido uma das principais evidências em sua dedução da história que está contando a Bingo.

Meu pai, mais tarde, escreveu um "X" a lápis na margem do texto aqui, rabiscando "não sabia até recentemente".

[39] Ver a p. 315.

[40] O esboço original desse episódio foi preservado, rabiscado de forma tênue no fim do manuscrito da versão original do capítulo, e naturalmente está menos bem-acabado; mas já nesse rascunho o texto final está plenamente presente, com exceção dos detalhes de expressão.

16

Atrasos são Perigosos

Depois de "História Antiga", meu pai deu início à revisão do segundo capítulo original, que recebera o título "Três não é Demais e Quatro Mais Ainda" (p. 67); essa nova versão passou a ser o Capítulo 3, mas não recebeu título. Mais tarde, ele rabiscou no alto do texto "Atrasos são Perigosos" (esse é o título *ab initio* da versão seguinte do capítulo), e é conveniente adotá-lo aqui.

Algumas notas sobremaneira rudimentares e rápidas — continuando aquelas mencionadas no início do último capítulo, p. 312 – são tudo o que existe a título de escrita preparatória para essa revisão. Já observei (p. 312) que a história da festa preparada por Bingo para Merry, Frodo Tûk e Odo Bolger na véspera da partida foi inventada aqui, e que ao lado dessa passagem meu pai escreveu "Sam Gamgi vai substituir Odo" (essas notas precederam a escrita de "História Antiga", onde Sam Gamgi emergiu pela primeira vez). Mas não havia como eliminar Odo tão facilmente. As notas continuam:

Gandalf *deveria vir para a festa*, mas *não* apareceu. Bingo espera até sexta-feira [23 de setembro], mas, de maneira insensata, não esperou mais, já que Sacola-Bolseiros ameaçam expulsá-lo; mas parte na noite de sexta. Diz que vai ficar com Merry e voltar para seus parentes Brandebuques.

Uma sugestão rejeitada de que Odo deveria permanecer na Vila-dos-Hobbits "para dar as notícias a Gandalf" mostra que meu pai já estava refletindo sobre essa questão, o que, após uma longa história de mudanças, levaria, em última instância, à permanência de Fredegar Bolger em Cricôncavo (SA, p. 177). Nessas notas, um Brandebuque com o nome arturiano de Lanorac (uma alteração de Bercilak), primo de Merry, "recebeu ordens de aprontar tudo" na Terra-dos-Buques; e há uma sugestão a respeito da história que viria depois que eles deixassem a região e entrassem na Floresta Velha: "Frodo quer vir junto, mas dizem *não* para ele: melhor dar notícias para Gandalf. Merry não diz nada – mas *acaba* vindo junto: tranca porta e joga chave por cima da sebe." Sobre isso, cf. *Dúvidas e Alterações*, nota 2 (p. 277): "Frodo se despede em Buqueburgo. Apenas Merry e Bingo seguem para o exílio – porque *Merry insiste*. Bingo originalmente pretendia ir sozinho" (isso foi escrito antes que Sam Gamgi fosse criado).

O texto da nova versão desse capítulo é o documento mais complicado que encontramos até agora. Começa como manuscrito, no qual parte da narrativa está em duas formas variantes, e depois retorna ao texto datilografado original (apresentado em seu todo nas pp. 67–86), o qual recebeu muitas correções em duas formas (com tintas diferentes, cobrindo versões distintas): algumas das mudanças mais extensas estão em pedaços de papel enxertados no texto. No final, meu pai abandonou o texto datilografado antigo e concluiu o capítulo num novo manuscrito – cuja primeira parte tem três versões. Apresentar todo esse complexo de textos neste livro é obviamente impossível e, de qualquer modo, não é de forma nenhuma necessário para a compreensão do desenvolvimento da narrativa.

A porção inicial do manuscrito se estende até o princípio da caminhada dos hobbits na primeira noite ("Seguiram, muito silenciosos, passando por plantações, ao longo de sebes e franjas de pequenos bosques, até que a noite caiu", p. 63), e a abertura do capítulo apresenta uma narrativa inteiramente nova. Deixando de lado por ora a passagem preservada em formas variantes, o novo texto, ainda que muito rudimentar, alcança, em todos os seus elementos essenciais, a forma final em SA, pp. 121–7. Ainda há muitas diferenças de formulação, e o capítulo começa com a fofoca dos hobbits sobre a venda de Bolsão e depois prossegue até a discussão de Bingo com Gandalf sobre a partida, em vez de ser o contrário;[1] mas as diferenças de substância são poucas e, em geral, minúsculas. Dá-se mais ênfase ao fato de que o dia 22 de setembro, naquele ano, era mais uma vez quinta-feira (tal como era em SA, p. 125): "aquilo parecia, na imaginação [de Bingo], marcar a data como um dia apropriado para partir seguindo os passos de Bilbo." O tom da fala de Gandalf a Bingo é um pouco mais sombrio e mais carregado de aspereza; e ele não se refere à possibilidade de que a tarefa de Bingo possa ou não ser encontrar as Fendas da Perdição.

As palavras de despedida do mago são significativamente diferentes do que ele diz em SA: e o estado de espírito de Bingo na véspera de sua partida recebe uma ênfase diferente. Apresento aqui um trecho do texto, retomando-o a partir do ponto onde Gandalf diz que o rumo que Bingo tomar quando ele deixar a Vila-dos-Hobbits não deve ser conhecido (SA, p. 122):

"Pois bem", disse Bingo, "sabe que eu, no geral, só fiquei pensando em ir embora e nunca me decidi sobre o rumo! Pois para onde hei de ir, e pelo que hei de me guiar, e qual deve ser minha demanda? Ela, de fato, vai ser o contrário da aventura de Bilbo: partir sem nenhum destino conhecido e se livrar de um tesouro, não encontrar um."

"E ir até *lá*, mas não vir *de volta outra vez*, é bastante provável", acrescentou Gandalf, em tom sombrio.

"Isso eu sei", disse Bingo, fingindo não ficar impressionado. "Mas, sério, qual direção hei de tomar de início?"

"Rumo ao perigo, mas não de modo muito temerário, nem muito direto", respondeu Gandalf. "Siga primeiro para Valfenda, se você, pelo menos, for seguir esse conselho. Depois disso, havemos de ver – se você chegar mesmo lá: a Estrada não está tão favorável quanto já esteve."

"Valfenda!", exclamou Bingo. "Muito bem. Isso vai agradar ao Sam." Não acrescentou que aquilo lhe agradava também; e que, embora não tivesse se decidido, pensara com frequência em rumar para a casa de Elrond, só porque pensava que talvez Bilbo, depois de ter ficado livre de novo, tivesse escolhido seguir aquele caminho também.

A decisão de ir para o Leste direcionou os planos seguintes de Bingo. Foi por essa razão que ele divulgou que estava se mudando para a Terra-dos-Buques e chegou até a pedir que seus primos Brandebuques, Merry e Lanorac e os demais, procurassem um lugarzinho onde ele pudesse morar.[2] Nesse meio-tempo, continuou a agir como de costume, e o verão foi passando. Gandalf tinha viajado de novo. Mas o mago foi convidado para a festa de despedida e prometera chegar no dia anterior, ou, no máximo, no próprio dia 22. "Não vá embora antes de me ver, Bingo", disse ele, ao se despedir num fim de tarde úmido de maio. "Pode ser que eu traga notícias, e informações úteis sobre a Estrada. E pode ser que eu queira ir com você."[3]

O outono chegou. Não veio nenhuma notícia de Gandalf. Começaram a aparecer sinais de atividade em Bolsão. Dois carroções cobertos partiram carregados. Acreditava-se que eles estavam transportando os móveis que o Sr. Bolseiro não tinha vendido aos Sacola-Bolseiros para sua nova casa na Terra-dos-Buques, pelo caminho da Ponte do Brandevin. Odo Bolger, Merry Brandebuque e Frodo Tûk ficariam por lá com Bingo. Os quatro pareciam estar ocupados fazendo as malas, e a toca estava toda de cabeça para baixo. Na quarta-feira, 21 de setembro, Bingo começou a aguardar ansiosamente a chegada de Gandalf, mas não havia sinal dele. A manhã do aniversário, 22 de setembro, raiou tão bonita e clara quanto a da festa de Bilbo, muito tempo antes (como parecia ser agora para Bingo). Mas ainda assim Gandalf não apareceu. À tardinha, Bingo deu sua festa de despedida. A ausência do mago preocupava bastante Bingo e estragou um pouco seu ânimo, que vinha se fortalecendo constantemente – conforme cada nova manhã fresca e enevoada de outono o deixava mais perto do dia de sua partida. A única dificuldade agora era se separar de seus jovens amigos. O perigo não parecia tão ameaçador. Ele queria ir embora – de uma vez. Todos foram informados de que ele estava indo para Buqueburgo o mais rápido possível depois de seu aniversário. Os Sacola-Bolseiros tomariam posse depois da meia-noite do dia 23. Mesmo assim, ele queria ver Gandalf primeiro. Mas seus três amigos estavam com ânimo elevado ...

Do final do jantar de aniversário do Bingo até o início da caminhada noturna dos hobbits, o novo texto é quase o mesmo que o de SA (pp. 125–9), com exceção dos hobbits diferentes que estão presentes (e ainda deixando de lado a parte preservada em formas variantes). O terceiro carroção, levando "as coisas restantes e mais valiosas", partiu, tal como em SA, na manhã do dia 23; a princípio, afirma-se que Odo Bolger era o responsável pela remessa, mas ele foi trocado, aparentemente de imediato, por Merry Brandebuque. (Em SA, Merry é acompanhado por Fredegar Bolger, e meu pai, aqui, colocou na margem do texto a pergunta: "Merry e Odo?"). É nesse ponto que entra na história o momento em que Bingo ouve de longe o Feitor Gamgi conversando (quase com as mesmas palavras de SA) com um estranho no fim da Rua do Bolsinho: o primeiro gérmen dessa passagem apareceu em *Dúvidas e Alterações*, nota 3 (pp. 278–9). A única diferença real é que a antiga discussão entre os hobbits (p. 68) sobre andar bastante ou não ainda está presente, com Odo discordando de Frodo e Bingo; mas agora há quatro hobbits presentes, e Bingo pede a opinião de Sam:

"Bem, senhor", respondeu ele, tirando o chapéu e olhando para o céu, "acho mesmo que vai fazer bastante calor amanhã. E andar debaixo de sol, mesmo nessa época d'ano, com uma carga no lombo, pode ser meio cansativo. Eu voto é com o Sr. Frodo, se quer saber."

A seção variante foi escrita na sequência da narrativa precedente – quer dizer, primeiro veio a história conforme meu pai pretendia contá-la de início, e a outra versão foi escrita posteriormente, de início como alternativa. A divergência começa depois da partida de Merry rumo à Terra-dos-Buques, na sexta, 23 de setembro, último dia de Bingo em Bolsão.

Depois do almoço, as pessoas começaram a chegar – algumas convidadas, outras trazidas por rumores e pela curiosidade. Encontraram a porta aberta, e Bingo no tapete do salão de entrada, esperando para recebê-las. Dentro do salão havia um conjunto de pacotes, bricabraques e pequenos artigos de mobília. Em cada pacote e item estava amarrada uma etiqueta....

No manuscrito, meu pai escreveu mais tarde que "essa variante, que dependia de um encurtamento do Capítulo 1 e da transferência dos presentes de despedida etc. para o 3", agora tinha sido rejeitada. O encurtamento do Capítulo I proposto, na verdade, é a variante curta da história sobre as consequências da festa de Bilbo, a qual foi descrita na p. 302: como observei então, "todo o 'negócio' dos presentes e da invasão de Bolsão foi removido dessa variante", pois tudo isso seria transferido para a partida de *Bingo* – ou, pelo menos, havia a opção de que essa transferência acontecesse. Assim, acontece mais uma reviravolta na história serpenteante desse elemento em *O Senhor dos Anéis*: pois a questão aqui não é um simples retorno à história como ela era no fim da "primeira fase" de "Uma Festa Muito Esperada", onde também os presentes eram dados por Bingo, e não por Bilbo. A nova ideia era a de que os presentes,[4] a invasão de Bolsão, a expulsão dos hobbits que estavam escavando a despensa e a luta com Sancho Pé-Soberbo (sendo que o adversário dele aqui é Cosimo Sacola-Bolseiro,[5] com apoio de sua mãe, que quebrou seu guarda-chuva na cabeça de Sancho) – tudo isso se deu não depois da grande Festa de Aniversário (que agora era de Bilbo), mas depois da festa de aniversário discreta de *Bingo*, antes da partida *dele*.

É possível e até provável que a intenção de meu pai com isso fosse a de reduzir os elementos de comédia da Vila-dos-Hobbits que confrontam o leitor logo de cara, e introduzir mais cedo, com o capítulo "História Antiga", as matérias muito mais sisudas que tinham sido formuladas desde que "Uma Festa Muito Esperada" tinha sido escrito pela primeira vez.

Nessa versão, a história de Bingo caminhando a uma distância curta de Bolsão e ouvindo o Feitor Gamgi falando com o Cavaleiro Negro ainda não estava presente; e, quando ele manda Sam levar a chave ao seu pai, Bingo prossegue sozinho. Não há menção a Odo Bolger e Frodo Tûk antes do final da variante, com Bingo descendo o caminho do jardim, pulando a cerca no fim da trilha e adentrando o crepúsculo. Não posso dizer com certeza se isso é significativo ou não. Parece improvável que seja um mero descuido casual; mas, se não for, significa presumivelmente que meu pai estava pensando em adotar um curso totalmente novo para a história: Bingo e Sam viajando sozinhos pelo Condado. Ele certamente havia pensado em algo do tipo antes. Seja como for, a ideia não deu em nada; e ele passou imediatamente para a segunda versão dessa parte da narrativa (a forma em SA), na qual Bingo, depois de ouvir o Feitor Gamgi conversando com o estranho, retorna a Bolsão e encontra Odo e Frodo (Pippin em SA) sentados em cima de suas mochilas na varanda.

Efetivamente, portanto, o terceiro capítulo de SA, no que diz respeito à saída de Bingo (Frodo) de Bolsão, agora estava completo. Aqui, como eu disse, meu pai voltou ao original datilografado e o usou como base física para seu novo texto até quase o final do capítulo. Ele o emendou com tintas diferentes e acrescentou esta nota ao texto datilografado: *Correções em preto são para qualquer versão. As em vermelho são para a versão revisada (com Bilbo como responsável pela festa e incluindo Sam).*[6] No novo material, nas correções e acréscimos, ele distinguiu com muito cuidado os dois tipos de alteração: em um caso ele escreveu "emenda em vermelho" ao lado da primeira parte de uma nova passagem, e "emenda em preto" ao lado do trecho seguinte, que continuava a primeira parte (a passagem é apresentada na nota 11, e o motivo da distinção é muito claro). É difícil perceber por que ele deveria se dar a todo esse trabalho, a menos que, nesse estágio, ele ainda estivesse (surpreendentemente) incerto em relação à nova história, com "Bilbo como responsável pela festa e incluindo Sam", e enxergasse a possibilidade de retornar à versão antiga.

Como eu disse, a apresentação dos resultados desse procedimento aqui é impossível,[7] e desnecessária mesmo se possível. O efeito de todas as emendas é fazer com que a versão original fique realmente muito próxima da forma em SA (p. 127 e seguintes). Em alguns pontos, a nova versão é um meio-termo entre as duas, e, na última parte, as correções são menos extensas, e só aqui e ali há algo de importância narrativa a ser observado. No que se segue, pode-se presumir, a menos que seja dito o contrário, que o texto de SA já estava presente em todos os detalhes, exceto na escolha do fraseado. Mas os hobbits agora são quatro: Bingo, Frodo Tûk, Odo Bolger e Sam Gamgi, de modo que aqui há, a esse respeito, também um estágio intermediário entre a história original (na qual há três hobbits, Bingo, Frodo Tûk e Odo Tûk) e SA (onde há novamente apenas três hobbits, mas com nomes diferentes: Frodo Bolseiro, Peregrin Tûk e Sam Gamgi, e alguma variação entre as versões no que diz respeito à atribuição de diálogos a personagens diferentes (sobre esse tema, ver a p. 91). Mas as coisas ditas por Sam em SA também são ditas por ele no presente texto.[8]

No início dessa parte do capítulo, onde o texto antigo (pp. 68–9), diz: "Estavam agora na Terra-dos-Tûks; e começaram a subir até a Terra das Colinas Verdes, ao sul da Vila-dos-Hobbits", o novo diz: "Estavam agora na Terra-dos-Tûks e seguiam para o sul; mas, uma ou duas milhas adiante, cruzaram a estrada principal que ia de Grã-Cicuta (na região dos Corneteiros) para Beirágua e a Ponte do Brandevin. Então viraram para o leste e começaram a subir ..."[9] Ao lado desse trecho, meu pai escreveu: "?Grã-Cava (a principal cidade do Condado do lado oeste, nas Colinas Brancas)." Essa é a primeira aparição de Grã-Cava e das Colinas Brancas (ver pp. 364–5). "Grã-Cicuta" [*Much Hemlock*, em inglês] ecoa o topônimo Much Wenlock, na região de Shropshire (*Much* com o sentido de "Grande", tal como em *Michel* [que ocorre em *Michel Delving*, "Grã-Cava"]).

A Ponta do Bosque não é chamada de "um canto selvagem da Quarta Leste" – as "Quartas" ainda não tinham sido criadas – mas o texto acrescenta que "Não muitos deles [hobbits] viviam naquela região."

Os versos de *A Estrada segue sempre avante*, agora atribuídos a Bingo e não a Frodo Tûk, ainda estão como na versão original (p. 72).[10]

Uma leve diferença em relação ao texto de SA está presente na primeira aparição do Cavaleiro Negro na estrada (versão antiga na p. 73):

Odo e Frodo correram depressa para a esquerda, descendo para uma pequena depressão não longe da estrada. Ali deitaram-se no chão. Bingo hesitou por um segundo: a curiosidade ou algum outro impulso lutava com seu desejo de se esconder. Sam esperou seu mestre para se mexer. O som dos cascos se aproximou. "Abaixe-se, Sam!", disse Bingo, bem a tempo. Eles se jogaram num tufo de capim alto atrás de uma árvore que fazia sombra na estrada.[11]

Na discussão que se seguiu à partida do primeiro Cavaleiro Negro, meu pai manteve, nesse momento, a versão antiga (p. 74), na qual Frodo Tûk falou de seu encontro com um Cavaleiro Negro no norte do Condado:

... eu não vejo alguém daquela Gente no nosso Condado faz anos."

"Há Homens por aí, mesmo assim", disse Bingo; "e tenho ouvido muitos relatos sobre um pessoal estranho nas nossas fronteiras, e dentro delas, ultimamente. Lá no sul do Condado andaram tendo alguns problemas com o Povo Grande, pelo que me contaram. Mas não ouvi falar de nada semelhante a esse cavaleiro."

"Mas eu ouvi", comentou Frodo, que ouvira atentamente a descrição do Cavaleiro Negro feita por Bingo. "Agora me lembro de algo que eu tinha quase esquecido. Eu estava caminhando lá no Pântano do Norte – você sabe, bem na fronteira norte do Condado – neste mesmo verão, quando um cavaleiro alto e de manto preto me encontrou. Ele estava cavalgando para o sul e parou para conversar comigo, embora não parecesse ser capaz de falar nossa língua muito bem; ele me perguntou se eu sabia se havia gente com o nome de Bolseiro naquelas bandas. Achei aquilo muito esquisito na época; e tive uma sensação esquisita e desconfortável também. Não dava para ver rosto nenhum debaixo do capuz dele. Eu respondi que *não*, por não gostar da aparência do sujeito. Até onde fiquei sabendo, ele nunca achou o caminho para a Vila-dos--Hobbits e a região dos Bolseiros."

"Com sua licença", atalhou Sam de repente, "mas ele achou o caminho para a Vila-dos-Hobbits sim, ou ele ou alguém feito ele. De qualquer jeito, é da Vila-dos-Hobbits que esse Cavaleiro Negro aí vem – e sei aonde ele vai."

"O que quer dizer?", perguntou Bingo, voltando-se rápido para ele. "Por que não se manifestou antes?"

O relato de Sam sobre a conversa que teve com o Feitor acerca do Cavaleiro que chegara à Vila-dos-Hobbits é exatamente igual ao de SA, p. 135. Depois vem o seguinte:

"Não se pode culpar o seu pai, de qualquer maneira", ponderou Bingo. "Mas eu teria tomado mais cuidado na estrada se tivesse me contado isso antes. Queria ter esperado por Gandalf", resmungou; "mas talvez isso só teria piorado as coisas."

"Então você sabe ou supõe alguma coisa sobre o cavaleiro?", perguntou Frodo, que tinha captado as palavras resmungadas. "O que ele é?"

"Não sei, e preferia não adivinhar", disse Bingo. "Mas não acredito que esse cavaleiro (ou o seu, ou o de Sam – se todos eles forem um fulano diferente) realmente era alguém do Povo Grande, um Homem comum, quero dizer. Gostaria que Gandalf estivesse aqui; mas agora o máximo que podemos esperar é que ele chegue rápido a Buqueburgo. Quem esperaria que uma caminhada tranquila da Vila-dos-Hobbits até a Terra-dos-Buques ficaria tão esquisita. Não tinha ideia nenhuma de que estava enfiando vocês, pessoal, em algo perigoso."

"Perigoso?", disse Frodo. "Então você acha que é perigoso, é? Você anda bastante misterioso, não anda, Tio Bingo? Não importa – havemos de arrancar seu segredo em algum momento. Mas, se é perigoso, então fico contente que estamos com você."

"Um viva para isso!", exclamou Odo. "Mas qual é a próxima coisa a fazer? Devemos continuar de uma vez, ou ficar aqui e comer alguma coisa? ...

Meu pai ainda manteve o desenvolvimento da narrativa (ver pp. 75–6 e a nota 11) segundo o qual um Cavaleiro Negro passou perto e parou brevemente ao lado da grande árvore oca na qual os hobbits estavam sentados, e só alterou essa história no final:

... Provavelmente a gente está fazendo muito barulho por nada [disse Odo]. Esse segundo cavaleiro, de qualquer modo, muito provavelmente era só um forasteiro errante que se perdeu; e, se nos encontrasse, simplesmente perguntaria o caminho para a Terra-dos-Buques ou para a Ponte do Brandevin e continuaria cavalgando."

"E se eles nos parar e perguntar se sabemos onde está o Sr. Bolseiro de Bolsão?", questionou Frodo.

"Deem-lhe uma resposta verdadeira", propôs Bingo. "Ou digam: *Lá na Vila-dos-Hobbits*, onde há centenas deles; ou digam *Em lugar nenhum*. Pois o Sr. Bingo Bolseiro deixou Bolsão e ainda não achou nenhum outro lar. De fato, acho que ele desapareceu; aqui e agora, acabo de me tornar o Sr. Longes-Montes."

Há também uma versão alternativa:

"E se eles nos parar e perguntar se sabemos onde está o Sr. Bolseiro de Bolsão?", questionou Frodo.

"Digam-lhe que ele desapareceu! Afinal de contas, um dos Bolseiros de Bolsão desapareceu, e como vamos saber se não é ao velho Bilbo que ele quer fazer uma visita atrasada? Bilbo fez alguns amigos esquisitos em suas viagens, pelo que ele mesmo diz."

Bingo olhou rápido para Odo. "Está aí uma ideia", disse. "Mas espero que não nos façam essa pergunta; e, se fizerem, tenho a sensação de que o silêncio será a melhor resposta. Agora vamos indo. Estou contente que a estrada é sinuosa."

Todos esses elementos foram removidos da narrativa em SA (p. 136).

Quando o canto dos Elfos se faz ouvir (versão antiga, p. 78), Bingo ainda atribui a Bilbo seu conhecimento de que às vezes havia Elfos na Ponta do Bosque (cf. a passagem em "História Antiga", pp. 315–6) e diz que eles vagam Condado adentro na primavera e no outono "vindo das próprias terras deles, muito além do rio"; em SA (p. 139), Frodo sabe, independentemente de Bilbo, que é possível encontrar Elfos na Ponta do Bosque, e diz que eles aparecem "vindos de suas próprias terras lá longe além das Colinas das Torres". A concepção das terras élficas a oeste do Condado, é claro, já estava completamente presente nessa época: cf. as palavras de Sam sobre Elfos "indo para os ancoradouros, lá longe no Oeste, lá depois das Torres" (p. 317). O hino a Elbereth recebe a última emenda necessária para que ele alcance a forma final (ver a p. 79): de *hálito frio* para *alento e olhos puros* no segundo verso da segunda estrofe. Ainda se afirma que a canção foi entoada "na língua secreta dos elfos". No final do poema, Bingo fala dos Altos Elfos, tal como Frodo em SA (p. 140), embora sem comentar "Falaram o nome de Elbereth!" – assim, não se explica como ele sabe que são Altos Elfos.[12]

A observação desajeitada de Odo ("Imagino que conseguiremos uma boa cama e boa ceia?") foi mantida, e a saudação feita por Bingo, que Bilbo lhe ensinara, "As estrelas brilham sobre a hora de nosso encontro", continua aparecendo apenas já traduzida. Gildor, em sua resposta, refere-se ao fato de que Bingo é "um estudioso da língua-élfica", alteração de "do latim-élfico" (p. 81), ponto em que o texto de SA diz "um erudito da língua antiga". Ainda é a Lua, e não as estrelas de outono, que aparece no céu; e as diferentes lembranças dos hobbits sobre a refeição que fizeram com os elfos são as do texto antigo, com o acréscimo da passagem a respeito de Sam (SA, p. 144).

A partir desse ponto, meu pai abandonou o texto datilografado antigo e, embora retornasse a ele só no fim, continuou a narrativa na forma de manuscrito. O início da conversa de Bingo com Gildor está preservado em três formas. Todas as três começam tal como em SA, p. 144 ("Falaram de muitas coisas, antigas e novas"), mas na primeira Gildor, depois de dizer "Por nós o segredo não alcançará o Inimigo", pergunta "Mas por que não partiste antes?" – a primeira coisa que ele diz a Bingo na versão original ("Por que escolheste este momento para partir?", p. 83). Bingo responde com uma referência muito breve à sua indecisão sobre deixar o Condado, e então Gildor explica os sentimentos do hobbit para ele próprio:

"Isso eu posso compreender", disse Gildor. "Metade de teu coração desejava partir, mas a outra metade te detinha; pois seu lar ficava no Condado, e seu deleite estava na cama, na mesa e nas vozes de amigos, e na mudança das estações gentis em meio aos campos e árvores. Mas, uma vez que és um hobbit, essa metade é a mais forte, tal como era até mesmo em Bilbo. O que a fez se render?"

"Sim, sou um hobbit comum, e sempre hei de ser, imagino", concordou Bingo. "Mas uma sina muitíssimo diversa da dos hobbits me foi imposta."

"Então não és um hobbit comum", observou Gildor, "pois do contrário isso não poderia acontecer. Mas a metade que é de simples hobbit vai sofrer muito, temo eu, por ser forçada a seguir a outra metade, a qual é digna da sina estranha, até que também se torne digna dela (e, contudo, permaneça sendo hobbit). Pois esse deve ser o propósito de tua sina, ou o propósito daquela parte de tua sina que diz respeito a ti mesmo. A metade hobbit que ama o Condado não deve ser desprezada, mas tem de ser treinada e redescobrir as estações mudadiças e as vozes dos amigos quando elas se perderem."

Aqui o texto termina. A segunda dessas versões abandonadas é mais próxima da de SA, mas nela Gildor fala de modo severo sobre o atraso de Bingo na estrada:

"Gandalf não te disse nada?"

"Nada sobre tais criaturas."

"Não é por conselho dele, então, que deixaste tua casa? Ele não chegou nem a incitar-te para que te apressasses?"

"Sim. Ele queria que eu fosse mais cedo neste ano. Disse que o atraso poderia se revelar perigoso; e começo a temer que isso tenha acontecido."

"Por que não partiste antes?"

Bingo então fala de suas duas "metades", embora sem comentários de Gildor, passa a explicar por que esperou até o outono chegar e fala de seu temor diante do perigo que já o está ameaçando.

O terceiro texto é muito próximo e, em larguíssima medida, palavra por palavra, igual ao da forma final até perto do fim da conversa, onde o conteúdo, embora essencialmente o mesmo, está arranjado de modo algo diferente. O conselho de Gildor sobre levar companheiros consigo é mais explícito do que o de SA ("Leva amigos que sejam confiáveis e dispostos", p. 146): aqui ele diz: "Se houver alguns deles nos quais podes confiar totalmente, e que estejam dispostos a compartilhar de teu perigo, leva-os contigo". Ele está se referindo aos companheiros presentes de Bingo; pois prossegue dizendo (tal como na versão antiga, p. 85): "Eles vão te proteger. Acho provável que teus três companheiros já te tenham ajudado a escapar: os Cavaleiros não sabiam que eles estavam contigo, e a presença deles, por ora, confundiu a trilha de cheiro". Mas, bem no final, aparece a seguinte passagem:

... Neste encontro pode haver mais do que acaso; mas o motivo não me é claro, e temo dizer demasiado. Mas" – e ele fez uma pausa e olhou atentamente para Bingo – "trazes contigo, quiçá, o anel de Bilbo?"

"Sim, trago", disse Bingo, surpreso.

"Então acrescentarei esta última palavra. Se um Cavaleiro se aproximar ou te perseguir de perto – não uses o anel para escapar de seu assédio. Creio que o anel ajudará mais a ele do que a ti."

"Mais mistérios!", exclamou Bingo. "Como um anel que me faz ficar invisível pode ajudar um Cavaleiro Negro a me achar?"

"Responderei apenas isto", disse Gildor: "o anel veio, no princípio, do Inimigo, e não foi feito para iludir seus serviçais."

"Mas Bilbo usou o anel para escapar de gobelins e criaturas malignas", insistiu Bingo.

"Cavaleiros Negros não são gobelins", ressaltou o Elfo. "Não me perguntes mais nada. Mas meu coração pressagia que, antes que tudo esteja terminado, tu, Bingo, filho de Drogo, saberás mais sobre essas coisas feras do que Gildor Inglorion. Que Elbereth te proteja!"

"És muito pior do que Gandalf", gritou Bingo; "e agora estou mais completamente aterrorizado do que jamais estive na minha vida. Mas fico profundamente grato a ti."

O fim do capítulo é virtualmente o mesmo na versão antiga, no presente texto e em SA; mas agora Gildor acrescenta a saudação: "e que as estrelas brilhem sobre o fim de vossa estrada".

NOTAS

[1] O arranjo diferente da abertura do capítulo apresenta a intenção de Bingo de ir morar na Terra-dos-Buques *antes* que ela chegasse a surgir como resultado de sua conversa com Gandalf. Pode ser que meu pai, mais tarde, tenha invertido a ordem desses elementos narrativos para evitar isso.

[2] Essa passagem, a partir de "e chegou até a pedir que seus primos Brandebuques", foi riscada com lápis e substituída pelo seguinte:

> Com ajuda de seu primo Brandebuque, Merry, ele escolheu e comprou uma casinha [*acrescentado mais tarde*: em Cricôncavo] na região atrás de Buqueburgo, e começou a fazer preparativos para uma mudança.

[3] As palavras de Gandalf foram alteradas a lápis da seguinte maneira:

> "Vou querer vê-lo antes de você partir, Bingo", disse ele, ao se despedir num fim de tarde úmido de maio. "Pode ser que eu traga notícias e informações úteis sobre a Estrada." Bingo não tinha certeza se Gandalf pretendia ir com ele até Valfenda ou não.

[4] Não há nenhuma lista nova de presentes nessa variante: meu pai se contentou com uma referência à versão mais recente de "Uma Festa Muito Esperada", que deveria ser "adequadamente emendada" (pp. 308–9, nota 21)

[5] O filho dos Sacola-Bolseiros aparece agora pela primeira vez. Afirma-se em ambas as variantes que Lobélia "e seu filho cheio de espinhas, Cosimo (e a mulher submissa dele, Miranda) viveram em Bolsão por um bom tempo depois disso/por muitos anos depois disso". Lobélia, em ambas as versões, tinha 92 anos nessa época, e tivera de esperar setenta e sete anos (tal como em SA) para ficar com Bolsão, o que significa que ela era uma jovem cobiçosa de quinze anos de idade quando Bilbo voltou no fim de *O Hobbit* e a encontrou medindo seus cômodos; em SA, ela tinha cem anos e, na segunda dessas versões divergentes, "92" foi alterado para "102". Em SA, o filho dela é "Lotho, [de cabelo] arruivado", e não há menção a uma esposa dele.

[6] As correções, de fato, foram feitas com tinta azul, preta e vermelha. Afirmei anteriormente (na p. 67 e na nota 1) que aquelas feitas com tinta preta correspondem a um estágio muito inicial da revisão. As que estão em azul e vermelho foram feitas no estágio atual; mas, em sua nota sobre o assunto, meu pai, sem dúvida, usou a expressão "correções em preto" para incluir todas aqueles que não estavam em vermelho.

[7] Entretanto, apresento abaixo um exemplo para demonstrar a natureza desse procedimento (versão original, p. 70):

> "O vento está no Oeste", disse Odo. "Se descermos do outro lado deste morro que estamos subindo, devemos encontrar um ponto razoavelmente seco e abrigado."

As correções feitas com tinta vermelha são apresentadas abaixo em itálico; outras mudanças no texto original foram feitas com tinta preta (na verdade, azul, ver a nota 6).

> "O vento está no Oeste", disse *Sam.* "Se descermos do outro lado deste morro que estamos subindo, vamos encontrar um ponto bem abrigado e confortável, *senhor*. Tem um bosque seco de abetos logo em frente, se bem me lembro." *Sam conhecia bem a paisagem num raio de umas vinte milhas da Vila-dos-Hobbits, mas esse era o limite de sua geografia.*

Ver também a nota 11.

[8] O texto, na verdade, ficou ainda mais complicado devido a uma camada de emendas posteriores, que surgiram com base na intenção de meu pai de se livrar totalmente de Odo, deixando no texto apenas Bingo, Frodo Tûk e Sam, mas essa camada foi ignorada aqui.

[9] Nos textos originais, a travessia da Estrada Leste tinha sido omitida (ver pp. 64–5, 69). – Com a substituição de "Grã-Cicuta" por "Grã-Cava (na região dos Corneteiros)" e "leste" por "sudeste", esse passa a ser o texto de SA – na primeira edição do SdA. Na segunda edição, o texto foi alterado para esta forma:

> Uma ou duas milhas mais ao sul, atravessaram apressados a grande estrada que vinha da Ponte do Brandevin; estavam agora na Terra-dos-Tûks e, fazendo uma curva para o sudeste, rumaram para a Terra das Colinas Verdes. Quando começavam a subir suas primeiras encostas, olharam para trás e viram as lâmpadas da Vila-dos-Hobbits ao longe, piscando ...

Robert Foster, no seu *The Complete Guide to Middle-earth* [*O Guia Completo da Terra-média*], no verbete *Corneteiro*, diz que "todos ou a maioria" dos Corneteiros "habitam a Quarta Sul"; isso parece estar baseado apenas na afirmação do Prólogo do SdA segundo a qual Tobold Corneteiro, primeiro cultivador da erva-de-fumo, morava no Vale Comprido da Quarta Sul, mas pode muito bem ser uma dedução legítima. Alguns "territórios familiares" de hobbits estão marcados no mapa do Condado feito por meu pai (p. 135, item I), mas os Corneteiros não estão entre eles. (Os Justa-Correias foram colocados a oeste da Ilha Cinta, no Brandevin; os Bolgers, a sul da Estrada Leste e a norte da Ponta do Bosque; os Boffins a norte da Colina da Vila-dos-Hobbits – cf. o Sr. Boffin de Sobremonte, SA, p. 94; e os Tûks da Terra-dos-Tûks, ao sul da Vila-dos-Hobbits.) Ver a p. 376, nota 1.

[10] Ver a p. 308, nota 18. O poema agora está sendo repetido, pois Bilbo já o cantara antes de deixar Bolsão (p. 300); mas, enquanto em SA (p. 132) a única diferença entre as duas recitações é que Bilbo diz "pés ansiosos" no quinto verso e Frodo diz "pés morosos", aqui Bingo também usa "nós" no lugar de "eu" no quarto e oitavo versos (mantendo o que havia no texto original, p. 72).

[11] Essa passagem é um exemplo interessante do sistema de "dois níveis" de emendas que meu pai empregou nesse texto (ver pp. 342–3). A nova passagem, na qual Bingo fica se perguntando se Gandalf está vindo atrás deles e propõe surpreendê-lo, embora tenha certeza de que não é o mago que está vindo – exatamente como em SA, pp. 133–4 – é uma emenda "vermelha": isso porque, de acordo com a nova narrativa, Gandalf poderia muito bem ter chegado atrasado por pouco na Vila-dos-Hobbits e estar no encalço dele, enquanto, de acordo com a narrativa antiga – na qual a Festa de Aniversário tinha sido feita por Bingo – Gandalf partiu imediatamente depois dos fogos de artifício, indo para o leste (ver a p. 129 e a nota 12).

O restante da nova passagem (citado no texto), descrevendo os desejos conflitantes de Bingo de se esconder e não se esconder, é uma emenda "preta" (isto é, correspondente tanto à narrativa "antiga" quanto à "nova") – assim como no caso do acréscimo que vem quase imediatamente em seguida, no qual Bingo sente um desejo de colocar o Anel, mas não faz isso: porque, qualquer que seja a versão adotada, a natureza do Anel exige essas mudanças (cf. *Dúvidas e Alterações*, nota 7, p. 281: "Bingo NÃO deve colocar seu Anel quando os Cavaleiros Negros passarem perto dele – tendo em vista os desenvolvimentos posteriores. Ele deve *pensar* em fazer isso, mas, de alguma forma, ser impedido de fazê-lo."

[12] O texto em SA nesse ponto, "Eu não sabia que alguém desse mais belo povo chegasse a ser visto no Condado", foi emendado na segunda edição para "Poucos desse mais belo povo jamais são vistos no Condado." – Para referências anteriores aos Altos Elfos (nome que agora significa os Elfos de Valinor), ver pp. 234, 282–3, 322.

17

Um Atalho para Cogumelos

O terceiro dos capítulos originais (p. 113 e seguintes) foi reescrito, recebendo a numeração "4" e o título "Um Atalho para Cogumelos". Trata-se de um manuscrito facilmente legível, mas muito alterado, com uma grande quantidade de material variante e rejeitado. O resultado, entretanto, já alcançado nessa época (se uma longa versão variante do interlúdio do Fazendeiro Magote, que não foi rejeitada de imediato, for ignorada por ora) é virtualmente o Capítulo 5 de *A Sociedade do Anel*, em grande medida palavra por palavra, e não é necessário dizer muita coisa a respeito dele.

A principal diferença em relação a SA reside, é claro, no fato de que ainda existiam os personagens Frodo Tûk e Odo Bolger, e não simplesmente Pippin. O papel de Pippin e todas as coisas que ele diz em SA estão presentes quase exatamente da mesma forma; mas onde, em SA, é Pippin que está familiarizado com a região e conhece o Fazendeiro Magote, no presente texto (tal como também na versão original), esse papel é de Frodo Tûk, e, assim que os hobbits descem até a região mais plana, Odo está presente no pano de fundo.

Boa parte da nova geografia é incorporada com a discussão sobre pegar ou não um atalho (SA, pp. 150–1). Enquanto a região úmida e baixa é descrita na história original (p. 117), ela agora recebe o nome de Pântano, e a curva da estrada para o norte (pp. 114–5) é explicada: "para dar a volta no trecho norte do Pântano". O caminho para o sul a partir da Ponte do Brandevin agora aparece – chamado primeiro de "a estrada elevada", depois "a estrada ao lado do barranco" e por fim "o caminho elevado": "o caminho elevado que sai da Ponte, atravessa Tronco e passa a Balsa descendo ao longo do Rio até Côncavo Fundo". É aqui que o vilarejo de Tronco é citado pelo nome pela primeira vez (bem como sua estalagem, a *Perca Dourada*, onde, de acordo com Odo, costumavam servir a melhor cerveja "do Leste do Condado"), e também a localidade de Côncavo Fundo, a qual, embora esteja marcada no mapa do Condado feito por meu pai, nunca é mencionada no texto de *O Senhor dos Anéis*. (Na versão original desse capítulo, não há nenhuma sugestão da existência da elevação na estrada, e os hobbits, saindo da alameda de Magote, acabam na estrada que tinham deixado, pouco antes de ela alcançar a Balsa: ver a p. 124 e a nota 8. A localidade de Tronco ainda não tinha sido inventada. Mais tarde, na versão antiga, Marmaduque, argumentando em favor do trajeto pela Floresta Velha, diz que seria bobo da parte deles começar a jornada "trotando por uma estrada chata de beira de rio – bem na cara dos numerosos hobbits da Terra-dos-Buques", mas ele está falando da estrada dentro da Terra-dos-Buques, do lado leste do Brandevin: p. 135, nota 18).

A discussão sobre qual caminho seguir acontece principalmente entre Odo e Frodo, e é um tanto diferente da forma final. Odo, que não conhece a região, argumenta que haveria "todo tipo de obstáculos" quanto eles descessem para o Pântano, ao que Frodo respondeu que ele conhecia bem o lugar e que o Pântano agora estava "todo subjugado e drenado" (em SA, Pippin, que assume o papel de Frodo Tûk pelo fato de conhecer a região, mas o de Odo por estar de olho na *Perca Dourada*, argumenta com Frodo [Bolseiro] que no Pântano "há lodaçais e todo tipo de dificuldades").[1]

O riacho que barrava a passagem deles agora é identificado como o Córrego do Tronco. O único outro detalhe a mencionar antes do encontro com o Fazendeiro Magote é uma passagem rejeitada que deveria tomar o lugar da farejada misteriosa que interrompeu a canção de Odo em louvor à garrafa na versão original (p. 117). Ali, uma nota a lápis no manuscrito (p. 133, nota 3) dizia: "Som de cascos passando não muito longe".

Hô! Hô! Hô! recomeçaram eles mais alto. "Quietos!", exclamou Sam. "Acho que consigo ouvir alguma coisa." Detiveram-se de repente. Bingo se endireitou. Concentrando-se, ele captou, ou achou que captou, o som de cascos a certa distância dali, em ritmo de trote. Ficaram sentados em silêncio por algum tempo depois que o som tinha morrido; mas por fim Frodo falou. "Isso é muito esquisito", disse. "Não há estrada nenhuma que eu conheça aqui por perto, mas os cascos não estavam pisando em grama ou folhas – se é que eram cascos." "Mas, se eram mesmo, não significa que fosse o som de um Cavaleiro Negro", observou Odo. "A região aqui em volta não é exatamente desabitada: há fazendas e vilarejos."

Isso foi substituído pelos terríveis gritos de sinalização, exatamente como em SA (p. 154). Com base numa página rejeitada um pouco mais tarde, quando eles chegam a "terras domesticadas e organizadas", fica claro que as batidas de cascos que tinham ouvido, na verdade, não eram tão misteriosas: "Estavam começando a achar que tinham imaginado o som de cascos quando chegaram a um portão: depois dele, uma travessa cheia de sulcos serpenteava rumo a um capão de árvores ao longe" (isto é, a terra do Fazendeiro Magote). O que tinham ouvido era o som do Cavaleiro Negro que viera até a porta de Magote.

Quando meu pai, nessa versão, chegou até a casa do fazendeiro, ele reproduziu a história antiga nos seguintes aspectos: Bingo coloca o Anel na alameda do lado de fora da fazenda, depois entra na casa ainda invisível e bebe a cerveja de Magote, de modo que a partida dos outros acontece de forma embaraçosa e tensa. Considerando tudo o que já tinha sido dito acerca do Anel, essa sequência é surpreendente; mas creio que meu pai relutava em cortar esse interlúdio (ver também a nota 13) e, embora nesse momento ele também tivesse escrito a história da visita a Magote com exatamente a mesma forma que ela apresenta em SA, ele manteve esse primeiro relato totalmente diferente do que aconteceu na fazenda e o marcou como uma variante.

Nesse texto, Magote se torna um personagem violento e intransigente, com um ódio profundo por todos os Bolseiros – um desenvolvimento que, creio eu, claramente surgiu da necessidade de explicar o forte temor de Bingo quando ele descobre quem é o dono da fazenda, um temor grande o suficiente (junto com a presença dos cães ferozes) para explicar, por sua vez, como ele poderia usar o Anel mesmo diante de todos os conselhos que recebeu. Na versão original, Bingo colocava o Anel no dedo como se isso não fosse nada demais, tal como o fazia quando os Cavaleiros Negros passavam perto. Além disso, naquele estágio da história, Frodo e Odo estavam perfeitamente familiarizados com o fato de que ele possuía um anel mágico que conferia invisibilidade, e, depois que saíram da casa de Magote, Odo se dirigiu a Bingo quando o hobbit mais velho ainda estava invisível, dizendo que ele tinha pregado "uma peça idiota" (p. 124). Mas, na nova versão, eles não conheciam bem o Anel (cf. a p. 306, nota 3: "Bilbo escreveu suas aventuras em um livro particular de memórias, no qual contou algumas coisas sobre as quais nunca havia falado (como o anel mágico); mas esse livro nunca foi publicado no Condado, e ele nunca o mostrou a ninguém, exceto a seu 'sobrinho' favorito, Bingo."). Agora, o grande problema dessa história, observou meu pai na margem do manuscrito, é que ela exigiria que todos, Odo, Frodo e Sam, conhecessem o Anel de Bingo – "o que é uma pena"; ou então, acrescentou ele, "fazer com que os outros fiquem igualmente espantados, junto com o Fazendeiro Magote – o que é difícil". Entretanto, conforme observou no mesmo local, ele estava disposto até mesmo a considerar uma alteração estrutural, a ponto de se livrar de Odo e Frodo nesse episódio transformando-os no grupo avançando da viagem à Terra-dos-Buques, enquanto a caminhada de Bingo, saindo da Vila-dos-Hobbits, seria junto com Merry e Sam – o que parece indicar que Merry tinha sido informado do segredo do Anel. Pode-se supor que Sam ficou sabendo de tudo graças à sua bisbilhotice debaixo da janela de Bolsão no fim do capítulo "História Antiga"; e meu pai também revisou o texto aqui e ali a lápis, de forma a "permitir que essa versão seja adotada caso o anel de Bingo seja *desconhecido* de todos, com exceção de Sam". Um detalhe que ele não abordou aqui é a distinção entre os outros saberem do Anel e Bingo saber que eles sabem; e, quando chegou à conversa na casa da Terra-dos-Buques (não muito mais tarde, pois o texto dos dois capítulos é contínuo no manuscrito), tinha decidido que eles de fato sabiam de tudo, mas tinham guardado para si o que sabiam (tal como em SA, p. 171).

Apresento agora a maior parte dessa primeira versão variante.

Chegaram a um portão, depois do qual corria uma travessa cheia de sulcos por entre sebes baixas, rumo a um capão de árvores ao longe. Frodo parou. "Conheço estes campos!", exclamou ele. "São parte da terra[2] do velho Fazendeiro Magote. Aquela deve ser a fazenda dele ali entre as árvores."

"Um problema atrás do outro!", disse Bingo, parecendo quase tão assustado como se Frodo tivesse declarado que a alameda era a fenda que levava à toca de um dragão. Os outros olharam para ele espantados.

"O que há de errado com o velho Magote?", perguntou Frodo.[3]

"Não gosto dele, e ele não gosta de mim", explicou Bingo. "Se eu imaginasse que meu atalho acabaria me trazendo perto da fazenda dele hoje, teria continuado na estrada principal. Não passo aqui perto faz anos e anos."

"Mas por quê, ora?", disse Frodo. "Ele é boa gente, se você der um jeito de agradá-lo. Achei que era amigo de todo o clã Brandebuque. Embora seja um terror com invasores – e, de fato, ele tem uns cachorros de cara feroz. Mas, afinal, aqui estamos perto das fronteiras, e o pessoal precisa se precaver mais."

"É exatamente isso", esclareceu Bingo. "Eu costumava invadir a terra dele quando era moleque em Buqueburgo. Os campos de Magote costumavam ter os melhores cogumelos.[4] Matei um dos cachorros dele uma vez. Rachei a cabeça do bicho com uma pedra pesada. Acertei por sorte, porque estava aterrorizado, e acredito que ele ia me rasgar às dentadas. Magote me deu uma surra e disse que ia me matar da próxima vez que eu pusesse o pé dentro das divisas dele. 'Eu podia matar você agora', disse ele, 'se não fosse sobrinho do Sr. Rory,[5] o que é uma pena e uma vergonha pros Brandebuques.'"

"Mas isso foi há muito tempo", argumentou Frodo. "Magote não vai matar o Sr. Bingo Bolseiro, ex-dono de Bolsão, por causa de malfeitos quando ele era um dos muitos jovens malandros da Mansão do Brandevin. Mesmo se ele se lembrar da briga."

"Não imagino que Magote esqueça muito as coisas", retrucou Bingo, "especialmente quando se trata dos cães dele. Costumavam dizer que ele amava seus cachorros mais do que seus filhos. E Bilbo me contou (isso só um ou dois anos antes de ele deixar o Condado) que uma vez ele estava por estas bandas e apareceu na fazenda para comer e beber alguma coisa. Quando informou seu nome, o velho Magote o tocou dali. 'Não quero nenhum Bolseiro na porta da minha casa. Bando de malandros, ladrões e assassinos. Volte pro seu lugar', mandou ele, e o ameaçou com um bastão. Ele ficou sacudindo o punho fechado para mim muitas vezes depois disso, quando passávamos pela estrada."[6]

"Nossa, que coisa!", disse Odo. "Então agora suponho que vamos todos levar uma sova ou umas mordidas, se formos vistos com o destruidor Bingo."

"Bobagem!", minimizou Frodo. "É só ficarem na alameda, assim não vão invadir nada. Magote costumava ser bastante amigável com Merry e comigo. Vou falar com ele."

Seguiram pela alameda até verem os telhados de palha de uma grande casa e de construções rurais que espiavam pelas árvores à frente. Os Magotes e os Poçapés de Tronco, e a maioria da gente do Pântano, habitavam em casas ...

> Nesse ponto, uma longa digressão foi introduzida (acompanhando aquela presente na versão original, p. 118) sobre o tema dos hobbits que viviam em casas; ver pp. 364–5.

... e essa fazenda era solidamente construída de tijolos e tinha um muro alto em toda a volta. Havia um forte portão de madeira no muro, dando para a alameda. Bingo ficou para trás. De repente, quando se aproximavam, irromperam terríveis ladridos e latidos, e ouviu-se uma voz gritando alto: "Garra! Presa! Lobo! Vamos, rapazes! Vamos!"

Aquilo era demais para Bingo. Ele colocou o Anel e desapareceu. "Não vai fazer mal se for só dessa vez", pensou. "Tenho certeza de que Bilbo faria a mesma coisa."

Foi bem na hora. O portão se abriu e três cães enormes saíram a toda para a alameda e correram na direção dos viajantes. Odo e Sam se encolheram contra o muro enquanto dois grandes cães cinzentos, de aspecto lupino, farejavam-nos. O terceiro cachorro parou perto de Bingo farejando e rosnando, com os pelos do pescoço eriçados e um ar de confusão nos olhos. Frodo deu alguns passos sem ser perturbado.

Pelo portão passou um hobbit largo e troncudo, com um rosto redondo e rubicundo[7] e um chapéu mole de copa alta. "Alô! alô! E quem é que são vocês, e o que é que andam fazendo?", perguntou.

"Boa tarde, Fazendeiro Magote!", saudou Frodo.

O fazendeiro o olhou de perto. "Ora essa", disse. "Deixa ver – deve ser o Sr. Frodo Tûk, filho do Sr. Folco, se não tô enganado. Tenho uma memória da boa pra rostos. Faz algum tempo que vi você por aqui, com o Sr. Merry Brandebuque ...

A abertura do encontro com Magote, depois disso, é exatamente igual à da outra variante do episódio, ou seja, exatamente como em SA, p. 157, até o ponto em que o texto diz "para o grande alívio de Odo e Sam, os cães os deixaram em liberdade". Depois disso vem o seguinte:

Odo e Frodo atravessaram o portão de imediato, mas Sam hesitou. O mesmo fez o terceiro cão. Ele permanecia ereto, rosnando e eriçado.

Isso foi alterado a lápis da seguinte forma:

Odo se juntou a Frodo no portão, mas Sam hesitou na alameda. Frodo olhou para trás para chamar Bingo e ficou imaginando como apresentá-lo, se era o caso de dizer o nome dele ou esperar que a memória de Magote fosse menos boa do que ele se vangloriava e não dizer nada; mas não se via nenhum sinal de Bingo. Sam estava observando um dos cachorros. Permanecia ereto, rosnando e eriçado. Tudo parecia um bocado esquisito.

Essa foi uma das mudanças feitas para "permitir que essa versão seja adotada caso o anel de Bingo seja desconhecido de todos, com exceção de Sam" (p. 356).

"Aqui, Lobo!", gritou o Fazendeiro Magote, olhando para trás. "Diacho, o que deu nesse cachorro? Junto, Lobo!"

O cão obedeceu com relutância e, no portão, virou-se e latiu.

"Qual é o problema com você?", exasperou-se o fazendeiro. "Esse é um dia esquisito, com certeza. Lobo quase endoidou quando aquele sujeito apareceu a cavalo, e agora até parece que ele conseguia ver ou farejar alguma coisa que não tava lá."

Entraram na cozinha do fazendeiro e se sentaram junto à larga lareira. Os cachorros ficaram presos, pois nem Odo nem Sam escondiam sua inquietude quando os bichos estavam por perto. "Não vão machucar vocês", disse o fazendeiro, "a menos que eu mande." A Sra. Magote trouxe cerveja e encheu quatro canecas grandes de cerâmica. Era uma boa bebida, e Odo se viu inteiramente compensado por perder a *Perca Dourada*. Sam teria aproveitado mais a cerveja se não estivesse ansioso por causa de seu patrão.

"E de onde estaria vindo e pra onde estaria indo, Sr. Frodo?", perguntou Magote com um ar astuto. "Estava vindo me visitar? Pois, nesse caso, já tinha passado pelo meu portão sem que eu visse o senhor."

"Bom, não", admitiu Frodo. "Para falar a verdade (como o senhor já adivinhou mesmo) estávamos andando pelos seus campos. Mas foi totalmente por acidente. Nós nos perdemos lá perto da Vila-do-Bosque tentando achar um atalho para o caminho elevado perto da Balsa. Estávamos com bastante pressa para entrar na Terra-dos-Buques."

"Então a estrada teria sido melhor pra vocês", observou Magote. "Mas você e o Sr. Merry têm minha permissão pra andar pela minha terra, desde que não causem danos. Não são como aquela gente mão-leve lá do Oeste – se me perdoa, eu estava esquecendo que você é um Tûk de nome, e só meio Brandebuque, como se pode dizer.[8] Mas você não é um Bolseiro, ou do contrário não estaria aqui dentro. Aquele Sr. Bingo Bolseiro, aquele lá matou um dos meus cachorros uma vez, sim. Faz mais de 30 anos, mas eu não esqueci, e vou fazer o sujeito se lembrar bem rapidinho se alguma vez arriscar aparecer por aqui. Ouvi dizer que ele está voltando pra morar na Terra-dos-Buques. Uma pena mesmo. Não consigo entender por que os Brandebuques deixam."

"Mas o Sr. Bingo é meio Brandebuque também", lembrou Odo (tentando evitar dar um sorriso). "Ele é um camarada bastante bom quando você o conhece direito; embora tenha o costume de andar pelo campo e aprecie cogumelos."

Pareceu se ouvir um suspiro, o fantasma de uma exclamação, não muito longe do ouvido de Odo, embora ele não pudesse ter muita certeza disso.[9]

"É isso mesmo", respondeu o fazendeiro. "Ele costumava pegar os meus cogumelos, embora eu batesse nele por isso. E vou bater de novo se o pegar roubando. Mas isso me lembra do seguinte: o que acha que aquele freguês engraçado me perguntou?"

> Magote então passa a fazer seu relato sobre o freguês engraçado, e o que conta, embora de forma mais breve, casa bastante bem com a outra versão variante e com SA,[10] com a seguinte diferença:

"... me deu uma espécie de calafrio na espinha. Mas aquela pergunta era demais pra mim. "Vá embora", disse eu. "Não há

Bolseiros aqui, e não haverá enquanto eu estiver de pé. Se você é amigo deles, não é bem-vindo. Eu lhe dou um minuto antes de chamar meus cães."

Depois de "'Não sei o que pensar', disse Frodo", a história dessa versão começa a se transformar em farsa.

"Então vou lhe dizer o que pensar", prosseguiu Magote. "Esse Sr. Bingo Bolseiro se meteu em algum problema. Ouvi dizer que ele perdeu ou desperdiçou a maior parte do dinheiro que recebeu do velho Bilbo Bolseiro. E *esse* dinheiro ele conseguiu de algum jeito esquisito, e aliás nuns lugares estrangeiros, pelo que dizem. Ouça o que eu digo, tem tudo a ver com algumas das coisas que aquele velho Sr. Bilbo aprontou. Talvez haja alguém que quer saber o que aconteceu com o ouro e as outras coisas que ele deixou para trás. Ouça o que digo."

"Certamente estou ouvindo", respondeu Frodo, bastante surpreso com as inferências do velho Magote.[11]

"E, se vocês seguirem meu conselho, aliás", acrescentou o fazendeiro, "vão ficar longe do Sr. Bingo, ou vocês mesmos vão acabar se enfiando em mais problemas do que conseguem aguentar."

Não havia como ignorar a respiração e a engolida em seco abafada ao lado do ouvido de Frodo nesse momento.[12]

"Vou me lembrar desse conselho", disse Frodo. "Mas agora precisamos ir para Buqueburgo. O Sr. Merry Brandebuque está nos esperando esta noite."

"Ora, é uma pena", lamentou o fazendeiro. "Eu ia perguntar se você e seus amigos queriam ficar e comer alguma coisinha comigo e minha esposa."

"É muito gentil da sua parte", disse Frodo; "mas receio que devamos ir embora agora – queremos chegar à Balsa antes de escurecer."

"Pois bem, mais uma bebida!", disse o fazendeiro, e a esposa dele serviu um pouco mais de cerveja. "Um brinde à saúde e boa sorte dos senhores!", disse Magote, tentando pegar sua caneca. Mas nesse momento a caneca saiu da mesa, ergueu-se, inclinou-se no ar e voltou vazia ao lugar onde estava.

"Pela madrugada!", gritou o fazendeiro, ficando de pé de um salto e abrindo a boca. "Que dia enfeitiçado. Primeiro o cachorro e agora eu: vendo coisa que num existe."

"Mas eu vi a caneca subir também", disse Odo, indiscreto, sem esconder totalmente um sorriso.

> Essa última frase foi riscada a lápis, por ser indesejável "caso o anel de Bingo seja desconhecido de todos, com exceção de Sam". O restante dessa versão foi escrito com base nisso.

Odo e Frodo ficaram sentados e de olhar fixo. Sam parecia ansioso e preocupado. "O senhor não me convidou para comer alguma coisinha", disse uma voz, aparentemente vinda do meio do cômodo. Magote foi recuando em direção à lareira; a esposa dele gritou. "E isso é uma pena", continuou a voz (a qual Frodo, para seu atrapalho, reconheceu como a de Bingo), "porque gostei da sua cerveja. Mas não se vanglorie mais de que nenhum Bolseiro jamais entrará na sua casa. Há um deles na sua casa agora. Um Bolseiro mão-leve. Um Bolseiro muito irritado." Houve uma pausa. "Na verdade, BINGO!", gritou a voz de repente, bem ao pé do ouvido do fazendeiro. Ao mesmo tempo, alguma coisa lhe deu um empurrão no colete, e ele caiu com estrondo em meio aos atiçadores da lareira. Ele se endireitou bem a tempo de ver que seu próprio chapéu estava saindo do lugar onde o tinha pendurado e ia voando porta fora afora – uma porta que se abriu para deixá-lo passar.

"Oi! aqui!", gritou o fazendeiro, ficando de pé de um salto. "Ei, Garra, Presa, Lobo!" Com isso, o chapéu disparou a grande velocidade na direção do portão; mas, conforme o fazendeiro corria atrás dele, o chapéu veio voando pelo ar e caiu aos pés dele. Magote o pegou, cheio de dedos, e olhou para ele com espanto. Os cães que a Sra. Magote tinha soltado vieram pulando; mas o fazendeiro não lhes deu nenhuma ordem. Ele ficou parado, coçando a cabeça e virando o chapéu de um lado para outro sem parar, como se esperasse descobrir que asinhas tinham crescido nele.[13]

Odo e Frodo, seguidos por Sam, saíram da casa.

"Bem, se não é a coisa mais esquisita que já aconteceu na minha casa!", disse o fazendeiro. "Isso é que é fantasma! Imagino que vocês não andaram pregando peças em mim, andaram?", perguntou ele de repente, olhando fixamente para cada um dos hobbits.

"Nós?", fez Frodo. "Ora, estávamos tão espantados quanto o senhor. Não consigo fazer canecas se esvaziarem, nem chapéus saírem sozinhos de casa."

"Bem, é um bocado esquisito", disse Magote, que não parecia lá muito satisfeito. "Primeiro esse cavaleiro pergunta do Sr. Bolseiro. Depois vocês me aparecerem; e, enquanto estão na casa, a voz do Sr. Bolseiro começa a pregar peças. E vocês são amigos dele, ao que parece. 'Um camarada bastante bom', você disse. Se não tiver alguma ligação entre todas essas feitiçarias, eu vou comer esse chapéu aqui. Pode avisar pra ele, da minha parte, que é pra voz dele ficar em casa, ou vou aparecer e amordaçar o sujeito, nem que eu tenha de atravessar o Rio a nado e caçá-lo por toda Buqueburgo. E agora é melhor vocês irem voltando pros seus amigos e me deixarem em paz. Bom dia pra vocês."

Ele os observou de cara amarrada e pensativa até fazerem uma curva na alameda e saírem de sua vista.

"O que achou daquilo", perguntou Odo conforme iam em frente. "E onde diabos está Bingo?"

"O que acho", respondeu Frodo, "é que o Tio Bingo perdeu o juízo; e desconfio que vamos topar com ele nesta alameda em breve."

"Não vão topar comigo porque eu estou bem aqui atrás", disse Bingo. Ali estava ele, ao lado de Sam Gamgi.

Essa versão do episódio termina aqui, com a seguinte nota: "Esta variante prosseguiria da mesma forma que na versão datilografada mais antiga do Capítulo 3". Ou seja, no que diz respeito aos hobbits indo da casa do Fazendeiro Magote para a Balsa, se eles não fossem levados até lá na carroça de Magote (ver pp. 124–6).

Além de quaisquer outras considerações (que podem muito bem ter sido levadas em conta), acho que foi principalmente a dificuldade com o Anel que matou esta versão. No capítulo seguinte, descobre-se que os outros hobbits sabiam do Anel, mas que Bingo não sabia que eles sabiam. Assim, o feroz Fazendeiro Magote, sujeito de mau gênio, já havia desaparecido e, com ele, o último uso (mais ou menos) despreocupado do Anel.[14] A segunda versão do episódio do Magote neste manuscrito evidentemente seguiu de perto a primeira e, como eu disse, ela é idêntica (excluindo-se os nomes) à história em SA, exceto por uma palavra aqui e ali.

Resta abordar a passagem sobre a arquitetura hobbit mencionada acima (p. 358). Ao lado dela, meu pai escreveu "Colocar no

Prefácio”[15] e, na segunda versão da história de Magote, o trecho não está incluído. A passagem foi um pouco desenvolvida a partir da forma original do capítulo (p. 118), mas tem menos detalhes do que no Prólogo de SA (pp. 45–6, ou 16–7 na primeira edição). A divisão dos hobbits em Pés-Peludos, Cascalvas e Grados ainda não havia surgido, e o fato de que algumas das pessoas no Pântano eram “bem grandes e de pernas pesadas, e alguns chegavam a ter um pouco de penugem sob o queixo” é atribuído a elas não serem de estirpe hobbit pura. Nesse relato, a arte da construção de casas ainda se originou, ou acredita-se que tenha se originado, entre os próprios hobbits, nas regiões ribeirinhas (no Prólogo, sugere-se que tenha derivado dos Dúnedain, ou mesmo dos Elfos); mas “fazia muito tempo que tinha sido alterada (e talvez melhorada) copiando detalhes de anãos e elfos, e até mesmo do Povo Grande e de outros grupos fora do Condado”.

A passagem no Prólogo sobre a presença de casas em muitas aldeias hobbits está presente, e aqui Tuqueburgo aparece pela primeira vez. Quando essa passagem foi redigida inicialmente, ela dizia:

> Mesmo na Vila-dos-Hobbits e em Beirágua, e em Tuqueburgo, lá na Terra-dos-Tûks, e nos Morros-interiores, de rocha calcária, no centro do Condado, onde havia uma grande população

Meu pai então riscou *Morros-interiores*, presumivelmente querendo incluir “de rocha calcária” também, e trocou a palavra por [*Grande* >] *Grãcava*, antes de abandonar a frase e começar de novo. Grã-Cava, nas Colinas Brancas, apareceu no capítulo anterior (pp. 343–4), substituindo “Grã-Cicuta” (na região dos Corneteiros)”. Ele provavelmente ia escrever “Grã-Cicuta” aqui também. Parece que, até esse momento, ele não tinha decidido que a principal vila do Condado ficava no oeste, se é que de fato haveria alguma vila principal; mas ele reescreveu a passagem de imediato, e foi muito provavelmente nesse ponto que Grã-Cava, nas Colinas Brancas, veio a existir (e depois foi inserida em “Atrasos são Perigosos”). Da maneira como foi escrita finalmente, a frase diz:

> Na Vila-dos-Hobbits, em Tuqueburgo, lá na Terra-dos-Tûks, e mesmo [no vilarejo >] na vila mais populosa do Condado,

Grãcava, nas Colinas Brancas do Oeste, havia muitas casas de pedra e madeira e tijolo.

O nome *Morros-interiores* não aparece de novo; cf. as *Terras Interiores* (*Mittalmar*), região central de Númenor, em *Contos Inacabados*, p. 230.

O texto desse capítulo, seguindo a organização do texto original, continua diretamente, sem interrupção, a partir da frase "Subitamente Bingo riu: da cesta coberta que estava segurando subia o aroma de cogumelos", que encerra o Capítulo 4 em SA, até "'Agora nós é que deveríamos ir para casa', disse Merry", a qual, em SA, inicia o Capítulo 5; mas não muito depois meu pai dividiu o texto nesse ponto, inserindo o número "5" e o título "Uma Conspiração é Desmascarada", e sigo essa organização aqui.

NOTAS

1 Esse trecho da discussão foi muito reescrito. Em versões rejeitadas, Odo propõe que eles se dividam: "Por que irmos todos pelo mesmo caminho? Os que votarem em favor do atalho, que atalhem. Aqueles que não quiserem dão a volta – e eles (podem escrever) vão chegar à *Perca Dourada* em Tronco antes do anoitecer"; e Frodo defende seguir pelo meio do campo dizendo "Merry não vai se preocupar se chegarmos atrasados". Em outra versão, Odo diz: "Então vou ter de ficar para trás, ou seguir sozinho. Bem, não acho que Cavaleiros Negros vão fazer algo contra mim. É você, Bingo, que eles estão farejando. Se perguntarem de você, hei de dizer: briguei com o Sr. Bolseiro e o deixei. Ele se hospedou com os Elfos na noite passada – pergunte a eles."

Um detalhe muito específico ligado à geografia pode ser mencionado aqui. Em "bosques que se agrupavam do lado oriental da colina", SA p. 151, "colina" deveria ser "colinas", tal como no presente texto.*

2 Nessa primeira menção ao fazendeiro no texto, ele é chamado de *Fazendeiro Poçapé*, mas o nome foi alterado de imediato para *Magote*, sendo mantido em seguida por todo o texto. No mesmo lugar no texto datilografado original, e apenas nesse lugar, *Magote* foi alterado para *Poçapé* (p. 134, nota 4).

3 Frodo continuou: "É claro que essas pessoas lá do Pântano são um tanto esquisitas e inamistosas, mas os Brandebuques se dão bem com elas", mas o trecho foi riscado logo depois de ser escrito.

---

* A atual edição brasileira já traz essa correção [N.T.].

[4] É aqui que os cogumelos entraram na história: não há menção a eles na versão original do capítulo.

[5] Sobre Bingo ser sobrinho de Rory Brandebuque (avô de Merry), ver a p. 331, nota 4.

[6] Outra versão do relato de Bingo faz que com ele e Bilbo encontrem Magote juntos e transformam o fazendeiro num verdadeiro ogro:

> "É por isso mesmo", disse Bingo. "Fiquei do lado errado dele, e da cerca dele. Estávamos invadindo, como Magote dizia. Tínhamos passado pelo vale do Divisa-do-Condado e estávamos seguindo um trajeto pelo campo rumo a Tronco – bem parecido com hoje – quando entramos na terra dele. Estava ficando escuro, e apareceu uma névoa esbranquiçada, e nos perdemos. Escalamos uma sebe e fomos parar num jardim; e Magote nos achou. Mandou um cachorro enorme, que estava mais para lobo, nos pegar. Caí com o cachorro em cima de mim, e Bilbo rachou a cabeça do bicho com aquele bastão grosso que tinha. Magote ficou violento. Ele é um sujeito forte e, enquanto Bilbo estava tentando explicar quem nós éramos e como tínhamos chegado ali, ele o agarrou e o jogou por cima da sebe, dentro de uma vala. Depois ele me pegou e deu uma boa olhada em mim. Reconheceu que eu era do clã Brandebuque, embora eu não visitasse a fazenda dele desde que era moleque. 'Eu ia quebrar o seu pescoço', disse ele, 'e ainda vou acabar fazendo isso, sendo você sobrinho do Sr. Rory ou não, se te pegar por aqui de novo. Saia antes que eu te machuque!' E me jogou do outro lado da sebe, em cima de Bilbo.
>
> Bilbo se levantou e disse: 'Da próxima vez, vou aparecer com algo mais afiado do que um bastão. Nem você nem seus cachorros fariam muita falta para a região'. Magote riu. 'Eu mesmo tenho uma arma ou duas', retrucou ele; 'e, da próxima vez que você matar um dos meus cachorros, mato você. Vá embora agora, ou mato você esta noite.' Isso foi há uns 20 anos. Mas não imagino que Magote esqueça as coisas fácil. Nosso encontro não seria amigável."

Frodo Tûk reagiu à história de modo estranhamente tranquilo. "Mas que azar!" [disse ele]. "Ninguém parece ter tido muita culpa. Afinal, Bingo, você deve se lembrar de que o lugar é perto da fronteira, e as pessoas por aqui são muito mais desconfiadas do que na região dos Bolseiros."

Tal como Côncavo Fundo (pp. 353–4), o rio Divisa do Condado, mencionado nesta passagem, nunca é mencionado no SdA, embora esteja marcado tanto no mapa do Condado feito por meu pai quanto no que foi publicado em SA (ambos são mencionados em *As Aventuras de Tom Bombadil*).

[7] O Fazendeiro Magote voltou a ser inequivocamente um hobbit: ver p. 156 e a nota 7.

[8] Na verdade, não havia nenhuma indicação de que a mãe de Frodo Tûk era uma Brandebuque, como parece ser o caso levando em conta o comentário de

Magote aqui, apoiado também pelo conhecimento que Frodo tem da região do Pântano e a familiaridade de Magote com ele como um companheiro de Merry Brandebuque. Em SdA, a mãe de Peregrin (que é aparentado com Meriadoc tal como Frodo Tûk no atual estágio do livro, ver a p. 331, nota 4) é Eglantina Ladeira.

[9] Essa frase foi marcada a lápis para ser retirada do texto.

[10] Nessa versão, o Cavaleiro Negro não diz nada além de "Você viu o Se-nhor Bol-seiro?" Na segunda versão, as palavras dele são quase idênticas às de SA, embora ainda chame Bingo de "Senhor Bolseiro".

[11] Na segunda versão, tal como em SA (p. 160), "as conjecturas astutas do fazendeiro eram um tanto embaraçosas" para Bingo (Frodo); mas aqui as conjecturas de Magote desconcertam Frodo Tûk, o que sugeriria que ele sabia o que os Cavaleiros Negros estavam buscando.

[12] Essa frase foi marcada a lápis para ser retirada do texto; cf. a nota 9.

[13] Alterações feitas a lápis nessa passagem trocam o chapéu do Fazendeiro Magote pelo jarro de cerveja: "Ele se sentou de novo bem a tempo de ver o jarro (ainda com alguma cerveja) deixar a mesa onde ele o tinha colocado e sair voando pela porta ... Com isso, o jarro disparou com grande velocidade rumo ao portão, derramando cerveja no terreiro; mas, conforme o fazendeiro corria atrás dele, parou de repente e veio repousar no poste do portão ... Ele ficou parado, coçando a cabeça e virando o jarro de um lado para o outro ..." (e "jarro" substituindo "chapéu" no resto do texto).

Na margem do manuscrito, meu pai escreveu: "Christopher pergunta – por que o *chapéu* não ficou invisível se as roupas de Bingo ficaram?" Provavelmente a ideia era que Bingo estava usando o chapéu de Magote, pois do contrário a objeção parece ser fácil de responder (o chapéu era um objeto externo em relação ao usuário do Anel, tanto quanto a caneca de cerveja ou qualquer outra coisa seria, seja lá qual fosse seu propósito). Claramente essa é uma questão sutil que aparece se o Anel é usado para tais fins, uma questão que meu pai deixou de lado ao trocar o chapéu pelo jarro. – Eu adorava a passagem em que Bingo vira a mesa contra o Fazendeiro Magote e, ainda que agora tenha só uma meia memória imprecisa da situação, creio que me opus muito à retirada dela: o que talvez possa explicar o fato de que meu pai a manteve depois que ela passou a trazer sérias dificuldades.

[14] A menos que o episódio na casa de Tom Bombadil (SA, p. 210) possa ser descrito dessa maneira.

[15] A passagem no "Prefácio" está nas pp. 385–6.

18

Mais uma Vez, da Terra-dos-Buques até o Voltavime

(i)
Uma Conspiração é Desmascarada

O texto de "Um Atalho Para Cogumelos", como eu disse, continua sem interrupção, mas meu pai acrescentou (não muito mais tarde, ver a p. 374) um novo capítulo com o número "5" e o título "Uma Conspiração é Desmascarada". O texto agora se torna realmente muito próximo do de SA, Capítulo 5 (exceto, é claro, o número e os nomes dos hobbits), e há apenas poucos pontos específicos a serem observados. Para a forma anterior do texto, ver a p. 126 e seguintes.

A história dos Brandebuques ainda não inclui Gorhendad Velhobuque como o fundador da estirpe (SA, p. 164). Quando o manuscrito foi escrito originalmente, o nome da aldeia era Buqueburgo-d'além-Rio, e (como desenvolvimento do texto original, p. 127), "a autoridade do chefe dos Brandebuques ainda era reconhecida pelos fazendeiros que viviam, do lado oeste, até a Vila-do-Bosque (que estaria localizada em território Boffin)";[1] isso foi alterado para "reconhecida pelos fazendeiros entre Tronco e Juncal", tal como no texto de SA. É aqui que Juncal aparece pela primeira vez.[2]

Foi nessa passagem que as Quatro Quartas do Condado foram criadas, como mostra o fraseado: "Eles não eram muito diferentes dos demais hobbits das Quatro Quartas (Norte, Oeste, Sul e Leste), como as divisões em quatro partes do Condado eram chamadas". Aqui também ocorrem pela primeira vez os nomes Colina Buque e Sebe Alta – mas o topônimo Fim-da-Sebe remonta à versão original, p. 127. A grande sebe ainda mede "algo como quarenta milhas de ponta a ponta".[3] Em resposta à pergunta de Bingo, "Cavalos podem atravessar o Rio?", Merry responde: "Podem andar quinze milhas até a Ponte do Brandevin", com "20?" escrito a lápis em cima de "quinze". Em SA, a Sebe Alta tem "bem mais que vinte milhas de uma ponta à outra", porém Merry ainda diz: "Podem andar *vinte* milhas para o norte até a Ponte do Brandevin".* Barbara Strachey (na obra *Journeys of Frodo*, Mapa 6) chama a atenção para esse problema e considera que Merry "quis dizer 20 milhas no total – 10 milhas para o norte, até a Ponte, e 10 milhas para o sul, do outro lado"; mas essa interpretação é forçada: Merry não quis dizer isso. De fato, trata-se de um erro que meu pai nunca percebeu: quando a extensão da Terra-dos-Buques, de norte a sul, foi reduzida, a estimativa de Merry sobre a distância entre a Ponte e a Balsa deveria ter sido alterada de forma proporcional.[4]

A estrada principal dentro da Terra-dos-Buques é descrita (somente numa página rejeitada) com um trajeto que vai "da Ponte até Cavapedra e Fim-da-Sebe". Cavapedra é um local que nunca chega a ser mencionado no texto de SdA, embora esteja marcado no mapa do Condado de meu pai e em ambos os meus mapas; em todos eles, a estrada termina ali e não continua até Fim-da-Sebe, que não é retratado como uma aldeia nem nenhum tipo de localidade habitada.[5]

Nas duas primeiras ocorrências do topônimo Cricôncavo neste capítulo, o nome original era *Anel-da-Sebe*, alterado para *Cricôncavo* (na passagem citada na nota 2 da p. 350, o nome foi acrescentado depois ao texto). Na terceira ocorrência aqui, Cricôncavo foi o nome escrito de início. *Anel-da-Sebe* se refere ao "amplo círculo de grama cercado por uma fileira de árvores no interior da sebe externa".[6]

O desenvolvimento mais importante deste capítulo é que, depois das palavras "a borda oposta estava envolta em névoa, e nada podia ser visto" (SA, p. 166), meu pai interrompeu a narrativa com a seguinte nota antes de prosseguir:

Daqui em diante, o pressuposto é que Odo saiu na frente com Merry. A jornada preliminar foi feita apenas por Frodo, Bingo e

*A atual edição brasileira do livro corrigiu esse número para "dez" [N.T.].

Sam. A personalidade de Frodo lembra um pouco mais a que Odo tinha antes. Odo agora é bastante silencioso (e guloso).

Ao lado disso, meu pai escreveu: "Christopher quer que Odo seja mantido". Infelizmente, tenho agora apenas uma lembrança muito vaga daquelas conversas de meio século atrás; e não está claro para mim qual era realmente o problema. Diante disso, o fato de eu "querer que Odo seja mantido" deveria significar que eu queria que ele fosse mantido como um membro do grupo que saiu da Vila-dos-Hobbits, já que meu pai não havia proposto que Odo fosse descartado totalmente; por outro lado, uma vez que ele pretendia misturar elementos de "Odo" no personagem de Frodo Tûk, pode muito bem ser que ele estivesse planejando excluí-lo da expedição depois que os hobbits deixassem Cricôncavo. Talvez a ideia de que Odo deveria permanecer em Cricôncavo já estivesse presente como uma possibilidade, e que "Christopher quer que Odo seja mantido" fosse um apelo por sua sobrevivência na narrativa mais ampla, como membro da expedição principal. Isso não passa de suposição, mas, se há alguma substância na ideia, parece que minha objeção saiu vencedora temporariamente, já que, no final do capítulo, Odo está totalmente restabelecido e preparado para ir com os outros para a Floresta Velha – como de fato faz, na revisão desse capítulo nesta "fase".

A situação no texto que vem depois dessa nota sobre Odo é, de qualquer modo, extraordinariamente difícil de interpretar. Conforme ele foi escrito inicialmente, Merry diz que prosseguirá a cavalo e dirá a *Olo* que eles estão chegando; quando Bingo bateu na porta de (Anel-da-Sebe) Cricôncavo, ela foi aberta por Olo Bolger, e Merry diz que "Olo e eu" tinham chegado a Cricôncavo com o último carroção no dia anterior; Merry e Olo é que prepararam o jantar na cozinha. "Olo" aqui desempenha o papel de Fofo (Fredegar) Bolger em SA (p. 167), mas, após essas menções, ele desaparece do texto (e nunca mais aparece). Em tinta vermelha, meu pai anotou: "Se Odo for mantido, fazer alterações em vermelho" e, durante pouco tempo, foram feitas algumas alterações com tinta vermelha, trocando "De qualquer jeito você será o último, Frodo" (sobre a ordem de entrada no banho) para "Odo", mudando "três banheiras" para "quatro banheiras" e cortando as referências a "Olo".[7]

A melhor explicação parece ser esta: quando Odo fosse retirado do grupo de caminhada e se juntasse a Merry, seu nome seria trocado também. Algumas alterações foram feitas para preservar a opção de manter a história já estabelecida. Mas, a partir do momento em que eles se sentam para jantar, Odo reaparece no texto originalmente escrito, não apenas estando presente (o que mostraria apenas que *Olo* havia sido rejeitado, e Odo reinserido), mas tendo saído da Vila-dos-Hobbits (embora nesse caso seu nome estivesse entre colchetes). Mas Frodo Tûk agora faz observações ao estilo "Odo-Pippin" (como "Oh! Isso foi poesia!", SA, p. 175 – ele dificilmente teria dito tal coisa antes). Ver ainda pp. 398–400.

A canção do banho (aqui cantada por Frodo, com sua nova personalidade odoesca) é praticamente idêntica àquela que Pippin canta em SA; mas, em um acréscimo ao texto feito com tinta vermelha (uma das inserções opcionais para trazer Odo de volta ao seu papel original), trechos das "canções concorrentes" (SA, p. 168) cantadas por Bingo e Odo são apresentados: a primeira estrofe da canção de banho que Odo cantou enquanto caminhavam da casa do Fazendeiro Magote para a Balsa na versão original (p. 125) e que, portanto, não está mais sendo usada, e os dois primeiros versos do cantochão de banho entoado por Odo quando chegaram ao seu destino (p. 130), sendo que esses últimos foram riscados.

A revelação da conspiração é quase exatamente como em SA, sendo que o ônus de explicar a situação é assumido aqui, tal como no texto final, por Merry (a intervenção de Pippin, "Você não compreende! ...", é atribuída aqui a Frodo Tûk). Como em SA, Merry relata a história de como descobriu a existência do anel de Bilbo – anteriormente colocada em um contexto bem diferente (ver pp. 302–3 e a nota 25) – e conta que deu uma olhada rápida nas "memórias" de Bilbo ("livro secreto" em SA).[8]

O relato do que Gildor tinha dito, aqui citado por Merry e não pelo próprio Sam, sobre a questão dos companheiros de Bingo, reflete o texto daquele episódio nessa época (ver a p. 349): "Eu sei que foi aconselhado a nos levar com você. Foi o que Gildor disse, e você não pode negar isso!"

A canção que Merry e Pippin cantaram em SA (p. 175) aqui é cantada por Merry, Frodo Tûk e Odo,[9] e é muito diferente:

Adeus! adeus, caro fogo e lar!
Com chuva a cair ou vento a soprar,

Vamos embora antes da aurora,
Além do bosque e do monte a vagar.

Vem a caçada! Por toda a terra
A Sombra estica sua mão fera.
Vamos embora antes da aurora
Pra Torre que a Treva encerra.

Inimigos atrás, inimigos à frente,
Sob o céu dormindo na mata ingente,
Até que afinal o Anel do Mal
Suma no Fogo do Monte Ardente.

Vamos embora! Vamos embora!
Partimos antes que rompa a aurora![A]

Numa versão rejeitada de sua resposta à pergunta de Bilbo – seria seguro esperar por Gandalf durante um dia em Cricôncavo? (SA, 176) –, passagem que foi reescrita várias vezes, Merry se refere aos guardas do portão, que mandaram uma mensagem para "meu pai, o Mestre da Mansão". O pai de Merry era Caradoc Brandebuque (Saradoc "Espalha-Ouro" em SdA); ver pp. 313–4 e a nota 4.

Quando Bingo aborda a possibilidade de entrar na Floresta Velha, é Odo que, cheio de horror diante da ideia, faz as objeções atribuídas a Fofo Bolger (que acaba ficando em Cricôncavo) em SA.

O fim do capítulo é diferente do que se vê no livro publicado e está mais próximo da versão original (p. 132). (Merry, aliás, não menciona o fato de que Bingo já tinha entrado na Floresta antes.)

"... Já entrei lá várias vezes – só durante o dia, é claro, quando as árvores estão razoavelmente quietas e sonolentas. Mesmo assim, tenho algum conhecimento sobre a floresta e tentarei guiar vocês."

Odo não ficou convencido e claramente tinha muito menos medo de encontrar uma tropa de Cavaleiros na estrada aberta do que de se aventurar na Floresta de reputação duvidosa. Até Frodo era contra aquele plano.

"Odeio essa ideia", criticou Odo. "Eu preferiria correr o risco de enfrentar perseguidores na Estrada, onde há uma chance de encontrar viajantes comuns e honestos também. Não gosto de matas, e as histórias sobre a Floresta Velha sempre me deixaram aterrorizado. Tenho certeza de que os Cavaleiros Negros vão se sentir muito mais em casa naquele lugar sombrio do que nós." Até mesmo Frodo, nessa ocasião, ficou do lado de Odo.

"Mas provavelmente vamos ter saído de lá antes que eles cheguem a descobrir ou inferir que entramos", argumentou Bingo. "De qualquer modo, se desejam vir comigo, não adianta ficar assustado com o primeiro perigo: quase certamente há coisas muito piores do que a Floresta Velha no caminho de vocês. Vão seguir o Capitão Bingo ou vão ficar em casa?"

"Vamos seguir o Capitão Bingo!", exclamaram de imediato.

"Bem, está resolvido então!", disse Merry. "Agora precisamos fazer ordem e dar os toques finais na bagagem. E depois, cama. Vou chamar todos vocês bem antes que rompa a aurora."

Quando finalmente estava na cama, Bingo não conseguiu dormir por algum tempo. Suas pernas doíam. Estava contente que iria cavalgar pela manhã. Por fim, caiu num sonho vago: no qual parecia estar olhando por uma janela para um mar escuro de árvores emaranhadas. Lá embaixo, junto às raízes, havia o som de algo que rastejava e fungava.

Uma nota no manuscrito antes disso diz: "Rabiscos a lápis = Odo fica para trás". Esses rabiscos a lápis, na verdade, estão confinados à seção que acabo de apresentar. "Até mesmo Frodo, nessa ocasião, ficou do lado de Odo" é uma frase que foi colocada entre colchetes e substituída por mais palavras de Odo. "Além disso, tenho certeza que é errado não esperar por Gandalf". E, depois de "'Vamos seguir o Capitão Bingo!', exclamaram de imediato", foi inserida a seguinte passagem:

"Vou seguir o Capitão Bingo", disseram Merry, Frodo e Sam. Odo ficou em silêncio. "Olhem só!", disse ele, depois de uma pausa. "Não me importo de admitir que tenho medo da Floresta, mas também acho que vocês deveriam tentar entrar em contato com Gandalf. Vou ficar para trás e despistar o pessoal curioso. Quando Gandalf aparecer, como é certo que vai acontecer, contarei a ele o que decidiram e irei atrás de vocês com ele, se ele me levar junto." Merry e Frodo concordaram que era um bom plano.

Esse seria um desenvolvimento importante, embora acabasse sendo rejeitado. Essas alterações, entretanto, derivam de um estágio ligeiramente posterior da escrita da obra.

(ii)
A Floresta Velha

Depois de completar "Uma Conspiração é Desmascarada", meu pai continuou sua revisão passando para o capítulo seguinte, mais tarde chamado de "A Floresta Velha". Nesse caso, ele não produziu um manuscrito novo, mas simplesmente fez correções ao texto original (descrito nas pp. 142–6), o qual, como eu já disse, tinha alcançado, com diferenças minúsculas, a forma da narrativa publicada. O capítulo, nesse momento, recebeu nova numeração, de 4 para 6, o que mostra que o Capítulo 5, "Uma Conspiração é Desmascarada", tinha sido separado de "Um Atalho para Cogumelos". Emendas extensas, feitas à tinta vermelha no manuscrito original, fazem o texto ficar ainda mais próximo, nos detalhes do fraseado, daquele em SA (mas as diferenças topográficas observadas em pp. 144–6 permanecem). Os papéis desempenhados no episódio do Homem-Salgueiro foram alterados pela presença de Sam Gamgi no grupo. Bingo e Odo ainda são os que acabam ficando presos nas fendas do tronco da árvore, e Frodo Tûk ainda é o que acaba sendo empurrado para dentro do rio; mas, enquanto na história original foi Marmaduque (isto é, Merry) que reuniu os pôneis e resgatou Frodo Tûk da água, Sam agora assume o papel dele (tal como em SA), enquanto Merry "dormia feito pedra".

(iii)
Tom Bombadil

O manuscrito do capítulo sobre Tom Bombadil, cuja numeração mudou de V para VII, mas ainda continuou sem título, passou por revisões mínimas neste estágio, com uma importante exceção. De fato, poucas mudanças chegaram a ser feitas nele: pouco mais do que uma menção a Sam dormindo, tal como Merry, feito uma pedra, e a mudança do número de hobbits de quatro para cinco. Os detalhes diferentes observados nas páginas 152–7 foram quase todos deixados como estavam; mas a observação de Bombadil sobre o Fazendeiro Magote ("Somos parentes, ele e eu ...") foi marcada com um X, provavelmente nesse momento.

A única alteração substancial realizada é de grande interesse. No manuscrito, meu pai escreveu "Inserir" antes da passagem referente aos sonhos dos hobbits na primeira noite na casa de Tom Bombadil; e o fato de que a inserção provém desta fase fica claro pelo detalhe de que a casa de Cricôncavo está vazia (ou seja, Odo tinha ido com os outros para a Floresta Velha).

Enquanto dormiam na casa de Tom Bombadil, a escuridão jazia sobre a Terra-dos-Buques. A névoa se espalhava pelos lugares baixos. A casa em Cricôncavo estava silenciosa e solitária: abandonada tão pouco tempo depois de ter sido preparada para um novo dono. O portão da sebe se abriu e, subindo o caminho, silenciosamente, mas com pressa, apareceu um homem trajado de cinza, envolto numa grande capa. Ele parou, olhando para a casa escura. Bateu suavemente na porta e esperou; depois, foi passando de janela em janela e finalmente desapareceu, dando a volta na casa. Fez-se silêncio novamente. Depois de muito tempo, ouviu-se um som de cascos no caminho, aproximando-se rapidamente. Cavalos estavam vindo. Do lado de fora do portão, pararam; e então, subindo rapidamente pelo caminho, surgiram mais três vultos, encapuzados, envoltos em tecido negro e curvados perto do chão. Um deles foi para a porta, o outro para os cantos da parte de trás da casa, de cada lado; e lá ficaram eles, silenciosos como as sombras dos teixos negros, enquanto o tempo prosseguia devagar, e a casa e as árvores ao redor pareciam esperar, sem fôlego.

De repente houve um movimento. Estava escuro e quase nenhuma estrela brilhava, mas a lâmina que foi desembainhada brilhou de repente, como se trouxesse consigo uma luz gélida, penetrante e ameaçadora. Ouviu-se uma pancada baixa, mas pesada, e a porta estremeceu. "Abram para os serviçais do Senhor!" disse uma voz, fina, fria e clara. No segundo golpe, a porta cedeu e caiu para dentro, de fechadura rompida.

Naquele momento uma trompa soou atrás da casa. Rasgou a noite como fogo no topo de uma colina. Alta e impudente ela soava, ecoando por campo e colina: *Despertem, despertem, medo, fogo, inimigo! Despertem!*

Do canto da casa veio o homem de trajes cinzentos. Seu manto e seu chapéu foram lançados de lado. A barba se espalhava larga.

Em uma mão tinha uma trompa, na outra um cajado. Um esplendor de luz chamejou diante dele. Ouviu-se um gemido e um grito, como os de feras caçadoras terríveis que são feridas de repente e se viram para fugir cheias de ira e angústia.

Na alameda, o som de cascos irrompeu e, alcançando rapidamente um galope, saiu correndo loucamente escuridão adentro. Ao longe, trompas se ouviam em resposta. Sons distantes de despertar e de alarme surgiram. Ao longo das estradas, pessoas estavam cavalgando e correndo para o norte. Mas à frente de todas elas galopava um cavalo branco. Nele se sentava um velho com longos cabelos prateados e barba ondulando. A trompa dele soava por monte e vale. Em sua mão o cajado brilhava e chamejava feito um feixe de relâmpago. Gandalf estava cavalgando para o Portão Norte com a velocidade do trovão.

No final desse texto inserido, meu pai escreveu a lápis: "Isso exigirá alteração se Odo for deixado para trás"; ver a passagem a lápis adicionada no final do último capítulo (p. 373). E, no final do texto, após as palavras "um feixe de relâmpago", ele acrescentou: "Atrás dele se agarrava uma pequena figura com uma capa esvoaçante" e o nome "Odo". O significado disso ficará claro mais tarde.

NOTAS

[1] No mapa do Condado feito por meu pai, os Boffins são colocados ao norte da Vila-dos-Hobbits, e os Bolgers ao norte da Ponta do Bosque (p. 351, nota 9), mas isso foi uma alteração do que ele escreveu inicialmente: os nomes subjacentes podem ser vistos nas posições inversas.

[2] A grafia em inglês *Rushy* [Juncal] no mapa publicado do Condado é um erro, cometido primeiro em meu complexo mapa inicial (p. 136, item V) por meio de uma leitura incorreta do de meu pai. O segundo elemento da forma correta do nome, *Rushey*, é o inglês antigo *ey*, "ilha".

[3] No mapa original de meu pai pode-se calcular aproximadamente (já que Bingo estimou que eles tinham dezoito milhas para percorrer em linha reta do local onde passaram a noite com os Elfos até a balsa de Buqueburgo) que a Sebe Alta tinha cerca de 43 milhas, medidas em linha reta do extremo norte ao extremo sul da estrutura.

[4] Nos mapas posteriores de meu pai (ver pp. 135–6), a medição só pode ser muito aproximada, mas, na mesma base do cálculo na nota 3, a Sebe Alta, nesses mapas, não pode ter muito mais de 20 milhas (em linha reta entre suas extremidades).

[5] A forma em inglês de Cavapedra, *Standelf*, significa "pedreira" (inglês antigo *stān*, "pedra" + *-(ge)delf*, "cavar", uma junção que sobreviveu no topônimo *Stonydelph* na região inglesa de Warwickshire).

[6] Assim como em SA, os hobbits, saindo da Balsa, passam pela Colina Buque e pela Mansão do Brandevin à esquerda, pegam a estrada principal da Terra--dos-Buques, viram para o norte seguindo por ela por meia milha e depois tomam a alameda para Cricôncavo. No meu mapa original do Condado, feito em 1943 (p. 136), o texto – que nunca foi alterado nesse trecho – já estava sendo representado de forma errada, já que a estrada principal é apresentada aqui com um trajeto entre o Rio e a Mansão do Brandevin (e a alameda para Cricôncavo deixa a estrada ao sul da mansão, de forma que os hobbits, na verdade, de acordo com esse mapa, ainda passam por ela à esquerda deles). Isso deve ter sido causado por uma simples intepretação errada do texto, que meu pai não notou (cf. a p. 137); e é algo que reapareceu no meu mapa publicado na primeira edição de SA. Meu pai se referiu a esse erro em sua carta a Austin Olney, da Houghton Mifflin, de 28 de julho de 1965 (*Cartas*, n. 274); e ele foi corrigido, de certa maneira, no mapa publicado na segunda edição. Karen Fonstad (*O Atlas da Terra-média*, p. 137) e Barbara Strachey (*Journeys of Frodo*, Mapa 7) mostram a topografia correta de forma clara.

[7] Essas alterações para trazer Odo de volta foram feitas ao mesmo tempo que as notas sobre manter a narrativa dizendo que Bingo entrou invisível na casa do Fazendeiro Magote (p. 356); cf. a p. 367, nota 13.

[8] Nesse texto, Merry diz "Eu ainda estava na vintolescência", enquanto em SA ele diz "adolescência". Em SdA (Apêndice C), Merry nasce no ano (1382 =) 2982, e assim, no ano anterior à Festa de Despedida, ele tinha 18 anos. Aqui, imagina-se que ele era um pouco mais velho. – Diante da pergunta de Merry sobre o livro de Bilbo ("Está com você, Bingo?"), o hobbit mais velho responde: "Não! Ele o levou embora, ou é o que parece." Cf. a última nota em *Dúvidas e Alterações* (p. 287): "Bilbo carrega suas 'memórias' na viagem para Valfenda".

[9] Alteração de "Merry e Frodo".

A TERCEIRA FASE

19

A Terceira Fase (i): A Jornada para Bri

Para mim, parece extremamente provável que a "segunda fase" da escrita, começando com a quinta versão de "Uma Festa Muito Esperada" (Capítulo 14 neste livro) foi minguando nessa época, e mais uma vez veio um novo começo, abrangendo a obra inteira. Essa "terceira fase" é constituída por uma longa série de manuscritos homogêneos, que conduzem a história desde uma sexta versão de "Uma Festa Muito Esperada" até Valfenda. Embora tenham sido posteriormente sobrescritos, intercalados, riscados ou "canibalizados" para funcionar como partes de textos posteriores, esses manuscritos eram inicialmente claros e organizados, e a letra regular deles, bastante característica, torna possível reconstituir a série de textos com bastante precisão, apesar do desgaste que sofreram mais tarde, e apesar do fato de que algumas partes permaneceram na Inglaterra, enquanto outras foram para a Universidade Marquette. Na verdade, eram cópias passadas a limpo dos textos existentes, que agora estavam caóticos, e poucas mudanças narrativas importantes foram feitas neles. Mas, nesses novos textos, o nome "Bingo" é finalmente suplantado por "Frodo", e "Frodo Tûk" se torna, por sua vez, "Folco Tûk", assumindo o nome que tinha sido de seu pai (ver pp. 313–4, 358). Ao descrever estas versões da terceira fase, limito-me aqui quase exclusivamente à forma que tinham quando foram escritas pela primeira vez e ignoro as assustadoras complexidades das alterações que receberam.

Existem três pistas que ajudam a determinar a data "externa" da composição desses textos. Uma delas é a carta de meu pai datada de 13 de outubro de 1938, na qual ele diz que o livro "alcançou o Capítulo 9 (mas em um estado bastante ilegível)" (*Cartas* n. 34). Outra é a sua carta de 2 de fevereiro de 1939, na qual ele registrou que, embora não tivesse conseguido mexer no livro desde dezembro anterior, a história já havia alcançado "o Capítulo 12 (e foi reescrita várias vezes), ultrapassando 300 páginas ms. do tamanho deste papel e geralmente escritas de modo que ocupam quase todo o espaço disponível". A terceira é um conjunto de notas, esquemas de enredo e breves rascunhos narrativos, todos com a data "agosto de 1939": a partir deles, como veremos mais adiante, fica evidente que a terceira fase já existia.

Meu palpite – dificilmente poderia ser mais do que isso – é que, em outubro de 1938, a terceira fase não havia sido iniciada, ou não havia avançado muito, já que o livro estava "em um estado bastante ilegível"; ao mesmo tempo, quando meu pai escreveu sobre ter tido que deixar o trabalho de lado em dezembro de 1938, era à terceira fase que ele se referia: por isso ele disse que a história havia sido "reescrita várias vezes" (além do mais, o "Capítulo 12" dessa fase é a chegada a Valfenda, e é aqui – conforme creio – que a nova versão foi interrompida).

A terceira fase pode ser descrita de forma bastante rápida até o final de "Neblina nas Colinas-dos-túmulos"; mas, primeiro, há um novo e interessante texto a ser apresentado. Meu pai o chamou de *Prefácio* (é um precursor do *Prólogo* da obra publicada). O material preparatório para esse texto não sobreviveu, mas, numa das seções desse prefácio, ele incorporou a passagem sobre a arquitetura hobbit da segunda versão de "Um Atalho para Cogumelos", ao lado da qual ele escreveu a indicação "Colocar no Prefácio" (ver pp. 363–4). Esse trecho quase não mudou considerando sua disposição no texto introdutório, mas nesse momento foi acrescentada uma referência às "Torres-élficas", que remonta à forma mais antiga da passagem "arquitetônica" na versão original do capítulo (pp. 118–9), na qual Bingo diz que, certa vez, ele mesmo tinha visto as torres.

Uma série de alterações foi feita no manuscrito do Prefácio, mas, exceto aquelas que parecem claramente vir da época em que o texto foi escrito, decidi ignorá-las aqui e publicar o texto da maneira como foi escrito inicialmente.

PREFÁCIO

A Respeito dos Hobbits

Este livro trata em grande parte de hobbits, e é possível descobrir, com base nele, o que eles são (ou eram), e se vale a pena ouvir mais sobre eles ou não. Mas descobrir coisas conforme você vai seguindo por uma estrada ou acompanha uma história é bastante cansativo, mesmo quando a história é (como acontece às vezes) interessante ou empolgante. Aqueles que desejam esclarecer as coisas desde o início encontrarão algumas informações úteis no breve relato da grande Aventura do Sr. Bilbo Bolseiro, a qual levou às aventuras ainda mais difíceis e perigosas registradas neste livro. Esse relato é chamado de *O Hobbit* ou *Lá e De Volta Outra Vez*, porque versava principalmente sobre o mais famoso de todos os hobbits lendários de outrora, Bilbo; e porque ele foi para a Montanha Solitária e voltou para sua própria casa. Mas pode muito bem ser que os leitores tenham tempo ou apetite para uma só história. Assim, vou deixar registradas aqui algumas informações úteis.

Os hobbits são um povo muito antigo, que uma vez já foi mais numeroso – é uma pena! – do que hoje, quando (ou é o que ouço, infelizmente, em certos rumores) eles estão desaparecendo com rapidez; pois apreciam a paz, e a tranquilidade, e a boa terra lavrada; um campo bem ordenado e bem cultivado é o pouso natural deles. Eles são bastante desajeitados com máquinas mais complicadas do que um fole ou um moinho d'água, embora sejam razoavelmente hábeis com ferramentas. Sempre foram um tanto tímidos diante do Povo Grande (como nos chamam), e agora ficam positivamente aterrorizados diante de nós.

E, contudo, claramente devem ser parentes nossos: mais próximos de nós do que os elfos, ou mesmo os anãos. Para começo de conversa, falavam uma língua (ou línguas) muito parecida, e gostavam e desgostavam basicamente das mesmas coisas que nós. Qual exatamente era a relação entre nós e eles seria difícil dizer. Para responder a essa pergunta, seria preciso redescobrir boa parte da história e das lendas, hoje totalmente perdidas, dos Mais Antigos dos Dias;[1] e não é provável que isso aconteça, pois apenas os Elfos preservam algumas tradições sobre essa época, e suas tradições falam principalmente deles mesmos – o que não deixa de ser natural: os Elfos eram, de longe, o povo mais importante daqueles tempos. Mas até suas tradições são incompletas: os Homens só aparecem nelas ocasionalmente, e os Hobbits não são mencionados. Elfos, Anãos, Homens e outras criaturas só se tornaram cônscios da existência dos Hobbits depois que eles já tinham existido, seguindo em frente à sua maneira irrelevante, durante muitas eras. E eles continuaram, via de regra, a seguir em frente, mantendo-se a sós entre si mesmos e se mantendo fora de histórias. Nos dias de Bilbo (e de Frodo, seu herdeiro), eles se tornaram, por algum tempo, muito importantes, por meio daquilo que se chama de acidente, e os grandes personagens do mundo, até mesmo o Necromante, foram obrigados a levá-los em conta, como estas histórias mostram. Embora os Hobbits já tivessem tido então uma longa história (de um tipo tranquilo), aqueles dias se foram já faz muito tempo, e a geografia (e muitas outras coisas) eram então muito diferentes. Mas as terras nas quais eles viviam, por mais alteradas que estejam agora, devem ter ficado mais ou menos no mesmo lugar que as terras em que eles ainda subsistem: o Noroeste do velho mundo.

Eles são (ou eram) um povo pequeno, menor que os anãos: quer dizer, menos corpulentos e atarracados, mesmo quando não eram realmente muito mais baixos. A altura deles era, como a altura entre nós, o Povo Grande, bastante variável, indo de dois a quatro pés (da nossa medida):* três pés era mais ou menos a média. Pouquíssimos hobbits, fora das lendas mais fantásticas deles próprios, alcançaram três pés e seis polegadas. Só Bandobras Tûk, filho de Isengrim I (normalmente conhecido como o Berratouro), entre todos os hobbits da história, ultrapassou os quatro pés. Ele tinha quatro pés e cinco polegadas† e costumava montar um cavalo.[2]

Há, e sempre houve, pouquíssima mágica entre os hobbits. É claro que eles possuem o poder que às vezes confundimos com magia real – na verdade, é apenas um tipo de habilidade profissional, que se tornou algo assombroso por meio de muita prática, auxiliada por uma amizade próxima com a terra e todas as coisas que crescem nela: o poder de desaparecer silenciosa e velozmente quando gente grande e estúpida como nós chega pisoteando tudo, fazendo ruídos como os de elefantes, que eles conseguem ouvir a uma milha de distância. Mesmo muito tempo atrás, o grande desejo deles era evitar problemas; e tinham ouvidos espertos e visão aguçada. E eram precisos e delicados em seus movimentos, embora tivessem uma tendência a ter panças gorduchas e a não se apressar sem necessidade.

---

* Entre cerca de 60 cm e 1,20 m. [N. T.]

† O que corresponde a cerca de 1,35 m. [N. T.]

Vestiam-se com cores vivas, apreciando particularmente o verde e o amarelo; mas não usavam sapatos, porque em seus pés cresciam solas naturalmente coriáceas e um pelo castanho espesso e quentinho, encaracolado como os cabelos castanhos de suas cabeças. O único ofício desconhecido entre eles era, consequentemente, o de sapateiro; mas tinham dedos longos, morenos e hábeis, e sabiam fazer muitos outros objetos úteis. Tinham rostos bem-humorados, sendo, via de regra, gente de bom humor; e riam longa e profundamente, apreciando brincadeiras simples em todos os momentos, mas especialmente depois do jantar (refeição feita duas vezes ao dia, quando conseguiam). Apreciavam presentes, davam-nos com liberalidade e os aceitavam sem hesitação.

Todos os hobbits haviam originalmente vivido em tocas no chão, ou assim acreditavam; embora, na verdade, já no tempo de Bilbo via de regra apenas os mais ricos e os mais pobres hobbits ainda o fizessem. Os hobbits mais pobres continuavam vivendo em tocas do tipo mais antiquado – de fato, eram apenas buracos, com uma única janela, ou mesmo nenhuma. As famílias mais importantes continuavam a viver (quando podiam) em versões luxuosas das escavações simples dos tempos de antanho. Mas locais adequados para esses túneis extensos e ramificados não se encontravam em toda a parte. Na Vila-dos-Hobbits, em Tuqueburgo, na Terra-dos--Tûks, e mesmo na única vila realmente populosa do Condado deles, Grã-Cava, nas Colinas Brancas, havia muitas casas de pedra, de madeira e de tijolo. Elas eram especialmente apreciadas pelos moleiros, ferreiros, fabricantes de rodas e gente desse tipo: pois, mesmo quando tinham tocas onde morar, os hobbits costumavam erigir galpões e celeiros para abrigar oficinas e armazéns.

Acreditava-se que o costume de estabelecer fazendas e casas para moradia começara entre os habitantes das regiões ribeirinhas (especialmente no Pântano, no baixo Brandevin), onde a terra era plana e úmida; e onde, talvez, a estirpe hobbit não era exatamente pura. Alguns dos hobbits do Pântano, na Quarta Leste, eram, de qualquer modo, bem grandes e de pernas pesadas; alguns chegavam até a ter alguma penugem debaixo do queixo (nenhum hobbit puro-sangue tinha barba); e um ou dois deles chegava mesmo a usar botas em épocas lamacentas.

É possível que a ideia de construir edifícios, tal como muitas outras coisas, tenha vindo originalmente dos Elfos. Ainda havia, no tempo de Bilbo, três torres-élficas pouco além das fronteiras ocidentais do Condado. Elas reluziam no luar. A mais alta era a que ficava mais longe, posta a sós sobre uma colina. Os hobbits da Quarta Oeste diziam que era possível ver o Mar do alto daquela torre: mas não se sabia de nenhum hobbit que já a tivesse subido. Mas, mesmo se a ideia de construir edifícios viera originalmente dos Elfos, os hobbits a usavam à sua própria maneira. Não eram muito chegados a torres. Suas casas normalmente eram compridas, baixas e confortáveis. As do tipo mais antigo eram, na verdade, tocas artificiais de adobe (e mais tarde de tijolo), cobertas de capim seco ou palha, ou com telhado de torrões de relva; e as paredes eram ligeiramente abauladas. Mas, claro, esse estágio corresponde à história muito antiga. As construções hobbits tinham sido alteradas (e talvez melhoradas) havia muito pelo empréstimo de certos detalhes dos anãos e até do Povo Grande, e de outras gentes de fora do Condado. Uma preferência por janelas redondas, e também (mas em menor grau) por portas redondas, era a principal característica restante da arquitetura hobbítica.

Tanto as casas quanto as tocas de hobbits normalmente eram grandes e habitadas por famílias grandes. (Bilbo e Frodo Bolseiro eram, nesse ponto, como em muitos outros, bastante excepcionais.) Às vezes, tal como no caso dos Brandebuques da Mansão do Brandevin, muitas gerações de parentes viviam em (relativa) paz juntas numa única morada avoenga e ramificada. Todos os hobbits eram, de qualquer modo, apegados a seus clãs, e registravam parentescos com grande cuidado. Desenhavam longas e elaboradas árvores genealógicas, com muitos galhos. No trato com os hobbits, é importantíssimo recordar quem é parente de quem, e como, e por quê.

Seria impossível expor neste livro uma árvore genealógica que incluísse até mesmo os membros mais importantes das mais importantes famílias do Condado na época de que falamos. Seria preciso um livro inteiro, e todos os que não fossem hobbits a achariam enfadonha. (Os hobbits adorariam, se fosse uma árvore precisa: eles gostavam de ter livros repletos de coisas que já sabiam, expostas preto no branco, sem contradições). "O Condado" era o nome dado por eles mesmos para o cantinho muito agradável do mundo no qual o tipo mais numeroso, puro-sangue e representativo de hobbits vivia no tempo de Bilbo. Era a única parte do mundo naquele tempo, de fato, na qual os habitantes de duas pernas eram todos Hobbits, e no qual Anãos, o Povo Grande (e até os Elfos) eram meros forasteiros e visitantes ocasionais. O Condado era dividido em quatro partes, chamadas de as Quatro Quartas, as Quartas Norte, Sul, Leste e Oeste; e também em certo número de terras familiares, que levavam os nomes das famílias mais importantes, embora, nessa época, esses nomes não fossem mais encontrados apenas em suas devidas terras originais. Quase todos os Tûks ainda viviam na Terra-dos-Tûks, mas isso não era tão verdadeiro em relação a outras famílias, como os Bolseiros e os Boffins. Um mapa do Condado estará disponível neste livro, na esperança de que seja útil (e seja aprovado como algo razoavelmente correto por aqueles hobbits que se interessam pela história hobbit).

Para complementar essas informações, algumas árvores genealógicas (resumidas) também serão apresentadas, mostrando de que maneira os personagens hobbits são aparentados uns aos outros, e quais eram suas diferentes idades no momento em que a história começa. Isso, de qualquer modo, deixará claro quais as conexões entre Bilbo e Frodo, e entre Folco Tûk e Meriadoc Brandebuque (normalmente chamado de Merry) e os outros personagens principais.[3]

Frodo Bolseiro se tornou herdeiro de Bilbo por adoção: herdeiro não apenas do que sobrara da considerável riqueza de Bilbo, mas também de seu tesouro mais misterioso: um anel mágico. Esse anel veio de uma caverna nas Montanhas Nevoentas, que ficavam muito longe no Leste. Tinha pertencido a uma criatura triste e bastante repugnante chamada Gollum, sobre quem ouviremos mais nesta história, embora eu espere que alguns encontrem tempo para ler o relato de sua competição de adivinhas com Bilbo em *O Hobbit*. Essa disputa é importante para a presente história, como o mago Gandalf tentou explicar a Frodo. O Anel tinha o poder de tornar seu usuário invisível. Também tinha outros poderes, os quais Bilbo não descobriu até bem depois de ele ter voltado e se acomodado em casa novamente. Consequentemente, não se fala deles na história de sua jornada. Mas esta história posterior diz respeito principalmente ao anel e, portanto, não é preciso dizer mais nada acerca deles aqui.

Bilbo, pelo que se conta, "permaneceu muito feliz até o fim de seus dias, e esses foram extraordinariamente longos". Foram mesmo. O quão extraordinariamente longos é algo que agora você pode descobrir, e pode também ficar sabendo que permanecer feliz não significou continuar a viver para sempre em Bolsão. Bilbo voltou para casa em 22 de junho, no seu quinquagésimo segundo ano de vida, e nada muito notável ocorreu no Condado pelos sessenta anos seguintes, quando Bilbo começou os preparativos para comemorar seu centésimo undécimo aniversário. É nesse ponto que o presente conto do Anel começa.

Capítulo 1: "Uma Festa Muito Esperada"

No começo dessa sexta encarnação do capítulo de abertura, a passagem revisada sobre o livro de Bilbo (p. 306, nota 3) agora foi removida e substituída por "Imaginava-se que ele estava escrevendo um livro, contendo um relato completo das aventuras misteriosas daquele ano, que ninguém tinha permissão para ver".

A conversa na *Moita de Hera* é incorporada a partir da versão preliminar em pp. 305–6 e agora chega a virtualmente à forma que tem em SA; mas, nesse estágio, as explicações do Feitor sobre Bilbo e Frodo e seus antecedentes ainda era recontada antecipadamente também pelo narrador.[4]

Os "carroções de aspecto estranho, carregando pacotes de aspecto estranho", conduzidos por "elfos ou anãos de grandes capuzes", que tinham sobrevivido desde a segunda versão do capítulo (pp. 30–1), foram agora reduzidos a um único carroção, conduzido por anãos, e nenhum elfo aparece (ver p. 294); mas a marca de Gandalf nos fogos de artifício, aqui chamada de "marca rúnica", permanece, e ele ainda é "um velhinho". Os convidados ainda incluíam os Rogeriastrados (sobrenome grafado dessa maneira), mas a observação de que os Texugos tinham vindo de Valão-sob-Bri (p. 295) foi descartada. O jovem Tûk que dançou em cima da mesa muda seu nome de Próspero para Everard (como em SA), mas sua parceira continua sendo Melissa Brandebuque (Melilota em SA).

O acréscimo a lápis na quinta versão (p. 307, nota 12), mostrando que Bingo/Frodo estava plenamente ciente do que Bilbo pretendia fazer, foi incorporado (mas, como em SA, Frodo permanece tempo suficiente à mesa de jantar para satisfazer a sede de Rory Brandybuck: "Ei, Frodo, mande passarem aquele decantador pelas mesas de novo!"); assim como o trecho sobre Bilbo levar Ferroada com ele (p. 307, nota 13). Bilbo, agora (como em SA), pega um manuscrito encadernado em couro de uma caixa-forte (embora não o "maço embrulhado em panos velhos"), mas dá o envelope volumoso, que ele endereça a Frodo e no qual coloca o Anel, para o anão Lofar, pedindo-lhe que o coloque no quarto de Frodo.

Gandalf ainda encontra Bilbo no sopé da Colina depois que o hobbit sai de Bolsão com os Anãos (ainda chamados de Nar, Anar e Hannar), e a conversa entre os dois permanece como estava (pp. 297–301): em resposta à pergunta de Gandalf, "Ele [Frodo] sabe do que estamos falando, certo?", Bilbo responde: "Ele sabe que tenho um Anel. Leu minhas memórias particulares (é o único que eu jamais deixei que as lesse)." O retorno de Gandalf a Bolsão depois de dizer adeus a Bilbo é incorporado com base na forma mais rudimentar presente na quinta versão (p. 308, nota 20), sendo que a única diferença é que Frodo agora de fato lê a carta de Bilbo enquanto está sentado no salão de entrada.

A lista dos presentes de despedida de Bilbo (pp. 308–9, nota 21) agora recebe mais alterações, com a retirada de Caramella Roliço e seu relógio, e de Primo Fossador e seu serviço de jantar (sobreviventes do esboço original, pp. 25–6, quando eles eram Caramella Tûk e Inigo Fossador-Tûk); Colombo Corneteiro e o barômetro também desaparecem. Lofar ainda desempenha o papel de Merry Brandebuque no dia seguinte à Festa, e a conversa de Gandalf com Frodo naquele dia permanece idêntica, com vários acréscimos e omissões posteriores feitos à quinta versão (pp. 309–10, notas 24–6, 28–30) já incorporados: assim, a referência de Bingo ao uso do Anel por parte de Bilbo para fugir dos Sacola-Bolseiros obviamente foi removida, em vista do emprego desse episódio em "Uma Conspiração é Desmascarada" (p. 371), assim como a sugestão de Gandalf de que Bingo poderia entrar em contato com ele, se necessário, por meio dos "anãos mais próximos".

Genealogia dos Tûks

No verso de uma das páginas desse manuscrito de "Uma Festa Muito Esperada", temos a genealogia mais substancial dos Tûks que apareceu até agora.

Os números anexados aos nomes são, à primeira vista, muito intrigantes: obviamente, não são datas que seguem um calendário independente, nem idades de cada indivíduo no momento da morte. A chave para entendê-los é fornecida por "Bilbo Bolseiro 111", e pela afirmação no *Prefácio* (p. 387) de que as árvores genealógicas (das quais esta é a única que sobreviveu, ou que foi feita nesta época) mostrariam "quais eram suas diferentes idades no momento em que a história começa". A base é o ano da Festa, que é o ano zero; e os números são as idades das pessoas em relação a essa data. No caso de dois números quaisquer, temos as idades relativas das pessoas. Assim, o número 311 ao lado de Ferumbras e 266 ao lado de Fortinbras significa que Ferumbras nasceu 45 anos antes de seu filho; Isengrim I nasceu 374 anos antes de Meriadoc Brandebuque, que viveu oito gerações depois; Drogo Bolseiro era 23 anos mais novo que Bilbo e, se ele não tivesse se afogado no Brandevin e tivesse conseguido ir à Festa, estaria com 88 anos; e assim por diante. Os óbelos, é claro, indicam pessoas que estavam mortas na época da Festa.

Alguns dos números foram alterados no manuscrito, sendo que a numeração posterior é: Isengrim II 172, Isambard 160, Flambard 167, Rosa Bolseiro 151, Bungo Bolseiro 155, Yolanda 60, Folco Tûk 23, Meriadoc 25, Odo 24.

Ficará claro que, embora não haja uma estrutura cronológica externa, a estrutura interna ou relativa não é muito diferente daquela da árvore genealógica de *Tûks de Grandes Smials* em SdA, Apêndice C. Em SdA, Meriadoc nasceu 362 anos depois de Isengrim II (= Isengrim I na árvore antiga) e oito gerações depois deles.

Bandobras, o Berratouro (ver p. 384 e nota 2) é aqui o filho de Isengrim, primeiro da linha Tûk na árvore genealógica; e, no *Prólogo* de SdA (p. 38), ele é igualmente filho daquele Isengrim (o Segundo). Isso foi esquecido quando a árvore Tûk final foi feita, pois Bandobras, ali, foi repassado para a geração seguinte, tornando-se filho (e não irmão) do filho de Isengrim, Isumbras (III).[5]

O Velho Tûk agora adquire o nome de Gerontius, como em SdA (anteriormente seu nome era "Frodo I", p. 314). Quatro filhos dele são citados pelo nome aqui; em SdA, ele teve nove. Rosa Bolseiro, esposa de um deles (Flambard), apareceu na pequena genealogia encontrada em *Dúvidas e Alterações* (p. 278): ali, ela é a irmã de Bungo Bolseiro e se casou com o "Jovem Tûk". A árvore apresentada na p. 331 é mantida aqui em relação aos pais de Merry; Frodo Tûk se tornou Folco Tûk, e seu pai, Folcard (ver a p. 381). Odo, aqui com um nome duplo Tûk-Bolger, tinha sido citado anteriormente (pp. 313–4) como alguém que tinha uma mãe Tûk e era primo de terceiro grau de Merry e Frodo (Folco), como mostra esta árvore.

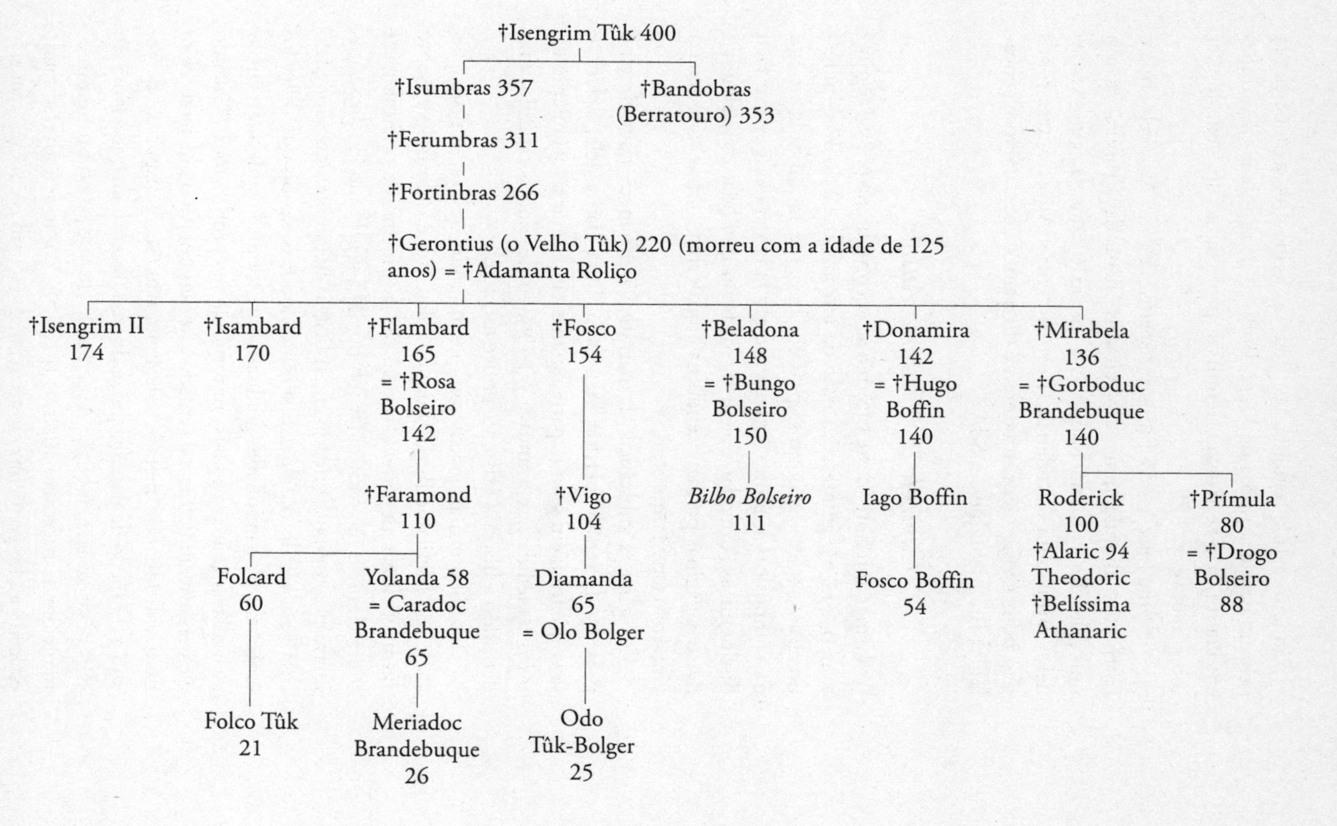
†Isengrim Tûk 400
†Isumbras 357
†Bandobras
(Berratouro) 353
†Ferumbras 311
†Fortinbras 266
†Gerontius (o Velho Tûk) 220 (morreu com a idade de 125 anos) = †Adamanta Roliço
†Isengrim II 174
†Isambard 170
†Flambard 165
= †Rosa Bolseiro 142
†Fosco 154
†Beladona 148
= †Bungo Bolseiro 150
†Donamira 142
= †Hugo Boffin 140
†Mirabela 136
= †Gorboduc Brandebuque 140
†Faramond 110
†Vigo 104
Bilbo Bolseiro 111
Iago Boffin
Roderick 100
†Alaric 94
Theodoric
†Belíssima
Athanaric
†Prímula 80
= †Drogo Bolseiro 88
Folcard 60
Yolanda 58
= Caradoc Brandebuque 65
Diamanda 65
= Olo Bolger
Fosco Boffin 54
Folco Tûk 21
Meriadoc Brandebuque 26
Odo Tûk-Bolger 25

Donamira Tûk, segunda das filhas do Velho Tûk, agora é citada pelo nome e é a esposa de Hugo Boffin, tal como em SdA, onde, entretanto, não se registra nenhuma prole na árvore genealógica: sobre isso, ver p. 479.

Por fim, mais cinco filhos (seis em SdA) de Mirabela Tûk e Gorboduc Brandebuque são citados além de Prímula, sendo um deles Rory Brandebuque (ver p. 331, nota 4), cujo verdadeiro nome aqui é Roderick (Rorimac em SdA); os outros filhos têm nomes visigóticos, totalmente diferentes dos da árvore genealógica Brandebuque em SdA.

Capítulo 2: "História Antiga"

As formas anteriores deste capítulo se encontram na p. 99 e seguintes e p. 312 e seguintes. A versão da terceira fase é de difícil interpretação em certos pontos, pois foi bastante modificada no ato da composição e muito fortemente alterada depois, e não é fácil distinguir as "camadas"; além disso, ficou dividida, com algumas de suas páginas permanecendo na Inglaterra e outras indo para a Universidade Marquette.

Em geral, a substância da narrativa permanece notavelmente próxima da versão anterior; meu pai a tinha diante dele, é claro, e se contentou, em grande parte, apenas em alterar a formulação do texto à medida que avançava – ao longo de todo o capítulo, mas deixando a história existente pouco afetada.

Dos hobbits mais jovens com quem Frodo andava, os principais agora são Meriadoc Brandebuque, Folco Tûk e Odo Bolger (sobre *Folco* no lugar de *Frodo*, ver p. 381); informações genealógicas sobre eles não são fornecidas (cf. pp. 313–4). Frodo já não "caminhava por todo o Condado" nem ficava "frequentemente longe de casa"; em vez disso, "ele não ia muito longe e, depois que Bilbo foi embora, suas caminhadas gradualmente foram ficando mais curtas e circulavam cada vez mais em torno de sua própria toca". Quando ele pensava em deixar o Condado e se perguntava o que havia além de suas fronteiras, "metade dele agora não estava disposto e começou a ter medo de passeios longe de casa, receoso de que a lama em seus pés o levasse embora". A "sensação de que estava ficando fino" mencionada na versão anterior (p. 315), "como se estivesse sendo esticado ao longo de um monte de dias e semanas e meses, mas não estivesse totalmente ali", não é mais mencionada, e Gandalf não toca nesse assunto mais tarde no capítulo (cf. p. 330).

No relato das visitas de Gandalf à Vila-dos-Hobbits, a passagem na versão anterior descrevendo suas chegadas secretas e batidas na janela foi trocada de lugar, de modo que se refere à época anterior, quando ele vinha com frequência (cf. SA, pp. 96–7), antes da sua longa ausência de sete anos (p. 332, nota 6). O mago reapareceu "cerca de quinze anos após a partida de Bilbo", e "durante o último ano ele viera muitas vezes e ficara por muito tempo". A conversa n'*O Dragão Verde* ocorre na "primavera do quadragésimo nono ano de vida de Frodo" (no início do capítulo seguinte dessa fase, Frodo decide deixar Bolsão em setembro "deste (seu quinquagésimo) ano": ver a p. 316 e a nota 8).

Na passagem acerca dos rumores de problemas e migrações no vasto mundo, o local da antiga fortaleza de Sauron no Sul, "perto do centro do mundo naqueles dias" (p. 316), passa a ser "perto do meio da Grande Terra", mas essa expressão foi riscada de imediato; e a passagem sobre gigantes fica assim: "Trols e gigantes estavam à solta, de um tipo novo e mais malevolente, não mais de juízo fraco, mas cheios de esperteza e feitiçaria". Durante a conversa na estalagem, o trecho sobre os Portos Cinzentos aparece agora, e toda a conversa acontece quase da forma vista em SA (p. 94): mas ainda é Jô Botão que vê os "Homens-árvores" além dos Pântanos do Norte, ainda que agora ele trabalhe para o "Sr. Fosco Boffin" – com a explicação "de Combanorte" acrescentada mais tarde, depois alterada para "em Sobremonte". Fosco Boffin, primo de primeiro grau de Bilbo com uma geração de diferença, aparece na genealogia Tûk apresentada na p. 391; ver a p. 479.

A abertura da conversa entre Gandalf e Frodo em Bolsão foi alterada, provavelmente no momento da composição ou logo depois dele, a partir de uma forma muito parecida com a da versão precedente (p. 318) e ainda incluindo a menção de Gandalf às suas duas visitas à terra do Necromante. A forma nova do texto é esta:

"Você diz que o Anel é perigoso, muito mais perigoso do que imagino", disse Frodo, por fim. "Faz quanto tempo que sabe disso? E Bilbo sabia? Gostaria que você me contasse mais agora."

"De início, eu sabia muito pouco", respondeu Gandalf devagar, como se buscando no fundo da memória. Os dias da jornada, do Dragão e da Batalha dos Cinco Exércitos já começavam a parecer esmaecidos e distantes. Talvez até ele já estivesse começando, afinal, a sentir o peso da idade; e, em todo caso, muitas aventuras sombrias e estranhas já lhe tinham sobrevindo desde então. "Então, depois que voltei do Sul e do Conselho Branco, comecei a me perguntar que tipo de anel mágico ele possuía; mas não disse nada a Bilbo. Tudo parecia estar bem com ele, e eu pensava que aquele tipo de poder não tinha poder sobre ele. Assim pensei; e estava correto, de certa maneira; mas não totalmente correto. Deveria, talvez, ter descoberto mais, e mais cedo do que o fiz, e então deveria tê-lo avisado antes. Mas, antes que ele fosse embora, contei a Bilbo o que pude – naquela época, eu tinha começado a suspeitar a verdade, mas sabia ao certo muito pouco."

"Tenho certeza de que você fez tudo o que pôde", disse Frodo. "Tem sido um bom amigo e um conselheiro sábio para nós. Mas deve ter sido um golpe duro para você quando Bilbo desapareceu."

No relato de Gandalf sobre os Anéis (pp. 321–2), ele agora diz: "Lentamente, ao longo dos anos, ele os tem buscado, com a esperança de recobrar o poder deles em suas próprias mãos, e sempre com a esperança de encontrar o Um"; e suas palavras acerca dos Três Anéis logo foram alteradas em relação à forma que tinham na segunda versão (p. 322, mas com "terra, mar e céu" no lugar de "terra, ar e céu"):

Que uso fizeram dos Três Anéis de Terra, Mar e Céu eu não sei; nem tampouco sei o que se deu com eles. Alguns dizem que Reis-élficos ocultos ainda os guardam em lugares fechados da Terra-média; mas creio que há muito eles foram carregados para o outro lado do Grande Mar.

Gandalf, novamente após uma mudança feita rapidamente ou de forma imediata, conclui agora seus comentários sobre os Sete Anéis dos Anãos, que alguns diziam ter perecido no fogo dos dragões, com estas palavras: "Contudo, esse relato, talvez, não seja totalmente verdade"; ele não se refere agora à crença de que alguns dos Sete Anéis estão preservados, embora sem dúvida sua fala implique isso (cf. o primeiro rascunho do Conselho de Elrond, p. 491).

Da maneira como meu pai escreveu aqui pela primeira vez a passagem sobre Gil-galad, ele começou acompanhando quase exatamente o texto anterior, com a frase "Valandil, Rei da Ilha" (ver pp. 322–3 e a nota 26), mas a alterou no ato da escrita para: "e ele fez uma aliança com Valandil, Rei dos homens de Númenor, que retornou através do mar, de Ociente para a Terra-média, naqueles dias." O nome *Valandil* foi, então, alterado para *Elendil*, provavelmente quase de imediato, e também nas ocorrências subsequentes do nome nessa passagem. O nome *Isildor*, do segundo texto, agora é grafado *Isildur*. A hoste de Isildur foi sobrepujada por "Orques", não por "Gobelins" (ver pp. 535–6, nota 35).

À história de Gollum contada por Gandalf nada foi acrescentado ou alterado em relação à versão anterior (ver a pp. 323–4), exceto que "sua avó, que governava toda a família, expulsou-o de sua toca".

O conteúdo da discussão de Gandalf sobre o caráter e as motivações de Gollum em relação ao Anel permanece inalterado em relação à segunda versão, embora, é claro, com um ligeiro desenvolvimento contínuo na expressão e, em algumas passagens, incluindo uma expansão considerável. As palavras "Apenas Elfos são capazes de suportar isso, e até eles acabam se desvanecendo" (p. 324) agora são omitidas. O que Gandalf quis dizer em sua resposta à objeção de Frodo, a de que Gollum nunca deu o Anel a Bilbo, agora fica mais claro:

"Mas ele nunca deu o Anel a Bilbo", disse Frodo. "Bilbo já o tinha achado, caído no chão."

"Eu sei", respondeu Gandalf, "e sempre achei que essa era uma das coisas mais estranhas da aventura de Bilbo. É por isso que eu disse que a ascendência de Gollum só explicava parcialmente o que aconteceu ..."

Ainda é o próprio Gandalf que encontra Gollum, embora a exclamação de Frodo, "Você encontrou Gollum!" (p. 325), tenha sido posteriormente alterada para "Você viu Gollum!", e a resposta de Gandalf à pergunta de Frodo, "Você o achou lá?" (p. 326), foi alterada para "Eu o vi lá, mas foram amigos meus que acabaram por rastreá-lo, com a ajuda dos Elfos-da-floresta". Cf. a primeira versão do Conselho de Elrond, p. 495 e nota 20. – O relato de Gandalf sobre a história do próprio Gollum é ampliado da seguinte forma:

O que lhe contei é o que Gollum estava disposto a contar – embora não, é claro, do modo como relatei. Gollum é mentiroso, e é preciso peneirar suas palavras. Por exemplo, pode ser que você se lembre de que ele disse a Bilbo que recebera o Anel como presente de aniversário. Muito improvável logo de cara: incrível quando há suspeitas sobre que tipo de anel ele realmente era. É algo que foi dito simplesmente para fazer com que Bilbo se dispusesse a aceitá-lo como um tipo de brinquedo inofensivo – uma das ideias tipicamente hobbits de Gollum. Repetiu essa bobagem para mim, mas eu ri dele. Então me contou a história mais verdadeira, acompanhada de muita lamúria e grunhido. Achava que fora incompreendido e maltratado ...

Gandalf ainda diz, estranhamente, que Gollum "por fim tinha descoberto, é claro, que Bilbo, de alguma maneira, havia pegado seu Anel, e qual era o nome do hobbit, e de onde ele tinha vindo" (ver a p. 326 e a nota 32); de fato, esse detalhe agora aparece de forma mais enfática: "E as notícias sobre os eventos posteriores se espalharam por todas as Terras-selváticas, e *o nome de Bilbo passou a circular* por todo canto".

Quando Gandalf faz uma pausa depois de dizer "ele fizera seu caminho lento e sorrateiro, pouco a pouco, anos atrás, até a Terra de Mordor", sobrevém o silêncio pesado mencionado em SA, p. 113, e "não se ouvia agora o som da tesoura de Sam". A frase "Creio, de fato, que Gollum é o princípio dos nossos problemas atuais" foi mantida; ver pp. 335–6, nota 33.

Depois de "'Bem, de qualquer jeito', observou Frodo, 'se Gollum não podia ser morto'", meu pai, de início, acompanhou o texto anterior (p. 328) muito de perto, mas depois o reescreveu de maneira alterada.

"Bem, de qualquer jeito", disse Frodo, "se Gollum não podia ser morto, gostaria que Bilbo não tivesse ficado com o Anel. Por que ele fez isso?"

"Isso não ficou claro com base no que você ouviu agora?", respondeu Gandalf. "Eu me lembro de você dizendo, quando ficou com o anel de início, que ele tinha suas vantagens, e que você estava se perguntando por que Bilbo foi embora sem ele [ver a p. 303]. Ele o possuíra durante muito tempo até sabermos que o anel tinha alguma importância especial. Depois disso, era tarde demais: era preciso enfrentar o próprio Anel. Ele tem um poder e um propósito só seus que nubla os conselhos sábios. Nem Bilbo foi capaz de escapar de todo da influência do objeto. Ele desenvolveu um sentimento. Mesmo depois de saber que, em última instância, o Anel viera do Necromante, desejava ficar com ele como lembrança ..."

Por fim, a passagem que começa com "Eu realmente quero destruí-lo!" (pp. 329–30) foi alterada e ampliada:

"Eu realmente quero destruí-lo!", gritou Frodo. "Mas queria mais ainda que o Anel nunca precisasse ter ficado comigo. Por que fui escolhido?

"Bilbo o repassou a você para se salvar da destruição; e porque não conseguiu achar mais ninguém. Ele fez isso com relutância, mas acreditando que, quando você soubesse mais a respeito, aceitaria o fardo por algum tempo, por amor a ele. Achava que você estava seguro: seguro no sentido de não usá-lo mal ou deixá-lo cair em mãos malignas; seguro em relação ao poder do objeto, por algum tempo; e seguro no tranquilo Condado dos hobbits, longe do conhecimento do criador do Anel. E prometi a ele que ajudaria você. Ele contava com isso. De fato, por causa dele e por sua causa, enfrentei muitas jornadas perigosas.
Além disso, posso dizer que não descobri as letras de fogo ou seu significado, nem soube ao certo que este era o Anel Regente, até que ele já tivesse se decidido a partir. Não contei a ele porque, diante disso, ele não teria dado a você esse fardo. Deixei-o partir. Ele ficara com o Anel por sessenta anos, e isso estava pesando, Frodo. É algo que acabaria por desgastá-lo, no final, e não ouso imaginar o que teria acontecido então.

Mas agora, ai de nós! sei de mais coisas. Já vi Gollum. Já viajei até mesmo à Terra de Mordor. Temo que o Inimigo tenha iniciado a busca. Você corre um perigo muito mais grave do que até Bilbo sonhava. Portanto, não o culpe."

"Mas não sou forte o suficiente!", exclamou Frodo. "Você é sábio e poderoso. Não quer pegar o Anel?"

"Não!", recusou Gandalf, pondo-se de pé com um salto. "Com aquele Anel, eu teria poder demasiado grande e terrível. E sobre mim ele ganharia um poder ainda maior e mais mortífero." Seus olhos relampejaram, e seu rosto se acendeu como que por um fogo interior. "Não me tente! Pois não desejo me tornar igual ao próprio Senhor Sombrio. No entanto, o caminho do Anel para meu coração é pela pena da fraqueza e desejo de força para fazer o bem. Não me tente!"

Foi até a janela e abriu a cortina e as venezianas. A luz do sol voltou a fluir para dentro do aposento. Sam passou assobiando pelo caminho lá fora. "De qualquer modo", explicou o mago, virando-se para Frodo, "agora é tarde demais. Você iria me odiar e me chamar de ladrão; e nossa amizade cessaria. Tal é o poder do Anel. Mas, juntos, vamos carregar o fardo que nos é imposto." Ele se aproximou e colocou a mão no ombro de Frodo. "Mas precisamos fazer algo logo", disse. "O Inimigo está agindo."

Aqui está presente a mesma ideia curiosa segundo a qual Gandalf descobriu as letras de fogo no anel de Bilbo, e sabia que ele era o Anel Regente, *antes* que Bilbo partisse mas *sem* contar isso a ele (isto é, sem o conhecimento de Bilbo de que esse teste tinha sido feito): ver p. 329 e a nota 38. – O comentário de Gandalf (p. 396), "Creio, de fato, que Gollum é o princípio dos nossos problemas atuais", mantido com base na segunda versão, agora talvez passe a ser menos obscuro (ver pp. 335–6, nota 33): "Estive na Terra de Mordor. Temo que o Inimigo tenha iniciado a busca."

Capítulo 3: "Atrasos são Perigosos"

O novo texto do terceiro capítulo, agora com esse título (que havia sido rabiscado na segunda versão), é outro manuscrito caprichado e de leitura clara, substituindo seu antecessor assustadoramente difícil de ler (p. 337 e seguintes).

O capítulo ainda começa com as fofocas n'*A Moita de Hera* e n'*O Dragão Verde* (p. 338 e nota 1) antes de passar à conversa entre Gandalf e Frodo. Nessa conversa, Gandalf agora se refere, como em SA, à possibilidade de que seja tarefa de Frodo encontrar as Fendas da Perdição — de fato, ele vai mais longe:

"E ir até *lá*, mas não vir *de volta outra vez*", acrescentou Gandalf em tom sombrio. "Pois, no fim das contas, acho que você deve ir até a Montanha de Fogo, embora ainda não esteja pronto para fazer disso a sua meta."

O fato de que, com a ajuda de Merry,[6] Frodo escolheu uma casinha em Cricôncavo (ver p. 370), é agora incorporado a partir da alteração feita a lápis na versão anterior (p. 350, nota 2). Gandalf ainda deixa a Vila-dos-Hobbits "num fim de tarde úmido e escuro de maio".

Mas uma grande mudança é inserida na história com a partida de Odo Bolger (não Tûk-Bolger, como na árvore genealógica, p. 391) com Merry Brandebuque no terceiro carroção a sair da Vila-dos-Hobbits. Meu pai havia proposto isso antes (pp. 369–70): "Daqui em diante [isto é, depois da chegada à Terra-dos-Buques], o pressuposto é que Odo saiu na frente com Merry. A jornada preliminar foi feita apenas por Frodo [Tûk], Bingo e Sam. A personalidade de Frodo lembra um pouco mais a que Odo tinha antes. Odo agora é bastante silencioso (e guloso)." Mas o texto que seguiu essa orientação era obscuro e contraditório, aparentemente por conta da minha oposição a essa proposta (ver pp. 369–70). Desta vez, a ideia foi posta em prática corretamente.

Nas versões anteriores do capítulo, os jovens hobbits Frodo e Odo tinham personalidades distintas (ver p. 91). Retirar Odo da expedição não significa, entretanto, que a personalidade de Odo foi removida; isso porque meu pai sempre trabalhou com base em rascunhos anteriores, e grande parte do material original deste capítulo sobreviveu. Embora Frodo Tûk, agora renomeado como Folco Tûk (já que Bingo se transformara em Frodo), fosse o que tinha permanecido na nova narrativa, ele tinha de ficar responsável pelas falas de Odo, agora ausente – a menos que meu pai fosse reescrever esses trechos de um jeito muito mais drástico do que desejava. Apesar da anotação mais antiga "Sam Gamgi vai substituir Odo" (p. 312), Sam tinha sido concebido de um jeito específico demais, desde o início, para que fosse adequado como substituto da cara-de-pau típica de Odo. Além do mais, nessa versão do capítulo, a contribuição original de Folco (Frodo) Tûk foi, de qualquer maneira, reduzida de novo. O poema *A Estrada segue sempre avante* já tinha sido atribuído a Bingo na segunda versão (p. 344); agora, seu relato sobre ter encontrado um Cavaleiro Negro nos Pântanos do Norte foi retirado, e sua exclamação de deleite quando se ouve o canto dos Elfos ("Elfos! Que maravilhoso! Sempre quis ouvir elfos cantando sob as estrelas") foi cortada, aparentemente no momento da escrita, e substituída pelo sussurro rouco de Sam: "Elfos!". Assim, Folco Tûk, com menos falas "só suas", e adquirindo boa parte das falas "de Odo", tornou-se "Odo" de forma mais completa do que meu pai aparentemente previra quando disse que "A personalidade de Frodo [Tûk] lembra um pouco mais a que Odo tinha antes".[7]

Contudo, a posição *genealógica* de Folco permanece; pois o próprio Odo (que antes tinha o nome de Tûk, mas agora é um Bolger, com uma mãe Tûk) seguiu adiante rumo à Terra-dos-Buques, onde uma aventura separada e diferente (já vislumbrada de antemão, pp. 374, 376) vai chegar até ele, enquanto que, no lugar de Folco na árvore genealógica dos Tûks, no papel de primo de primeiro grau de Merry Brandebuque (pp. 331, 391), mais tarde estará Peregrin Tûk (Pippin).

Miranda, a "mulher submissa" de Cosimo Sacola-Bolseiro, desaparece de novo, junto com a afirmação de que ele e sua mãe, Lobélia, viveram em Bolsão "por muitos anos depois disso" (p. 350, nota 5). – *A Estrada segue sempre avante* atinge sua forma final (p. 351, nota 10) – Na primeira aparição do Cavaleiro Negro na estrada, na passagem citada na p. 344, "Odo e Frodo" passam a ser "Folco e Sam", e o texto de SA (p. 135) é alcançado.

Conforme já foi observado, o relato de Frodo Tûk sobre seu encontro com um Cavaleiro Negro nos Pântanos do Norte, no Condado (pp. 344–5), agora é retirado do texto, e a conversa entre Bingo e Frodo Tûk sobre o tema dos Cavaleiros Negros (p. 345) que se segue à revelação de Sam se desenvolve até alcançar precisamente a forma em SA (p. 135), com o nome de Folco no lugar do de Pippin, é claro. A breve parada do Cavaleiro ao lado da árvore apodrecida na qual os hobbits comeram seu jantar foi, no entanto, mantida nesta versão e, na conversa seguinte, Frodo ainda diz, tal como Bingo, que ele passará a usar o nome de Sr. Longes-Montes.

Quando se ouve o canto dos Elfos, Frodo diz, tal como em SA, p. 139: "Às vezes pode-se encontrá-los na Ponta do Bosque", mas ele ainda diz, como na versão precedente (p. 347), que eles aparecem durante a primavera e o outono, "vindo das próprias terras deles, muito além do Rio". Tal como em SA, o hino a Elbereth é descrito como sendo cantado "na bela língua-élfica" e, no fim da canção, Frodo diz: "Estes são Altos Elfos! Falaram o nome de Elbereth!".

O comentário indiscreto de Odo sobre a boa sorte do grupo por ter topado de forma inesperada com boa comida e abrigo desaparece e não chega a ser dito por Folco. A frase de Frodo, "As estrelas brilham sobre a hora do nosso encontro", de início foi apresentada tal como antes (p. 347), apenas na forma traduzida, mas meu pai alterou isso, claramente no ato de escrever, com a introdução das palavras élficas também, *Eleni silir lúmesse omentiemman*, e depois, mais uma vez, para *Elen silë* ..., "Uma estrela brilha ..." Nesse ponto Gildor diz, tal como em SA, "Eis um erudito da língua antiga".

Ainda é a Lua que leva os Elfos a cantar; mas a formulação antiga ("A lua amarela nasceu; saltando rapidamente das sombras e depois escalando o céu, redonda e lenta"), que tinha sobrevivido desde a versão original do capítulo (pp. 81–2), foi alterada, aparentemente no (ou muito perto do) momento da escrita, para: "Acima das névoas ao longe, no Leste, a fina casca prateada da Lua Nova apareceu e, erguendo-se célere e clara das sombras, ela se lançou brilhante no céu". Meu pai, sem dúvida, fez essa alteração por conta do que dissera em outro trecho sobre a Lua; pois havia uma lua crescente conforme os hobbits se aproximavam do Topo-do-Vento, e ela estava "quase metade cheia" na noite do ataque (pp. 211, 231): o ataque aconteceu em 5 de outubro (pp. 219–20), e não poderia ser lua cheia ou quase cheia em 24 de setembro, a noite que eles passaram com os Elfos na Ponta do Bosque (ver pp. 201–2). Naquela noite, deve ter sido quase Lua Nova. As datas das fases da Lua no outono e no começo do inverno daquele ano, citadas na p. 532, nota 19, na verdade estabelecem que a Lua Nova foi no dia 25 de setembro, o Quarto Crescente (lua metade cheia) em 2 de outubro e a Lua Cheia em 10 de outubro. Mas é uma exceção estranha e pouco característica que meu pai tenha imaginado uma Lua Nova nascendo tarde da noite no Leste.[8] Em SA, é claro, não há menção à Lua nessa passagem: era "o Espadachim do Céu, Menelvagor com seu cinto luminoso" que levou os Elfos a irromperem em canção.

Na passagem que descreve as memórias sobre a refeição feita com os Elfos, o texto presente em SA é alcançado, com Folco ficando com as reflexões de Frodo Tûk, junto com as lembranças de Odo sobre o pão.

O conselho de Gildor a Bingo (Frodo) de que ele deveria levar consigo companheiros de confiança, e a opinião do Elfo de que os atuais companheiros do hobbit já tinham confundido os

Cavaleiros, foi mantida (ver a p. 349); mas, no fim do trecho, agora não há nenhuma menção ao Anel, e a conversa dos dois termina tal como em SA (p. 147).

Capítulo 4: "Um Atalho para Cogumelos"

Nessa nova versão do capítulo, a única coisa a mencionar é o resultado curioso da exclusão de Odo Bolger, com Folco Tûk somando as falas de Odo às que eram provenientes de Frodo Tûk na narrativa mais antiga. Na versão anterior, Odo tinha criticado a ideia de tomar um atalho para a Balsa, porque, embora ele não conhecesse a região, conhecia *A Perca Dourada* em Tronco, e Frodo Tûk também era favorável a isso – porque ele, sim, conhecia a região.[9] Agora, o elemento-Frodo em Folco, que mantém seu conhecimento daquela zona rural, usa-o para apoiar o desejo que o elemento-Odo dentro dele tem de tomar a cerveja de Tronco, e seu oponente na discussão é Frodo (Bolseiro); assim, aqui e ao longo do capítulo, Folco é Pippin em tudo exceto no nome (ver pp. 353–4).

Côncavo Fundo agora desaparece do texto (ver pp. 353–4).

Capítulo 5: "Uma Conspiração Desmascarada"

Esse capítulo já tinha alcançado, na segunda versão (p. 368 e seguintes) uma forma muito próxima daquela em SA, mas ainda havia a confusão sobre Odo ter participado da caminhada saindo da Vila-dos-Hobbits ou ter ido na frente para a Terra-dos-Buques com Merry (ver pp. 369, 399). Seguindo a nova versão do Capítulo 3, isso agora fica resolvido, é claro: Odo está em Cricôncavo, abre a porta quando eles chegam e prepara o jantar com Merry – de fato, no fim do capítulo, ele se torna Fredegar (Fofo) Bolger. O texto agora alcança, até o fim do capítulo, a forma de SA, incluindo até os menores detalhes de expressão, excetuando apenas estas diferenças: a passagem sobre Gorhendad Velhobuque ainda não está presente (p. 368); a Sebe ainda mede quarenta milhas de ponta a ponta (*ibid.*); e a "canção dos anãos" *Adeus! adeus, caro fogo e lar!* ainda tem a forma presente na versão anterior (pp. 371–2).[10]

O fim do capítulo ainda difere totalmente do de SA, no entanto. A forma da segunda versão está preservada, com os acréscimos a lápis incorporados a ela (p. 373). Odo diz "Mas *não havemos* de ter nenhuma sorte na Floresta Velha" (enquanto em SA Fredegar afirma "Mas [*vocês*] não vão ter nenhuma sorte na Floresta Velha"), porque ele ainda é potencialmente um membro da expedição seguinte, ainda que meu pai, na verdade, tivesse decidido que ele ficaria em Cricôncavo até a chegada de Gandalf. Apresento o texto a partir da fala "Vão seguir o Capitão Frodo ou vão ficar em casa?":

"Vamos seguir o Capitão Frodo", disseram Merry e Folco (e, é claro, Sam). Odo ficou em silêncio. "Vejam bem!", disse ele depois de uma pausa. "Eu não me importo em admitir que me sinto mais aterrorizado em relação à Floresta do que em relação a qualquer outra coisa de que tenha ouvido falar. Não gosto de matas de nenhum tipo, mas as histórias sobre a Floresta Velha são um pesadelo. Mas também acho que vocês deveriam tentar se manter em contato com Gandalf, o qual, imagino, sabe mais sobre os Cavaleiros Negros do que vocês. Vou ficar para trás e despistar os curiosos. Quando Gandalf chegar, o que me parece uma certeza, vou contar o que fizeram e irei atrás de vocês com ele, se ele me levar."

Os outros concordaram que isso parecia, no geral, um excelente plano; e Frodo de imediato escreveu uma breve carta ao mago e a deu a Odo.

"Bem, está resolvido", resumiu Merry.

O resto do capítulo é idêntico à versão anterior.

Um traço curioso desse estágio sobrevive no texto publicado. Uma vez que a ideia de deixar Odo para trás não fazia parte da "conspiração", Merry tinha preparado seis pôneis, cinco para os cinco hobbits e um para a bagagem. Quando a história foi alterada, e a tarefa de Fredegar Bolger, "conforme os planos originais dos conspiradores" (SA, p. 177), era expressamente a de ficar para trás, esse detalhe foi ignorado, e os seis pôneis foram mantidos no texto nesse ponto (SA, p. 176).*

Capítulo 6: "A Floresta Velha"

O capítulo agora recebe esse título. Odo diz adeus aos outros na entrada do túnel debaixo da Sebe com estas palavras:

---

*Esse erro foi corrigido na edição mais recente, que serviu de base para a tradução brasileira. [N.T.]

"Gostaria que vocês não estivessem entrando na Floresta. Não creio que conseguirão atravessar em segurança; e acho muito necessário que alguém avise Gandalf que vocês entraram. Tenho certeza de que precisarão de socorro antes que o dia termine. Ainda assim, desejo sorte a vocês e espero, talvez, conseguir encontrá-los de novo algum dia."

A colina que se ergue da floresta ainda está coroada com um punhado de árvores (p. 144), mas isso foi alterado para a "cabeça calva" de SA no momento da composição desse manuscrito. A ravina que os hobbits tiveram de ir descendo porque não conseguiam sair dela ainda termina como antes (*ibid.*):

De repente, as árvores do bosque chegaram ao fim, e a ravina se tornou funda e de encostas íngremes; seu fundo estava quase totalmente cheio com a água barulhenta e rápida. Ela corria, por fim, até uma plataforma estreita no alto de um barranco rochoso, por cima do qual a correnteza mergulhava e caía numa série de pequenas quedas d'água. Olhando para baixo, viram que ali havia um espaço amplo com capim e juncos ...

A história mais antiga sobre a descida do barranco de trinta pés, assim, ainda está presente, com Folco caindo os últimos quinze pés.*

Na forma original da história do encontro com o Velho Salgueiro (pp. 143–4), Bingo e Odo ficavam presos na árvore, e Merry (então chamado de Marmaduque) era quem juntava os pôneis e resgatava Frodo Tûk do rio. No estágio seguinte (p. 374), isso foi alterado de modo que Sam assumiu o papel de Merry, enquanto Merry simplesmente "dormia feito uma pedra". Agora, com Frodo Tûk e Odo "reduzidos" a Folco Tûk, ainda são Frodo Bolseiro e Folco os que ficam aprisionados na árvore, mas Merry assume o papel de Frodo Tûk ao ser empurrado para dentro do rio.

Na versão mais antiga, a trilha ao lado do Voltavime estranhamente fazia uma curva fechada para a esquerda abaixo da casa de Tom Bombadil e depois passava por uma ponte pequena; e, numa revisão posterior, isso foi mantido, enquanto, depois disso, a palavra

*Dez metros e cinco metros, respectivamente [N.T.].

"esquerda" foi alterada para "direita", com a implicação de que a casa de Bombadil ficava do lado sul do Voltavime (ver pp. 145–6). O presente texto, a princípio, dizia:

[O caminho] fez uma curva fechada para a direita e os conduziu por cima de uma ponte de madeira que cruzava outro curso d'água menor, o qual descia gorgolejando.

Esse trecho mantém a curva no caminho e a ponte, mas como essa passa por cima de um afluente, a casa de Bombadil fica do lado norte do Voltavime. Meu pai, no entanto, riscou a passagem, aparentemente no ato de escrevê-la.

Capítulo 7: "Na Casa de Tom Bombadil"

Tal como o anterior, o presente capítulo agora recebe seu título. O episódio do ataque a Cricôncavo (pp. 374–6) agora faz parte do texto e foi repetido a partir da forma anterior sem praticamente nenhuma mudança significativa e quase palavra por palavra. O "homem trajado de cinza" sobe o caminho puxando um cavalo branco pelo cabresto, mas o fato de que Gandalf tem um cavalo branco aparece mais tarde na primeira versão. Mais importante ainda, meu pai, de início, repetiu as palavras "De repente houve um movimento", mas as riscou e as substituiu por: "Uma cortina numa das janelas se mexeu. Então, de repente, o vulto ao lado da porta se mexeu rapidamente" (essa alteração claramente deriva do momento de composição do manuscrito). Odo estava na casa, é claro. Não há nada no texto que corresponda às palavras escritas a lápis no fim da primeira versão do episódio, "Atrás dele se agarrava uma pequena figura com uma capa esvoaçante" e "Odo", e acho que, na verdade, elas ainda não tinham sido escritas no manuscrito anterior; nesse estágio, ao que parece, meu pai não tinha mais planos para Odo. Mas há um acréscimo a lápis ao segundo texto no qual, embora ele tenha sido apagado, o Sr. Taum Santoski conseguiu discernir o seguinte: "Atrás deles corria Odo … e … vento. Cf. 9.22". Sobre essa questão, ver a p. 416.

Os sonhos. O conteúdo do sonho de Frodo permanece o mesmo, quase palavra por palavra, tal como o de Bingo na versão original (pp. 150–1), exceto pelo fato de que, depois das palavras "cascos batendo e vento soprando" vem "e, fraco e distante, o eco de uma trompa": isso obviamente ecoa o momento em que Gandalf toca a trompa em Cricôncavo, o qual, nesse texto, precede imediatamente o sonho de Frodo. Mas, enquanto na história – conforme a versão narrada na primeira fase – "Bingo despertou" e depois "adormeceu de novo" (sobre a realidade dos sons que ele ouviu, ver a p. 151), nesta versão Frodo "estava deitado num sonho sem luz": é a mesma frase de SA, mas nada aqui dá a entender que ele despertou (compare com SA: "'Cavaleiros Negros!' pensou Frodo ao despertar"). Por outro lado, a passagem no presente texto termina tal como em SA: "por fim ele se virou e caiu outra vez no sono, ou vagou em algum outro sonho não recordado". Folco sonha com aquilo que originalmente era o sonho de Odo, e, tal como Pippin em SA, "acordou, ou pensou ter acordado", e depois "voltou a dormir". Merry absorve o sonho de Frodo Tûk sobre a água, com as palavras "caindo em seu sono tranquilo, a acordá-lo lentamente" mantidas da versão antiga, embora riscadas, provavelmente de imediato; essa passagem termina, tal como em SA, "Ele respirou fundo e caiu no sono de novo". Sam "dormiu a noite toda em profundo contentamento, se é que uma pedra fica contente".

Na conversa de Tom com os hobbits no segundo dia, a velha frase "Uma sombra escura veio do meio do mundo" foi mantida (p. 154); e a resposta de Tom à pergunta de Frodo, "Quem é você, Mestre?" é quase exatamente igual à da versão antiga (p. 154); ele diz: "Eu sou Ab-Orígine, isso é o que sou", e as palavras "Viu o Sol nascer no Oeste e a Lua a segui-lo, antes que a nova ordem dos dias fosse feita" foram mantidas (ver a minha discussão sobre essa passagem, pp. 155–6).

Em todas as outras diferenças menores mencionadas nas pp. XXX-X, o presente texto chega à forma final.

Capítulo 8: "Neblina nas Colinas-dos-túmulos"

Há pouco que precisa ser dito acerca deste capítulo, que acompanhou o texto original (pp. 162–6) e agora recebeu seu título. O "braço caminhando nos dedos" no túmulo se arrasta na direção de Folco, e Frodo cai para a frente em cima dele (p. 162). As palavras de Merry quando ele acorda permanecem inalteradas (p. 163); e nada mais se diz sobre as espadas de bronze que Tom Bombadil escolheu para os hobbits em meio aos tesouros do túmulo além das palavras acrescentadas ao texto original: Tom diz que elas "foram feitas há muitas eras por homens vindos do Oeste: eram inimigos do Senhor sombrio".

A conclusão do capítulo avança um pouco rumo à forma final, mas características da versão original foram mantidas (p. 165). Assim, Frodo, cavalgando pela Estrada, ainda diz: "Espero que a gente consiga seguir o caminho normal depois disso". Ao que Bombadil replica: "É isso o que devem fazer, ao máximo que puderem: sigam a trilha normal, mas cavalguem rápido e com atenção". Em seu conselho de despedida, ele ainda diz: "Barnabas Carrapicho é o bom taverneiro: ele conhece Tom Bombadil, e o nome de Tom vai ajudá-los. Digam 'Tom nos mandou pra cá', e ele há de ser gentil". Depois que ele vai embora, não há registro de mais conversas entre os hobbits, e o capítulo termina de forma muito semelhante à do texto original. Sam cavalga com Frodo na frente, Merry e Folco atrás, levando o pônei sobressalente; e Bri ainda é "uma vilazinha".

NOTAS

[1] *Mais Antigos dos Dias*, que ocorre duas vezes nesta passagem, foi alterada depois para *Dias Antigos*. Essa segunda expressão ocorre uma vez no *Quenta Silmarillion*, onde não é capitalizada (V.308); cf. também *Antigos Anos* (V.111), *dias antigos* (V.291).

[2] Bandobras, o Berratouro, reaparece depois de *O Hobbit* (Capítulo 1); ver também pp. 389–92.

[3] Só uma árvore desse tipo é de meu conhecimento, sendo talvez a única que meu pai fez nessa época; ver pp. 389–92.

[4] Assim, enquanto na versão preliminar da conversa n'*A Moita de Hera* (p. 305) a abertura do narrador devia se resumir a um parágrafo breve, meu pai agora estava mantendo tanto o relato sobre a história pregressa das versões anteriores do capítulo quanto acrescentando o jeito característico do Feitor Gamgi de recontá-lo. Em SA, o feitor passa a ser a única fonte da história.

[5] Em *O Hobbit*, Bandobras é chamado de tio-bisavô* de Bilbo, mas o próprio Bilbo o chama de tio-tataravô – tal como na presente árvore genealógica.

[6] O primo dele, Lanorac Brandebuque (p. 339), desapareceu.

[7] A discussão sobre caminhar ou não na primeira noite ainda está presente (ver p. 340), mas Folco não incorpora a relutância de Odo; o resultado é que todos os três concordam, e a discussão, tendo se tornado bastante desnecessária, é riscada e substituída pela frase em SA (pp. 128–9): "Bem, todos

---

* Na edição brasileira atual, baseada em correções posteriores, Berratouro é chamado de tio-bisavô do Velho Tûk. [N.T.]

gostamos de caminhar no escuro, portanto, vamos percorrer algumas milhas antes de dormir".

[8] Isso, de fato, é tão extraordinário, em vista da preocupação constante dele com todas as variações e aparências desse tipo, que surge a necessidade de achar uma explicação: será que ele queria dizer "a Lua minguante", mas escreveu "a Lua Nova" porque estava pensando na forma crescente do disco (característica da "Lua Nova"), e não na fase? Isso parece improvável; e, de qualquer modo, uma "Lua minguante" com a aparência de uma "fina casca prateada" é algo que não se vê até perto da aurora, pois a Lua, para ficar com essa aparência, precisa estar muito perto do Sol.

[9] Na variante anterior abandonada do episódio do Fazendeiro Magote, na versão anterior do capítulo, ele diz que Frodo Tûk é "meio Brandebuque" (p. 360). Isso já tinha sido omitido na segunda variante; mas ele era primo de primeiro grau de Merry Brandebuque, e diz a Bingo que Magote "é amigo de Merry, e em certa época eu costuma vir frequentemente aqui com ele" – exatamente o que Pippin diz a Frodo em SA, p. 156.

[10] Meu pai, de início, escreveu que a canção tinha sido cantada por Merry, Folco e Odo, mas o nome de Odo se deveu, sem dúvida, à presença dele na versão anterior (p. 371), e meu pai o riscou de imediato.

20

A Terceira Fase (2): Na Estalagem do Pônei Empinado

Com o Capítulo 9, agora com o título "Na Estalagem do Pônei Empinado", a narrativa dessa fase passou por um desenvolvimento muito mais substancial, mas de forma alguma seguindo a direção da história final em SA. Antes de abordar isso, entretanto, há uma característica curiosa da abertura do capítulo que merece ser considerada.

A abertura agora avança muito em relação às primeiras formas do capítulo apresentadas nas pp. 168–70: um relato inicial em que Bri era uma aldeia de Homens, mas na qual havia "hobbits por perto", alterado para a história de que havia apenas hobbits em Bri, e o próprio Sr. Carrapicho era um hobbit. Uma nota posterior (p. 279) diz, entretanto, que "O povo de Bri *não* deve ser formado por hobbits". Nesta fase, meu pai resolveu a questão voltando, mais ou menos, à ideia original: Homens e Hobbits viviam juntos em Bri. Mas ele achou difícil chegar a uma forma de abertura com a qual pudesse ficar satisfeito, e vemos o surgimento de uma versão depois da outra, sendo logo interrompidas e substituídas pela seguinte. Todos esses rascunhos são muito semelhantes, diferindo na ordenação do material e na admissão ou omissão de detalhes; todos obviamente correspondem à mesma época; e não há necessidade de examiná-los de perto, exceto quanto a um pormenor. Todos os esboços contêm a passagem em SA (p. 230) relativa à origem dos Homens de Bri – um deles acrescentando que eram "descendentes dos filhos de Bëor" – e ao retorno dos Reis de Homens pelos Grandes Mares.[1] A passagem que se segue, como em SA, diz respeito aos Caminheiros, e é quase a mesma em todos os textos rascunhados:

Nenhum outro grupo de Homens vivia agora tão para o Oeste, nem tão perto do Condado, num raio de mais de cem léguas. Isto é, nenhum povo assentado: pois havia os Caminheiros, andarilhos misteriosos que os Homens de Bri encaravam com profundo respeito (e um pouco de medo), já que se dizia que eles eram os últimos remanescentes do povo realengo d'além dos Mares. Mas os Caminheiros eram poucos e raramente vistos, e vagavam à vontade nas terras selvagens a leste, chegando até às Montanhas Nevoentas.

O curioso é que, na forma da abertura do capítulo que acabou sendo mantida, o relato sobre os Caminheiros é bem diferente e não vem depois das palavras "Nenhum outro grupo de Homens vivia agora tão para o Oeste, nem tão perto do Condado, num raio de mais de cem léguas", mas foi colocado depois (após a frase "Conforme todos os relatos, havia sangue de Bri entre os Brandebuques", SA p. 231). Essa versão diz:

Nas terras selvagens a leste de Bri, vagava uma gente esparsa e não assentada (homens e hobbits). A esses o povo da região de Bri chamava de Caminheiros. Alguns eram bem conhecidos em Bri, área que visitavam com relativa frequência, e eram recebidos como gente que trazia notícias e contava histórias estranhas.

Mais tarde, nesse capítulo, Carrapicho responde à pergunta de Frodo sobre Troteiro assim:

Não sei ao certo. É dessa gente vagante – nós os chamamos de Caminheiros. Não que ele seja realmente um Caminheiro, se me entende, embora se comporte feito um. Ele parece ser um hobbit de algum tipo. Tem vindo com bastante frequência nos últimos doze meses, especialmente desde a última primavera; mas raramente conversa.

Na versão original, nesse ponto (p. 175), Carrapicho diz: "Oh, esse é daquele pessoal do mato – caminheiros, como a gente diz." E Gandalf, em sua carta a Frodo, ainda se refere no texto da terceira fase, tal como na versão antiga, a Troteiro como "um caminheiro ... um hobbit moreno, um tanto magro, usa sapatos de madeira" (p. 434).

Comparem-se esses extratos com a nota em *Dúvidas e Alterações* (p. 280): "É melhor que os Caminheiros *não* sejam hobbits, talvez".

É difícil interpretar isso. Na terceira frase, encontramos a afirmação (em esboços) de que os Caminheiros são "os últimos remanescentes do povo realengo d'além dos Mares"; e também as afirmações de que os Caminheiros são formados tanto por homens quanto por hobbits, de que um hobbit em particular é um Caminheiro (diz Gandalf) e de que esse mesmo hobbit não é "realmente um Caminheiro, embora se comporte feito um" (diz Carrapicho). A explicação mais simples é supor que a origem númenóreana dos Caminheiros era uma ideia que meu pai estava pensando em usar nos esboços, mas que ele pôs de lado quando escreveu o texto do capítulo e a narrativa subsequente (ver ainda pp. 485–6). Qualquer que seja a explicação, está claro que a concepção finalizada dos Caminheiros teve um surgimento difícil; e é característico que, mesmo quando a ideia de que os Caminheiros eram os últimos descendentes dos exilados númenóreanos tinha surgido, e que esse espaço, assim, estava preparado para Troteiro, por assim dizer, ele não se encaixou nesse espaço de imediato.

O vilarejo de Estrado agora reaparece (ver p. 168), do outro lado da colina; e Valão fica "num fundo vale um pouco mais a leste", enquanto Archet está "na beira da Floresta Chet" – tudo como em SA, p. 230. Surge agora a informação de que Bri ficava numa antiga encruzilhada dos caminhos da região, a Estrada Leste e o Caminho Verde que seguiam para o norte e o sul. No único dos esboços da abertura que acabou chegando à narrativa propriamente dita, os hobbits

passaram por uma ou duas casas isoladas antes de chegarem à estalagem, e Sam e Folco as fitaram assombrados. Sam estava cheio de profunda suspeita e duvidava do bom-senso de buscar abrigo num lugar tão estapafúrdio. "Imagine ter de subir uma escada para ir para a cama!", exclamou. "Pra quê eles fazem isso? Não são passarinhos."

"É mais arejado", explicou Frodo, "e mais seguro também numa região mais selvagem. Não há cerca em volta de Bri, pelo que consigo ver."

Aqui meu pai parou de escrever; provavelmente naquele momento, ele decidiu que isso era improvável. No texto completo do capítulo, aparecem a vala, a sebe e o portão.

Frodo e seus companheiros chegaram finalmente ao cruzamento do Caminho Verde e se aproximaram da aldeia. Descobriram que era cercada por uma vala profunda, com uma sebe e uma cerca do lado interno. Por ali cruzava a Estrada, mas a passagem estava fechada (como era costume após o anoitecer) por um grande portão de barras soltas, preso a postes fortes de ambos os lados.

O esboço de um pequeno mapa, reproduzido na p. 414, muito provavelmente vem bem dessa época. Escritas ao lado da linha que marca o circuito externo de Bri estão as palavras "vala e c.", ou seja, "cerca". (Para o esboço mais antigo e muito simples de um mapa de Bri, ver p. 218, nota 20).

O texto prossegue:

Havia uma casa logo depois da barreira, e um homem estava sentado à porta. Ele se levantou de um salto, buscou um lampião e olhou-os por cima do portão, surpreso.

"Estamos a caminho da estalagem daqui", disse Frodo em resposta às perguntas dele. "Estamos viajando para o leste e não podemos ir mais longe esta noite."

"Hobbits!", exclamou o homem. "E mais, hobbits do Condado, pelo jeito que falam! Ora se isso não é uma maravilha: gente do Condado cavalgando à noite e viajando para o leste!"

Ele retirou as barras lentamente e os deixou passar. "E o que torna a coisa mais estranha", continuou a falar: "apareceu mais de um viajante nos últimos dias indo pelo mesmo caminho e perguntando sobre um grupo de quatro hobbits em pôneis. Mas eu ri da cara deles e disse que não tinha visto nenhum grupo assim e que provavelmente nunca veria. E aqui estão vocês! Mas, se vocês forem até o velho Carrapicho, não duvido que receberão boas-vindas, e mais notícias de seus amigos, talvez."

Eles lhe desejaram boa noite; mas Frodo não fez nenhum comentário sobre sua conversa, embora pudesse ver, à luz do lampião, que o homem os observava com curiosidade. Ficou feliz em ouvir as barras sendo recolocadas em seus lugares atrás deles enquanto avançavam. Um Cavaleiro Negro, no mínimo, estava agora à frente deles, ou foi o que imaginou pelas palavras do homem, mas era provável que outros ainda estivessem atrás deles. E quanto a Gandalf? Será que ele também tinha atravessado, tentando alcançá-los enquanto tinham ficado atrasados na Floresta e nas Colinas?

Os hobbits subiram por um aclive suave, passando por algumas casas isoladas, e pararam diante da estalagem ....

O relato sobre a consternação de Sam ao ver as casas altas, sobre a estrutura da estalagem e a chegada dos hobbits é, quase palavra por palavra, como o de SA, p. 234; e Barnabas Carrapicho agora é um homem, não um hobbit. Mas a passagem na versão original em que Bingo (Frodo) se refere à recomendação de Tom Bombadil para que ficassem no *Pônei Empinado* e depois é recebido pelo proprietário (pp. 171–2) foi mantida. Frodo agora apresenta seus amigos usando seus nomes corretos, mas se autodenomina "Sr. Longes-Montes" (ver pp. 346, 400). Carrapicho responde de forma bastante semelhante à da versão antiga (pp. 171–2), mas suas observações sobre os Tûks são agora aplicadas aos Brandebuques, e não apenas no contexto geral do povo do Condado, mas porque Merry foi apresentado como Sr. Brandebuque; e ele agora menciona os estranhos que subiram pelo Caminho Verde na noite anterior. A passagem sobre a disponibilidade de dinheiro (ver p. 173 e nota 7) é mantida, embora a urgência seja retratada como menor ("Frodo trouxera algum dinheiro consigo, é claro, tanto quanto fosse seguro ou conveniente; mas isso não cobriria indefinidamente as despesas de ficar em boas estalagens").

A partir da frase "O Sr. Carrapicho rodou um pouco por ali e depois preparou-se[2] para deixá-los", o novo capítulo atinge a forma final por um longo trecho, trazendo apenas pequenas diferenças, e em geral, com as mesmas palavras. As pessoas na sala comum da estalagem (incluindo os estranhos do Sul, que "fitaram-nos com curiosidade") são como as de SA (assim como os nomes botânicos dos Homens de Bri, ver p. 174 e nota 8); mas "no meio do grupo, [Frodo] notou o porteiro e se perguntou vagamente se aquela era a noite de folga dele". O "sujeito estrábico e repulsivo" que, em SA, prevê que muito mais pessoas viriam para o norte num futuro próximo, aqui é simplesmente "um dos viajantes" que subiu pelo Caminho Verde. Folco Tûk agora é, naturalmente, o "ridículo jovem Tûk"; mas ele ainda não conta a história do colapso do telhado da Toca Municipal em Grã-Cava. Frodo "ouviu alguém perguntar em que parte dos

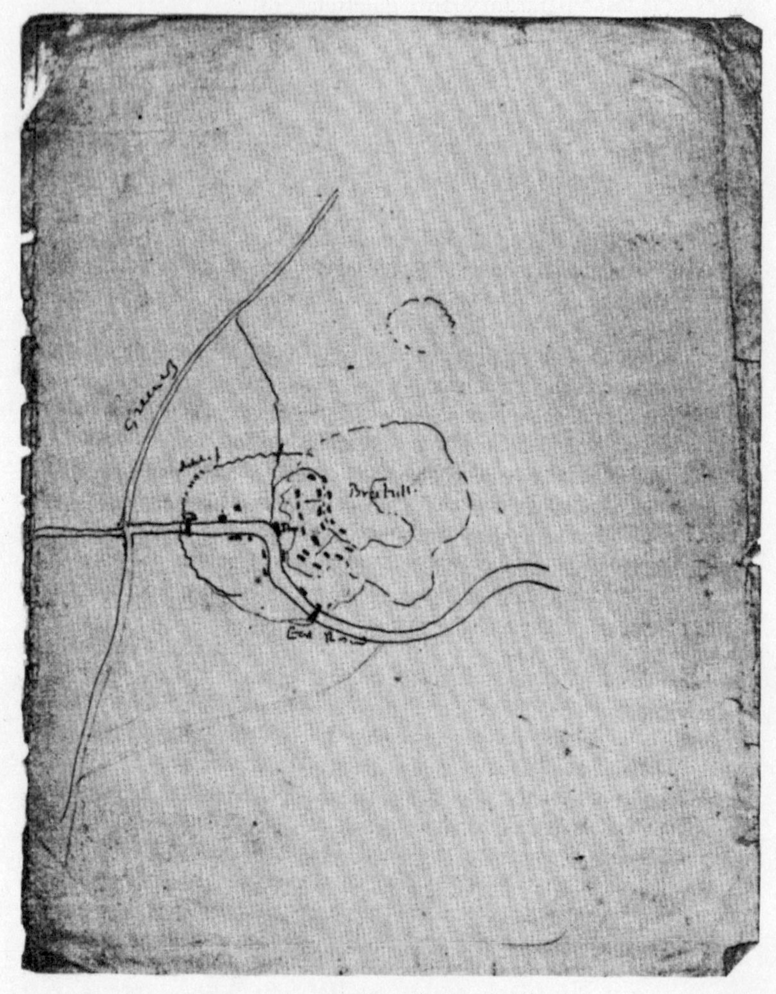

Esquema de Bri

Montes ele vivia e quão Longe ficavam; e torceu para que Sam e Folco fossem cuidadosos".

Como já foi observado, Troteiro continua sendo um hobbit;[3] e a descrição que se faz dele de fato segue de perto a versão original (pp. 174–5), incluindo os sapatos de madeira; o tubo do seu cachimbo foi alterado de "irregular" para "curto" no ato da escrita, e ele tinha "uma caneca enorme (grande até para um homem)" diante de si. Na primeira conversa de Frodo com Troteiro, e em tudo o que se segue até o final do Capítulo 9 em SA, o presente texto quase alcança a forma final (a qual, de qualquer modo, já tinha sido praticamente concluída na parte derradeira do capítulo na versão original – ver p. 178). A sensação de Frodo de que a sugestão de que ele colocasse o Anel veio "de fora, de alguém ou algo naquela sala", está presente. No começo, meu pai escreveu simplesmente que o "sujeito de rosto moreno" (Bill Sammambaia)[4] "saiu pela porta seguido por um dos sulistas; não era uma dupla bem-apessoada"; mas, com uma alteração que parece ter sido feita um pouco depois da escrita do manuscrito, a passagem ficou assim:

Logo depois ele se esgueirou porta afora, seguido por Harry, o porteiro, e por um dos sulistas: os três tinham ficado cochichando num canto durante a maior parte da noite. Por um momento ele se perguntou se o próprio Anel não lhe pregara uma peça – ou talvez obedecido ordens que não fossem as dele. Não lhe agradava o aspecto dos três homens que tinham saído, especialmente a do sulista [de olhos escuros >] estrábico.

Neste texto já foi mencionado que o porteiro estava presente na estalagem; isso não consta do texto de SA, embora ele afirme que o personagem saiu logo depois dos outros dois. – O texto de *O Gato e a Rabeca* agora tem exatamente a forma final.

Na versão original, dividi o texto por conveniência no ponto onde o Capítulo 9 termina em SA, embora não haja interrupção no manuscrito. A presente versão também continua sem quebra de fluxo e, neste caso, é mais conveniente abordar o capítulo antigo como um todo.

A próxima parte da história segue a forma original (pp. 187–9) muito de perto, até o ponto em que Troteiro conta a Bingo sobre sua "bisbilhotice" na Estrada. Ali, Troteiro tinha entreouvido Gandalf e os Anãos e Elfos (que retornavam da Vila-dos-Hobbits após a "festa muito esperada" e o desaparecimento de Bingo Bolger-Bolseiro) falando sobre Bingo e seus companheiros, que deveriam estar na Estrada vindo atrás deles: a data era a manhã de domingo, 25 de setembro (p. 202). A presente versão introduz aqui uma grande alteração na estrutura narrativa, mas de forma alguma isso afeta a história em SA, na qual Passolargo entreouve os hobbits conversando com Bombadil quando ele os deixou na Estrada Leste (e ouve Frodo dizer que ele deve ser apresentado como Sotomonte, e não Bolseiro).

Parece provável que a nova história, na qual as aventuras seguintes de Odo Bolger aparecem pela primeira vez numa narrativa completa, surgiu quando meu pai chegou a este capítulo em seu trabalho com os manuscritos da terceira fase, e que foi nesse estágio que ele escreveu a lápis as anotações sobre a saída de Odo, deixando Cricôncavo com Gandalf[5] após o fracasso dos Cavaleiros Negros (ver pp. 405–6): por isso, na nota ao segundo texto do ataque a Cricôncavo, ele colocou a referência "9.22". 9.22 é a página do manuscrito na qual a história de Troteiro sobre o momento em que ouve Gandalf *e Odo* na Estrada Leste aparece no presente capítulo.

Veremos que a versão "A" da história original é usada: ver pp. 187 e 215–6, nota 1.

A abertura desta seção da história está duplicada, e parece que ambas as versões fazem parte da mesma época da escrita, sem que nenhuma tivesse sido riscada; mas a segunda forma apresentada aqui foi a preferida. A primeira diz:

... eu estava detrás de uma sebe quando um homem a cavalo parou na Estrada, não muito longe [a oeste de Bri > *(no momento da escrita)*] a leste de Bri. Para minha surpresa, havia um hobbit cavalgando atrás dele, no mesmo cavalo! Eles desmontaram para fazer uma refeição e começaram a conversar. Ora, o que é bem esquisito, eles estavam falando de um certo Frodo Bolseiro e seus três companheiros. Eu me dei conta de que esses quatro sujeitos estranhos eram hobbits que tinham dado o fora do Condado (pela porta dos fundos, como a gente poderia dizer) na última segunda e deviam estar em algum lugar da Estrada. Os viajantes estavam muito preocupados com o Sr. Bolseiro e se perguntavam se ele estava na Estrada ou fora dela, na frente deles ou atrás. Queriam encontrá-lo e *avisá-lo*.

Um pouco incauto da parte de Gandalf, devo dizer – veja bem! Era Gandalf, claro não há como não reconhecê-lo, você há de concordar – sair falando assim na beira da Estrada. Mas, na verdade, ele estava falando baixo, e calhou de eu estar deitado muito perto. Isso deve ter sido ao meio-dia de ontem: quarta-feira.

A outra versão diz:

... Eu estava escondido debaixo de uma sebe, na Estrada, um pouco a oeste de Bri, tentando me abrigar da chuva, quando um homem a cavalo parou ali perto. Para minha surpresa, um hobbit estava cavalgando atrás dele, no mesmo cavalo! Eles desmontaram para descansar e comer um pouco, e começaram a conversar. Se quiser saber, eles estavam falando de um certo Frodo Bolseiro e seus três companheiros. Eu me dei conta de que eles eram quatro hobbits, que tinham deixado o Condado com muita pressa no dia anterior. O cavaleiro estava tentando alcançá-los, mas não tinha certeza se estavam na Estrada ou fora dele, na frente ou atrás. Parecia muito preocupado, mas tinha esperança de encontrá-los em Bri. Achei aquilo muito estranho, porque não é comum que os planos de Gandalf deem errado."

Frodo se mexeu de repente à menção do nome, e Troteiro sorriu. "Sim, Gandalf!", disse ele. "Sei que aparência ele tem e, uma vez que o vê, nunca esquece, você há de concordar. Ele estava falando em voz muito baixa, mas não tinha ideia de que o velho Troteiro estava tão perto. Isso foi na terça à tardinha, justo na hora em que a luz estava sumindo."

Os hobbits deixaram Cricôncavo logo cedo na manhã de 26 de setembro e chegaram a Bri ao cair da noite de quinta-feira, 29 de setembro (p. 202). A primeira dessas variantes diz que Troteiro viu Gandalf e Odo na estrada a leste de Bri na quarta-feira, isto é, depois de eles atravessaram a aldeia; a segunda variante estabelece que o encontro foi um dia antes, no fim da tarde de terça, antes que eles chegassem a Bri. Portanto, Frodo calcula, na passagem que vem a seguir, que Gandalf tinha alcançado Cricôncavo "na segunda-feira, depois que eles tinham saído", pois Bri ficava a um dia de cavalgada da Ponte do Brandevin. A chuva na terça-feira, da qual Troteiro estava se abrigando, foi a chuva que caiu durante o segundo dia dos hobbits na casa de Tom Bombadil. O texto prossegue:

E agora aparecem um hobbit e três amigos do Condado e, embora ele diga que seu nome é Monte, seus amigos o chamam de Frodo, e eles todos parecem saber bastante sobre o que andam fazendo Gandalf e os Bolseiros da Vila-dos-Hobbits. Consigo somar dois mais dois, quando é tão fácil assim. Mas não se deixe incomodar: vou guardar a resposta para mim mesmo. Talvez o Sr. Bolseiro tenha uma razão boa e honesta para deixar seu nome para trás. Mas, se for assim, eu o aconselharia a recordar que existem outros além de Troteiro capazes de fazer tais contas fáceis – e nem todos são de confiança."

"Fico grato a você", disse Frodo, muitíssimo aliviado. Isso, de qualquer maneira, equivalia a notícias de Gandalf; e de Odo também, aparentemente. Gandalf devia ter aparecido em Cricôncavo na segunda-feira, depois de eles terem partido. Mas Frodo ainda suspeitava de Troteiro e estava determinado a fingir que o caso não tinha importância especial. "Não deixei meu nome para trás, como você afirmou", respondeu ele rigidamente. "Eu me apresentei como 'Monte' nesta estalagem apenas para evitar perguntas inúteis. O Sr. Carrapicho já tem bastante a dizer do jeito que as coisas estão. Não sei exatamente como alguém poderia adivinhar meu nome verdadeiro pelo que aconteceu, a menos que tivesse a sua habilidade em bisbilhotar. E também não vejo que interesse especial meu nome tem para alguém em Bri, ou para você, falando nisso."

Troteiro riu dele. "Não entende?", disse ele com ar sombrio. "Mas a bisbilhotice, como você diz, não é algo desconhecido em Bri. E, além disso, ainda não lhe contei tudo sobre mim."

Naquele momento, ele foi interrompido por uma batida na porta. O Sr. Carrapicho estava lá com uma bandeja de velas, e Nob atrás dele com jarras de água quente. "Vim desejar boa noite", disse o senhorio, colocando as velas na mesa. "Nob! Leve a água para os quartos." Ele entrou e fechou a porta. "É assim, Sr. Monte", começou ele: "Mais de uma vez me pediram para ficar de olho num grupo de quatro hobbits e cinco pôneis. Alô, Troteiro! Você aqui?"

"Está tudo bem", sossegou-o Frodo. "Diga o que quiser! Troteiro tem minha permissão para ficar." O forasteiro sorriu.

"Bem", começou novamente o Sr. Carrapicho, "é assim: alguns dias atrás, sim, seria tarde da noite de terça-feira, bem quando eu ia trancar tudo, a campainha do quintal tocou. Quem seria parado na porta, se não o velho Gandalf, se você sabe de quem estou falando! Todo molhado ele estava: tinha chovido canivete o dia todo. Havia um hobbit com ele, e um cavalo branco – estava muito cansado o pobre bicho; pois tinha carregado os dois por um bocado de tempo, parecia. 'Bendito seja, Gandalf!', fui dizendo. 'O que está fazendo aí fora nesse tempo, a essa hora da noite? E quem é o seu amiguinho?' Mas ele piscou para mim e não respondeu às minhas perguntas. 'Bebidas quentes e camas confortáveis!', grasnou ele, e foi subindo os degraus.

Mais tarde, ele mandou me chamar. 'Carrapicho', diz ele. 'Estou procurando alguns amigos: quatro hobbits. Um deles é um camaradinha barrigudo com bochechas vermelhas' – o senhor que me desculpe – 'e os outros só hobbits jovens. Eles devem estar com cinco pôneis e uma boa quantidade de bagagem. Você os viu? Deveriam ter passado por Bri ainda hoje,[6] a menos que tenham parado aqui.'

Ele pareceu muito chateado quando eu disse que não havia nenhum grupo desses no *Pônei*, e que nenhum tinha passado por aqui, até onde eu sabia. 'Isso é má notícia!', respondeu, puxando a barba. 'Pode fazer duas coisas para mim? Se esse grupo aparecer, deixe uma mensagem: *Apressem-se! Gandalf foi na frente*. Só isso. Não esqueça, porque é importante! E se qualquer um – qualquer um, veja bem, por mais estranho que seja – perguntar por um hobbit chamado Bolseiro, diga-lhe que Bolseiro foi para o leste com Gandalf. Não se esqueça disso também, e ficarei grato a você.'"

O estalajadeiro fez uma pausa, olhando fixamente para Frodo.

"Muito obrigado!", disse Frodo, achando que o Sr. Carrapicho tinha terminado de falar e aliviado ao descobrir que sua história era praticamente a mesma que a de Troteiro, sem nada mais alarmante. Mesmo assim, ficou extremamente intrigado com as palavras misteriosas de Gandalf sobre *Bolseiro*. Ele se perguntou se Carrapicho tinha entendido tudo errado.

"Ah! Mas espere um minuto!", disse o proprietário, baixando a voz. "A coisa não parou por aí. E é isso que está me intrigando. Na segunda-feira, um sujeito grandalhão de preto passou por Bri montado num enorme cavalo negro, e o povo todo estava falando disso. Os cães ficaram todos choramingando e os gansos gritando enquanto ele cavalgava pela aldeia. Ouvi mais tarde que três desses cavaleiros foram vistos na Estrada perto de Valão; mas de onde os outros dois brotaram eu não saberia dizer.

Gandalf e seu amiguinho Bolseiro partiram ontem, depois de dormir até tarde, por volta do meio da manhã. À noite, pouco antes que o portão da estrada fosse fechado, os camaradas de preto entraram de novo, ou outros tão parecidos com eles quanto a noite e o escuro se parecem. 'Lá está o Homem de Preto na porta!' gritou Nob, correndo para me buscar com o cabelo todo em pé. Dito e feito, era isso: não um nem três, mas quatro deles! Um estava sentado lá no lusco-fusco com seu grande cavalo negro, quase na soleira da minha porta. Todo encapuzado e coberto com um manto. Ele se inclinou e falou comigo, e achei muito fria a voz dele. E o que acha que ele disse? Estava querendo notícias de *quatro hobbits* que estavam cavalgando para o leste, vindos do Condado![7]

Não gostei da voz e do aspecto dele e dei uma resposta curta. 'Não vi nenhum grupo assim', disse, 'e também não é provável que veja. O que o senhor está querendo com eles, ou comigo?'

Então ele soltou a respiração de um jeito que me fez tremer. 'Queremos notícias deles. Estamos buscando *Bolseiro*", afirmou, ciciando o nome como se fosse uma cobra. 'Bolseiro está com eles. Se ele vier, você vai nos contar, e vamos recompensá-lo com ouro. Se não nos contar, vamos recompensá-lo – de outro modo.'

'Bolseiro!', respondi. 'Esse num tá com eles. Se tá procurando um hobbit com esse nome, ele foi pro leste hoje de manhã com Gandalf.'

Quando ouviu esse nome ele deu uma inspirada e se ajeitou na sela. Então se inclinou na minha direção de novo. 'Isso é verdade?', disse, de um jeito muito duro, em voz baixa. 'Não minta para nós!'

Fiquei todo desacorçoado, posso lhe dizer, mas respondi do jeito mais claro que consegui: 'Claro que é verdade! Eu conheço Gandalf, e ele e o amigo dele estiveram aqui na noite passada, estou lhe dizendo.' Nisso, os quatro viraram os cavalos e saíram pela escuridão sem dizer mais nada.

Bom, Sr. Monte, o que acha de tudo isso? Espero que eu tenha feito o certo. Se não fosse pelas ordens de Gandalf, eu nunca teria dado notícias de Bolseiro nem de mais ninguém para eles. Porque esses Homens de Negro não querem o bem de ninguém, posso apostar."

"O senhor fez muito bem, até onde consigo ver", disse Frodo. "Pelo que conheço de Gandalf, normalmente o melhor é fazer o que ele pede."

"Sim", disse o taverneiro, "mas mesmo assim estou intrigado. Como é que esses Homens de Negro foram achar que Bolseiro faz parte do *seu* grupo? E devo dizer, pelo que ouvi e vi esta noite, que me pergunto se eles não estão certos. Mas, Bolseiro ou não, fique à vontade para pedir qualquer ajuda que eu possa dar a um amigo do velho Tom, e de Gandalf."

"Fico muito grato", respondeu Frodo. "Desculpe se não posso lhe contar a história inteira, Sr. Carrapicho. Estou muito cansado, e muito preocupado. Mas, se quer saber, eu *sou* Frodo Bolseiro. Não tenho ideia do que Gandalf quis dizer quando afirmou que Bolseiro tinha ido para o leste com ele; pois creio que o nome daquele hobbit era Bolger. Mas esses... hmmm... Cavaleiros Negros estão nos caçando, e estamos em perigo. Fico muito grato por sua ajuda; mas espero que isso não lhe traga problemas por nossa causa. Espero que esses Cavaleiros abomináveis não venham aqui de novo."

"Realmente espero que não!", exclamou Carrapicho, estremecendo.

"Se vierem, não deve se arriscar a irritá-los por minha causa. Eles são perigosos. Assim que estivermos bem longe, o senhor não vai nos fazer mal se disser a eles que um grupo de quatro hobbits de fato *passou* por Bri. Boa noite, Sr. Carrapicho! Obrigado de novo por sua bondade. Um dia Gandalf talvez lhe conte o porquê de tudo isso."

"Boa noite, Sr. Bolseiro – Sr. Monte, eu devia dizer! Boa noite, Sr. Tûk! Bendito seja! Cadê o Sr. Brandebuque?"

"Não sei", respondeu Folco; "mas imagino que esteja lá fora. Falou alguma coisa sobre sair para tomar um pouco de ar. Deve entrar logo."

"Muito bem!", disse o Sr. Carrapicho. "Vou garantir que ele não fique trancado para fora. Boa noite a todos!" Dando uma olhada intrigada em Troteiro e balançando a cabeça, ele saiu, e seus passos foram sumindo no corredor.

"Lá vai você de novo!", exclamou Troteiro antes que Frodo pudesse falar. "Ainda está muito confiado! Por que contar ao velho Barnabas tudo aquilo sobre estar sendo caçado? E por que dizer a ele que o outro hobbit era um Bolger?"

"Ele não é seguro?", perguntou Frodo. "Tom Bombadil disse que era, e Gandalf parece ter confiado nele."

"Se ele é seguro?", gritou Troteiro, com um gesto de perplexidade. "Sim, ele é seguro, tão seguro quanto possível. Mas por que lhe dar mais motivos do que o necessário para ficar intrigado? E por que interferir com o plano de Gandalf? Você não pensa muito rápido, ou teria ficado claro de imediato, para você, que Gandalf queria que *acreditassem* que o hobbit que estava com ele era Bolseiro – precisamente para que vocês tivessem chances melhores, se ainda estivessem atrás. E quanto a mim? Será que sou seguro? Você não tem certeza (sei disso), e ainda assim você conta tudo a Carrapicho na minha frente! No entanto, agora sei tudo o que ele tinha a dizer; e isso, pelo menos, vai encurtar o que eu ainda tinha a lhe contar – que era principalmente sobre aqueles Cavaleiros Negros, como você os chama. Eu mesmo os vi. Devo dizer que, no total, sete deles passaram por Bri desde a segunda-feira. Você não vai mais fingir que não consegue imaginar qual seria o interesse das pessoas pelo seu nome verdadeiro. Ofereceram uma recompensa para qualquer um que pudesse informar que quatro hobbits estão aqui, e que um deles é provavelmente um Bolseiro, afinal de contas."

"Sim, sim", disse Frodo. "Entendo tudo isso. Mas eu já sabia que eles estavam atrás de mim; e até agora, de qualquer modo, eles parecem ter seguido uma trilha falsa."

"Eu não teria tanta certeza de que todos eles foram embora de imediato", observou Troteiro; "ou de que todos eles estão à sua frente, perseguindo Gandalf. Eles são astutos e costumam dividir suas forças. Ainda posso contar algumas coisas que você não ouviu de Carrapicho. Vi pela primeira vez um Cavaleiro na noite de segunda-feira, a leste de Bri, quando estava saindo do ermo. Quase trombei nele, que estava seguindo rápido pela estrada no Escuro. Eu chamei a atenção dele com um insulto, pois ele quase me atropelou; e ele estacou e voltou. Fiquei parado e não emiti som nenhum, mas ele trouxe o cavalo, passo a passo, na minha direção. Quando estava bastante perto, ele se abaixou e farejou. Então soltou um sibilo, virou o cavalo e foi embora.[8] Ontem vi os quatro que passaram por esta estalagem. Durante a noite passada, fiquei de vigia. Estava deitado em um barranco debaixo da sebe do jardim de Bill Sammambaia; e ouvi Bill falando. Ele é um sujeito ranzinza e tem uma má reputação na região de Bri, e sabe-se que pessoas esquisitas visitam sua casa às vezes. Você deve tê-lo notado na companhia: um homem moreno, de cara feia. Nesta noite, ele estava todo íntimo de Harry Barba-de-Bode, o guardião do portão oeste (um velho mesquinho, de maus bofes), e de um dos estranhos do sul. Eles saíram de fininho juntos logo após sua canção e seu acidente. Não confio em Sammambaia. Ele seria capaz de vender *qualquer coisa* para *qualquer um*, se é que você me entende."

"Não entendo o que diz", respondeu Frodo.

"Bem, não vou ser mais claro do que isso", insistiu Troteiro. "Só me pergunto se essa chegada incomum de viajantes estranhos subindo o Caminho Verde, e o aparecimento dos cavaleiros nessa caçada, aconteceram juntos por mero acaso. Ambos podem estar procurando a mesma coisa – ou pessoa. De qualquer forma, ouvi Bill Sammambaia falando ontem à noite. Reconheci a voz dele, embora não conseguisse captar o que estava sendo dito. A outra voz estava sussurrando, ou sibilando. E isso é tudo que tenho para lhe contar. Deve fazer o que quiser em relação à minha recompensa. Mas, quanto à ideia de eu ir com vocês, direi isto: conheço todas as terras entre o Condado e as Montanhas Nevoentas, pois perambulei por elas muitas vezes ao longo da minha vida – e hoje sou mais velho do que pareço. Posso ser de alguma valia. Depois desta noite vocês terão que abandonar a estrada aberta; pois, se me perguntar, eu diria que esses Cavaleiros a estão patrulhando – e ainda procuram seu grupo. Não imagino que deseje encontrá-los. Eu não desejo! Eles me dão arrepios!", concluiu ele de repente, com um estremecimento.

Os outros olharam para ele e viram, com surpresa, que seu rosto estava enterrado nas mãos, e o capuz estava totalmente abaixado. O cômodo estava muito quieto e silencioso, e as luzes pareciam ter enfraquecido.

"Aí está!", exclamou um momento depois, jogando o capuz para trás e tirando o cabelo do rosto. "Talvez eu saiba mais sobre esses perseguidores do que vocês. Vocês não os temem o bastante – ainda. Parece provável até demais que notícias suas os alcancem antes que esta noite termine. Amanhã vocês terão de partir rapidamente e em segredo – se puderem. Mas Troteiro é capaz de conduzi-los por trilhas que raramente são pisadas. Querem a companhia dele?"

Frodo não deu resposta. Olhou para Troteiro: sombrio e agreste, e com trajes toscos. Era difícil saber o que fazer. Não duvidava que a maior parte do que ele tinha contado era verdade; mas era menos fácil ter certeza quanto à sua boa vontade. Por que estava tão interessado? Tinha um ar soturno – e, no entanto, havia algo nele que parecia amigável e até curiosamente convidativo. E seu modo de falar tinha mudado enquanto falava, passando dos tons pouco familiares dos Forasteiros para algo mais familiar, algo que parecia lembrar Frodo de alguém.[9] O silêncio prosseguia, e ele ainda não conseguia se decidir.

"Bem, eu sou a favor de Troteiro, se você quiser ajuda para decidir", opinou Folco de repente. "De qualquer forma, ouso dizer que ele poderia nos seguir aonde quer que fôssemos, mesmo se recusássemos."

"Obrigado!", disse Troteiro, sorrindo para Folco. "Poderia e faria isso; pois acabaria sentindo que é o meu dever. Mas aqui está uma carta que guardei para você – isso deve levá-lo a se decidir." Para espanto de Frodo, ele tirou do bolso uma pequena carta lacrada e a entregou. Do lado de fora estava escrito: *Para F. de G.* ᛝ

"Leia!", disse Troteiro.

Aqui termina o capítulo. Veremos que, nessa narrativa, apesar das diferenças radicais nas informações que Troteiro e Carrapicho transmitiram, a forma original da história (na versão "A", mas ver a nota 8) ainda estava sendo seguida de perto.

O manuscrito deste capítulo, mais tarde, sofreu alterações imensamente intrincadas, com longas inserções e exclusões, pois meu pai usou o texto original para implementar dois desenvolvimentos distintos, ambos envolvendo grande mudança estrutural. A um desses textos ele deu o nome de versão "vermelha", escrita e paginada em vermelho, enquanto o outro é a versão "azul"; portanto, um complemento escrito num pedaço de papel traz a numeração "inserção para 9.3(g) = vermelho 9.9 = azul 9.4"! As relações entre os textos podem, na verdade, ser entendidas de forma perfeitamente satisfatória. A versão "azul" é posterior e termina antes do fim do capítulo; ela representa um enredo posterior, em que todas as referências à visita de Gandalf e Odo ao *Pônei Empinado* são cortadas. A versão "vermelha", por outro lado, pode muito bem ser contemporânea ou quase contemporânea do texto principal; foi cuidadosamente escrita (sendo que as alterações que constituem a versão "azul" são muito menos polidas) e conta a mesma história sobre Gandalf e Odo – mas o faz de forma bem diferente.

Ela retoma a narrativa a partir do final da descrição de Bri e começa com a chegada de Gandalf à aldeia junto com Odo, agora contada de forma direta e não por meio narrativa de Carrapicho.

A terça-feira tinha sido um dia de chuva forte. A noite caíra algumas horas antes, e ainda estava caindo água. A escuridão era tanta que nada podia ser ouvido além do barulho borbulhante da chuva e a ondulação das enxurradas descendo a colina – e o som de cascos pisando n'água na Estrada. Um cavalo subia lentamente a longa encosta em direção à vila de Bri.

De repente, um grande portão apareceu: estendia-se de um lado a outro da Estrada, preso a postes fortes nas duas extremidades, e estava fechado. Havia uma pequena casa do outro lado, escura e cinzenta. O cavalo parou com o focinho por cima da barra superior do portão, e o cavaleiro, um homem idoso, desmontou, de corpo rígido, e fez descer um pequeno vulto que estava montado na garupa atrás dele. O velho bateu no portão e estava começando a escalá-lo quando a porta da casa se abriu e um homem saiu com um lampião, resmungando e praguejando.

"Que bela noite para bater no portão e tirar o sujeito da cama!", reclamou.

"E que bela noite para ficar ao relento, todo molhado e com frio, e do lado errado de um portão!", respondeu o cavaleiro. "Agora vamos lá, Harry! Abra logo esse negócio!"

"Bendito seja!", exclamou o porteiro, erguendo o lampião. "Gandalf, é isso – e eu devia ter adivinhado. Nunca se sabe quando você vai aparecer de novo." Abriu o portão lentamente, olhando surpreso para a pequena figura desmazelada ao lado do mago.

"Obrigado!", disse Gandalf, conduzindo seu cavalo adiante. "Este é um amigo meu, um hobbit do Condado. Você viu mais algum na Estrada? Deveria haver quatro deles na nossa frente, um grupo montado em pôneis."

"Não passou nenhum grupo desses enquanto estive por aqui", afirmou Harry. "*Pode* ter passado até o meio-dia, pois eu estava em Estrado, e meu irmão estava aqui. Mas não ouvi ninguém falar disso. Não que a gente observe muito a Estrada entre o nascer e o pôr-do-sol, enquanto o portão está aberto. Mas teremos de ser mais cuidadosos, pelo que estou pensando."

"Por quê?", perguntou Gandalf. "Tem gente estranha por aí?"

"Eu diria que sim! Gente esquisita pra caramba. Homens de preto a cavalo; e um monte de estrangeiros do Sul subiram o Caminho Verde ao anoitecer. Mas, se você estiver indo para o *Pônei*, vale a pena ir logo, antes que eles tranquem tudo. Vai ficar sabendo de todas as novidades lá. Vou voltar pra minha cama e já desejo boa noite." Ele fechou o portão e entrou.

"Boa noite!", disse Gandalf, e foi andando vila adentro, conduzindo seu cavalo. O hobbit ia cambaleando ao lado dele.

Uma lâmpada ainda iluminava a entrada da taverna, mas a porta estava fechada. Gandalf tocou a campainha no quintal e, depois de algum tempo, um homem grande e gordo, em mangas de camisa e com chinelos nos pés, abriu a porta um tiquinho e olhou para fora.

"Boa noite, Carrapicho!", disse o mago. "Tem um quarto para um velho amigo?"

"Céus, como eles estão ensopados!", gritou o taverneiro. "Gandalf! E o que está fazendo aí fora nesse tempo e a essa hora da noite? E quem é o seu amiguinho?"

Gandalf piscou para ele. "Bebidas quentes e camas confortáveis – é o que queremos, e sem perguntas demais", respondeu, e foi subindo as escadas.

"E o cavalo?", perguntou o taverneiro.

"Dê a ele o melhor que tiver!", respondeu Gandalf. "E, se Bob resmungar por ser acordado de novo a esta hora, diga a ele que o animal merece: Narothal[10] carregou nós dois rapidamente e bem longe hoje. Vou recompensar Bob amanhã de acordo com o relatório que o meu cavalo fizer sobre ele!"

Um pouco mais tarde, o mago e seu companheiro estavam sentados diante das brasas quentes de um fogo, no quarto do próprio Sr. Carrapicho, aquecendo-se, secando-se e bebendo cerveja com especiarias. O taverneiro veio dizer que o quarto deles já estava pronto.

"Não vão se apressar!", pediu ele, "mas, quando estiverem prontos, eu vou indo pra minha cama. Tem uma quantidade incomum de viajantes aqui hoje, mais do que eu me recordo faz anos, e estou cansado."

"Algum hobbit entre eles?", perguntou Gandalf. "Estou procurando quatro deles – um amigo meu vindo do Condado e três companheiros." Descreveu Frodo com cuidado, mas não disse o nome dele. "Eles estariam com cinco pôneis e uma boa quantidade de bagagens; e deveriam ter chegado a Bri hoje. Harry não os viu; mas eu tinha esperança de que eles tivessem entrado sem que ele os notasse."

"Não", disse o estalajadeiro, "de um grupo assim até Harry, por mais que ele seja um velho chato e resmungão, teria ficado sabendo. A gente não recebe muitos Forasteiros do Condado em Bri hoje em dia. Não há nenhum grupo desses no *Pônei*, e não apareceu nenhum na Estrada, disso eu tenho certeza."

"Isso é má notícia!", exclamou Gandalf, puxando a barba. "Onde será que eles foram parar?"[11] Ficou em silêncio um instante. "Veja só, Carrapicho!", prosseguiu. "Você e eu somos velhos amigos. Você tem olhos e ouvidos na cabeça e, embora fale um bocado, sabe que é melhor não dizer certas coisas. Quero manter minha privacidade enquanto estiver aqui e, se eu não vir ninguém além de você e Bob, ficarei satisfeito. Não conte a todos que perguntei sobre esse grupo! Mas mantenha os olhos abertos e, se eles aparecerem depois que eu for embora, transmita esta mensagem: *Apressem-se! Gandalf foi na frente*. Só isso. Não se esqueça, porque é importante. E se qualquer um – qualquer um, veja bem, por mais estranho que seja – perguntar por um hobbit chamado *Bolseiro*, diga-lhe que Bolseiro foi para o leste com Gandalf. Não se esqueça disso também, e ficarei grato a você!"

"Pode deixar!", disse o Sr. Carrapicho. "Espero não esquecer, mas uma coisa expulsa a outra quando estou ocupado com hóspedes por aqui. Bolseiro, você disse? Deixe-me ver – eu me lembro desse nome. Não havia um Bilbo Bolseiro sobre o qual contavam algumas histórias estranhas lá no Condado? Meu pai me disse que ele ficou nesta casa mais de uma vez. Mas seu amigo não deve ser ele – esse Bolseiro desapareceu de alguma forma engraçada faz quase uns vinte anos: desapareceu com um estrondo enquanto falava, ou pelo menos foi o que ouvi. Não que eu acredite em todas as histórias que vêm do Oeste."

"Não há necessidade", disse Gandalf, rindo. "De qualquer forma, meu jovem amigo aqui não é o velho Bilbo Bolseiro. Apenas um parente."

"Isso mesmo!", disse o hobbit. "Apenas um parente – um primo, na verdade."

"Entendo", disse o taverneiro. "Bem, isso é bom para a sua reputação. Bilbo era um camaradinha excelente, e ainda por cima rico como um rei, se metade do que ouvi for verdade. Vou transmitir suas mensagens, se tiver chance, Gandalf; e não farei perguntas, por mais estranho que tudo isso me pareça. Mas você sabe melhor do que eu dos seus afazeres, e já fez muita coisa boa por mim.

"Obrigado, Barnabas!", respondeu Gandalf. "E agora eu vou fazer outra coisa por você: vou deixá-lo ir para a cama de uma vez." Esvaziou a caneca e se levantou. O taverneiro apagou as luzes e, segurando uma vela em cada mão, levou-os para o quarto.

De manhã, Gandalf e seu amigo acordaram tarde. Fizeram o desjejum em um aposento privado e não falaram com ninguém além do Sr. Barnabas Carrapicho. Eram quase onze horas quando Gandalf o chamou para pagar a conta e pegar seu cavalo.

"Diga a Bob para levá-lo até a alameda e esperar por mim perto do Caminho Verde", disse ele. "Não vou pela Estrada para não ficarem de boca aberta quando eu passar nesta manhã."

Despediu-se do taverneiro numa porta lateral. "Adeus, meu amigo", disse ele. "Não se esqueça das mensagens! Um dia, talvez, vou lhe contar a história toda e também retribuir, com algo até melhor do que boas notícias – isto é, farei isso se a história toda não acabar tendo um mau fim. Adeus!"

Foi andando com o hobbit, subindo uma alameda estreita que passava ao norte da estalagem, atravessando a vala em torno da aldeia e seguindo para o Caminho Verde.[12] Bob, o cavalariço, estava esperando fora da divisa da vila. O cavalo branco estava reluzente e bem escovado, e parecia totalmente descansado e pronto para mais um dia de viagem. Gandalf o chamou pelo nome, e Narothal[13] relinchou, sacudindo a cabeça e trotando de volta para seu mestre, quando então encostou o focinho no rosto do mago.

"O relatório foi positivo, Bob!", disse Gandalf, dando ao cavalariço uma peça de prata. O mago montou; Bob ajudou o hobbit a se sentar numa almofada atrás do mago e depois deu um passo para trás com o boné na mão e um largo sorriso.

"É verdade, meu rapaz!", riu Gandalf. "Parecemos uma dupla engraçada, ouso dizer. Mas não somos tão engraçados quanto parecemos. Quando formos embora, lembre-se de que fomos para leste, mas esqueça que partimos por esta alameda. Entende? Adeus!" Saiu cavalgando e deixou Bob coçando a cabeça.

"Macacos me mordam se essa não é uma época esquisita!", disse consigo mesmo. "Homens de preto cavalgando vindos do nada, e o pessoal no Caminho Verde, e o velho Gandalf com um hobbit na garupa e tudo o mais! As coisas estão começando a se mexer em Bri! Mas tome cuidado, Bob, meu rapaz – o velho Gandalf é capaz jogar coisas mais quentes do que prata por aí."

A bonita manhã que se seguira à chuva deu vez, mais tarde, a nuvens e neblina. Nada mais aconteceu em Bri naquele dia até a hora em que caía a tarde. Então, vindos da névoa, quatro cavaleiros passaram pelo portão. Harry olhou pela janela e então saiu dali apressadamente. Estava pensando em sair e fechar o portão, mas mudou de ideia. Os cavaleiros estavam todos vestidos e cobertos de preto e montavam cavalos altos e negros. Alguns do mesmo tipo tinham sido vistos em Bri dois dias antes, e histórias desvairadas andavam circulando. Alguns diziam que eles não eram humanos, e até os cães estavam com medo. Harry trancou a porta e ficou de pé atrás dela, tremendo.

Mas os cavaleiros pararam, e um deles desmontou e veio bater com força na porta. "O que quer?", gritou Harry do lado de dentro.

"Queremos notícias!", sibilou uma voz fria pelo buraco da fechadura.

"Do quê?", perguntou ele, com as botas tremendo.

"Notícias de quatro hobbits,[14] cavalgando pôneis, vindo do Condado. Eles passaram por aqui?"

Harry gostaria que tivessem passado, pois, se pudesse dizer *sim*, isso satisfaria esses cavaleiros. Havia ameaça e urgência na voz fria: mas ele não ousava arriscar um *sim* que não era verdade. "Não, senhor!", respondeu com voz trêmula. "Não apareceram hobbits montados em pôneis em Bri, e não é provável que algum apareça. Mas havia um hobbit cavalgando na garupa de um velho montado num cavalo branco, na noite passada. Eles foram para o *Pônei*."

"Sabe o nome deles?", indagou a voz.

"O velho era Gandalf", respondeu Harry.

Um cicio passou pela fechadura e Harry recuou rápido, com a sensação de que algo de um frio gélido o tinha tocado. "Tem o nosso agradecimento", disse a voz. "Você ficará vigiando à espera de quatro hobbits, se ainda deseja nos agradar. Nós voltaremos."

Harry ouviu o som de cascos indo em direção à aldeia. Destrancou a porta furtivamente e depois saiu e olhou para a estrada. Havia muita névoa e já estava escuro demais para ver muita coisa. Mas ele ouviu os cascos pararem na curva da Estrada perto da estalagem. Esperou um tempo e então, silenciosamente, fechou e trancou o portão. Estava quase voltando para casa quando, no ar enevoado, ouviu o som de cascos novamente, começando na estalagem e morrendo ao dobrarem a esquina e seguirem pela Estrada em direção ao leste. Estava ficando muito frio, pensou. Ele estremeceu e correu para dentro, colocando ferrolhos e barras na porta.

Na manhã seguinte, quinta-feira, o tempo voltou a ficar aberto, com um sol quente e o vento virando para o Sul. Perto da noite, uma dúzia de anãos vieram andando do Leste para Bri com pesadas mochilas nas costas. Eram taciturnos e tinham poucas palavras para trocar com qualquer pessoa. Mas nenhum viajante passou pelo portão oeste durante todo o dia. A noite caiu e Harry fechou o portão, mas não parava de ir até porta de sua casa. Estava com medo do tom de ameaça na voz fria, se deixasse passar hobbits estranhos.

Estava escuro e brilhavam estrelas brancas quando Frodo e seus companheiros chegaram enfim à encruzilhada do Caminho Verde e se aproximaram da aldeia. Descobriram que estava cercada por uma vala profunda, com uma sebe e uma cerca no lado interno. A Estrada atravessava esses obstáculos, mas agora estava barrada pelo grande portão. Viram uma casa do outro lado, e um homem sentado à porta. Ele se levantou de um salto, buscou um lampião e olhou-os por cima do portão, surpreso.

"O que vocês querem e de onde vêm?", perguntou rispidamente.

"Estamos a caminho da estalagem daqui", respondeu Frodo. "Estamos viajando para o leste e não podemos ir mais longe esta noite."

"Hobbits! Quatro hobbits! E mais, vindos do Condado, pelo jeito que falam!", disse o porteiro, baixinho como quem fala consigo mesmo. Fitou-os de modo sombrio por um momento e depois abriu o portão devagar, deixando-os passar.

"Não é sempre que vemos gente do Condado cavalgando na Estrada à noite", prosseguiu ele, conforme pararam por um instante à sua porta. "Vão me desculpar, mas me pergunto que afazeres levam vocês lá longe, a leste de Bri"

"Eu desculpo", respondeu Frodo, "embora a coisa não pareça tão intrigante para nós. Mas este não parece um bom lugar para discutirmos nossos afazeres."

"Ah, bem, seus afazeres são só seus, não tem dúvida", contemporizou o porteiro. "Mas talvez descubram que mais gente além do velho Harry, no portão, vai fazer perguntas. Estão esperando encontrar algum amigo aqui?"

"O que quer dizer?", perguntou Frodo, surpreso. "Por que deveríamos esperar isso?"

"E por que não? Muita gente se encontra em Bri, mesmo nesta época. Se forem até o *Pônei*, talvez descubram que não são os únicos hóspedes."

Frodo desejou boa noite a ele e não respondeu mais nada, embora pudesse ver, à luz do lampião, que o homem ainda os observava com curiosidade. Ficou contente de ouvir o portão se fechar com estrépito atrás deles, enquanto avançavam. Ele se perguntou o que o homem queria dizer com "encontrar amigos". Será que alguém andava pedindo notícias de quatro hobbits? Gandalf, talvez? Ele poderia ter passado por ali enquanto se atrasavam na Floresta e nas Colinas. Mas um Cavaleiro Negro era mais provável. Havia algo na aparência e no tom do porteiro que o enchera de suspeitas.

Harry ficou olhando para os hobbits por um instante e depois voltou para a porta de sua casa. "Ned!", chamou. "Tenho coisas a resolver no *Pônei*, e pode demorar um pouco. Você precisa ficar no portão até eu voltar."

> A partir desse ponto, a "versão vermelha" só é diferente do primeiro texto pelo fato de que a história de Carrapicho sobre a visita de Gandalf fica, é claro, muito reduzida se comparada à forma apresentada em pp. 418–9.

NOTAS

1 Os rascunhos trazem a frase "Poucos haviam sobrevivido aos tumultos dos Mais Antigos dos Dias", expressão utilizada no *Prefácio* (p. 407, nota 1), ponto no qual SA usa o termo "Dias Antigos"; a forma original da passagem diz: "Poucos haviam sobrevivido aos tumultos daqueles dias antigos e esquecidos, e às guerras dos Elfos e Gobelins".

2 *preparou-se*: SA diz "propôs deixá-los", mas trata-se de um erro que surgiu na fase de datilografar o texto. [Na atual edição brasileira, esse erro já está corrigido. N.T.]

3 Meu pai escreveu "um hobbit de aparência esquisita e rosto moreno", riscou a palavra "hobbit" e depois escreveu "hobbit" novamente.

[4] Nesta fase, *Sammambaia* é escrito dessa forma não padronizada; *Samambaia* na versão original e em SA.

[5] A palavra *corria* da nota apagada ao segundo texto do ataque a Cricôncavo ("Atrás dele corria Odo...", p. 405) é bastante surpreendente, já que parece inútil: se Odo fosse acompanhar Gandalf, parece não haver razão para que ele não andasse na garupa desde o início – e, de qualquer forma, ele rapidamente ficaria para trás.

[6] Talvez seja surpreendente que Gandalf esperasse que Frodo e seus companheiros passassem por Bri na terça-feira, já que soube por Odo que eles tinham deixado a casa em Cricôncavo na segunda-feira de manhã e entraram na Floresta Velha. A chegada deles a Bri presumivelmente agora seria muito mais incerta do que se eles tivessem tomado a Estrada (intervenções hostis à parte). Possivelmente isso é algo que sobreviveu da antiga forma da história – "Devem aparecer aqui lá pela terça-feira, se conseguirem seguir direto pela estrada", p. 190 – quando Gandalf não tinha razão para pensar que eles não iriam simplesmente seguir pela Estrada Leste depois da Ponte do Brandevin. Ver a nota 11.

[7] Como os Cavaleiros sabiam que eram *quatro* hobbits? (Nas antigas versões variantes, pp. 191, 197–8, eles sabiam até que os quatro hobbits tinham cinco pôneis). Provavelmente eles presumiram isso: sabiam que três hobbits tinham chegado à Balsa de Buqueburgo e foram recebidos lá por outro. Com exceção disso, eles não tinham conhecimento (na noite de quarta-feira, quando chegaram à estalagem) de onde estavam Frodo e seus companheiros. – Em algum momento, meu pai riscou a palavra *quatro*; ver a nota 14.

[8] Esse episódio deriva da antiga versão "B", p. 198; mas ali o Cavaleiro questionou Troteiro, que não respondeu. As relações entre as versões aqui são:

Versão antiga "A" (pp. 190–1):

(Segunda-feira) Um Cavaleiro questiona Carrapicho na porta da estalagem

(Terça-feira) Quatro Cavaleiros chegam à porta da estalagem e um deles questiona Carrapicho

Versão antiga "B" (pp. 197–8):

(Segunda-feira) Um Cavaleiro questiona Troteiro na Estrada

(Terça-feira) Quatro Cavaleiros encontram Troteiro na Estrada e um deles o questiona

Versão atual:

(Segunda-feira) Um Cavaleiro passa por Bri (p. 419) e encontra Troteiro na Estrada a leste de Bri sem falar com ele (p. 422)

(Quarta-feira) Quatro Cavaleiros chegam à porta da taverna e um deles questiona Carrapicho (p. 420); são vistos por Troteiro (pp. 422–3)

[9] A mudança na maneira de falar de Troteiro notada por Frodo, decorrente da forma original da história (p. 194), sobreviveu em SA (p. 252), embora o significado seja bem diferente: "Penso que você não é realmente como decidiu parecer. Começou falando comigo como o povo de Bri, mas sua voz mudou."

[10] *Narothal* ("Pé-de-Fogo"), o primeiro nome dado ao cavalo branco de Gandalf, foi substituído posteriormente a lápis pelas sugestões: "Fairfax, Snowfax", e a lápis, na margem do texto, está a sequência "Pé-de-Fogo Arod? Aragorn", mas esses últimos nomes foram riscados. *Arod* passou a ser, em SdA, o nome de um cavalo de Rohan.

[11] Uma nota a lápis no manuscrito diz: "Já que esteve em Cricôncavo, ele deve saber da Floresta Velha" – ou seja, Gandalf deve saber, depois de falar com Odo, que os outros hobbits entraram na Floresta Velha. Ao mesmo tempo, meu pai escreveu a lápis nesse momento: "Tinha confiança de que Tom Bombadil faria com que ficassem longe de problemas".

[12] Essa alameda está marcada no esboço do mapa de Bri na p. 414.

[13] "Narothal" foi alterado a lápis para "Fairfax"; ver a nota 10.

[14] *quatro hobbits*: ver a nota 7. Posteriormente, meu pai riscou *quatro* e escreveu no lugar: *hobbits, três ou mais.*

21

A Terceira Fase (3): Para o Topo-do-Vento e Valfenda

O capítulo seguinte, numerado com 10 e recebendo o título "Trilhas Ermas para o Topo-do-Vento", está ligado à forma padrão de "Na Estalagem do Pônei Empinado" e a continua diretamente; mas ele começa repetindo de forma quase exata o fim daquele capítulo, de "Frodo não deu resposta" até "'Leia!', disse Troteiro" (p. 424). Depois disso, temos:

Frodo examinou o lacre com cuidado antes de rompê-lo. Certamente parecia ser de Gandalf, assim como a escrita e o G rúnico ᚸ. Frodo leu o texto e depois o repetiu em voz alta para Folco e Sam.

O Pônei Empinado, quarta-feira, 28 de Set. Caro F. Onde será que você está? Não na Floresta ainda, espero! Não consegui chegar na hora, mas as explicações precisam esperar. Se chegar a receber esta carta, estarei à frente *de vocês. Apresse-se e não pare em lugar nenhum! As coisas estão piores do que eu pensava, e a perseguição está próxima. Fique de olho em* cavaleiros de preto *e os evite. São perigosos: seus piores inimigos. Não use* Aquilo *de novo, por motivo nenhum. Não viaje no escuro. Tente me alcançar. Não ouso esperar aqui, mas devo parar num local conhecido do portador e ficar de olho na sua chegada lá. Estou dando isto a um caminheiro conhecido como Troteiro: hobbit moreno, um tanto magro, usa sapatos de madeira. Ele é um velho amigo meu e sabe de muita coisa. Pode confiar nele. Vai guiá-lo até o local combinado atravessando as regiões ermas. N.B. Odo* Bolseiro *está comigo. Apresse-se! Seu amigo* ᚷ ᚨ ᚾ ᛞ ᚨ ᛚ ᚠ ⁖ ᚸ ⁖

Frodo olhou para a letra arrastada: parecia tão obviamente genuína quanto o lacre. "Está datada de quarta-feira, nesta casa", comentou. "Como foi parar com você?"

"Encontrei Gandalf, como tínhamos combinado, perto de Archet", respondeu Troteiro. "Ele não saiu de Bri pela Estrada, mas subiu uma alameda lateral e contornou a colina pelo outro lado."

"Bem, Troteiro", disse Frodo depois de uma pausa, "teria facilitado as coisas e poupado um bocado de tempo e de conversa se você tivesse mostrado essa carta de vez. Por que inventou toda aquela história de bisbilhotice?"

"Não a inventei", riu-se Troteiro. "Foi um choque e tanto para o velho Gandalf quando apareci do nada detrás da sebe. Mas ele ficou muito feliz quando viu quem eu era. Disse que era o primeiro golpe de sorte que tinha fazia algum tempo. Foi então que combinamos que eu ia ficar esperando por aqui para o caso de vocês estarem atrasados, enquanto ele seguia em frente e tentava atrair os Cavaleiros atrás dele. Sei de todos os seus problemas – inclusive o Anel, posso dizer."

"Então não há nada mais que eu possa dizer", concluiu Frodo, "exceto que estou contente de termos encontrado você. Sinto muito se fui desnecessariamente desconfiado."

A conversa continua de modo muito semelhante à da história original (p. 195), até o ponto em que ocorre a "apaziguamento" de Folco (Odo) diante da opinião de Troteiro sobre ele.[1] Depois disso, o texto diz:

"Vamos todos perecer, sendo resistentes ou não, a não ser que tenhamos alguma boa sorte estranha, até onde consigo ver", disse Frodo. "Não consigo entender por que você quer ficar enrolado com os nossos problemas, Troteiro."

"Uma das razões é que Gandalf me pediu para ajudá-los", respondeu ele em voz baixa.

"O que nos aconselha então?", perguntou Frodo. "Não entendi direito essa carta: *não pare em lugar nenhum*, diz ela, e ao mesmo tempo *não viaje no escuro*. É seguro ficar aqui até a manhã?" Frodo olhou para o fogo confortável e a luz de velas suave na sala e deu um suspiro.

"Não, provavelmente não é seguro – mas seria muito mais perigoso partir à noite. Então temos de esperar a luz do dia e torcer pelo melhor. Mas convém partirmos cedo – é longo o caminho até o Topo-do-Vento."

"Topo-do-Vento?", perguntou Folco. "Onde e o que é isso?"

"É o *local combinado* que a carta menciona", respondeu Troteiro. "É uma colina, logo ao norte da Estrada, em algum lugar a meio caminho entre Valfenda e aqui.[2] Dali é possível ter uma vista bem ampla de tudo em volta. Mas vocês vão sair quase dois dias atrás de Gandalf e precisarão viajar rápido, ou não o encontrarão lá."

"Nesse caso, vamos para a cama agora, enquanto ainda falta passar uma parte da noite!", sentenciou Folco, bocejando. "Onde está aquele sujeito tolo, o Merry? Seria o cúmulo se tivéssemos de sair agora para procurá-lo."

A história de Merry sobre o Cavaleiro Negro que ele viu fora da estalagem e seguiu difere neste ponto: enquanto na versão original (pp. 203–4), o Cavaleiro atravessou a vila de oeste para leste e parou na casa (ou toca) de Bill Samambaia, aqui

"Ele estava vindo *do* leste", prosseguiu Merry. "Eu o segui pela Estrada até quase o portão. Parou na casa do vigia, e acho que o escutei falar com alguém. Tentei me esgueirar até lá, mas não ousei chegar muito perto. De fato, temo que de repente tenha começado a me tremer todo e vim voando de volta para cá."

"O que se há de fazer?", disse Frodo, virando-se para Troteiro.

"Não vão para os seus quartos!", respondeu ele de imediato. "Não gosto nada dessa história. Harry Barba-de-Bode esteve aqui esta noite e saiu com Bill Sammambaia. É bem provável que eles tenham descoberto que quartos vocês pegaram.

Enquanto no restante do capítulo há avanços, nos detalhes, rumo ao texto de SA (do final do capítulo 10, "Passolargo", p. 260, até parte do Capítulo 11, "Um Punhal no Escuro", p. 267), a narrativa desta versão da terceira fase segue a original (pp. 204–15) de perto em quase todos os pontos onde aquela diferia de SA – e termina no mesmo ponto.

Agora é Troteiro que faz uma imitação da cabeça de Frodo na cama com um capacho. O texto afirma expressamente que o pônei é de Bill Sammambaia, e ele é descrito como "um animal ossudo, mal alimentado e bastante desanimado". Há dois homens olhando por cima da sebe ao redor da casa de Sammambaia: o próprio dono da casa e "um sulista de rosto amarelado e um ar matreiro e quase gobelinesco em seus olhos oblíquos". Esse último não é identificado com o "sulista estrábico" que deixou a pousada na noite anterior com Sammambaia e o vigia do portão (p. 415). Na versão antiga da história (pp. 207–8), era Bill Samambaia parado ali sozinho, a quem Bingo considera "gobelinesco". Ainda é Troteiro que está com as maçãs e acerta Sammambaia no nariz com uma delas. Archet, Valão e Estrado são citadas, tal como em SA (p. 270), de acordo com o que é dito sobre as localidades na descrição da região de Bri na abertura do Capítulo 9 (p. 411), e o plano de Troteiro agora é seguir para Archet e passar por ela pelo lado leste (cf. p. 208 e nota 21).

As luzes no céu oriental vistas pelos viajantes nos Pântanos dos Mosquitos só aparecem depois que toda a narrativa sobre os movimentos de Gandalf naqueles dias é alterada. Troteiro responde à pergunta de Frodo, "Mas certamente estávamos esperando encontrar Gandalf lá?" (SA, p. 275, versão original na p. 210), desta maneira:

"Sim – mas minha esperança é bastante tênue. Faz quatro dias que saímos de Bri, e se Gandalf conseguiu mesmo chegar ao Topo-do-Vento sem ser perseguido demasiado de perto, deve ter chegado faz pelo menos dois dias. Duvido que ele tenha ousado esperar por tanto tempo pela mera possibilidade de vocês o estarem seguindo: ele não sabe ao certo se você estão atrás dele ou se receberam suas mensagens...

Ele ainda diz: "Há até alguns dos Caminheiros que, num dia claro, poderiam nos espiar de lá, se nos mexêssemos. E nem todos os Caminheiros são de confiança ..."

A cronologia, portanto, é esta (cf. pp. 219–20):

Quarta	28 de setembro	Gandalf e Odo saem de Bri
Quinta	29 de setembro	Frodo e companheiros chegam a Bri
Sexta	30 de setembro	Troteiro, Frodo e companheiros saem de Bri; noite na Floresta Chet
Sábado	1º de outubro	Noite na Floresta Chet
Domingo	2 de outubro	Primeiro dia e acampamento nos pântanos

Segunda	3 de outubro	Segundo dia e acampamento nos pântanos
Terça	4 de outubro	Saída dos pântanos. Acampamento à beira de riacho, debaixo de amieiros

Nesse dia, Troteiro calculou que Gandalf, se tivesse alcançado o Topo-do-Vento, deveria ter chegado lá "pelo menos dois dias atrás", isto é, no domingo, dia 2 de outubro, o que corresponde a até quatro dias e noites de viagem saindo de Bri a cavalo.

Na versão original, o grupo alcançou o Topo-do-Vento em 5 de outubro, enquanto em SA eles acamparam nos sopés das colinas naquela noite (ver p. 220). No presente texto, meu pai manteve a história anterior, mas depois a alterou para a de SA:

À noite, alcançaram os sopés das colinas, e ali acamparam. Era a noite de 5 de outubro, e fazia seis dias que haviam saído de Bri. De manhã, encontraram, pela primeira vez desde que tinham deixado a região de Bri [> Floresta Chet], uma trilha claramente visível.

Veremos em breve que essa alteração foi feita antes que o capítulo estivesse concluído.

A passagem depois da pergunta de Folco, "Existe algum túmulo no Topo-do-Vento?" (SA, p. 277), continua exatamente como no texto original (p. 212), com a troca de *Valandil* por *Elendil*; e, quando alcançam o cume da colina, o texto permanece como antes, exceto apenas a mudança necessária da frase de Merry, "Não culpo Gandalf por não ficar esperando aqui! Ele teria de deixar a carroça, e os cavalos, e a maioria dos companheiros dele também, imagino, lá embaixo, perto da Estrada", para "Não culpo Gandalf por não ficar esperando muito – se é que ele veio mesmo até aqui". Mas o papel que se solta da pilha de pedras traz uma mensagem diferente (ver p. 213):

Quarta-feira 5 de out. Más notícias. Chegamos tarde na segunda--feira. Odo sumiu na noite passada. Preciso ir imediatamente para Valfenda. Sigam para Vau além de Mata-dos-Trols com toda velocidade, mas fiquem atentos. Inimigos podem tentar guardá-lo. G ᛝ[3]

"Odo!", gritou Merry. "Isso quer dizer que os Cavaleiros o pegaram? Que horrível!"

"Esse nosso desencontro com Gandalf acabou sendo desastroso", disse Frodo. "Pobre Odo! Imagino que esse seja o resultado de fingir que é um Bolseiro. Ah, se pudéssemos ter ficado todos juntos!"

"Segunda-feira!", exclamou Troteiro. "Então eles chegaram quando estávamos nos pântanos, e Gandalf não foi embora até o momento em que estávamos perto das colinas. Não havia como eles enxergarem algo de nossas fogueirinhas miseráveis na segunda, ou na terça. Fico me perguntando o que aconteceu aqui naquela noite. Mas não adianta ficar especulando: não há nada que possamos fazer a não ser seguir para Valfenda da melhor maneira que pudermos."[4]

"A que distância fica Valfenda?", perguntou Frodo, olhando em volta com ar cansado. O mundo parecia selvagem e extenso do Topo-do-Vento.

A partir daqui, o texto segue a versão antiga (pp. 213–5) de forma quase exata – com a forma revisada da resposta de Troteiro sobre a distância até Valfenda, pp. 214–5 – até o fim do capítulo, com Troteiro, Frodo e Merry se esgueirando do cume do Topo-do--Vento para encontrar Sam e Folco na depressão (trecho em que o Capítulo 7 original também terminava).

Uma vez que Gandalf e Odo deixaram Bri na manhã de quarta-feira, 28 de setembro, mas não alcançaram a colina até o fim de segunda, 3 de outubro, demoraram ainda mais do que Troteiro calculara (pp. 437–8): quase seis dias a cavalo, enquanto Troteiro afirma (neste texto, tal como no antigo, da p. 214) que "um caminheiro com seus próprios pés" levaria cerca de uma semana para ir de Bri até o Topo-do-Vento (na passagem rejeitada do texto antigo, p. 214, Troteiro afirma que ele tinha estimado a distância em "cerca de 120 milhas" pela Estrada). As palavras de Troteiro, "Fico me perguntando o que aconteceu aqui naquela noite", referindo-se ao momento em que Odo desapareceu (terça-feira, 4 de outubro), mostram que o acampamento noturno no sopé das colinas em 5 de outubro tinha passado a fazer parte da narrativa, e que o dia agora era quinta, 6 de outubro, pois ele não diria "naquela noite" se o significado fosse "na noite passada". A cronologia apresentada em pp. 437–8 pode, portanto, ser completada para este estágio do desenvolvimento da narrativa, ficando assim:

Segunda	3 de outubro	Segundo dia e acampamento nos pântanos Gandalf e Odo chegam tarde ao Topo-do-Vento
Terça	4 de outubro	Saída dos pântanos. Acampamento à beira do riacho sob os amieiros Odo desaparece do Topo-do-Vento à noite
Quarta	5 de outubro	Acampamento no sopé das colinas Gandalf deixa o Topo-do-Vento
Quinta	6 de outubro	Troteiro, Frodo e companheiros chegam ao Topo-do-Vento

O capítulo seguinte, com a numeração 11 mas sem título,[5] começa com um relato sobre o que Sam e Folco tinham ficado fazendo (SA, p. 282), ponto no qual o capítulo correspondente, o 8 na versão original, começava (p. 222).

Sam e Folco não tinham ficado ociosos. Haviam explorado a pequena depressão e o vale em volta. Não muito longe encontraram uma nascente de água límpida e, perto dela, pegadas que não tinham mais que um dia ou dois. Na própria depressão, encontraram vestígios recente de uma fogueira e outros sinais de um pequeno acampamento. Mas a descoberta mais inesperada e bem-vinda foi feita por Sam. Havia algumas pedras grandes caídas na beira da depressão que ficava mais próxima da encosta da colina. Atrás delas, Sam topou com um pequeno depósito de lenha empilhada com capricho; e debaixo da madeira havia um saco contendo comida. Eram principalmente bolos de *cram*[6] guardados em duas caixinhas de madeira, mas também havia um pouco de toucinho e algumas frutas secas.

"Então o velho Gandalf esteve aqui", disse Sam a Folco. "Esses pacotes de *cram* mostram isso. Nunca ouvi falar de ninguém além dos dois Bolseiros e do mago se virando com esse negócio. Melhor do que morrer de fome, dizem, mas não muito melhor."

"Eu me pergunto se foi deixado para nós ou se Gandalf ainda está por perto em algum lugar", ponderou Folco. "Gostaria que Frodo e os outros dois voltassem."

Sam ficou mais grato pelo *cram* quando os outros enfim retornaram, correndo de volta à depressão com suas notícias preocupantes.

Havia uma longa jornada pela frente antes que pudessem esperar obter ajuda; e parecia claro que Gandalf tinha deixado toda a comida de que podia dispor, caso os suprimentos deles fossem escassos.

"Provavelmente é uma parte da comida de que ele não precisava depois do desaparecimento do pobre Odo", disse Frodo. "Mas e a madeira?"

"Acho que eles devem ter recolhido esse estoque na terça-feira", respondeu Troteiro, "e estavam se preparando para esperar durante algum tempo acampados aqui. Teriam de percorrer uma certa distância para achar lenha, pois não há árvores por perto."

Já era fim de tarde, e o sol estava se pondo. Debateram por algum tempo o que deveriam fazer. Foi o estoque de combustível que finalmente os levou a decidir que não prosseguiriam naquele dia e acampariam durante a noite no pequeno vale.

> O texto agora segue a versão antiga (pp. 222–5) relativamente de perto. Diante da pergunta de Merry, "Os inimigos conseguem *enxergar*?", Troteiro agora responde: "Os cavalos deles conseguem. Eles próprios não veem o mundo da luz como nós vemos; mas não são cegos, e no escuro é que são mais temíveis". Troteiro não diz mais que há Homens habitando as terras ao Sul de onde eles estão; e o texto não conta que eles se revezaram para ficar de guarda na borda do pequeno vale. A passagem que descreve as histórias de Troteiro é uma mescla característica da versão antiga (p. 225) com novos elementos que sobreviveriam em SA (p. 285):

À medida que a noite caía e a luz da fogueira principiava a se projetar intensamente, Troteiro começou a lhes contar histórias para desviar suas mentes do medo. Ele conhecia muitos saberes sobre animais selvagens e entendia um pouco de suas línguas; e tinha histórias estranhas para contar sobre suas vidas ocultas e aventuras pouco conhecidas. Também conhecia muitas histórias e lendas dos tempos antigos, dos hobbits quando o Condado ainda era inexplorado, e de coisas além das névoas da memória das quais os hobbits tinham vindo. Perguntavam-se que idade ele teria e onde aprendera todo aquele saber.

"Fale-nos de Gilgalad", disse Merry de repente, quando Troteiro fez uma pausa no final de uma história sobre os Reinos-élficos.

"Você pronunciou esse nome não faz muito tempo, e ele ainda está ressoando nos meus ouvidos. Parece que me lembro de ter ouvido o nome antes, mas não consigo me lembrar de mais nada sobre ele."

"Você deveria perguntar ao possuidor do Anel sobre esse nome", respondeu Troteiro em voz baixa. Merry e Folco olharam para Frodo, que fitava a fogueira.

A partir desse ponto, o manuscrito está incompleto, faltando duas folhas; mas uma página rejeitada faz a história avançar a um pouco mais antes de ela ser abandonada:

"Só sei o pouco que Gandalf me contou", disse ele. "Gilgalad foi o último dos grandes reis-élficos. O nome significa *Luz das* Estrelas na língua deles. Com a ajuda do Rei Elendil, o Amigo-dos-Elfos, ele sobrepujou o Inimigo, mas ambos morreram. E eu ficaria feliz em ouvir mais se Troteiro quiser nos contar. Foi o filho de Elendil que tomou para si o Anel. Mas não posso contar essa história. Conte-nos mais, Troteiro, por favor."

"Não", respondeu o Caminheiro. "Não vou contar essa história agora, neste momento e neste lugar, com os serviçais do Inimigo por perto. Talvez na casa de Elrond vocês a ouçam. Pois Elrond a conhece por inteiro."

"Então conte-nos alguma outra história de outrora", disse Merry ...

A canção de Troteiro, assim como a hiѕtória que ele conta sobre Beren e Lúthien, estão faltando aqui; e o manuscrito retoma o texto no trecho "Enquanto Troteiro falava, eles observavam seu rosto estranho e ávido ..." A partir desse ponto, o texto de SA, até o fim do Capítulo 11, "Um Punhal no Escuro", fica completo, com quase nenhuma diferença mesmo considerando o fraseado, exceto nos seguintes pontos: Folco está no lugar de Pippin; ainda há três Cavaleiros, não cinco, no ataque ao pequeno vale; e Frodo, quando se joga no chão, grita *Elbereth! Elbereth!*

Nesse ponto, o Capítulo 12, "Fuga para o Vau", começa em SA, mas, tal como no texto original (p. 238), a presente versão continua sem interrupção até o Vau de Valfenda. As relações de estrutura dos capítulos entre a presente fase e SA podem ser esquematizadas assim (e cf. a tabela na p. 169):

	A presente "fase"		*SA*
9	Na Estalagem do Pônei Empinado. Termina com Troteiro dando a Frodo a carta da Gandalf.	9	Na Estalagem do Pônei Empinado. Termina com Frodo, Pippin e Sam voltando para o quarto na estalagem.
10	Trilhas Ermas para o Topo-do-Vento. Conclusão da conversa com Troteiro. Ataque à estalagem, partida de Bri; termina com a vista dos Cavaleiros sob o Topo-do-Vento.	10	Passolargo. Conversas com Passolargo e Carrapicho.
		11	Um Punhal no Escuro. Ataque à estalagem, partida de Bri; termina com o ataque ao Topo-do-Vento.
11	Sem título. Ataque ao Topo-do-Vento. Jornada do Topo-do-Vento para o Vau.	12	Fuga para o Vau.

Tal como é característico desses capítulos da terceira fase, o presente texto avança, em larga medida, rumo à forma da narrativa em SA nos detalhes do fraseado e das descrições, mas mantém muitas características da versão original; assim, o "clarão vermelho" visto no momento do ataque ao Topo-do-Vento sobrevive, sobre o rasgo no manto negro Troteiro ainda diz apenas "Que mal isso causou ao Cavaleiro Negro eu não sei", e os gritos distantes dos Cavaleiros conforme eles cruzam a Estrada não são ouvidos. Por outro lado, não se diz mais que a lenha deixada por Gandalf foi levada pelo grupo, e o rejuvenescimento do pônei de Bill Samambaia é descrito (sobre esses elementos da narrativa, ver p. 239). Troteiro agora chama Sam de lado para conversar, mas o que ele diz é diferente:

"Acho que agora entendo melhor as coisas", disse ele em voz baixa. "Nossos inimigos sabiam que o Anel estava aqui; talvez porque capturaram Odo, e certamente porque conseguiam sentir a presença do objeto. Não estão mais perseguindo Gandalf. Mas agora eles se afastaram de nós, por enquanto, porque somos muitos e mais corajosos do que esperavam, mas especialmente porque acham que mataram ou feriram mortalmente o seu patrão – de modo que o Anel inevitavelmente vai estar logo em poder deles."

O resto de sua conversa com Sam é igual à de SA (p. 293). – Na discussão sobre o que seria melhor fazer naquele momento (SA, p. 295), a presente versão diz:

Os demais discutiam essa mesma questão. Decidiram abandonar o Topo-do-Vento o quanto antes. Já era a manhã de sexta-feira, e os dois dias mencionados na mensagem de Gandalf logo terminariam. De qualquer modo, não adiantava permanecer num lugar tão aberto e indefensável agora que seus inimigos os tinham descoberto e sabiam também que Frodo estava com o Anel. Assim que a luz do dia estava plena, comeram alguma coisa às pressas e arrumaram as mochilas.

Sobre "os dois dias mencionados na mensagem de Gandalf", ver as notas 3 e 4.

A cronologia da viagem continua sendo a do texto original (ver pp. 241–2, 273–4): eles ainda voltam a cruzar a Estrada na manhã do sexto dia após a saída do Topo-do-Vento (sétimo dia em SA) e passam três dias nas colinas até o tempo ficar chuvoso (dois dias no livro publicado). Mas o atraso de um dia que se manteve entre o texto original e SA (devido à chegada anterior ao Topo-do-Vento), de modo que eles chegavam ao Vau de Valfenda em 19 de outubro, não está mais presente (ver pp. 439–40).

A chuva que Troteiro estimou ter caído uns dois dias antes no lugar onde cruzaram a Estrada de novo agora é mencionada, mas o Rio Fontegris (Mitheithel) e a Última Ponte ainda não surgiram. O rio que eles conseguem ver ao longe, sem nome na primeira versão (p. 240), agora recebe uma denominação: "o Rio da Fenda, que descia das Montanhas e cortava Valfenda" (mais tarde nesse capítulo, ele é chamado de "o Rio de Valfenda").

A conversa entre Troteiro, Folco e Frodo, motivada pelas torres em ruínas nas colinas, continua igual à da primeira versão (pp. 241–2; SA, p. 298).

Quando a chuva para e Troteiro sobe uma colina para observar a região, ele comentou, na primeira versão (p. 242), que "se continuarmos nesta direção, entraremos em uma região intransponível entre as faldas das Montanhas". A frase agora fica assim: "vamos subir até [as Terras-do-Riacho-escuro >] os Vales-do-Riacho-escuro, muito ao norte de Valfenda".[7] Ele continua a falar, com frases próximas das de Passolargo em SA:

"É uma região de trols, pelo que ouvi dizer, embora não tenha estado lá. Talvez possamos encontrar um caminho de passagem e, dando a volta, alcançar Valfenda pelo norte; mas levaria muito tempo, e nossa comida não iria durar. De qualquer jeito, temos de seguir a última mensagem de Gandalf e ir para o Vau de Valfenda. Assim, de um jeito ou de outro, temos de ir para a Estrada de novo."

O encontro com os Trols de Pedra acompanha a primeira versão: Troteiro dá um tapa no trol agachado, chama-o de William e mostra o ninho de passarinho atrás da orelha de Bert. Ainda não há sinal da *Canção do Trol* de Sam; e, quando Frodo vê a pedra, ele "desejou que Bilbo não tivesse trazido para casa nenhum tesouro mais perigoso do que dinheiro roubado e resgatado dos trols". A descrição da Estrada aqui é quase aquela da Primeira Edição de SA (ver p. 250): "Naquele ponto, a Estrada se afastara do rio, deixando-o no fundo de um vale estreito, e se apegava aos sopés das colinas, rolando e serpenteando para o norte entre bosques e encostas cobertas de urze rumo ao Vau e às Montanhas."

Glorfindel agora chama Troteiro não de *Padathir* (p. 243), mas de *Du-finnion*, gritando *Ai, Du-finnion! Mai govannen!* A passagem, que começa com Troteiro fazendo sinais para que Frodo e os outros desçam até a estrada, encontra-se em duas versões, a segunda, ao que tudo indica, substituindo imediatamente a primeira. Essa primeira diz:

"Salve e bom encontro afinal!", disse Glorfindel a Frodo. "Fui enviado de Valfenda para aguardar vossa vinda. Gandalf temia que tivésseis seguido pela Estrada."

"Gandalf já chegou em Valfenda, então?", gritou Merry. "Ele encontrou Odo?"

"Certamente há um hobbit de tal nome com ele", respondeu Glorfindel; "mas não tinha ouvido dizer que ele se perdera. Cavalgou na garupa de Gandalf vindo do norte, do Vale-do-Riacho-escuro."

"Do Vale-do-Riacho-escuro?", exclamou Frodo.

"Sim", confirmou o elfo, "e pensávamos que também pudésseis seguir esse caminho para evitar os perigos da Estrada. Alguns foram enviados para vos procurar naquela região. Mas vinde! Não há tempo agora para novas ou debate, até que paremos. Devemos prosseguir a toda velocidade e não gastar nosso fôlego. A pouco menos de um dia de viagem, no oeste, há cavaleiros procurando vossa trilha ao longo da Estrada e nas terras de ambos os lados dela…

Glorfindel continua a falar do mesmo modo que na primeira versão (pp. 244–5). A passagem de substituição difere principalmente em detalhes pequenos: Glorfindel não diz, a respeito de Odo, que "não tinha ouvido dizer que ele se perdera"; muda a grafia de Vale-do-Riacho-escuro em inglês (de *Dimrildale* para *Dimrilldale*) em relação ao texto rejeitado; e as interjeições de Merry e Frodo são trocadas. A diferença mais importante está nas palavras de Glorfindel:

"Há cavaleiros no oeste procurando vossa trilha ao longo da Estrada e, quando acharem o lugar onde descestes das colinas, eles nos perseguirão como o vento. Mas não são o grupo todo: há outros, que podem estar diante de nós agora, ou de algum dos lados. A menos que sigamos a toda velocidade e com boa sorte, havemos de encontrar o Vau vigiado contra nós pelo inimigo."

Do momento em que Frodo quase desmaia e a objeção de Sam até a fala de Glorfindel, o texto de SA é alcançado quase palavra por palavra até o fim do capítulo.[8] Contudo, permanecem certas diferenças. Apenas três Cavaleiros saem do declive atrás dos fugitivos e "das árvores e das rochas ao longe, à esquerda, outros Cavaleiros saíram velozes. Três tomaram a direção de Frodo; três galoparam loucamente para o Vau, para interceptarem sua fuga". E, bem no fim, "Três dos Cavaleiros se viraram e cavalgaram desgovernados para a esquerda, pelo barranco do Rio; os outros, carregados por seus cavalos aterrorizados que afundavam, foram lançados na correnteza e carregados para longe". Esse trecho deriva da primeira versão (p. 247), na qual, entretanto, havia apenas dois Cavaleiros que tinham escapado da enchente. O manuscrito foi alterado para a forma do parágrafo final do capítulo em SA, em que nenhum dos Cavaleiros escapou, e isso foi feito antes ou durante a escrita do capítulo seguinte (ver pp. 265–6).

∽

A primeira parte do capítulo seguinte, com a numeração 12, é o desenvolvimento direto do capítulo 9, originalmente sem título, que foi preservado em três textos, nenhum dos quais avança além da conversa entre Bingo e Glóin no banquete em Valfenda (p. 258 e seguintes, 264 e seguintes). A nova versão recebe o título "O Conselho de Elrond"; ver pp. 493–4. Aqui, por razões que ficarão claras em breve, descrevo apenas a porção do capítulo que deriva do Capítulo 9 da "primeira fase". Com isso, o texto de SA, Livro II, Capítulo 1, "Muitos Encontros" é alcançado em vários trechos longos, tendo apenas diferenças minúsculas de fraseado, no máximo; por outro lado, muita coisa do texto original ainda está preservada. No que se segue, pode-se considerar que, nos pontos em que não faço comentários, o texto de SA estava presente nessa época, seja de forma exata ou bastante próxima.

A data do despertar de Frodo na casa de Elrond agora é 24 de outubro, e todos os detalhes de datas são precisamente os de SA (ver pp. 273–4, 444). Nenhuma das referências a Sam no texto de SA estão presentes nessa versão, da maneira que foi escrita, até o banquete propriamente dito, mas foram acrescentadas no manuscrito, provavelmente depois de um intervalo não muito longo.

Gandalf agora acrescenta, depois de "Você estava começando a minguar" (p. 263, SA p. 320), "Glorfindel notou isso, embora não tenha falado a respeito com ninguém além de Troteiro"; e ele ainda diz (ver p. 259), "Você teria se transformado num espectro em breve – certamente se tivesse colocado o Anel de novo depois que foi ferido". Depois das palavras "Não é feito desprezível chegar até aqui, e através de tais perigos, ainda trazendo o Anel" (SA, p. 320), a conversa passa por outros desenvolvimentos em relação ao texto mais antigo (p. 263), de uma maneira muito interessante, naturalmente ainda distante da forma em SA:

"... Você nunca devia ter saído do Condado sem mim."

"Eu sei – mas você não veio à festa, como estava combinado; e eu não sabia o que fazer."

"Fui detido", disse Gandalf, "e isso quase demonstrou ser nossa ruína – o que era a intenção. Ainda assim, afinal de contas, tudo saiu melhor do que qualquer plano que eu tivesse ousado fazer, e derrotamos os ginetes negros."

"Gostaria que me contasse o que aconteceu!"

"No seu devido tempo! Você não deve falar nem se preocupar com nada hoje, por ordem de Elrond."

"Mas se eu falar não vou ficar pensando e me perguntado, que são coisas igualmente cansativas", insistiu Frodo. "Agora estou bem desperto e me lembro de tantas coisas que precisam de explicação. Por que você foi detido? Devia me contar isso, pelo menos."

"Logo você ouvirá tudo o que deseja saber", respondeu o mago. "Vamos ter um Conselho, assim que você estiver bem o bastante. No momento, só vou dizer que fui mantido prisioneiro."

"Você!", gritou Frodo.

"Sim!", riu-se Gandalf. "Há muitos poderes maiores do que o meu, para o bem e para o mal, no mundo. Fui pego em Fangorn e passei muitos dias exaustivos como prisioneiro do Gigante Barbárvore. Foi um período de ansiedade desesperada, pois estava correndo de volta para o Condado para ajudá-lo. Acabara de ficar sabendo que os cavaleiros tinham sido enviados."

"Então antes disso você não sabia dos Cavaleiros Negros."

"Sim, eu sabia deles. Certa vez lhe falei deles: pois o que você chama de Cavaleiros Negros são os Espectros-do-Anel, os Nove Serviçais do Senhor do Anel. Mas eu não sabia que tinham se alevantado de novo e estavam à solta no mundo uma vez mais – até que os vi. Tenho tentado achá-lo desde então – mas, se eu não tivesse encontrado Troteiro, não suponho que algum dia teria conseguido. Ele nos salvou a todos."

"Nunca teríamos chegado aqui sem ele", concordou Frodo. "Eu tinha suspeitas sobre ele no início, mas agora estou muito afeiçoado a Troteiro, embora ele seja bem misterioso. É uma coisa estranha, sabe, mas não paro de sentir que já o vi em algum lugar antes; que... que eu deveria saber o nome dele, um nome diferente de Troteiro."

"Imagino que você se sinta assim mesmo", riu-se Gandalf. "Muitas vezes tenho essa mesma sensação quando olho para um hobbit: todos eles me lembram uns dos outros, se sabe o que quero dizer."

"Bobagem!", disse Frodo, sentando-se com o corpo reto de novo, em protesto. "Troteiro é muitíssimo peculiar. E ele usa sapatos! Mas vejo que você está num daqueles seus momentos de gênio difícil." Deitou-se de novo. "Terei de ser paciente. E é bastante agradável descansar, afinal de contas. Para ser perfeitamente honesto, gostaria de não precisar ir além de Valfenda. Tive um mês de exílio e aventuras, e isso é quase quatro semanas mais do que suficiente para mim."

Silenciou e fechou os olhos.

> No resto da conversa de Frodo com Gandalf, esse texto é, na maior parte, realmente muito próximo de SA, e apenas algumas diferenças precisam ser indicadas.
>
> O "punhal de Morgul" (SA, p. 323) ainda é o "punhal do Necromante" (p. 265), e Gandalf diz, nesse ponto: "Você teria se transformado num espectro, sob o domínio do Senhor Sombrio. Mas não ficaria com nenhum anel para si, ao contrário dos Nove; pois o seu Anel é o Anel Regente, e o Necromante o teria tomado e teria torturado você por tentar ficar com ele – se é que algum tomento maior do que ser privado do Anel seria possível."
>
> Entre os serviçais do Senhor Sombrio, Gandalf ainda inclui, tal como na versão anterior, "orques e gobelins" e "reis, guerreiros e magos" (p. 265).
>
> A resposta de Gandalf à pergunta de Frodo, "Valfenda está a salvo?", é derivada do texto anterior, mas também vai se aproximando da de SA:

"Sim, é o que espero. Ele tem menos poder sobre os Elfos do que sobre qualquer outra criatura: eles sofreram demais no passado para serem enganados ou intimidados por ele agora. E os Elfos de Valfenda são descendentes de seus principais inimigos: os Gnomos, os Sábios-élficos, que vieram do Oeste; e a Rainha Elbereth Gilthoniel, Senhora das Estrelas, ainda os protege. Eles não temem nenhum dos Espectros-do-Anel, pois aqueles que habitaram no Reino Abençoado além dos Mares vivem ao mesmo tempo em ambos os mundos; e cada mundo tem apenas metade do poder sobre eles, enquanto eles têm duplo poder sobre ambos."[9]

"Pensei ver um vulto branco que luzia e não se apagava como os outros. Esse era Glorfindel, então?"

"Sim, por um momento você o viu como ele é do outro lado: um dentre os poderosos da Raça Mais Antiga. Ele é um senhor-élfico de uma casa de príncipes."

"Então ainda restam alguns poderes que são capazes de deter o Senhor de Mordor", ponderou Frodo.

"Sim, há poder em Valfenda", respondeu Gandalf, "e também há certo poder, de outro tipo, no Condado. ...

No fim dessa passagem, Gandalf ainda diz: "os Sábios dizem que, no Fim, ele será condenado, embora isso ainda esteja muito distante" (ver p. 265).

Na história contada por Gandalf sobre o que aconteceu no Vau, ele afirma, tal como em SA: "Três foram arrastados pela primeira investida da inundação; os outros foram lançados na água pelos cavalos e derrotados." Assim, parece que a reescrita do fim do capítulo precedente (p. 446) já tinha sido feita.

No fim dessa conversa com Gandalf, reaparece a trama relacionada a Odo:

"Sim, agora me recordo de tudo", disse Frodo: "o tremendo rugido. Pensei que estava me afogando junto com meus amigos e inimigos. Mas agora estamos todos a salvo! E Odo também. Pelo menos foi o que Glorfindel disse. Como você o achou de novo?"

Gandalf olhou [de modo estranho >] rapidamente para Frodo, mas o hobbit tinha fechado os olhos. "Sim, Odo está a salvo", disse o mago. "Vai vê-lo logo e ouvir seu relato. Haverá um banquete e diversão para comemorar a vitória no Vau, e todos vocês estarão lá em lugares de honra."

A olhada "estranha" ou "rápida" de Gandalf para Frodo só pode ter relação com essa pergunta sobre Odo, mas, uma vez que a história do desaparecimento de Odo do Topo-do-Vento e de seu subsequente reaparecimento (resgate?) nunca foi contada, é impossível saber o que há por trás dela. Há uma sugestão de que havia algo estranho a respeito da história de seu desaparecimento. O tom de Gandalf, quando somado à "olhada" para Frodo, parece ter um ar ligeiramente peculiar. Glorfindel diz (p. 445): "Certamente há um hobbit de tal nome com ele; mas não tinha ouvido dizer que ele se perdera": porém, decerto a captura de um hobbit pelos Cavaleiros Negros e seu salvamento na sequência seria matéria do máximo interesse para os que estavam preocupados com os Espectros-do-Anel? Mas, qualquer que fosse essa história, parece ser algo que nunca será revelado. – É curioso que o momento em que o mago olha rapidamente para Frodo tenha sido preservado em SA (p. 326), quando a narrativa sobre Odo, é claro, tinha desaparecido, e as palavras de Frodo que motivaram o olhar eram "Mas agora estamos a salvo!".

O ato falho de Gandalf ("O povo de Valfenda é muito afeiçoado a Bilbo") e o momento em que Frodo o nota foram mantidos com base na primeira versão (p. 266), assim como a lembrança de Frodo sobre as palavras de Troteiro ao trol quando o hobbit caiu no sono.

Quando Frodo desce para encontrar seus amigos numa varanda da casa,[10] a conversa mantém quase exatamente a forma original (pp. 261–2). Odo fica com a fala de Merry, "Três vivas para Frodo, senhor do Anel!" e diz ainda, tal como Pippin em SA, "Você demonstrou sua astúcia habitual ao se levantar bem na hora da refeição"; mas, apesar da proeminência aumentada de Odo na recepção a Frodo (papel que, em SA, cabe a Pippin), não há referência às aventuras dele. Com certeza seria de esperar que Frodo fizesse algum comentário sobre as experiências extremamente perigosas e totalmente inesperadas de Odo desde a última vez que o vira na entrada da Floresta Velha, especialmente já que Gandalf evitara lhe contar o que acontecera no Topo-do-Vento e depois.

A descrição de Elrond, Gandalf e Glorfindel no banquete já tinha aparecido quase na forma final no texto anterior. A menção ao sorriso e risada de Elrond (p. 267) ainda foi mantida nesse momento; e, é claro, ainda não há sinal nenhum de Arwen. Na descrição sobre como os hobbits estavam sentados, a afirmação da versão anterior (*ibid.*) de que Bingo "não conseguia ver Troteiro, nem seus sobrinhos. Tinham sido levados a outras mesas" foi mantida; mas, quando Frodo "começou a olhar em volta", conseguiu ver seus parentes, mas não Troteiro (essa segunda passagem sobreviveu em SA):

O banquete foi alegre, contendo tudo o que sua fome poderia desejar. Não conseguia ver Troteiro, ou os outros hobbits, e supôs que estivessem em uma das mesas laterais. Passou algum tempo até começar a olhar em volta. Sam implorara que lhe permitissem servir o patrão, mas lhe disseram que, naquela noite, ele era um convidado de honra. Frodo podia vê-lo sentado com Odo, Folco e Merry na extremidade superior de uma das mesas laterais, perto do tablado. Não conseguia ver Troteiro.

A conversa de Frodo com Glóin acontece exatamente da mesma maneira que em SA, até a frase "Mas estou igualmente curioso por saber o que traz um anão tão importante tão longe da Montanha Solitária." Nos textos originais, Glóin afirmava estar muito curioso para saber o que poderia ter trazido *quatro* hobbits numa jornada tão longa (Bingo, Frodo Tûk, Odo, Merry; Troteiro fica excluído – presumivelmente por ser tão completamente distinto e não ser um hobbit do Condado). O número é quatro em SA (Frodo, Sam, Pippin, Merry); mas o número quatro também se encontra no presente texto, em que os hobbits (excluindo Troteiro) agora são cinco: Frodo, Sam, Folco, Odo, Merry. Ou o número "quatro" corresponde a um deslize, ou Glóin excluiu Odo porque sabia que ele não tinha chegado a Valfenda com os outros. A resposta de Glóin à pergunta de Frodo continua menos séria do que em SA:

> Glóin olhou para ele e riu – na verdade, deu uma piscadela. "Descobrirás logo", disse, "mas não tenho permissão para te contar – ainda. Assim, não vamos falar disso também! Mas há muitas outras coisas para ouvirmos e contarmos."

A conversa (até o ponto em que chega na porção do manuscrito abordada aqui) continua quase exatamente como estava, com a curta extensão no fim do terceiro dos textos mais antigos (p. 267), sendo que a única diferença com alguma substância é que Dáin agora tinha, tal como em SA, "ultrapassado os duzentos e cinquenta anos".

Pode-se ver que, a partir da série de manuscritos antes caprichados que constituíam a "terceira fase" da escrita de *O Senhor dos Anéis*, uma história completamente coerente está emergindo. A seguir temos os pontos essenciais dessa história em relação à intricada evolução posterior do livro:

- Gandalf não retornou à Vila-dos-Hobbits a tempo da pequena festa de despedida de Frodo.
- Merry e Odo Bolger foram para a Terra-dos-Buques na frente dos demais;
- Frodo, Sam e Folco Tûk caminharam da Vila-dos-Hobbits para a Terra-dos-Buques.
- Na Terra-dos-Buques, Odo decidiu não entrar na Floresta Velha com os outros, mas ficou para trás em Cricôncavo para esperar a chegada de Gandalf.

- Gandalf chegou a Cricôncavo à noite, depois que Frodo e seus companheiros foram embora (segunda-feira, 26 de setembro), afugentou os Cavaleiros e cavalgou atrás deles com Odo na garupa.
- Gandalf e Odo (cujo nome é citado como Odo Bolseiro) passaram a noite de terça-feira, 27 de setembro, em Bri. Perto de Bri, os dois encontraram Troteiro.
- Gandalf e Odo deixaram Bri na quarta-feira, 28 de setembro, encontrando-se com Troteiro perto de Archet, como havia sido combinado.
- Frodo, Sam, Merry e Folco chegaram a Bri na quinta-feira, 29 de setembro, e encontraram Troteiro, que entregou a carta de Gandalf a Frodo.
- Troteiro era um hobbit; Frodo achou-o curiosamente familiar, sem saber dizer por quê, mas não há indício de quem ele realmente poderia ser.
- Gandalf chegou ao Topo-do-Vento na segunda-feira, 3 de outubro, e partiu no dia 5 de outubro.
- Troteiro, Frodo e os outros chegaram ao Topo-do-Vento na quinta-feira, 6 de outubro, e encontraram o bilhete de Gandalf informando que Odo havia desaparecido.
- Eles souberam por Glorfindel que Gandalf havia chegado a Valfenda, com Odo, vindo do norte pelo "Vale-do-Riacho-escuro".
- Em Valfenda, Gandalf explicou que seu retorno à Vila-dos-Hobbits foi atrasado (depois de ele descobrir que os Espectros-do-Anel estavam à solta) porque ele foi feito prisioneiro em Fangorn pelo Gigante Barbárvore.
- Os hobbits do Condado em Valfenda são Frodo, Sam, Merry, Folco e Odo.

NOTAS

[1] Depois do trecho "precisei ter certeza primeiro de que era você mesmo, antes de entregar a carta. Já ouvi falar de agentes falsos interceptando mensagens que não eram para eles ...", Troteiro agora acrescenta: "A carta de Gandalf tinha sido escrita de maneira cuidadosa para o caso de acontecerem acidentes, mas eu não sabia disso". Assim, Gandalf não cita mais o Topo-do-Vento na carta, mas o chama de "o local combinado".

[2] Barbara Strachey, em *Journeys of Frodo* (Mapa 11), diz:

> Nesse ponto, devo destacar o que creio ser uma discrepância verdadeira no próprio texto. Em Bri ... Aragorn afirma a Sam que o

> Topo-do-Vento fica a meio caminho de *Valfenda*. Tenho certeza de que isso foi um ato falho, e que ele quis dizer que a colina ficava a meio caminho da *Última Ponte*. Tudo se encaixa se incorporarmos esse pressuposto, já que os viajantes levam 7 dias para viajar de Bri para o Topo-do-Vento (incluindo um desvio para o norte) e 7 dias do Topo-do-Vento até a Ponte (com Frodo ferido e incapaz de seguir rápido), enquanto há *mais um* intervalo de 7 dias entre a Ponte e Valfenda. Aragorn estava bastante ciente da distância, já que ele diz mais tarde (Um Punhal no Escuro; Livro 1), quando eles chegaram ao Topo-do-Vento, que demoraria então 14 dias para eles chegarem ao Vau do Bruinen, embora normalmente ele demorasse apenas 12 dias.

Mas agora pode-se ver que as palavras de Aragorn "perto da metade do caminho daqui [Bri] até Valfenda" em SA remontam às de Troteiro; e, nesse estágio, o Rio Fontegris e a Última Ponte na Estrada ainda não existiam (p. 444). Creio que Troteiro (Aragorn) estava simplesmente dando a Folco (Sam) uma ideia vaga, mas suficiente, das distâncias diante deles. – As distâncias relativas remontam à versão original (ver pp. 214–5): cerca de 120 milhas de Bri ao Topo-do-Vento, perto de 200 do Topo-do-Vento ao Vau.

[3] Um esboço da mensagem de Gandalf diz: "Na noite passada, Odo desapareceu: suspeita de captura por cavaleiros".

A mensagem foi alterada a lápis da seguinte forma:

> *Quarta-feira manhã 5 de out. Más notícias. Chegamos tarde na segunda-feira. Bolseiro desapareceu na noite passada. Tenho de ir procurá-lo. Esperem por mim aqui durante* [*um ou dois dias* >] *dois dias. Voltarei se possível. Se não, vão para Valfenda pelo Vau na Estrada.*

Merry então diz: "Bolseiro! Isso quer dizer que os Cavaleiros pegaram Odo?" A mensagem de Gandalf de que ele voltaria ao Topo-do-Vento se pudesse talvez tenha a intenção de explicar por que eles decidiram ficar lá; ver a nota 4. Essa revisão a lápis precede a escrita do capítulo seguinte; ver p. 444.

[4] Esse trecho foi alterado a lápis da seguinte forma:

> não há nada a fazer a não ser] esperar até amanhã, o que vai dar dois dias desde que Gandalf escreveu o recado [ver a nota 3]. Depois disso, se ele não aparecer, precisamos [seguir para Valfenda da melhor maneira que pudermos.

[5] O título "Um Punhal no Escuro" foi escrito a lápis mais tarde, assim como no capítulo original, o 8 (p. 222).

[6] A passagem sobre o *cram* foi mantida neste texto, mas colocada numa nota de rodapé.

[7] Sobre o Vale-do-Riacho-escuro, ver pp. 530, 531, notas 3, 13.

[8] Pode-se notar que o nome do cavalo de Glorfindel, *Asfaloth*, agora aparece.

[9] Sobre a conclusão desta passagem, ver pp. 282–3.

[10] A varanda ainda dava para o oeste (p. 261), não para o leste, como em SA, e a estranha afirmação de que a luz do entardecer brilhava sobre as faces orientais das colinas acima foi repetida, embora tenha sido riscada, provavelmente no ato da escrita.

22

Novas Incertezas e Novas Projeções

A primeira fase ou onda original de composição de *O Senhor dos Anéis* levou a história até Valfenda e foi interrompida no meio do Capítulo 9 original, no relato de Glóin a Bingo Bolger-Bolseiro sobre o reino de Valle (p. 267):

Em Valle, governava o neto de Bard, o Arqueiro, Brand, filho de Bain, filho de Bard, e ele se tornara um rei forte, cujo reino incluía Esgaroth e muitas terras ao sul das grandes cachoeiras.

Essa frase encerrava uma página manuscrita; no verso, conforme observado na p. 267, o texto continuava, mas com letra e tinta diferentes, e começa assim:

"E o que foi feito de Balin e Ori e Óin?", perguntou Frodo.

Já que na segunda fase *Bingo* ainda era o nome do herdeiro de Bilbo, e como "Bingo" nunca aparece em nenhum texto narrativo que ocorra mais tarde na história do que o banquete em Valfenda, é certo que houve uma lacuna significativa entre "muitas terras ao sul das grandes cachoeiras" e "E o que aconteceu com Balin, Ori e Óin?".

É, portanto, muito curioso que, no Capítulo 12 da terceira fase, haja uma mudança acentuada na letra precisamente no mesmo ponto. Embora o texto ainda esteja escrito de maneira organizada e cuidadosa, é imediatamente óbvio aos olhos que a frase "'E o que aconteceu com Balin, Ori e Óin?', perguntou Frodo" e o texto subsequente não tenham sido escritos de forma contínua em relação ao que vinha antes. Além disso, a última parte desse Capítulo 12 também não é coerente com o que a precede: pois Bilbo diz – da maneira como o meu pai escreveu o manuscrito pela primeira vez – "Vou ter de pedir àquele camarada, o *Aragorn*, que me ajude (cf. SA, p. 335: "Vou ter de pedir ao meu amigo Dúnadan que me ajude.").

Não creio que possa ser mera coincidência que ambas as versões parem precisamente no mesmo ponto; e concluo que a terceira fase – entendida como uma série contínua de manuscritos feitos com cuidado – terminou no mesmo lugar que a primeira fase – e isso aconteceu precisamente *porque* foi aí que a primeira fase terminou. Por essa razão, parei nesse ponto no capítulo anterior. Sugeri anteriormente (pp. 381–2) que, quando meu pai disse (em fevereiro de 1939) que, em dezembro de 1938, a história de *O Senhor dos Anéis* havia alcançado o Capítulo 12 "e foi reescrita várias vezes", era à terceira fase que ele estava se referindo.

As questões textuais e cronológicas que agora surgem são de uma dificuldade peculiar, e duvido que uma solução comprovadamente correta em todos os pontos possa ser alcançada. Não há nenhuma evidência externa durante muitos meses depois de fevereiro de 1939, e nada que mostre o que meu pai produziu durante esse período; mas, por fim, obtemos uma data inequívoca, "agosto de 1939", escrita (de forma muitíssimo inesperada) em todas as páginas de uma coleção de folhas de rascunho contendo esboços de enredo, questionamentos e trechos de texto. Essas páginas mostram que meu pai estava paralisado, até mesmo perdido, a ponto de sentir falta de confiança nos componentes mais básicos da estrutura narrativa que fora construída com tanto esforço. A única evidência externa que conheço capaz de lançar luz sobre isso é uma carta,* em tom desanimado, que ele escreveu a Stanley Unwin em 15 de setembro de 1939, doze dias após a entrada da Inglaterra na guerra com a Alemanha, desculpando-se pelo seu "silêncio acerca do estado da continuação proposta para *O Hobbit*, sobre a qual o senhor indagou há muito, em 21 de junho." "Não creio", disse ele, "que ela ainda o interesse muito – apesar de que eu ainda espero terminá-la algum dia. Apenas cerca de ¾ dela estão escritos. Não tive muito tempo, independentemente da sombra do desastre que se avizinha, e estive doente durante a maior parte deste ano ...". Não há nada nos próprios rascunhos de "agosto de 1939" que mostre por que razão ele deveria ter pensado que a estrutura existente da história necessitava de uma transformação tão radical.

**Cartas* n. 36b. [N.T.]

Propostas feitas nessa época para novas articulações da trama foram formuladas com tanta pressa e expressas de forma tão resumida que às vezes não é fácil compreender o seu rumo (aqui e ali, pode-se suspeitar de uma confusão entre o que tinha sido escrito na última onda de composição e o que tinha sido escrito anteriormente); e determinar a ordem em que essas notas e esses esquemas narrativos foram colocados no papel é impossível. Examinemos primeiro as propostas mais drásticas:

(1) Nova Trama. *Bilbo* é o herói do livro todo. Merry e Frodo seus companheiros. Isso ajuda com Gollum (embora Gollum provavelmente ganhe um novo anel em Mordor). Ou Bilbo simplesmente tira "férias" – e nunca mais volta, e a festa surpresa [ou seja, a festa que terminou com uma surpresa] é de Frodo. Nesse caso, Gandalf *não* está presente para soltar fogos de artifício.

A surpreendente sugestão na primeira parte dessa nota ignora o problema do "e ele viveu feliz para sempre", que tinha sido um obstáculo tão grande anteriormente (ver pp. 137–9). Durante um breve período, de todo modo, meu pai estava disposto a imaginar a demolição de toda a estrutura Bilbo-Frodo – isto é, a ideia agora estabelecida e essencial de que Bilbo desapareceu "com um estrondo e um clarão" no final de sua festa de centésimo décimo primeiro aniversário e que Frodo o seguiu, saindo do Condado, mais discretamente, dezessete anos depois. Felizmente, ele não gastou muito tempo com isso – embora tenha chegado ao ponto de começar um novo texto, intitulado:

Nova versão – com Bilbo como herói. Ago. de 1939
O Senhor dos Anéis

Esse texto começa com: "'É tudo muitíssimo perturbador e, na verdade, bem aterrorizante', disse Bilbo Bolseiro", e o conteúdo é o mesmo que o de "História Antiga" – com a tesoura de jardim de Sam audível do lado de fora –, alterado apenas conforme o necessário, já que nessa versão Gandalf estava falando com Bilbo, não com Frodo; mas este texto é abandonado depois de algumas folhas.

A segunda parte dessa nota é um pouco menos drástica: um retorno à história tal como ela era no final da primeira fase de trabalho nesse capítulo, na qual Bilbo simplesmente desaparece silenciosamente do Condado pouco antes de seu 111º aniversário, e a festa é dada por Bingo (Bolger-Bolseiro); ver pp. 55–6. Essa ideia é desenvolvida no seguinte esquema:

(2) Voltar à ideia original. Fazer com que Frodo (ou Bingo) seja um personagem mais cômico.

Bilbo não é sobrepujado pelo Anel – ele raramente o usava. Ele viveu muito e depois se despediu, vestiu as roupas velhas e partiu. Não disse para onde estava indo, exceto que ia atravessar o rio. Tinha 2 "sobrinhos" favoritos, Peregrin Boffin e Frodo [*escrito em cima*: Folco] Bolseiro. Peregrin era o mais velho. Peregrin partiu e culparam Bilbo por isso, e depois passaram a evitar o contato dele com gente jovem – apenas Folco permaneceu fiel.

Bilbo deixou todos os seus bens para Folco (que assim herdou com juros toda a antipatia dos Sacola-Bolseiros).

Bilbo viveu muito, 111 anos – ele diz a Gandalf que está se sentindo cansado e discute o que fazer. Está preocupado com o Anel. Diz que está relutante em abandoná-lo e pensa em levá-lo consigo. Gandalf olha para ele.

No final, ele deixa o Anel para trás, mas coloca Ferroada e sua armadura-élfica sob sua velha capa verde remendada. Também leva seu livro. A última frase excêntrica dele é: "Acho que procurarei um lugar onde haja mais paz e sossego, onde possa terminar meu livro."

"Ninguém vai lê-lo!"

"Oh, pode ser que leiam – nos anos que virão."

Anel começa a afetar Folco. Ele fica inquieto. E planeja partir para "ir atrás de Bilbo". Seus amigos são Odo Bolger e Merry Brandebuque.

Conversa com Gandalf tal como no Conto.

Folco dá a festa inesperada [*leia-se* muito esperada][1] e desaparece, como no rascunho original do Conto.[2] Mas inserir Cavaleiros Negros.

Retirar toda a parte dizendo que Gandalf *deveria aparecer*. Fazer com que Gandalf vá atrás dos fugitivos, já que ele ficou sabendo dos Cavaleiros Negros (a cena em Cricôncavo pode ser mantida – mas sem a complicação de Odo).

Fazer Gandalf procurar Folco (nesse caso Gandalf não estará na festa final) – e enviar Troteiro.

Encontro com Bilbo em Valfenda. Lá, Bilbo se oferece para assumir o fardo do Anel (com relutância), mas Gandalf apoia Folco quando ele se oferece para carregá-lo.

Revela-se que Troteiro é Peregrin, que tinha estado em Mordor.

Entre as mais curiosas características dessas notas está a incerteza renovada sobre os nomes: assim, temos "Frodo (ou Bingo)", depois "Frodo" mudou para "Folco" (e numa das ocorrências de "Folco" meu pai escreveu, de início, a letra "B"); ver também §§ 5 e 9. Por muito tempo, presumi que foi no exato momento em que essas notas foram escritas que "Bingo" se tornou "Frodo", e que elas, portanto, precederam a terceira fase do trabalho. Esses manuscritos da terceira fase eram tão bem organizados e sugeriam tanto a presença de um propósito seguro que parecia difícil imaginar que tal incerteza radical pudesse tê-los sucedido: em vez disso, pareciam um novo começo confiante, quando as dúvidas tinham sido dissipadas. Mas não é possível que a sequência seja essa. Aqui temos a primeira menção de Bilbo ter levado sua "armadura-élfica" (cf. p. 279, §4), e é somente graças a uma revisão posterior da versão da terceira fase de "Uma Festa Muito Esperada" que a história de que Bilbo a levou consigo passa a integrar a narrativa (ver p. 388; em SA, p. 78, ele a coloca num saco – trata-se do "maço embrulhado em panos velhos" que ele tira da caixa-forte). Da mesma forma, o momento em que Bilbo diz que queria encontrar paz para terminar seu livro e a resposta de Gandalf, "Ninguém vai lê-lo!", aparecem apenas na revisão da versão da terceira fase do primeiro capítulo (sobrevivendo em SA, p. 79). Ou, de novo, a referência à "cena em Cricôncavo – mas sem a complicação de Odo" mostra que a terceira fase já existia (ver p. 416). Outras evidências em outros pontos desses textos de "agosto de 1939" são igualmente claras. Deve-se, portanto, concluir que a confusão temporária e a perda de direcionamento de que meu pai sofria naquela época se estendiam até mesmo aos nomes estabelecidos: "Bingo" poderia ser trazido de volta, ou "Frodo" poderia ser alterado para "Folco".

As palavras "Mas inserir Cavaleiros Negros" são intrigantes, uma vez que os Cavaleiros Negros estavam, naturalmente, muito presentes "no rascunho original do Conto"; mas suspeito que meu pai quis dizer "Mas inserir Cavaleiro Negro" no singular, ou seja, o Cavaleiro que veio para a Vila-dos-Hobbits e falou com o Feitor Gamgi. A história alterada que meu pai estava discutindo de forma tão elíptica nessas notas presumivelmente pode ser apresentada, em seus pontos essenciais, da seguinte maneira:

(I)	Quarta versão de "Uma Festa Muito Esperada", última da "primeira fase"; ver pp. 55–6	Bilbo parte discretamente da Vila-dos-Hobbits aos 111 anos de idade. *Bingo* dá a festa 33 anos depois e desaparece no final. Gandalf deixa a Vila-dos-Hobbits após os fogos de artifício da Festa e segue para Valfenda na frente dos demais.
(II)	O estado da história naquele momento	*Bilbo* dá a Festa aos 111 anos e desaparece no final dela. Frodo parte discretamente da Vila-dos-Hobbits com seus amigos 17 anos depois. Gandalf não aparece como prometeu antes de Frodo partir. Um Cavaleiro Negro chega à Vila-dos-Hobbits na última noite. Gandalf chega a Cricôncavo depois que os hobbits partem.
(III)	Trama projetada	Bilbo parte discretamente da Vila-dos-Hobbits aos 111 anos de idade. *Frodo* ("Folco") dá a Festa e desaparece no final dela. Gandalf não está presente na Festa. Um Cavaleiro Negro chega à Vila-dos-Hobbits. Gandalf chega a Cricôncavo depois que os hobbits partem.

Se estou correto na minha interpretação da frase "Mas inserir Cavaleiros Negros", a questão é que, embora numa característica fundamental da sua estrutura a versão (III) voltasse à versão (I), a vinda do Cavaleiro seria mantida – de modo que ele chegaria no final da Festa. E, ao contrário de (I), Gandalf não viria mais para a Festa (de modo que, como mencionado em §1, não haveria fogos de artifício, ou pelo menos não do tipo gandalfiano), mas seguiria apressadamente os hobbits ("os fugitivos"), "já que ele ficou sabendo dos Cavaleiros Negros".

Aqui, de novo, e por sorte, meu pai, no fim das contas, não se permitiu ser desviado para mais uma reestruturação (e consequente reescrita muito complicada em diversos pontos) da narrativa que havia sido arquitetada.

Mais interessantes são as afirmações de que Troteiro era Peregrin Boffin, tendo o mesmo tipo de relacionamento com Bilbo que Frodo, mas sendo mais velho que Frodo, e que, ao partir pelo vasto mundo, acabou indo parar em Mordor. Anteriormente (p. 280, §6), meu pai tinha observado: "Pensei em transformar Troteiro em Fosco Tûk (primo-irmão de Bilbo) que desapareceu quando menino, devido a Gandalf. Ele deve ter tido algum contato assustador com Espectros-do-Anel etc.". Ver ainda pp. 478–9.

(3) Em alguns pontos é ainda mais difícil ter certeza do significado de outro esquema datado de "agosto de 1939". Ele começa com uma proposta de "alteração de nomes".

Frodo > ?	Peregrin	Faramond
Odo >	Fredegar	Hamílcar Bolger

Meu pai posteriormente acrescentou (mas riscou) o seguinte: "Hobbits demais. Sam, Merry e Faramond (= Frodo) são mais do que suficientes". É evidente que ele estava insatisfeito com o nome "Frodo" para seu personagem central. Em §2 ele trocou "Frodo" por "Folco", em §2, §5 e §9 o nome "Bingo" reaparece, e aqui ele considera a possibilidade de usar "Faramond". – Essa parece ser a primeira ocorrência dos nomes Fredegar ou Hamílcar.

O texto que se segue na mesma página, ao que parece em considerável desacordo com essas notas sobre nomes, diz o seguinte:

Alterações de Enredo

(1) Menos ênfase na longevidade causada pelo Anel, até que a história avance.

(2) *Importante*. (a) Nem Bilbo nem Gandalf devem saber muito sobre o Anel quando Bilbo partir. A motivação de Bilbo é simplesmente *cansaço*, uma inquietação inexplicável (e desejo de ver Valfenda novamente, mas isso não é dito – encontrá-lo em Valfenda deve ser uma surpresa).

(b) Gandalf *não* diz a Frodo para deixar Condado, apenas uma mera sugestão de que o Senhor talvez procure o

Condado. O plano para partir era inteiramente de Frodo. Sonhos ou alguma outra causa [*acrescentado*: inquietação] o fizeram decidir partir em uma jornada (para encontrar Fendas da Perdição? depois de buscar conselho de Elrond). Gandalf simplesmente desaparece durante anos. Eles não estão tentando alcançar Gandalf. Gandalf está simplesmente tentando *encontrá-los* e fica desesperadamente preocupado quando descobre que Frodo deixou a Vila-dos-Hobbits. Odo deve ser tirado da história ou alterado (misturado com Folco), e acompanhar F[rodo] em sua cavalgada. Apenas Meriadoc vai na frente.

Nesse caso, alteração de trama em Bri. Quem é Troteiro? Um Caminheiro ou um Hobbit? Peregrin? Se Gandalf está apenas procurando Frodo, Troteiro terá de ser um antigo companheiro.[3] Portanto, se for um Hobbit, fazer com que ele seja alguém que partiu sob a influência de Gandalf (cf. introdução ao *Hobbit*).[4] Por exemplo —

Após a pequena estrepolia de Bilbo, Gandalf foi pouco visto, e apenas um desaparecimento foi registrado durante muitos anos. Tratava-se do curioso caso de Peregrin Boffin —

Como Peregrin era parente próximo de Bilbo, Bilbo foi acusado de colocar ideias na cabeça do menino com suas tolas estórias de fadas; e as visitas dos jovens a Bolsão eram desencorajadas por muitos dos mais velhos, apesar da generosidade de Bilbo. Mas ele tinha vários jovens amigos fiéis. O principal deles era Frodo (primo de Bilbo).

No que diz respeito a (1) e (2)(a), essas ideias foram incorporadas. Em "Uma Festa Muito Esperada", na forma que o capítulo tinha nessa época (ver p. 298: texto preservado sem alterações significativas na versão da terceira fase), o Anel é o único motivo ao qual Bilbo se refere para explicar sua decisão de deixar o Condado; e ele claramente associa sua longevidade à posse do objeto: "Realmente preciso me livrar Daquilo, Gandalf. *Bem conservado*, essa é boa. Ora, eu me sinto todo fino – como que esticado, se sabe o que quero dizer." *As revisões feitas na versão da terceira fase* trouxeram o texto, nesses aspectos, para a forma em SA (pp. 78–82), na qual fica claro que o Anel não é conscientemente uma motivação na cabeça de Bilbo (por mais fortemente que o leitor seja informado da influência sinistra que o objeto de fato exercia): ele fala de sua necessidade de "férias, férias muito longas" (cf. §1 acima: "Bilbo simplesmente tira 'férias'"), e seu desejo de "ver as regiões ermas outra vez antes de morrer, e as Montanhas." Ele ainda diz "*Bem conservado*, essa é boa. Ora, eu me sinto todo fino – *como que esticado*, se sabe o que quero dizer", mas sua sensação de idade avançada agora não está associada de forma alguma à posse do Anel; portanto, mais tarde, *na revisão da versão da terceira fase* de "História Antiga", Gandalf diz a Frodo: "Ele certamente não começou a associar sua longa vida e aparente juventude com o anel" (cf. SA, pp. 98–9: "Mas, quanto à sua vida longa, Bilbo nunca fez a conexão com o anel. Assumiu todo o crédito por isso e tinha muito orgulho.").

As notas no esquema (2)(b) delineiam uma nova ideia a respeito dos movimentos de Gandalf: por muitos anos antes de Frodo partir, ele nunca tinha voltado à Vila-dos-Hobbits, e a partida de Frodo foi inteiramente independente do mago. Ao saber (podemos supor) que os Espectros-do-Anel estavam à solta, Gandalf voltou finalmente ao Condado, onde ouviu, para seu horror, que Frodo tinha partido. Essa ideia não foi incorporada à história, claro (e ao lado dela meu pai escreveu: "Mas, nesse caso, o capítulo sobre Sam acaba sendo jogado fora" – ele estava se referindo ao final da "História Antiga", no qual Sam é descoberto por Gandalf bisbilhotando ao lado da janela de Bolsão).

As palavras "Eles não estão tentando alcançar Gandalf" são difíceis de entender. Parece incrível que meu pai esteja se referindo agora à versão da primeira fase da história, na qual Gandalf havia deixado a Festa (dada por Bingo) após soltar os fogos de artifício e sabia-se que ele tinha seguido na frente de Frodo e seus amigos na viagem para o leste; no entanto, nas versões subsequentes, tudo o que se sabe sobre o mago é que ele não compareceu, como tinha prometido, à pequena festa de despedida dada por Bingo/Frodo antes de deixar Bolsão, e imaginava-se (com razão) estar atrás deles, e não à frente.

Ainda mais desconcertante é a passagem relativa a Odo ("Odo deve ser tirado da história ou alterado (misturado com Folco), e acompanhar F[rodo] em sua cavalgada. Apenas Meriadoc vai na frente"). Se o significado disso é que toda a "história de Odo" da terceira fase (sua jornada com Gandalf saindo de Cricôncavo e passando por Bri, a designação fictícia de "Bolseiro", seu desaparecimento do Topo-do-Vento e sua chegada inexplicada com Gandalf a Valfenda) deveria ser abandonada, como (há que se perguntar) ele pode ser "misturado com Folco", uma vez que "Folco" já é uma mistura da dupla "Frodo e Odo" do texto original, com grande predomínio de "Odo"? Devemos lembrar que essas notas não eram de forma alguma a expressão lógica de um programa ordenado, mas, antes, vestígios de pensamentos em rápida mudança. A saída de Odo, na terceira fase, das aventuras dos demais hobbits fez com que Folco (ex-Frodo) Tûk assumisse o papel e a personalidade de Odo na narrativa dessas aventuras, uma vez que essa trama já existia desde as fases anteriores, e Odo desempenhara um papel importante nas conversas dos hobbits (ver pp. 399–400). Mas *manter* Odo em segundo plano, com suas próprias aventuras, significaria que, quando ele surgisse novamente em primeiro plano em Valfenda, haveria dois personagens "Odo" – resultado bastante irônico da ideia de se livrar dele!

A proposta aqui, presumivelmente, é que "Odo Bolger" e "Folco Tûk" sejam agora definitivamente unidos, virando um só personagem, com o nome do segundo. "Folco" agora parece ser excessivamente "Odo" para que a "mistura" dos dois tenha muito significado; mas meu pai pode não ter sentido isso (nem talvez tivesse uma imagem tão clara das intrincadas evoluções de sua história como a que pode ser obtida a partir de um longo estudo dos manuscritos). Em "acompanhar F[rodo] em sua cavalgada", o termo talvez seja uma mera troca acidental, usando "cavalgada" em vez de "caminhada": o significado é que a "mistura" resultante acompanha Frodo e não "vai na frente" com Merry para a Terra-dos-Buques. Tudo isso pode parecer detalhado demais, mas reflete a natureza extraordinariamente complexa da construção mutável da obra de meu pai.

Sobre "Quem é Troteiro? Um Caminheiro ou um Hobbit?", cf. p. 410. A história de que Troteiro era Peregrin Boffin agora está definitivamente presente e seria totalmente desenvolvida na revisão do texto da terceira fase de "Uma Festa Muito Esperada" (pp. 477–9).

(4) Os rascunhos restantes dessa coleção de "agosto de 1939" que abordam a abertura da história talvez tenham sido escritos

depois dos outros. Essas páginas de um esboço narrativo muito rudimentar são intituladas *Conversa entre Bilbo e Frodo* – um relacionamento que não chegou a ser visto de perto antes que eles se encontrassem muito tempo depois em Valfenda. A conversa acontece em Bolsão antes da Festa de Despedida de Bilbo; ele fala com Frodo sobre o Anel pela primeira vez, apenas para descobrir, para seu genuíno espanto e falsa indignação, que Frodo já sabia do objeto e tinha dado uma olhada no livro secreto de Bilbo. Esta é uma história diferente daquela em "Uma Festa Muito esperada", capítulo no qual Frodo leu as memórias de Bilbo com sua permissão (pp. 300, 389).

Conversa entre Bilbo e Frodo

"Bem, meu rapaz, temos nos dado muito bem, e lamento ir embora, de certa forma. Mas vou sair de férias, férias muito longas. Na verdade, não tenho intenção nenhuma de voltar. Estou cansado. Vou atravessar os Rios.[5] Portanto, prepare-se para surpresas nessa festa. Posso dizer que estou deixando tudo, praticamente, para você, exceto algumas ninharias."

೧೨

O Sr. Bilbo Bolseiro, de Bolsão, Sotomonte (Vila-dos-Hobbits), estava sentado em sua sala de estar oeste, em certa tarde de verão.

"Bem, esse é o meu pequeno plano, Frodo", disse Bilbo Bolseiro. "É segredo absoluto, veja bem! Escondi isso de todos, menos de você e de Gandalf. Eu precisava da ajuda de Gandalf; e também contei a você porque espero que goste ainda mais da brincadeira por estar por dentro da situação – e é claro que isso lhe diz respeito de perto."

"Não gosto nada disso", disse o outro hobbit, parecendo bastante confuso e abatido. "Mas conheço você há tempo suficiente para saber que não adianta tentar dissuadi-lo de seus pequenos planos."

೧೨

"Bem, chegou a hora de dizer adeus, meu querido rapaz", disse Bilbo.

"Suponho que sim", concordou Frodo com tristeza. "Embora eu não entenda por quê. [Mas conheço você bem demais para pensar em tentar tirar da sua cabeça os seus pequenos planos – especialmente depois que eles foram tão longe.]"

"Não consigo explicar a situação de maneira mais clara", respondeu Bilbo, "porque eu mesmo não estou com as ideias muito claras. Mas espero que isto esteja claro: estou deixando tudo (exceto algumas ninharias) para você. O bocadinho de dinheiro que tenho vai sustentá-lo com tranquilidade, como me sustentou nos velhos tempos; e, além disso, sobrou um pouco do meu tesouro – você sabe onde. Não tem tanta coisa agora, mas ainda é um belo pé-de--meia. E há mais uma coisa: há um anel."

"O anel mágico?", perguntou Frodo, descuidado.

"Ei, o quê?", indagou Bilbo. "Quem disse anel mágico?"

"Eu disse", admitiu Frodo, corando. "Meu querido e velho hobbit, você não leva em conta a curiosidade dos jovens sobrinhos."

"Levo, sim", respondeu Bilbo, "ou achei que levasse. E, de qualquer forma, não me chame de querido e velho hobbit."

"Eu sei da existência do seu Anel faz anos."

"É mesmo?", disse Bilbo. "Como, é o que eu gostaria de saber! Vamos lá, então: é melhor você botar isso para fora antes de eu ir."

"Bem, foi assim. Os Sacola-Bolseiros é que foram a sua ruína."

"Tinha de ser eles", grunhiu Bilbo.

Frodo então conta a história de como observou a fuga de Bilbo diante dos Sacola-Bolseiros, quando o velho hobbit se tornou invisível enquanto caminhava certo dia. Esse trecho, de forma muito resumida, foi usado na quinta versão de "Uma Festa Muito Esperada" (pp. 302–3), quando Bingo contou a história a Gandalf depois da festa – ali, isso era apenas um exemplo de como Bilbo tinha usado o Anel para desaparecimentos em pequena escala, para evitar tédio e inconvenientes (pois, é claro, na história "estabelecida", Bingo sabia do Anel porque Bilbo tinha lhe falado do objeto). A passagem, então, com uma forma mais detalhada, foi transferida para Merry em "Uma Conspiração é Desmascarada" (p. 371), como uma explicação de como o jovem hobbit sabia da existência do Anel (e por isso foi retirada da sexta versão de "Uma Festa Muito Esperada", p. 389). Agora, no presente texto, meu pai simplesmente retirou a história, palavra por palavra, de "Uma Conspiração (é) Desmascarada" e a atribuiu a Frodo como explicação de como *ele* ficou sabendo do Anel; e Frodo continua aqui, novamente quase palavra por palavra, com o relato de Merry sobre como ele viu o livro de Bilbo:

"Isso não explica tudo", disse Bilbo, com um brilho nos olhos. "Vamos, bote o resto para fora, seja lá o que for!"

"Bem, depois disso mantive os olhos abertos", gaguejou Frodo. "Eu... hmmm... na verdade, o que fiz mesmo foi ficar vigiando você. Mas tem de admitir que era muito intrigante – e eu estava só no começo da vintolescência. Então um dia eu me deparei com seu livro."

"Meu livro!", exclamou Bilbo. "Ora, céus! Nada está seguro?"

"Não seguro demais", disse Frodo. "Mas só dei uma olhadela rápida. Você nunca deixava o livro por perto, exceto uma vez: você teve de sair do escritório, e eu entrei e o encontrei aberto. Gostaria de dar uma olhada mais longa nele, Bilbo. Imagino que você o esteja deixando para mim agora?"

"Não, não estou!", disse Bilbo decididamente. "Não está terminado. Ora, uma das principais razões para partir é ir a algum lugar onde eu possa continuar a escrever em paz, sem um bando de sobrinhos malandros bisbilhotando o lugar e uma fieira de visitantes aborrecidos com as mãos na campainha".

"Você não deveria ser tão gentil com todo mundo", disse Frodo. "Tenho certeza de que não precisa ir embora".

"Bem, vou mesmo", insistiu Bilbo. "E sobre aquele Anel: suponho que agora não preciso descrevê-lo, nem dizer como o consegui. Pensei em dá-lo a você."

Nesse ponto meu pai interrompeu o texto e escreveu na página toda: "Isso não vai servir por causa do uso do Anel na festa!" — ou seja, Bilbo não poderia ter a intenção de dar a joia a Frodo naquele momento, antes da Festa. Mas, sem alterar nada do que tinha escrito, ele continuou a história assim:

Ele remexeu no bolso e tirou dele um pequeno anel de ouro preso por outro anel a uma corrente fina. Bilbo o desprendeu, colocou-o na palma da mão e olhou longamente para ele.

"Aqui está!", disse com um suspiro.

Frodo estendeu a mão. Mas Bilbo colocou o anel de volta no bolso. [Uma expressão perplexa >] Uma expressão estranha surgiu em seu rosto. "Hmm, bem", gaguejou, "vou lhe dar isso, imagino, logo antes de ir — ou vou deixá-lo na minha gaveta trancada ou algo assim."

Frodo pareceu confuso e olhou fixamente para ele, mas não disse nada.

As últimas linhas do texto vêm depois da Festa:

Bilbo .... vai se vestir como na versão mais antiga (mas com *armadura* debaixo da capa)[6] e se despede. "O... hmm... anel", disse ele, "está na gaveta" — e desaparece na escuridão.

Creio que essa nova versão deve ser associada às notas de abertura em "Alterações de Enredo" no §3 acima: ela representa um movimento de afastamento da ideia de que Bilbo estava preocupado com o Anel, que foi o seu principal motivo para partir (antes, menciona-se o seu cansaço, o seu desejo de ter paz). Ele nunca chega nem a falar com Frodo sobre o tema. Parece que a intenção de meu pai era que Bilbo simplesmente entregasse o objeto a Frodo naquele momento, sem qualquer sugestão de luta interna; mas ele só percebeu, enquanto escrevia, que "Isso não vai servir", porque Bilbo precisa ficar com o Anel até o momento exato de sua partida. A entrega da joia, portanto, teria de ser adiada; e foi só agora que ele passou a usar a sugestão em "Uma Festa Muito Esperada", onde Bilbo diz a Gandalf: "Não vou jogá-lo fora. De qualquer modo, acho impossível me decidir a fazer isso – *simplesmente o coloco de volta no bolso*."[7] O resultado curioso é que a cena, na verdade, agora termina precisamente com uma demonstração, no comportamento embaraçado e ambíguo de Bilbo, do efeito sinistro que o Anel, na verdade, teve sobre seu dono; e isso seria desenvolvido na discussão com Gandalf em SA, pp. 79–82.

(5) Voltando-nos agora para os manuscritos datados de agosto de 1939 que dizem respeito a projeções mais amplas da história que viria após a estada em Valfenda, há, primeiro, uma sugestão de que um Dragão deveria vir até o Condado e que, com sua vinda, os hobbits deveriam ser levados a demonstrar que são feitos de "material mais resistente", e que "Frodo (Bingo)" deveria "na verdade, chegar perto do fim de seu dinheiro – ora, esse dinheiro era ouro de *dragão*. Será que

ele é 'fisgado'?" Há aqui uma referência às "observações sobre Bilbo em uma antiga folha de anotações" – obviamente, são aquelas apresentadas nas pp. 57–9 (onde foi feita a mesma sugestão de que um Dragão viria à Vila-dos-Hobbits).

(6) Seguindo essas notas, na mesma página, há uma breve lista de elementos narrativos que poderiam ser inseridos muito mais adiante:

Ilha no mar. Levar Frodo até lá no final.
Radagast?[8]
A batalha está sendo travada ao longe entre exércitos de Elfos e Homens c[ontra o] Senhor.
Aventuras .. Homens-de-Pedra.

Sobre o primeiro desses itens, cf. a nota apresenta na p. 58: "Elrond conta a ele sobre uma ilha" etc. A referência à "batalha sendo travada" provavelmente está ligada ao final da história, quando o Anel é levado para dentro das Fendas da Perdição.

O mais interessante aqui é o último item. Uma nota de meu pai encontrada nos documentos ligados a SdA afirma que ele examinou (parte, pelo menos) do material em 1964; e foi muito provavelmente nessa época que ele rabiscou o seguinte ao lado das palavras "Aventuras .. Homens-de-Pedra":

Considerava a história só uma "aventura". A totalidade da matéria de Gondor (Terra-de-Pedra) foi desenvolvida a partir desta nota. (Aragorn, ainda chamado de Troteiro, não tinha nenhuma ligação com o tema na época, sendo inicialmente concebido como um dos hobbits que tinham ânsia de vagar pelo mundo.)

(7) Este é um local conveniente para apresentar uma página de anotações a lápis sem data e na qual aparece o nome "Bingo". No topo da página estão as palavras: "Cidade de Pedra e homens civilizados". Segue-se então um esquema extremamente abreviado do final da história.

No final
Quando Bingo [*escrito em cima*: Frodo] finalmente chega à Fenda e à Montanha de Fogo, *ele não consegue jogar o Anel.* ? Ele ouve a

voz do Necromante oferecendo-lhe grande recompensa – compartilhar o poder com ele, se Frodo não destruir o objeto.

Naquele momento, Gollum – que parecia ter mudado de vida e os guiara por caminhos secretos dentro de Mordor – surge e tenta traiçoeiramente tomar o Anel. Eles lutam e Gollum *pega o Anel* e cai na Fenda.

A montanha começa a rugir.

Bingo foge para longe.

Erupção.

Mordor desaparece como uma nuvem escura. Elfos são vistos cavalgando como luzes afastando uma nuvem escura.

A Cidade de Pedra fica coberta de cinzas.

Viagem de volta para Valfenda.

E o Condado? Sacola-Bolseiros .... terras .... as quatro quartas.

Bingo faz as pazes e se instala em uma pequena cabana no alto do cume verde – até que um dia ele vai com os Elfos para o oeste, além das torres.

Melhor: nenhuma terra foi cultivada, todos os hobbits estavam ocupados fazendo espadas.

As palavras ilegíveis poderiam ser interpretadas assim: "Sacola-Bolseiros [e] seus amigos causaram dano [às] terras. Houve guerra entre as quatro quartas."

Como há aqui uma referência à "Cidade de Pedra", embora o meu pai tenha dito em 1964 que a totalidade da ideia de Gondor surgiu da referência aos "Homens-de-Pedra" numa nota datada de agosto de 1939, teríamos de concluir, com base numa interpretação estrita, que esse esquema provém daquela época ou de mais tarde; por outro lado, o herói ainda é "Bingo", de modo que esse esquema parece ser mais antigo que outras referências. Penso, no entanto, que a contradição pode ser apenas aparente, uma vez que em outras notas datadas de agosto de 1939, meu pai parece ainda ter hesitado quanto ao nome "Bingo", e eu atribuiria, portanto, o esquema que acabamos de apresentar a praticamente a mesma época que o resto dessas notas.

Obviamente, ele deixa de fora algumas coisas que meu pai já devia saber (mais ou menos): por exemplo, o modo como se deu o reaparecimento de Gollum. Mas o que é mais notável é descobrir aqui – quando não há nenhuma sugestão da vasta estrutura ainda a ser construída – que a corrupção do Condado e a presença crucial de Gollum na Montanha de Fogo são elementos muito antigos do conjunto.

(8) No verso da página que contém esse esquema, há o seguinte:

"O anel está destruído", disse Bilbo, "e estou com sono. Devemos dizer adeus, Bingo [*escrito em cima*: Frodo] — mas é um bom lugar para se dizer adeus, na Casa de Elrond, onde a memória é longa e gentil. Deixo aqui o livro dos meus pequenos feitos. E não creio que descansarei até ter escrito também a sua história. Elrond cuidará dele – sem dúvida depois que todos os hobbits tiverem seguido seus caminhos para o passado. Bem, Bingo, meu rapaz, você e eu éramos criaturas muito pequenas, mas fizemos nossa parte. Fizemos a nossa parte. Um destino estranho foi o que partilhamos, sem dúvida."

Parece então que, nessa época, meu pai previa que Bilbo morreria em Valfenda.

(9) Há mais uma página datada de "agosto de 1939", e ela é de grande interesse. É uma série de notas a lápis, como as outras, e tem como título "Trama a partir de 12".

Têm de esperar até a primavera? Ou têm de ir imediatamente.
Eles vão para o sul ao longo das montanhas. Mais tarde ou mais cedo? Tempestade de neve no Passo Vermelho. Viagem descendo o R. Via-rubra.
Aventura com Gigante Barba-Árvore na Floresta.
Minas de Moria. Novamente abandonadas – com exceção de *Gobelins*.
Terra de Ond. Cerco à Cidade.
Eles se aproximam das fronteiras de Mordor.
No escuro, Gollum surge. Ele finge ter mudado? Ou tenta estrangular Frodo? – mas Gollum agora tem um anel mágico dado pelo Senhor e está invisível. Frodo não ousa usar o seu próprio.
Cavalgada do mal liderada por sete Cavaleiros Negros.

Veem a Torre Negra no horizonte. Sensação horrível de um Olho procurando por ele.
Montanha de Fogo.
A erupção da Montanha de Fogo causa a destruição da Torre.

Uma nota marginal a lápis pergunta se "Bingo" (com "Frodo" escrito ao lado) deveria ser capturado pelo Senhor Sombrio e interrogado, mas ser salvo "por Sam?".

Posteriormente, meu pai corrigiu essas notas a tinta. Na primeira linha, ao lado de "Ou têm de ir imediatamente.", ele escreveu "imediatamente"; decidiu que "Minas de Moria..." deveria preceder "Aventura com Gigante Barba-Árvore na Floresta" e ficar entre "Tempestade de Neve na Passagem Vermelha" e "Viagem descendo o R. Via-rubra", e depois de "Novamente abandonadas – com exceção de *Gobelins*" ele acrescentou "Perda de Gandalf".

Algumas características desse esboço já apareceram; a falsa redenção de Gollum, seu ataque a Frodo e a erupção da Montanha de Fogo, em §7; a aquisição de um anel por Gollum em Mordor em §1. Mas encontramos aqui pela primeira vez outros ingredientes importantes da versão posterior do livro. O Anel atravessa as Montanhas Nevoentas pelo "Passo Vermelho", que sobreviverá como o Passo do Chifre-vermelho, ou Portão do Chifre-vermelho. As Minas de Moria, antes citadas em *O Hobbit*, agora reaparecem pela primeira vez – pelo menos com esse nome: a menção em *Dúvidas e Alterações*, nota 11 (pp. 283–4) à colônia fundada pelos Anãos Balin, Ori e Óin, da Montanha Solitária, em "ricas colinas no Sul" não mostra que a identificação tenha sido feita. O verdadeiro elo entre as duas coisas reside, sem dúvida, nas palavras de Elrond em *O Hobbit* (Capítulo 3, "Um Pouco de Descanso"): "Ouvi dizer que ainda há tesouros esquecidos de outrora, a serem descobertos nas cavernas desertas das minas de Moria, desde a guerra entre anãos e gobelins"; e as palavras aqui, "Novamente abandonadas – com exceção de Gobelins", combinadas com aquelas em *Dúvidas e Alterações* (*ibid.*), "Mas, depois de algum tempo, não se ouviu mais nenhuma notícia deles" claramente trazem, por implicação, a história em *O Senhor dos Anéis*. A terra dos Homens-de-Pedra (ver §6) é a "Terra de Ond", e a "Cidade de Pedra" (§7) será sitiada. Aqui também há o primeiro indício da história da captura de Frodo e de seu resgate, feito por Sam Gamgi, da torre de Cirith Ungol; e, o que talvez seja o mais notável de tudo, a primeira menção ao Olho Perscrutador na Torre Sombria.

Essas são referências a "momentos" narrativos que o meu pai previu: não constituem um esquema narrativo articulado. Podem muito bem não estar na sequência que ele intuiu naquele momento. Assim, nesse esqueleto da trama, a traição de Gollum é apresentada muito antes de Frodo chegar à Montanha de Fogo, o que, em vista do que é dito em §7, dificilmente pode ter sido o que ele quis dizer; e as Minas de Moria são citadas depois da travessia das Montanhas Nevoentas. Isso foi corrigido posteriormente à tinta, mas pode não ter sido a concepção dele quando escreveu essas notas: pois, em nenhuma das (seis) menções às Minas de Moria em *O Hobbit*, há qualquer indicação sobre onde elas estavam (cf. a carta dele para W.H. Auden em 1955: "As Minas de Moria tinham sido um mero nome", *Cartas* n. 163).

(10) É preciso dizer algo aqui sobre o "Gigante Barbárvore", pois ele emergiu num fragmento de narrativa real nessa época (e foi mencionado por Gandalf na conversa com Frodo em Valfenda, p. 448: "Fui pego em Fangorn e passei muitos dias exaustivos como prisioneiro do Gigante Barbárvore."). Existe uma única folha manuscrita, que começava como uma carta datada de "27–29 de julho de 1939", mas que meu pai cobriu em ambos os lados com uma bela caligrafia ornamental (um lado da folha está reproduzido ao lado). Entre as coisas escritas na página estão as palavras "Diversões de Verão de Julho" e versos d'*O Conto do Feitor,* de Chaucer* – pois essas "diversões" eram uma série de apresentações realizadas em Oxford durante as quais meu pai, vestido como Chaucer, recitou esse Conto. Mas a página é ocupada principalmente por um texto no qual ele, mais tarde, escreveu *Barba Árvore* a lápis.

Quando Frodo ouviu a voz, olhou para cima, mas não conseguiu ver nada através dos galhos grossos e emaranhados. De repente, sentiu um tremor no tronco retorcido da árvore no qual estava encostado e, antes que pudesse saltar de lado, foi empurrado

*Um dos *Contos da Cantuária*, conjunto de narrativas inglesas em verso do século XV muito apreciadas por Tolkien. [N.T.]

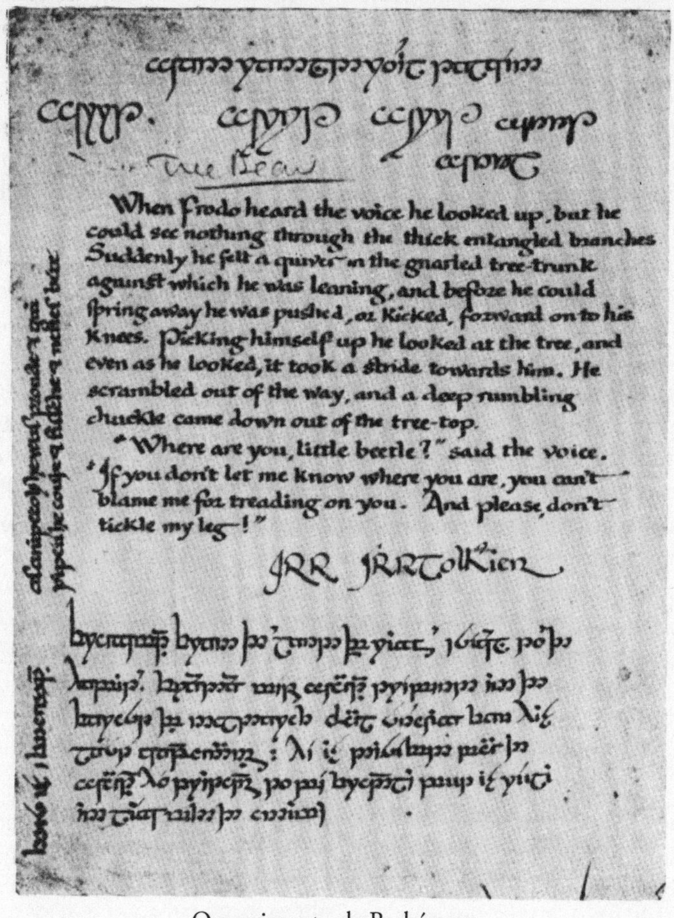

Tree Beard

When Frodo heard the voice he looked up, but he could see nothing through the thick entangled branches. Suddenly he felt a quiver in the gnarled tree-trunk against which he was leaning, and before he could spring away he was pushed, or kicked, forward on to his knees. Picking himself up he looked at the tree, and even as he looked, it took a stride towards him. He scrambled out of the way, and a deep rumbling chuckle came down out of the tree-top.

"Where are you, little beetle?" said the voice. "If you don't let me know where you are, you can't blame me for treading on you. And please, don't tickle my leg!"

JRR JRRTolkien

O surgimento de Barbárvore

ou chutado para a frente, caindo de joelhos. Levantando-se, olhou para a árvore e, bem nessa hora, ela deu um passo na sua direção. Deu um jeito de sair do caminho, e uma risada grave e retumbante se ouviu, vinda do alto da árvore.

"Onde você está, besourinho?", disse a voz. "Se não me contar onde está, não poderá me culpar por pisar em cima de você. E, por favor, não faça cócegas na minha perna!"

"Não consigo ver perna nenhuma", respondeu Frodo. "E onde você está?" "Você deve ser cego", retrucou a voz. "Estou aqui." "Quem é você?" "Eu sou Barbárvore", respondeu a voz. "Se nunca ouviu falar de mim antes, deveria ter ouvido; e, de qualquer modo, você está em meu jardim."

"Não consigo ver nenhum jardim", explicou Frodo. "Você sabe que aparência tem um jardim?" "Eu mesmo tenho um: há flores e plantas nele, e uma cerca em volta; mas não há nada desse tipo aqui." "Oh, sim, há! Só que você atravessou a cerca sem notá-la; e não consegue ver as plantas porque está embaixo delas, perto das raízes."

Foi só então, quando Frodo olhou mais de perto, que viu que o que ele tinha tomado por troncos lisos de árvores eram os caules de flores gigantescas – e o que ele achara ser o tronco de um carvalho monstruoso era na verdade uma perna grossa e nodosa, com um pé semelhante a uma raiz e muitos dedos ramificados.

Essa é a primeira imagem de Barbárvore: com um ar que parece vir mais do *Hobbit* antigo do que do novo. Seis linhas em *tengwar* élficas também estão escritas aqui, cujo conteúdo transliterado é:

Fragmento de O Senhor dos Anéis, sequência de O Hobbit.

Frodo encontra Gigante Barbárvore na Floresta de Neldoreth enquanto procura seus companheiros perdidos: ele é enganado pelo gigante, que finge ser amigável, mas na verdade tem uma aliança com o Inimigo.

A floresta de Neldoreth, formando a parte norte de Doriath, tinha aparecido nos *Anais Tardios de Beleriand* (V.152, 176); o nome, derivado das antigas lendas (como o de Glorfindel, ver p. 269), seria reutilizado.

Seis meses antes, numa carta de 2 de fevereiro de 1939, meu pai havia dito que "embora não haja um dragão (até agora), haverá um

Gigante" (*Cartas* n. 35, nota de rodapé ao texto). Se a análise da cronologia que sugeri estiver correta (ver pp. 381–2), o "Gigante Barbárvore" já tinha aparecido, no papel de captor de Gandalf, no final da terceira fase (p. 448).

(11) Resta mais um texto (que sobreviveu em duas versões) a ser apresentado neste capítulo; trata-se da história de Peregrin Boffin (ver §§2, 3 acima). Uma das formas dela faz parte de um manuscrito de duas páginas, escrito de maneira bastante descuidada, que começa como um novo texto de "Uma Festa Muito Esperada": intimamente relacionado à sexta versão (a da terceira fase) daquele capítulo, mas certamente escrito depois dela. Retomo-o do ponto: "Aos noventa anos, estava quase igual" (SA, p. 63).

Aos noventa e nove começaram a chamá-lo de *bem conservado*, mas *inalterado* seria a palavra mais certeira. Alguns ficavam dizendo que era boa demais para ser verdade essa combinação de juventude aparentemente perpétua e riqueza teoricamente inesgotável.

"Isso vai precisar ser pago", diziam. "Não é natural e vai dar problemas!"

Mas os problemas ainda não tinham chegado, e o Sr. Bolseiro era extremamente generoso com o seu dinheiro, de modo que a maioria das pessoas (e especialmente os hobbits mais pobres e menos importantes) perdoava as suas esquisitices. De certa forma, os habitantes da Vila-dos-Hobbits estavam (secretamente) bastante orgulhosos dele: a riqueza que trouxera de suas viagens se tornou uma lenda local, e muitos acreditavam, não importava o que dissessem os mais velhos, que a maior parte da Colina estava repleta de túneis entupidos de tesouros.

"Ele pode ser peculiar, mas não faz mal a ninguém", diziam os mais jovens. Mas nem todos os seus parentes mais importantes concordavam. Suspeitavam de sua influência sobre seus filhos, e especialmente da possibilidade de seus filhos conhecerem Gandalf na casa de Bilbo. As suspeitas deles aumentaram muito com o infeliz caso de Peregrin Boffin.

Peregrin era neto da segunda irmã da mãe de Bilbo, Donamira Tûk. Era só um garotinho, com cinco anos de idade, quando Bilbo voltou de sua viagem; mas ele cresceu e se tornou um rapaz de cabelos escuros e (para os padrões dos hobbits) magricela, muito mais um Tûk do que um Boffin. Estava sempre indo para a Vila-dos-Hobbits no trote, pois seu pai, Paladin Boffin, morava em Combanorte, apenas uma ou duas milhas depois da Colina. Quando Peregrin começou a falar sobre montanhas e anãos, florestas e lobos, Paladin ficou assustado e, por fim, proibiu o filho de chegar perto de Bolsão e cortou relações com Bilbo.

Bilbo ficou sentido com isso, pois gostava muito de Peregrin, mas não fez nada para encorajá-lo a visitar Bolsão secretamente. Peregrin então fugiu de casa e foi encontrado vagando, meio morto de fome, pelas charnecas da Quarta Norte. Finalmente, um dia depois de se tornar maior de idade (na primavera do octogésimo ano de vida de Bilbo),[9] ele desapareceu e nunca foi encontrado, apesar de fazerem uma busca por todo o Condado.

Antigamente, Gandalf sempre fora considerado responsável pelos ocasionais acidentes lamentáveis desse tipo; mas agora Bilbo recebia grande parte da culpa e, depois do desaparecimento de Peregrin, a maior parte de seus parentes mais jovens foi mantida longe dele. Embora, na verdade, Bilbo provavelmente estivesse mais atormentado pela perda de Peregrin do que todos os Boffins juntos.

Ele tinha, entretanto, outros amigos jovens, os quais, por uma razão ou outra, não foram afastados dele. Seu favorito logo se tornou Frodo Bolseiro, neto de Mirabela, a terceira das impressionantes filhas do Velho Tûk, e filho de Drogo (um dos primos de segundo grau de Bilbo). Bem na época do desaparecimento de Peregrin, Frodo ficou órfão, quando era só um garoto de doze anos de idade, e por isso não tinha pais ansiosos para mantê-lo longe de más companhias. Ele morava com seu tio Rory Brandebuque e os cento e um parentes de sua mãe na Grande Toca de Buqueburgo: a Mansão do Brandevin.

Aqui termina essa nova abertura. Uma versão ligeiramente mais curta aparece como adendo ao manuscrito da versão da terceira fase propriamente dita: há algumas diferenças de redação, mas nenhuma de substância. Diz-se aqui que Bilbo levou o delinquente de volta para Combanorte e pediu desculpas a Paladin Boffin, quando Peregrin "deu um jeito de ir até ele em segredo"; e Bilbo "negou veementemente ter qualquer coisa a ver com os acontecimentos".

A aldeia de *Combanorte* mais tarde se tornou *Sobremonte*, correção que foi feita no segundo desses textos.[10] – *Paladin* já está marcado como o nome do pai de *Peregrin*: esses Boffins são – ao menos nos seus nomes – a origem de Paladin e Peregrin Tûk em SdA. Donamira Tûk, a segunda filha do Velho Tûk, aparece na árvore genealógica dos Tûks apresentada na p. 391, onde ela é esposa de Hugo Boffin (como em SdA, mas ali não há registro de sua prole): o filho deles era Iago Boffin, e o filho de Iago era Fosco, primo-irmão de Bilbo (com uma geração de diferença), que tinha 54 anos na época do Festa. Na versão da terceira fase de "História Antiga" (p. 393), afirma-se que Jô Botão, que viu os "Homens-árvore" além dos Pântanos do Norte, trabalhava para Fosco Boffin de Combanorte, e esse hobbit é provavelmente a mesma pessoa que o Fosco Boffin da árvore genealógica, neto de Donamira. Nesse caso, Peregrin Boffin (Troteiro) – que tinha 64 anos na época da Festa (ver nota 9), embora, é claro, já tivesse desaparecido há muito tempo do Condado – passou a ocupar o espaço genealógico de Fosco, e seu pai, Paladin, o de Iago. Mas apenas no âmbito genealógico: o Boffin de Combanorte para quem Jô Botão trabalhava não tem obviamente nada a ver com o renegado Peregrin.

Percebe-se que, nesse relato, Frodo e Troteiro eram primos de segundo grau, e ambos eram primos de primeiro grau com uma geração de diferença de Bilbo.[11]

NOTAS

1. Sobre "festa inesperada" no lugar de "festa muito esperada", cf. p. 306, nota 1.
2. Na verdade, o terceiro e o quarto rascunhos da primeira fase: com "rascunho original do Conto", meu pai quis dizer a forma de "Uma Festa Muito Esperada" tal como se apresentava quando foi submetida à editora Allen and Unwin (ver p. 56).
3. Não entendo o sentido estrito dessa frase.
4. A referência a *O Hobbit* é ao Capítulo 1, "Uma Festa Inesperada", passagem já citada (p. 280).
5. *os Rios*: a forma plural está clara.
6. Que Bilbo usava sua "armadura-élfica" sob o manto quando partiu é algo afirmado em §2; ver pp. 459–60.
7. Esta é a redação da sexta versão (terceira fase), pouco alterada em relação à quinta (p. 299).
8. Radagast tinha sido citado em *O Hobbit*: no Capítulo 7, "Acomodações Esquisitas", Gandalf fala com Beorn sobre "meu bom primo Radagast, que vive perto da fronteira sul de Trevamata".

[9] Peregrin Boffin tinha cinco anos quando Bilbo voltou de sua grande aventura. O cálculo é: de 51 a 79 anos ("primavera do octogésimo ano de vida de Bilbo") = 28, mais 5 = 33 ("depois de se tornar maior de idade"). De acordo com essa narrativa, Peregrin/Troteiro tinha 81 anos quando Frodo e seus companheiros o conheceram em Bri (Bilbo finalmente partiu quando tinha 111 anos; Peregrin/ Troteiro tinha então 64 anos, e Frodo deixou o Condado 17 anos depois). Como ele disse em Bri: "Hoje sou mais velho do que pareço" (pp. 193, 423); Aragorn tinha 87 anos quando disse a mesma coisa (SA, p. 251).

[10] *Combanorte* > *Sobremonte* também na p. 393. – O nome *Combanorte* aparece aqui no mapa original do Condado de meu pai (p. 135, item I), mas foi riscado e substituído não por Sobremonte, mas por *A Baixada*. Este é um local conveniente para abordar a história desse nome. Muito tempo depois, meu pai escreveu *A Baixada* no mapa do Condado em uma cópia da Primeira Edição de SA, colocando-a ao sul de Fosso Branco na Quarta Leste, de forma a mostrar que ele pretendia se referir a uma região – como "O Pântano" – e não a um local específico de assentamento (a estrada para Tronco passa pelo local); e, ao mesmo tempo, na mesma cópia, ele ampliou o texto presente em SA, p. 136, introduzindo o nome: "a planície da Baixada" (para saber o motivo desta mudança de texto, que foi publicada na Segunda Edição, ver p. 87, nota 10). O mapa do Condado na Segunda Edição tem *A Baixada* adicionado aqui, mas em relação a um pequeno quadrado preto, como se fosse o nome de uma fazenda ou pequeno vilarejo; isso deve ter sido um mal-entendido.* *Combanorte*, em inglês *Northope*, contém o elemento toponímico *hope*, que geralmente significa "um pequeno vale fechado".

[11] A sugestão anterior de meu pai a respeito de Troteiro (p. 280) também faz dele um primo-irmão de Bilbo (Fosco Tûk).

* Esse quadradinho que entrou por engano na edição inglesa não consta no mapa da edição brasileira. [N.T.]

A HISTÓRIA QUE PROSSEGUE

23

Na Casa de Elrond

Na fase seguinte da obra, é difícil deduzir a cronologia da composição ou entender seu elo com importantes revisões posteriores feitas na "terceira fase" da história até Valfenda. A determinação da cronologia depende da forma assumida por alguns elementos-chave e, se eles estiverem ausentes, a certeza se torna impossível.

De qualquer forma, depois que "Bingo" se tornou "Frodo", meu pai continuou a conversa interrompida de Frodo com Glóin no banquete na casa de Elrond (ver p. 456). Essa continuação aparece em duas formas, a segunda seguindo de perto a primeira, e já na primeira versão o texto fica bastante próximo da última parte de "Muitos Encontros" em SA; mas existem algumas diferenças importantes. Apresento aqui a segunda versão (em parte).[1]

"E o que foi feito de Balin e Ori e Óin?", perguntou Frodo.

Uma sombra perpassou o rosto de Glóin. "Balin passou a viajar de novo", respondeu ele. "Talvez tenhas ouvido falar que ele visitou Bilbo na Vila-dos-Hobbits há muitos anos:[2] bem, não muito depois disso ele foi para longe durante dois ou três anos. Então retornou para a Montanha com um grande número de anãos que descobriu vagando sem mestre no Sul e no Leste. Ele queria que Dáin voltasse para Moria – ou pelo menos lhe permitisse fundar uma colônia lá e reabrir as grandes minas. Como provavelmente sabes, Moria era o lar ancestral dos anãos da raça de Durin, e os antepassados de Thorin e Dáin viveram lá, até serem expulsos para o norte distante pelas invasões gobelins. Ora, Balin relatou que Moria estava, de novo, totalmente deserta desde a grande derrota dos gobelins, mas as minas ainda eram ricas, especialmente em prata. Dáin não estava disposto a deixar a Montanha e o túmulo de Thorin, mas permitiu que Balin fosse, e ele levou consigo muitos do povo da Montanha, bem como seus próprios seguidores; e

Ori e Óin foram com ele. Durante muitos anos as coisas correram bem, e a colônia prosperou; havia comércio mais uma vez entre Moria e a Montanha, e muitas ofertas de prata foram enviadas a Dáin. Então a sorte mudou. Nossos mensageiros foram atacados e roubados por Homens cruéis, bem armados. Nenhum mensageiro veio de Moria; mas chegou-nos o boato de que as minas e a cidade dos anãos estavam novamente abandonadas. Durante muito tempo não conseguimos saber o que tinha acontecido a Balin e ao seu povo – mas agora temos notícias, e são más. Foi para contar essas novas e pedir o conselho daqueles que moram em Valfenda que vim. Mas falemos de coisas mais alegres hoje à noite!"

No alto da página, meu pai escreveu as palavras que estão nesse ponto da narrativa em SA (pp. 332–3): "'Não sabemos', respondeu ele. 'É principalmente por causa de Balin que vim pedir conselhos dos que habitam em Valfenda. Mas falemos de coisas mais alegres hoje à noite!'" Em SA, a história de Balin foi incluída em "O Conselho de Elrond", sendo muito ampliada.

O relato de Glóin sobre as obras dos Anãos em Valle e sob a Montanha Solitária (SA, p. 333) está presente na versão antiga.[3] No final, quando Glóin diz: "Tu gostavas muito de Bilbo, não é?", Frodo responde simplesmente "Sim", e então "eles passaram a falar sobre as antigas aventuras de Bilbo com os anãos, em Trevamata, e entre os Elfos-da-floresta, e nas cavernas da Montanha".

A entrada no Salão do Fogo e a descoberta e reconhecimento de Bilbo já estão muito próximos da cena em SA (para referências antigas a Bilbo em Valfenda, ver pp. 160, 283). Em ambos os textos, afirma-se que o Salão do Fogo é quase tão grande quanto o "Salão de Banquetes" ou o "Grande Salão"; no segundo, o aposento "parecia não ter janelas"; e em ambos havia muitas lareiras acesas: Bilbo estava sentado ao lado da mais distante, com sua taça e um pão numa mesa baixa ao seu lado (em SA, não havia mesas).

Bilbo diz: "Vou ter de pedir que aquele sujeito, o Peregrin, me ajude" (cf. pp. 456–7) e Elrond responde que encontrará *Ethelion*[4] (no Capítulo 11 da "terceira fase", Glorfindel chama Troteiro de *Du-finnion*, p. 445). "Mensageiros foram enviados para encontrar o amigo de Bilbo. Dizia-se que ele tinha passado pelas cozinhas, pois a sua ajuda era tão apreciada pelos cozinheiros quanto pelos poetas." Na parte anterior do capítulo, havia sido dito (p. 451) que Frodo não conseguiu ver Troteiro no banquete, e sua ausência sobreviveu em SA (p. 330), mas por uma razão muito diferente.

O que quer que Bilbo possa ter dito sobre si mesmo não é relatado na história original. A passagem inteira (SA, p. 335) na qual Bilbo conta sua viagem a Valle, sua vida em Valfenda, seu interesse pelo Anel, bem como o incidente angustiante quando ele pediu para ver o objeto, estão ausentes.

Eles estavam tão imersos nos assuntos Condado que não perceberam a chegada de outro hobbit. Durante vários minutos ele ficou ao lado deles, olhando-os com um sorriso. De repente, olharam de volta para ele. "Ah, aí está você, Peregrin!", disse Bilbo. "Troteiro!", exclamou Frodo.

"Ambos corretos!", riu Troteiro.

"Bem, isso é uma chatice da parte de Gandalf!", reclamou Frodo. "Eu sabia que você me lembrava alguém, e ele riu de mim.[5] É claro que você me lembra você mesmo, assim como Folco, e todos os Tûks. Você veio uma vez para a Terra-dos-Buques quando eu era muito pequeno, mas nunca me esqueci disso, porque você conversou com o Velho Rory sobre terras fora do Condado e sobre Bilbo, a quem você não tinha permissão de ver. Andei me perguntando o que aconteceu com você. Mas fiquei intrigado com seus sapatos. Por que os usa?

"Não vou lhe contar o motivo agora", disse Troteiro em voz baixa.

"Não, Frodo, não pergunte isso ainda", pediu Bilbo, parecendo bastante infeliz. "Vamos, Perry! Eu quero a sua ajuda. Essa minha canção tem de ser terminada esta noite".

Nesse ponto, enquanto escrevia o segundo texto, meu pai escreveu nele: "?? É melhor que Troteiro não seja um hobbit, mas um Caminheiro, remanescente dos Homens do Oeste, como planejado originalmente." É claro que, revendo os textos da primeira aparição de Troteiro, não há possibilidade de que meu pai tivesse "planejado originalmente" fazer dele algo que não fosse um hobbit. A primeira sugestão de que ele poderia não pertencer ao Povo Pequeno aparece em *Dúvidas e Alterações* (p. 280, §6). Mas, ao dizer "planejado originalmente", meu pai pode muito bem ter pensado apenas nos rascunhos para a abertura do capítulo de "Bri" na terceira fase (p. 409), onde a ideia de que os Caminheiros eram Homens, "os últimos remanescentes do povo realengo d'além dos Mares", emergiu pela primeira vez, embora isso não tenha sido incorporado ao capítulo como ele acabou sendo escrito naquela época. Pode ser que ele já sentisse há algum tempo que Troteiro não deveria ser um hobbit, mas (como ele disse sobre o nome "Bingo", p. 276) agora estava acostumado demais com a ideia para mudá-la. Mesmo agora, ele não deu sequência à sua diretriz, e Troteiro continua sendo Peregrin Boffin.

Como em SA, Frodo senta-se sozinho e adormece durante a música; mas a canção *Eärendil foi um navegante* não está presente (embora a palavra "?Mensageiro" escrita no topo da página seja uma pista da inserção do poema).[6]

Ele acordou com o som de risadas ressoantes. Não havia mais música, mas, no limite de seus sentidos despertos, havia o eco de uma voz que acabara de parar de cantar. Ele olhou e viu que Bilbo estava sentado em seu banquinho, agora próximo à lareira do meio, no centro de um círculo de ouvintes.

"Ora, vamos, conta-nos, Bilbo!", disse um dos Elfos, "qual é a verso que Peregrin inseriu?"

"Não!", riu Bilbo. "Deixarei que tenteis adivinhar – já que vos orgulhais de vossa capacidade de julgar palavras."

"Mas é difícil distinguir entre dois hobbits", riram eles.

"Bobagem!", disse Bilbo. "Mas não vou discutir o assunto. Estou sonolento depois de tanto som e canção!" Ele se levantou, fez uma reverência e voltou para o lado de Frodo.

"Bem, é isso", comentou. "Foi melhor do que eu esperava. Para falar a verdade, uma boa parte foi escrita por Peregrin".

"Lamento não ter ouvido", disse Frodo. "Ouvi os Elfos rindo quando acordei."

"Não importa", disse Bilbo. "Você vai ouvir a canção de novo, muito provavelmente. De qualquer forma, é só um monte de bobagens. Mas é difícil manter-se acordado aqui, até que nos acostumemos – não que hobbits cheguem a adquirir o apetite dos Elfos por canções, poesia e contos de todos os tipos. Ainda vão continuar por muito tempo. ...

As palavras do cântico a Elbereth (idênticas em ambos os textos) são diferentes da forma presente em SA:

Elbereth Gilthoniel sir evrin pennar oriel
dir avos-eithen miriel
bel daurion sel aurinon
pennáros evrin ériol.

As doces sílabas caíam como joias claras de palavras e sons mesclados, e ele parou por um momento, olhando para trás.

"Essa é a abertura do cântico a Elbereth", disse Bilbo. "Vão cantar esta e outras canções do Reino Abençoado muitas vezes esta noite."

Bilbo conduziu Frodo de volta ao seu quarto no andar de cima. Ali ficaram sentados por algum tempo, olhando as estrelas brilhantes pela janela e conversando baixinho. Não falaram mais das notícias modestas e felizes do Condado distante, mas dos Elfos, e do vasto mundo, e de seus perigos, e do fardo e mistério do Anel.

Quando Sam vem bater na porta (no final do capítulo em SA), Bilbo diz:

"Muito bem, Sam! Embora eu nunca esperasse viver o suficiente para receber ordens do filho de Ham Gamgi. Bendito seja, tenho quase 150 anos e idade suficiente para ser seu bisavô."

"Não, senhor, e eu nunca esperei acabar fazendo isso."

"A culpa é de Gandalf", disse Frodo. "Ele escolheu Sam para ser meu companheiro de aventura, e ele leva sua tarefa a sério."

No momento em que o texto foi escrito, esse trecho foi substituído pelo final em SA. Bilbo tinha, na verdade, 128 anos.

Ambos os textos continuam brevemente com trechos do que acabaria se tornando "O Conselho de Elrond" em SA (o título que meu pai tinha dado ao texto do Capítulo 12 da "terceira fase", pp. 446–7, mais tarde chamado de "Muitos Encontros", quando ele anteviu que o capítulo conteria o Conselho, bem como os "muitos encontros" que o precederam).

Frodo despertou cedo no dia seguinte, sentindo-se refeito e bem-disposto. Sam trouxe-lhe o desjejum e não permitiu que ele se levantasse antes de comê-lo. Então Bilbo e Gandalf vieram e conversaram um pouco. De repente, um único sino tocou. [*Todo o restante do texto a partir deste ponto foi riscado; ver a p. 493.*]

"Bendito seja!", disse Gandalf. "O conselho é daqui a meia hora. Esse é o aviso. Preciso ir. Bilbo vai levá-lo ao lugar certo assim que estiver pronto. É melhor Sam ir com você."

O conselho se reuniu numa clareira alta entre as árvores na encosta do vale, bem acima da casa. Um riacho corria ao lado do local do encontro, e ao gotejar e borbulhar da água se misturava o som de muitos pássaros. Havia doze assentos de pedra esculpida num amplo círculo; e atrás deles muitos outros assentos menores de madeira. O chão estava coberto de muitas folhas vermelhas e amarelas, mas as árvores acima dele ainda estavam vestidas com um verde desbotado; um céu claro, de um azul pálido, estendia-se muito acima deles, repleto da luz da manhã.

Quando Bilbo, Frodo e Sam chegaram, Elrond já estava sentado, e ao lado dele, como no banquete, estavam Gandalf e Glorfindel. Glóin também estava lá com [um ajudante >] um anão mais jovem, que Frodo descobriu mais tarde ser Burin, filho de Balin.[7] Um estranho elfo, um mensageiro do rei dos Elfos-da-floresta ... Trevamata Oriental estava sentado ao lado de Burin.[8] Troteiro (como Frodo continuou a chamá-lo, em vez de Peregrin ou do equivalente élfico, Ethelion) estava lá, assim como todo o resto do grupo de hobbits, Merry, Folco e Odo. Havia, além disso, três outros conselheiros que auxiliavam Elrond, um deles um Elfo chamado Erestor, e dois outros parentes de Elrond, daquele povo meio-élfico a quem os Elfos chamavam de filhos de Lúthien.[9] E, sentado sozinho e em silêncio, havia um Homem de rosto nobre, mas sombrio e triste.

"Este é Boromir", disse Elrond. "Ele só chegou ontem, ao entardecer. Ele vem de muito longe, no Sul, e suas novas podem ser úteis para nós".

Levaria muito tempo para contar tudo o que foi falado naquele conselho sob as belas árvores de Valfenda. O sol subiu ao meio-dia e virou-se para oeste antes que todas as novas fossem contadas. Então, Elfos trouxeram comida e bebida para o grupo. O sol já havia baixado e sua luz oblíqua brilhava vermelha no vale antes que o debate terminasse e eles se levantassem e voltassem pelo longo caminho até a casa.

Ambos os textos terminam neste ponto. No final do segundo, meu pai escreveu: "(O Conselho deve acontecer a portas fechadas. Frodo convidado à presença de Elrond. Novas do mundo. Eles decidem que o Anel deve ser destruído.)"

Enquanto Troteiro é Peregrin Boffin, e ocorre o tão esperado "reconhecimento" entre Troteiro e Frodo, Odo ainda está presente: mas, nos manuscritos datados de agosto de 1939, onde aparece pela primeira vez a identificação de Troteiro com Peregrin Boffin, Odo parece ser enfaticamente abandonado. Mais uma vez, Odo parece ter se mostrado impossível de rejeitar, embora, conforme discutido nas pp. 464–5, Folco, para todos os efeitos, incorporou sua personalidade. — É claro que esses manuscritos de "Valfenda" podem muito bem ter sido escritos na mesma época, e não se pode esperar uma reconstrução passo a passo. Em todo caso, a remoção de Odo e (muito mais) a identidade de Troteiro foram questões que motivaram indecisão durante muito tempo, e notas como "É melhor que Troteiro não seja um hobbit" ou "Odo deve ser cortado" são antes os vestígios de um longo debate do que uma série de decisões claras e sucessivas.

O texto que acabamos de apresentar prosseguiu de forma diferente em outro manuscrito, no qual aparece a primeira versão completa do Conselho de Elrond; mas, antes de prosseguirmos, dois lados de uma única folha isolada parecem, sem dúvida, representar as primeiras ideias expressas por meu pai para o Conselho. O texto foi escrito a lápis, de modo tão fraco e rápido que seria praticamente ilegível se meu pai não tivesse escrito por cima dele à tinta; e ele próprio não conseguia ter certeza, em alguns lugares, sobre o que havia escrito, mas tinha de "chutar" quais eram as palavras, marcando-as com pontos de interrogação. Ao representar esse texto extraordinariamente interessante, coloco tais palavras incertas em itálico entre parênteses. No topo da página há uma orientação isolada de que "a situação no Topo-do-Vento" deve ser "simplificada". Seria interessante saber o que ele tinha em mente: a única "complicação" eliminada, no fim das contas, foi o desaparecimento de Odo, e pode ser que fosse a isso que ele estava se referindo. Fica claro desde a primeira linha deste texto que a história de Odo da "terceira fase" estava presente.

Espectros do Anel. Eles vão obter (*não? novos?*) cavalos (*a tempo?*). A captura de Odo explicada.

Anel oferecido a Elrond. Ele recusa. "É um perigo para todos os possuidores: mais para mim do que para todos os outros. É o destino que os *hobbits* livrem o mundo dele."

"O que será então dos outros anéis?" "Eles perderão seu poder. Mas devemos sacrificar esse poder para destruir o Senhor. Enquanto alguém no mundo possuir o Anel Regente, haverá uma chance de *ele* recuperá-lo. Duas coisas podem ser feitas. Podemos enviá-lo para o Oeste ou destruí-lo. Se o tivéssemos enviado para o Oeste há muito tempo, isso teria sido suficiente. Mas agora o poder do Senhor cresceu demais e ele está totalmente desperto. Seria muito perigoso... e sua guerra chegaria ao Condado e destruiria os Portos."[10] [*Na margem está escrito* Radagast.]

Eles decidem que o Anel deve ser levado para a Montanha de Fogo. Como? – ela dificilmente pode ser alcançada, exceto atravessando as fronteiras da Terra de Mordor. Bilbo? Não — "Isso me mataria agora. Meus anos foram esticados, e ainda viverei algum tempo. Mas não tenho mais forças para o Anel."

Frodo se voluntaria para ir.

Quem irá com ele? Gandalf. Troteiro. Sam. Odo. Folco. Merry.
(7) Glorfindel e Frár [*escrito embaixo*: Burin] filho de Balin.

Pelo Sul ao longo das montanhas. Cruzando o Passo Vermelho, descendo o Via-rubra até o Grande Rio.

"Cuidado!" disse Gandalf "com o Gigante Barbárvore, que assombra a Floresta entre o Rio e as Mts. do Sul." Fangorn?

Depois de um tempo de descanso, eles partem. Bilbo se despede; dá a ele Ferroada e sua armadura. Os outros se armam.

Tempestade de neve.

> O verso da página, embora não continue o primeiro lado, certamente foi escrito ao mesmo tempo, e novamente foi feito à tinta por cima de um texto fraco a lápis:

Primeiro lhe pediram que fizesse um relato tão completo quanto possível da viagem. A história de seu contato com Tom Bombadil foi o que pareceu interessar mais a Elrond e Gandalf.

Muito do que foi dito já era conhecido de Frodo. Gandalf falou longamente, deixando clara para todos a história do Anel, e a razão pela qual o Senhor Sombrio o desejava tanto. "Pois ele não apenas deseja encontrar e controlar os anéis perdidos, os dos Elfos e dos anãos – mas, sem o Anel, ainda está privado de muito poder. Ele colocou naquele Anel muito de seu próprio poder, e sem ele está mais fraco do que outrora [e obrigado a depender mais de serviçais].[11] Outrora ele conseguia adivinhar ou ver, em parte, quais eram os propósitos ocultos dos Senhores-élficos, mas agora está cego no que diz respeito a eles. Não pode fabricar anéis até recuperar o anel mestre. E também sua mente é movida pela vingança e pelo ódio aos Elfos e Homens que (*o desafiaram?*).

"Agora é a hora de falar a verdade. Dize-me, Elrond, os *Três* Anéis ainda existem? E dize-me, Glóin, caso o saibas, ainda resta algum dos *Sete*?

"Sim, os Três ainda existem", disse Elrond, "e seria de fato funesto se Sauron descobrisse onde eles estão ou tivesse poder sobre os seus donos; pois então talvez sua sombra estender-se-ia até mesmo ao Reino Abençoado."

"Sim! Alguns dos Sete subsistem", disse Glóin. "Não sei se tenho o direito de revelar isso, pois Dáin não me deu ordens a respeito. Mas Thráin outrora tinha um que lhe viera de seus ancestrais. Não sabemos agora onde está. Achamos que foi tirado dele, antes de o encontrares nas masmorras há muito tempo [ou talvez tenha sido perdido em Moria].[12] No entanto, nos últimos tempos temos recebido mensagens secretas de Mordor exigindo todos os anéis que temos ou conhecemos. Mas há outros ainda em nosso poder. Dáin tem um – e nisso sua fortuna se baseia: sua idade, sua riqueza e (. . . . . . . ?) futuro. No entanto, nos últimos tempos temos recebido mensagens secretas de Mordor ordenando-nos que entreguemos os anéis ao Mestre e ameaçando a nós e a todos os nossos aliados de Valle com guerra.[13] É por esse motivo que venho agora para Valfenda. Pois as mensagens têm perguntado amiúde sobre *um certo Bilbo*, e nos ofereceram paz se obtivéssemos dele (livremente ou à força) o seu anel. Este, eles disseram, aceitariam no lugar de todo o resto. Agora entendo o porquê. Mas nossos corações estão perturbados, pois achamos que o coração do Rei Brand está com medo e que o Senhor Sombrio irá (*impulsionar?*) os homens orientais a cometer algum mal. Já há guerra nas fronteiras (*do sul?*). E (é claro, *há a matéria pela qual?*) procuro aconselhamento, o desaparecimento de Balin e do seu povo, agora (*se revelou?*) como parte do mesmo mal."

Boromir, o (*senhor? da Terra?*) de Ond. Esses homens estão sitiados por homens selvagens vindos do Leste. Eles enviam para o (*F. ....?*) de Balin de Moria. Ele prometeu ajuda.

Aqui termina esse texto. Ao lado da passagem que começa com "'Sim! Alguns dos Sete subsistem', disse Glóin", meu pai escreveu: "Não! Isso não vai funcionar — do contrário, os anãos teriam ficado mais desconfiados de Bilbo."

Nesse texto, mais uma vez, há uma aparente contradição com os documentos de "agosto de 1939": Bilbo dá sua cota de malha a Frodo em Valfenda e, portanto, levou-a consigo quando saiu de Bolsão – uma história que aparece pela primeira vez com a data de agosto de 1939 (p. 459, §2), ao passo que ali também se propõe o abandono da "história de Odo" – história que está expressamente presente aqui. – Nesse texto, a Sociedade do Anel deve ser formada por cinco "hobbits do Condado", Frodo, Sam, Merry, Folco e Odo, com Troteiro, Gandalf, Glorfindel e o anão Frár (> Burin).

Qualquer que seja a idade relativa destes textos, e eles dificilmente podem ter sido escritos a um grande intervalo um do outro, aparecem agora o Anão mais jovem, filho de Balin, que veio com Glóin – precursor de Gimli, filho de Glóin, em SdA; o Elfo de Trevamata, precursor de Legolas; Erestor, conselheiro de Elrond; dois parentes de Elrond; e Boromir – assim chamado sem hesitação desde o início[14] –, da Terra de Ond, no Sul distante. A Terra de Ond é citada em um esboço datado de agosto de 1939 (p. 472). Barbárvore não é mais colocado na "Floresta de Neldoreth" (p. 476), mas na "Floresta entre o [Grande] Rio e as Montanhas do Sul" – trata-se da primeira menção das montanhas que mais tarde seriam as Ered Nimrais, ou Montanhas Brancas; e Gandalf faz um alerta sobre ele (o que faz sentido, já que foi seu prisioneiro "em Fangorn", p. 448).

A passagem acerca dos Três Anéis dos Elfos e dos Sete Anéis dos Anãos deve ser comparada com um trecho na versão da terceira fase de "História Antiga", p. 394, em que Gandalf diz que não sabe o que aconteceu com os "Três Anéis de Terra, Mar e Céu", mas acredita que "há muito eles foram carregados para o outro lado do Grande Mar" – o que deve ser associado, sem dúvida, com as palavras de Elrond no presente texto: "e seria de fato funesto se Sauron descobrisse onde eles estão ou tivesse poder sobre os seus donos;

pois então talvez sua sombra estender-se-ia até mesmo ao Reino Abençoado." Na mesma passagem de "História Antiga", Gandalf diz que "a fundação de cada um dos sete tesouros dos Anãos de outrora era um anel dourado", e que dizem que todos os Sete Anéis pereceram no fogo dos dragões: "Contudo, esse relato, talvez, não seja totalmente verdade."

Sobre as mensagens ameaçadoras ao Rei Dáin enviadas por Mordor neste texto cf. *Dúvidas as e Alterações* (p. 283, §11): "Os anãos podem ter recebido mensagens ameaçadoras de Mordor – pois o Senhor suspeitava que o Um Anel estava em seus tesouros". Na mesma nota, afirma-se que "depois de algum tempo, não se ouviu mais nenhuma notícia deles [de Balin e seus companheiros]. Dáin temia o Senhor Sombrio"; é o que também diz Glóin aqui, afirmando que "o desaparecimento de Balin e do seu povo, agora se revelou como parte do mesmo mal". Nessa época, a história era que Sauron exigia a devolução dos Anéis que os Anãos ainda possuíam – ou o Anel de Bilbo "no lugar de todo o resto"; em SA (p. 348), Sauron lhes oferece a devolução de três dos antigos Anéis dos Anãos se conseguissem obter o Anel de Bilbo.

A referência à presença de Thráin, pai de Thorin Escudo-de--carvalho, nas masmorras do Necromante, onde Gandalf o encontrou, remonta a *O Hobbit* (Capítulo 1); mas surge aqui a história de que ele possuía um dos Anéis dos Anãos, e de que o objeto foi tirado dele após sua captura (ver SA, p. 383, e SdA, Apêndice A (iii), pp. 1525, 1532).

O texto de "Muitos Encontros" (preservado em duas formas variantes) apresentado na p. 483 e seguintes continua com o início de um relato do Conselho de Elrond, realizado ao ar livre, numa clareira acima da casa; mas das palavras "'Bendito seja!', disse Gandalf. 'O conselho é daqui a meia hora'" (p. 488), meu pai riscou tudo e acrescentou a nota no final dizendo que o Conselho tem de ser realizado "a portas fechadas" (p. 489). Um novo manuscrito agora começa, retomando a narrativa a partir de "'Bendito seja!', disse Gandalf", e é nele que se encontra a primeira narrativa completa das deliberações do Conselho. Originalmente, o manuscrito foi marcado com o número "12", com números de páginas consecutivos a partir da frase "De repente, um único sino tocou" (p. 488). Conforme observado anteriormente, meu pai, nessa fase, considerava que todos os encontros e debates em Valfenda constituíam um único capítulo, e tinha atribuído o número e o título de "12. O Conselho de Elrond" ao capítulo da terceira fase que começa com Frodo acordando em Valfenda (p. 447).

O manuscrito foi feito parte à tinta e parte a lápis, mas, embora seja muito descuidado, é totalmente legível. Como corresponde à primeira fase de composição, está repleto de alterações, frases ou passagens inteiras constantemente reescritas no ato da composição; e muitas outras correções, feitas em passagens que, no momento da escrita, tinham sido mantidas, provavelmente são bastante próximas no tempo. De modo geral, apresento o texto em sua forma final, mas indicando as alterações mais importantes.

"Bendito seja!", disse Gandalf. "Esse é o sinal alertando para o início do conselho. É melhor irmos para lá imediatamente."

Bilbo e Frodo (e Sam [*acrescentado*: sem ser convidado]) seguiram-no por muitas escadas e corredores em direção à ala oeste da casa, até chegarem à varanda onde Frodo encontrara seus amigos na noite anterior. Mas agora a luz de uma clara manhã de outono fulgurava no vale. O céu estava límpido e fresco acima dos topos das colinas; e, no ar claro abaixo dele, algumas folhas douradas tremulavam nas árvores. O som de águas borbulhantes subia do leito espumante do rio. Pássaros cantavam, e havia uma paz salutar sobre a terra, e, aos olhos de Frodo, sua fuga perigosa e os rumores da sombra sinistra que crescia no mundo exterior pareciam agora apenas lembranças de um sonho agitado.

Mas os rostos que se voltaram para ele eram sérios.[15] Elrond ali estava, e vários outros já tinham se sentado ao redor dele em silêncio. Frodo viu Glorfindel e Glóin, bem como Troteiro (sentado num canto).

Elrond deu as boas-vindas a Frodo, levou-o até um assento junto aos seus joelhos e apresentou-o aos presentes, dizendo: "Aqui, meus amigos, está o hobbit que, por boa fortuna e coragem, trouxe o Anel para Valfenda. Este é Frodo, filho de Drogo." Ele então indicou e nomeou aqueles que Frodo não tinha visto antes. Havia um anão mais jovem ao lado de Glóin, [Burin, filho de Balin >] seu filho Gimli.[16] Havia três conselheiros da própria casa de Elrond: Erestor, seu parente (um homem do mesmo povo meio-élfico conhecido como os filhos de Lúthien),[17] e ao lado dele dois senhores-élficos de Valfenda. Havia um estranho elfo trajando verde e marrom, Galdor, um mensageiro do Rei dos Elfos-da--floresta em Trevamata Oriental.[18] E, sentado um pouco separado, estava um homem alto, de rosto nobre, mas sombrio e triste.

"Aqui", disse Elrond, virando-se para Gandalf, "está Boromir, da Terra de Ond, no Sul distante. Ele chegou durante a noite e traz novas que devem ser levadas em consideração."

Levaria muito tempo para contar todas as coisas que foram ditas naquele conselho. Muitas delas já eram conhecidas de Frodo. Gandalf falou longamente, esclarecendo, para aqueles que ainda não conheciam os fatos por completo, a história antiga do Anel e as razões pelas quais o Senhor Sombrio o desejava tão grandemente. Bilbo então relatou a descoberta do Anel na caverna das Montanhas Nevoentas, e Troteiro descreveu a busca por Gollum, que ele tinha empreendido com a ajuda de Gandalf, e contou suas perigosas aventuras em Mordor. Foi assim que Frodo descobriu como Troteiro havia rastreado Gollum enquanto este vagava para o sul, através da Floresta de Fangorn e passando pelos Pântanos Mortos,[19] até que ele próprio foi capturado e aprisionado pelo Senhor Sombrio. "Desde então, tenho usado sapatos", disse Troteiro com um estremecimento e, embora não dissesse mais nada, Frodo sabia que ele tinha sido torturado e seus pés doíam de alguma forma. Mas ele tinha sido resgatado por Gandalf e salvo da morte.[20]

Dessa forma, a história foi trazida lentamente até a manhã de primavera em que Gandalf revelou a história do Anel a Frodo. Então Frodo foi convocado a retomar a narrativa e fez um relato completo de todas as suas aventuras desde o momento de sua fuga da Vila--dos-Hobbits. Passo a passo eles o interrogaram, e todos os detalhes que pudesse contar sobre os Cavaleiros Negros foram examinados.[21]

Elrond também estava profundamente interessado nos acontecimentos na Floresta Velha e nas Colinas-dos-túmulos. "Eu conheço as Cousas-tumulares", disse, "pois elas são muito parecidas com os Cavaleiros;[22] e maravilha-me saber de tua fuga deles. Mas nunca antes ouvi falar desse estranho Bombadil. Gostaria de saber mais sobre ele. Sabias da existência dele, Gandalf?"

"Sim", respondeu o mago. "E o procurei imediatamente, tão logo descobri que os hobbits tinham desaparecido da Terra-dos-Buques.

Depois de perseguir os Cavaleiros saindo de Cricôncavo, voltei para visitá-lo. Ouso dizer que ele teria mantido os viajantes por mais tempo em sua casa, se soubesse que eu estava por perto. Mas não tenho certeza: ele é uma criatura estranha e segue seu próprio alvitre, que poucos conseguem compreender."[23]

"Não podemos, mesmo agora, mandar-lhe mensagens e obter sua ajuda?", perguntou Erestor. "Parece que tem poder até sobre o Anel."

"Não é exatamente assim", disse Gandalf. "O Anel não tem poder sobre *ele* nem lhe confere poder; não é capaz de prejudicá-lo nem de servi-lo: Bombadil é mestre de si mesmo. Mas ele não tem poder sobre o Anel e não pode alterá-lo, nem quebrar seu poder sobre os demais. E acho que a maestria de Tom Bombadil só funciona em sua própria terra – e, até onde alcança minha memória, jamais pôs os pés para fora dela."[24]

"Mas, em seu território, nada parece afligi-lo", disse Erestor. "Será que ele não tomaria o Anel e o manteria lá, inofensivo para sempre?"

"Talvez ele aceitasse isso se todos os povos livres do mundo implorassem", disse Gandalf. "Mas não faria isso de bom grado. Pois é algo que apenas adiaria o dia maligno. Com o tempo, o Senhor do Anel descobriria o esconderijo e, por fim, viria em pessoa.[25] Duvido que Tom Bombadil, mesmo em seu próprio território, pudesse resistir a esse poder; mas tenho certeza de que não devemos deixar que ele o enfrente. Além disso, ele mora muito longe e o Anel só deixou suas terras correndo grandes riscos. Teria de atravessar perigos ainda maiores para voltar. Se o Anel deve ser escondido, certamente é aqui em Valfenda que deve ser guardado: isso se Elrond tiver forças para resistir à vinda de Sauron em todo o seu poder."

"Não tenho tais forças", admitiu Elrond.

"Nesse caso", observou Erestor,[26] "há apenas duas coisas que podemos tentar: podemos enviar o Anel para o Oeste através do Mar, ou podemos tentar destruí-lo. Se o Anel tivesse ido para o Oeste muito tempo atrás, talvez isso tivesse funcionado. Mas agora o poder do Senhor cresceu novamente, e ele está desperto e sabe onde está o Anel. A viagem para os Portos estaria ameaçada pelo maior dos perigos. Por outro lado, não podemos, pela nossa própria arte ou força, destruir o Anel; e a jornada para a Montanha de Fogo pareceria ainda mais perigosa, levando, como se vê, à fortaleza do Inimigo. Quem poderá resolver esse enigma para nós?"

"Ninguém aqui pode fazê-lo", disse Elrond com gravidade.[27] "Ninguém pode prever qual estrada leva à segurança, se é isso o que queres dizer. Mas posso escolher qual estrada é correto seguir, como me parece – e, de fato, a escolha é clara. O Anel deve ser enviado ao Fogo. O perigo é maior na estrada para oeste; pois meu coração me diz que esse é a estrada que Sauron espera que tomemos quando ouvir o que se passou. E, se a tomarmos, ele nos perseguirá com rapidez e decisão, já que devemos seguir para os Portos além das Torres. Esses ele certamente destruiria, mesmo que não nos encontrasse, e depois disso não haveria, para os Elfos, maneira de escapar do mundo que escurece."

"E o Condado também seria destruído", observou Troteiro em voz baixa, olhando para Bilbo e Frodo.

"Mas, na outra estrada", prosseguiu Elrond, "com rapidez e habilidade, os viajantes poderiam chegar longe sem que sejam notados. Não digo que há grande esperança na demanda; mas só assim algum bem duradouro poderia se realizar. No Anel está oculto muito do antigo poder de Sauron. Mesmo que ele não o possua, esse poder ainda vive e opera para ele e rumo a ele. Enquanto o Anel subsistir na terra ou no mar, ele não será vencido. Enquanto o Anel durar, ele crescerá e terá esperança, e o medo de que o Anel volte a cair em suas mãos pesará sobre o mundo. A guerra nunca cessará enquanto esse medo persistir, e todos os Homens se voltarão para ele."

"Não compreendo isso", disse Boromir. "Por que os Elfos e seus amigos não deveriam usar o Grande Anel para derrotar Sauron? E digo que *nem todos* os homens juntar-se-ão a ele: os homens de Ond jamais hão de submeter."

"Jamais é uma palavra comprida, ó Boromir", disse Elrond. "Os homens de Ond são valentes e ainda fiéis em meio a uma hoste de inimigos; mas o valor, por si, só não pode deter Sauron para sempre. Muitos de seus serviçais são igualmente valentes. Mas, quanto ao Anel Regente, ele pertence a Sauron e está repleto de seu espírito. Seu poder é grande demais para aqueles de menor força, como Bilbo e Frodo descobriram, e, no final, deve levá-los a Sauron como cativos, se continuarem com ele. Para aqueles que têm poder próprio, o perigo é muito maior. Com o Anel, poderiam quiçá derrubar o Senhor Sombrio, mas colocariam a si mesmos em seu trono. Então tornar-se-iam tão maus quanto ele, ou piores. Pois nada é mau no começo. O próprio Sauron não o era. Não ouso tomar o Anel para usá-lo."

"Nem eu", assentiu Gandalf.

"Mas não é verdade, como ouvi dizer, ó Elrond", insistiu Boromir, "que os Elfos ainda mantêm e usam Três Anéis, e, contudo, esses também vieram de Sauron nos tempos antigos? E os anãos também tinham anéis, dizem. Dize, Glóin, se o sabes, ainda resta algum dos Sete Anéis?"

"Não sei", disse Glóin. "Foi dito em segredo que Thráin (pai de Thrór, pai de Thorin,[28] que caiu em batalha) possuía um anel que lhe fora legado por seus antepassados. Uns diziam que era o último. Mas onde está é algo que nenhum anão sabe agora. Pensamos que talvez tenha sido tomado dele, antes que Gandalf o encontrasse nas masmorras de Mordor, há muito tempo[29] – ou talvez tenha se perdido em Moria. Contudo, em tempos recentes, temos recebido mensagens secretas de Mordor oferecendo-nos anéis novamente. Foi em parte por esse motivo que vim para Valfenda; pois as mensagens perguntavam de um certo *Bilbo* e ordenavam que obtivéssemos dele (voluntariamente ou não) o anel que possuía. Por esse anel nos ofereceram [sete >] três outros, tais como os nossos pais tinham outrora. Até por notícias de onde ele poderia ser encontrado nos ofereceram amizade perpétua e grande riqueza.[30] Nossos corações estão perturbados, pois percebemos que o Rei Brand, em Valle, está com medo, e, se não respondermos, Sauron induzirá outros homens a fazer o mal contra ele. Já existem ameaças de guerra no sul."

"Ao que parece, os Sete Anéis estão perdidos ou retornaram a seu Senhor", resumiu Boromir. "E quanto aos Três?"

"Os Três Anéis ainda subsistem", disse Elrond. "Eles conferiram grande poder aos Elfos, mas nunca lhes valeram em sua contenda com Sauron. Pois vieram do próprio Sauron e não podem outorgar engenho ou conhecimento que ele já não possuísse quando de sua feitura. E para cada raça os anéis do Senhor trazem tais poderes como os que cada uma deseja e é capaz de exercer. Os Elfos não desejavam força, dominação, nem riquezas, mas sutileza de ofício e saber, e conhecimento dos segredos do ser do mundo. Essas coisas eles obtiveram, porém com pesar. Mas elas se voltarão para o mal se Sauron recuperar o Anel Regente; pois então tudo o que os Elfos criaram ou aprenderam com o poder dos anéis tornar-se-á posse dele, como era seu propósito."

Ao lado dessa passagem acerca dos Três Anéis dos Elfos, meu pai escreveu mais tarde: "*Anéis-élficos* feitos por *Elfos* para eles próprios. Os 7 e os 9 foram feitos por Sauron – para enganar homens e anãos. Eles os aceitaram originalmente porque acreditavam que eram *anéis-élficos*." E ele também escreveu, separadamente, mas ao lado da mesma passagem: "Alterar isso: fazer com que os Anéis--élficos sejam dos próprios Elfos e os de Sauron sejam criados em resposta." Essa é a primeira aparição dessa ideia central relativa à origem e natureza dos Anéis; mas, como ela só surge na narrativa propriamente dita muito mais tarde, essas notas não podem ser contemporâneas do texto. — Em SA é Glóin, e não Boromir, quem levanta a questão dos Três Anéis dos Elfos; mas ele também afirma, tal como Boromir no presente texto, que eles foram feitos pelo Senhor Sombrio. Elrond corrige o erro de Glóin; contudo, num trecho anterior do Conselho (SA, p. 349) Elrond diz expressamente que Celebrimbor fez os Três, e que Sauron forjou o Um em segredo para ser o mestre deles. A afirmação de Glóin (SA, p. 383), portanto, não é apropriada, e provavelmente é um eco da concepção original dos Anéis por parte de meu pai. O texto continua:

"O que aconteceria então se o Anel Regente fosse destruído?", perguntou Boromir. "Os Elfos não perderiam o que já ganharam", respondeu Elrond; "mas os Três Anéis perderiam todo o poder depois disso."

"Contudo, essa perda", disse Glorfindel, "todos os Elfos sofreriam de bom grado, se por ela o poder de Sauron pudesse ser alquebrado."

"Assim voltamos mais uma vez ao ponto onde começamos", lamentou Erestor. "O Anel deveria ser destruído; mas não podemos destruí-lo, a não ser pela perigosa jornada até o Fogo. Que força ou astúcia temos para essa tarefa?"

"Nessa tarefa, é evidente que um grande poder de nada valerá", disse Elrond. "Ela deve ser tentada pelos fracos. Tal é o caminho que as coisas seguem. Nesta grande matéria, o destino já parece ter apontado o caminho para nós."

"Muito bem, muito bem, Mestre Elrond!", exclamou Bilbo de repente.[31] "Não digas mais! Pelo menos está bem claro o que *tu* estás indicando. Bilbo, o hobbit, começou esse assunto, e é melhor que Bilbo o acabe, ou se acabe. Eu estava muito confortável aqui, e continuando meu livro. Se queres saber, estou justamente escrevendo um desfecho para ele. Pensei em colocar 'e viveu feliz para sempre até o fim de seus dias': o que é um bom desfecho, e não importa que tenha sido usado antes. Agora vou ter de mudar isso – não parece ser verdade e, de qualquer forma, terá de haver mais vários capítulos, ainda que eu mesmo não os escreva. É um terrível inconveniente! Quando devo partir?"

Elrond sorriu, e Gandalf riu alto. "É claro", disse o mago, "que, se você realmente tivesse começado esse assunto, meu caro Bilbo, seria de se esperar que você o acabasse. Mas *começar* é uma palavra forte. Muitas vezes tentei sugerir que você só apareceu (acidentalmente, poderíamos dizer) no *meio* de uma longa história, que não foi inventada apenas para benefício seu. Isso, é claro, é verdade para todos os heróis e todas as aventuras, mas deixe isso para lá por ora. Quanto a você, se quiser mais uma vez minha opinião, diria que seu papel está concluído – exceto como registrador. Termine seu livro e deixe o final como está! Mas prepare-se para escrever uma continuação quando eles voltarem."

Bilbo, por sua vez, também riu. "Não me lembro de você me dar conselhos agradáveis antes, Gandalf", comentou ele, "ou me dizendo para fazer o que eu realmente queria fazer. Como todos os seus conselhos desagradáveis geralmente foram bons, fico pensando se este não é ruim. Mas é verdade que meus anos estão esticando e ficando finos, e acho que não tenho forças para lidar com o Anel. Mas me diga: a quem se refere quando diz 'eles'?"

"Aos aventureiros que serão enviados com o Anel."

"Exatamente, e quem serão eles? Parece-me que é precisamente isso que este conselho deve decidir agora."

Fez-se um longo silêncio. Frodo olhou para todos os rostos, mas ninguém olhou para ele – exceto Sam, em cujos olhos havia uma estranha mistura de esperança e medo. Todos os outros ficaram sentados como se estivessem pensando profundamente, com os olhos fechados ou fixos no chão. Um grande pavor dominou Frodo, e ele sentiu um desejo avassalador de ficar em paz ao lado de Bilbo em Valfenda.

Essas palavras estão no pé de uma página. A página seguinte, começando com "Finalmente, com esforço, ele falou", continua só por um trecho curto e foi substituída por outra começando com as mesmas palavras. Apresento as duas formas.

Finalmente, com esforço, ele falou. "Se essa tarefa está fadada a recair sobre os fracos", disse Frodo, "eu vou tentá-la. Mas hei de precisar da ajuda dos fortes e dos sábios."

"Creio, Frodo", disse Elrond, olhando-o de modo penetrante, "que essa tarefa está destinada a ti. Mas é muito bom que te ofereças sem que te seja pedido. Toda ajuda que pudermos oferecer será tua."

"Mas certamente não vai mandá-lo sozinho, mestre!", gritou Sam.

"Não deveras", disse Elrond, voltando-se para ele. "Tu, pelo menos, hás de ir com ele – já que estás aqui, embora eu não ache que tenhas sido convocado. Parece difícil te separar de teu patrão Frodo."

Sam sossegou, mas sussurrou para Frodo: "A que distância fica essa Montanha? Em que bela enrascada nos metemos, Sr. Frodo!"[32]

"Cuidar de hobbits não é uma tarefa de que todos gostariam", disse Gandalf, "mas estou acostumado com isso. Sugiro Frodo e seu Sam, Merry, Faramond e eu. São cinco. E Glorfindel, se ele vier e nos emprestar a sabedoria dos Elfos: havemos de precisar dela. São seis."

"E Troteiro!", disse Peregrin do canto. "São sete, e é um número adequado. O Portador-do-Anel terá uma boa companhia."

Aqui termina essa versão da passagem. Abaixo está uma frase inacabada a lápis: "A escolha é boa", disse Elrond. "Embora

Outro trecho muito apressado a lápis diz: "Alterar isso. Apenas Hobbits, incluindo Troteiro. Gandalf como [?guia] nos estágios iniciais. Gandalf diz que irá até o fim? Sem Glorfindel." E, embaixo dessas notas, o único nome isolado de *Boromir*. – No verso dessa página há um esboço notável dos acontecimentos que virão; sobre isso, ver pp. 505–6.

A página de substituição aborda a escolha da Companhia de forma bastante diferente:

Finalmente, com esforço, ele falou. "Eu levarei o Anel", disse ele. "Apesar de eu não conhecer o caminho."

Elrond olhou para ele de modo penetrante. "Se entendi toda a história que ouvi", ponderou ele, "creio que essa tarefa está destinada a ti, Frodo, e que, se não achares um caminho, nenhum outro achará."

"Mas certamente não vai mandá-lo partir sozinho, mestre!" exclamou Sam, incapaz de se conter.

"Não deveras!", disse Elrond, voltando-se para ele com um sorriso. "Ao menos tu hás de ir com ele, já que é quase impossível separar-te de Frodo – mesmo quando ele é convocado a um conselho secreto e tu não."

Sam sossegou, mas sussurrou para Frodo: "A que distância fica essa Montanha? Em que bela enrascada nos metemos, Sr. Frodo!"

"Quando devo começar?", perguntou Frodo.

"Primeiro deves descansar e recuperar tua força plena", respondeu Elrond, adivinhando o que ele estava pensando. "Valfenda é um lugar belo, e não te enviaremos até que o conheças melhor. E, enquanto isso, faremos planos para te orientar."

Na tarde após o conselho, Frodo estava caminhando pelos bosques com seus amigos. Merry e Faramond ficaram indignados quando souberam que Sam se esgueirara para dentro do conselho e fora escolhido como companheiro de Frodo. "Não vai ser o único!" disse Merry. "Cheguei muito longe e não vou ficar para trás agora. Alguém com inteligência tem de estar no grupo."

"Não acho que a sua inclusão vá ajudar muito nesse caso", brincou Faramond. "Mas é claro que você precisa ir, e eu também. Nós, hobbits, precisamos ficar unidos. Parece que nos tornamos extremamente importantes hoje em dia. Seria um belo de um susto para as pessoas lá no Condado!"

"Eu duvido!", discordou Frodo. "Quase ninguém acreditaria em uma só palavra. Gostaria de ser um deles e estar lá na Vila-dos-Hobbits. Quem quiser pode ficar com toda a minha importância."

"Uma importância totalmente acidental! Totalmente acidental, como sempre digo a vocês", advertiu uma voz atrás deles. Voltaram-se e viram Gandalf seguindo apressado por uma curva do caminho. "As vozes dos Hobbits se propagam bastante", disse ele. "Não tem problema falar desse jeito em Valfenda (ou assim espero); mas eu não discutiria esses assuntos em voz tão alta fora da casa. Sua importância é acidental, Frodo – quero dizer, outra pessoa poderia ter sido escolhida e agido tão bem quanto você –, mas é real. Ninguém mais pode ficar com ela agora. Então, tenha cuidado – todo cuidado é pouco! Quanto a vocês dois, se eu deixar vocês virem, terão de fazer exatamente o que eu mandar. E tomarei outras providências para o suprimento de inteligência."

"Ah, agora sabemos quem é realmente importante", riu-se Merry. "Gandalf nunca tem dúvidas quanto a isso e não deixa ninguém duvidar. Então você já está fazendo todos os preparativos, não está?"

"É claro!", confirmou Gandalf. "Mas se vocês, hobbits, desejam ficar unidos, não farei objeções. Vocês dois e Sam podem ir, se estiverem realmente dispostos. Troteiro também seria útil[33] – ele já viajou para o Sul antes. Boromir pode muito bem se juntar à comitiva, já que a estrada de vocês passa por suas próprias terras. Com isso teremos um grupo tão grande quanto é seguro ter."

"Quem será o cérebro do grupo?", perguntou Frodo. "Troteiro, suponho. Boromir é apenas alguém do Povo Grande, e eles não são tão sábios quanto os hobbits."

"Boromir tem mais do que força e coragem", respondeu Gandalf. "Ele vem de uma raça antiga que o povo do Condado não chegou a conhecer, pelo menos não desde dias que acabaram esquecendo. E Troteiro aprendeu muitas coisas em suas andanças que não são conhecidas no Condado.[34] Ambos sabem algo sobre a estrada: mas será necessário mais do que isso. Creio que *eu* terei de ir com vocês!"

Tão grande foi a alegria dos hobbits com esse anúncio que Gandalf tirou o chapéu e fez uma mesura. "Estou acostumado a cuidar de hobbits", disse ele, "quando eles esperam por mim e não saem correndo por aí sozinhos. Mas eu só disse '*creio* que terei que ir'. Pode ser apenas durante parte do caminho. Ainda não fizemos planos definitivos. Muito provavelmente não conseguiremos fazer nenhum plano desses."

"Quando você acha que partiremos?", perguntou Frodo.

"Não sei. Depende das notícias que recebermos. Os batedores terão de sair e descobrir o que puderem — especialmente sobre os Cavaleiros Negros."

"Pensei que todos tivessem sido destruídos na inundação!", lamentou Merry.

"Não se pode destruir os Espectros-do-Anel tão facilmente", disse Gandalf. "O poder de seu mestre está neles, e por ele mantêm-se de pé ou caem. Perderam sua montaria e seus disfarces, e serão menos perigosos durante algum tempo; no entanto, seria bom descobrirmos, se pudermos, o que estão fazendo. Com o tempo, receberão novas montarias e novos disfarces. Mas, por enquanto, vocês deveriam tirar todos os problemas dos seus pensamentos, se puderem."

Os hobbits não acharam isso fácil de fazer. Continuaram a pensar e a falar principalmente sobre a jornada e os perigos à sua frente. Contudo, tal era a virtude da terra de Elrond que em todos os seus pensamentos não vinha nenhuma sombra de medo. Esperança e coragem cresciam em seus corações, e a força em seus corpos. Em cada refeição, em cada palavra e canção eles encontravam deleite. O próprio ato de respirar o ar se tornou uma alegria, não menos doce porque o tempo de sua estadia era curto.

Os dias iam passando, embora o outono minguasse depressa, e todas as manhãs alvorecessem luminosas e belas. Mas lentamente a luz dourada se tornou prateada, e as folhas caíram das árvores. Os ventos sopravam gélidos das Montanhas Nevoentas no Leste. A Lua do Caçador crescia no céu noturno, pondo em fuga as estrelas menores e chamejando nas cachoeiras e remansos do Rio. Mas baixo, no Sul, um astro brilhava vermelho. A cada noite, à medida que a lua voltava a minguar, ele brilhava mais forte. Frodo podia vê-lo através de sua janela, nas profundezas do céu, ardendo como um olho colérico, observando-o e esperando que partisse.

No final do texto meu pai escreveu: "Lua Nova 24 de outubro. Lua Cheia do Caçador 8 de novembro". Ver p. 523, nota 19.

O manuscrito é interrompido aqui por um título, "O Anel Vai Para o Sul", mas sem um novo número de capítulo, e o que se segue foi escrito de forma contínua com o que o precede.

Ver-se-á que a maior parte do conteúdo de "O Conselho de Elrond" em SA está ausente; mas embora a textura passada e presente do mundo seja muito mais fina na forma original, a discussão sobre o que fazer com o Anel já está presente, em seu padrão essencial de argumentação.

Gandalf diz que o caminho para a Montanha de Fogo passa pelas terras de Boromir. Pode muito bem ser que, nessa fase, a geografia das terras a sul e a leste das Montanhas Nevoentas ainda fosse bastante incompleta, embora a Floresta de Fangorn, os Pântanos Mortos, a Terra de Ond (Gondor) e as "Montanhas do Sul" tenham sido citadas por nome (pp. 490–1, 495). Outros aspectos dessa questão aparecem no próximo capítulo.

É curioso que, embora Elrond diga no início que Boromir traz notícias que devem ser consideradas, não se conta quais eram essas notícias. No esboço original para o Conselho (p. 492) diz-se que os homens de Ond "estão sitiados por homens selvagens vindos do Leste"; e, no texto que acabamos de apresentar (p. 497), Elrond diz que eles são "ainda fiéis em meio a uma hoste de inimigos".

Odo Bolger finalmente desapareceu (pelo menos com esse nome); e Folco foi renomeado como *Faramond*. Esse nome apareceu nos rascunhos datados de agosto de 1939, mas lá foi proposto para o próprio Frodo (p. 462). A Sociedade do Anel agora muda novamente, e não pela última vez: como logo se pode imaginar, definir a formação dos "Nove Caminhantes" causou grande dificuldade ao meu pai. No primeiro rascunho para o Conselho de Elrond (p. 490), a ideia é que eles fossem:

> Gandalf. Troteiro. Frodo. Sam. Merry. Folco. Odo. Glorfindel. Burin, filho de Balin. (9)

Na página rejeitada do texto que acabamos de fornecer (p. 501), a Companhia passa a ser:

> Gandalf. Troteiro. Frodo. Sam. Merry. Faramond. Glorfindel. (7)

Uma nota nessa página propõe que a Companhia consista apenas em hobbits, com Gandalf acompanhando-os ao menos no começo, mas sem Glorfindel. No texto de substituição (p. 503), Gandalf sugere:

> Gandalf. Troteiro. Frodo. Sam. Merry. Faramond. Boromir. (7) – e essa foi de fato a composição do grupo na narrativa original da viagem para o sul até Moria.

A continuação da história no manuscrito original ("O Anel Vai para o Sul") é apresentada no próximo capítulo; mas, antes de concluir o presente capítulo, é preciso apresentar o notável esquema de eventos futuros encontrado no verso de uma página rejeitada do texto do Conselho de Elrond (ver p. 501). Esse texto claramente corresponde à época do manuscrito no qual está incluído. No esquema do curso posterior da história datado de agosto de 1939 (p. 472, §9), não há sugestão do reaparecimento de Gollum antes da chegada a Mordor; e a referência, no presente esquema, ao fato de Frodo ter ouvido o tamborilar dos pés de Gollum nas Minas mostra que ele precedeu o primeiro rascunho do capítulo sobre Moria.

Gollum deve reaparecer em ou depois de Moria. Frodo ouve um tamborilar de pés.

Floresta de Fangorn. De alguma forma — ouve uma voz ou vê algo fora do caminho, ou ? assustado com Gollum — Frodo deve se separar do resto.

Fangorn é uma floresta perene (carvalho azevinho?). Árvores de *imensa* altura. (*Beleghir* [*escrito a lápis em cima: Anduin*] O Grande Rio se divide em muitos canais.) Digamos 500–1.000 pés. Ele vai até as Montanhas [Azuis>] Negras, que não são muito altas (correm NEN-SEO [*ou seja, Norte-Nordeste – Oeste-Sudoeste*]), mas muito íngremes no lado N.

Se Barbárvore aparecer mesmo — fazer com que ele seja gentil e bastante bom? Cerca de 50 pés de altura com pele semelhante a casca. Cabelo e barba que lembram bastante *galhos*. Vestido de verde escuro como uma cota de malha de folhas curtas e brilhantes. Ele tem um castelo nas Montanhas Negras e muitos nobres e seguidores. Eles se parecem com árvores jovens [?quando] estão de pé.

Fazer com que Frodo fique aterrorizado com Gollum após um encontro em que Gollum fingiu fazer amizade, mas tentou estrangular Frodo enquanto ele dormia e roubar o Anel. Barbárvore o encontra perdido e o carrega para as Montanhas Negras. É só aqui que Frodo descobre que ele é amigável.

Barbárvore o leva a caminho de Ond. Seus batedores relatam que Ond está sitiada e que Troteiro e quatro [*escrito em cima*: 3?] outros foram capturados. Onde está Sam? (Sam é encontrado na Floresta. Ele tinha se recusado a continuar sem Frodo e continuou procurando por ele.)

Os gigantes-árvores atacam os sitiantes e resgatam Troteiro etc. e levantam o cerco.

(Se essa trama for usada, será melhor não ter Boromir no grupo. Trocá-lo por Gimli? filho de Glóin – que foi morto em Moria. Mas Frodo pode levar mensagens de Boromir para seu pai, o R[ei] de Ond.)

Próxima etapa – eles partem para a Montanha de Fogo. Têm de contornar Mordor pela sua borda oeste.

Nesse breve esboço, vemos o ponto de partida, na expressão escrita, de dois "momentos" fundamentais na narrativa de *O Senhor dos Anéis*: a separação de Frodo da Comitiva (depois mitigada pelo reencontro dele com Sam), e o ataque feito por "árvores gigantes" de Fangorn contra os inimigos de Gondor; mas o quadro narrativo apresentado aqui era inteiramente efêmero. Encontramos também outra imagem antiga do Gigante Barbárvore: ainda de imensa altura, como no texto apresentado nas páginas 474–7, no qual sua voz descia até Frodo vinda do alto das árvores, mas não mais hostil como captor de Gandalf (p. 448), "que finge ser amigável, mas na verdade tem uma aliança com o Inimigo". (p. 476). Afirma-se agora que Boromir é filho do Rei de Ond; mas a morte de Gimli em Moria é uma ideia que não chegou a ser mais desenvolvida. Aqui temos a primeira aparição de um nome élfico, *Beleghir*, para o Grande Rio, que corria pela Floresta de Fangorn (ver p. 506). A Floresta "vai até as Montanhas [Azuis >] Negras"; cf. o esquema do Conselho de Elrond (p. 490), no qual Gandalf diz que o Gigante Barbárvore "assombra a Floresta entre o Rio e as Montanhas do Sul". Mas de Lothlórien e Rohan ainda não há qualquer indício.

NOTAS

1 A última folha do capítulo original (ver p. 267) terminava com as palavras "um rei forte, cujo reino incluía Esgaroth e muitas terras ao sul das grandes cachoeiras" no final da página (numerada "9.8"), e o verso da folha ficou em branco. A primeira versão da continuação foi escrita (em rabiscos rápidos à tinta) independentemente do texto antigo; a segunda, também muito tosca e quase toda a lápis, começa no verso não utilizado de "9.8", onde, no entanto, meu pai escreveu, antes de começar, "9.9", embora naquele momento ele não tenha usado a página. Quando voltou ao manuscrito mais tarde, ele não mudou o número do capítulo, mas continuou a numeração "9.10" etc.; isso, entretanto, foi mera distração da parte dele, uma vez que o capítulo não poderia mais ser numerado como "9" nesse momento.

2 A referência é ao final de *O Hobbit*; cf. pp. 24–5 e nota 3.

3 Na primeira versão, Glóin não admite ter ficado aquém da habilidade dos seus antepassados: "Ele começou a falar de novas invenções e das grandes obras em que o povo da Montanha estava agora trabalhando; de armaduras de força e beleza insuperáveis, espadas mais afiadas e fortes ..." – A frase "Deverias ver os canais de Valle, Frodo, e as fontes, e as lagoas!" remonta ao primeiro rascunho.

4 Esse nome é encontrado apenas no primeiro dos dois textos, mas aparece mais tarde no segundo (p. 488).

5 Cf. pp. 264, 269, 448. – Peregrin desapareceu do Condado quando tinha 33 anos, época em que Frodo tinha apenas dois anos (ver p. 480, nota 9).

6 Quando meu pai escreveu essa passagem, ele evidentemente tinha em mente, pelo menos como uma possibilidade, uma canção cômica, recebida com as

"risadas ressoantes" que acordaram Frodo; pois, no topo da página, ele escreveu "Canção do Trol" – uma ideia passageira antes de a canção ser atribuída, de forma muito mais apropriada, a Sam nas Matas dos Trols. Mas ele também escreveu "Fazer com que B[ilbo] cante *Tinúviel*", e a palavra "?Mensageiro". Essa é uma referência ao poema *Vida Errante* (publicado na *Oxford Magazine* em 9 de novembro de 1933, e com muitas outras mudanças em *As Aventuras de Tom Bombadil*, de 1962). A canção de Bilbo, *Eärendil foi um navegante*, deriva (em certo sentido) de *Vida Errante*, e seu texto mais antigo ainda começa assim:

Havia um alegre mensageiro,
um passageiro, um navegante,
a sua barca fez dourada,
o remo em prata fez, brilhante...[A]

[7] No primeiro texto o anão que acompanha Glóin se chama *Frár*; na margem está escrito a lápis *Burin, filho de Balin*. Frár também aparece no esquema do Conselho de Elrond na p. 490, novamente substituído por Burin.

[8] A presença de um Elfo de Trevamata foi um acréscimo ao segundo texto.

[9] Conforme está escrito, o primeiro texto diz aqui: "dois parentes de Elrond, os Pereldar ou gente meio-élfica ..." O termo *Pereldar* foi riscado, provavelmente de imediato. No *Quenta Silmarillion*, os *Pereldar* ou "Meio-eldar" são os Danas (Elfos-verdes): V.254. Os Danas também eram chamados de "os Amantes de Lúthien" (V.255). Em SdA (Apêndice A I (i)) Elros e Elrond são chamados de *Peredhil* "Meio-elfos"; uma designação anterior para eles era *Peringol, Peringiul* (V.182).

[10] Os Portos Cinzentos são citados pela primeira vez na versão da terceira fase de "História Antiga", p. 393.

[11] Os colchetes estão no original.

[12] Tal como na nota 11.

[13] O texto está assim, com duas passagens começando com "No entanto, nos últimos tempos temos recebido mensagens secretas de Mordor", mas nenhuma delas foi rejeitada.

[14] O nome *Boromir*, designando o segundo filho de Bor, que morreu na Batalha das Lágrimas Inumeráveis, apareceu nos *Anais Tardios de Beleriand* e no *Quenta Silmarillion* (V.162, 342, 372). Para a etimologia do nome, ver V.425, 452.

[15] Esta frase é uma correção posterior de "Mas os rostos daqueles que estavam sentados na sala eram sérios". Numa abertura rejeitada do texto, Gandalf diz: "É melhor irmos imediatamente para os aposentos de Elrond", e, na ala oeste da casa, ele bate numa porta e entra "num pequeno quarto, cujo lado oeste se abria para uma varanda além da qual o chão descia íngreme até o rio espumejante". Na abertura revisada que apresentei, o Conselho de Elrond ocorreuma varanda (como em SA, p. 346), embora ainda tenha sido descrito aqui como um "aposento", até que essa correção foi feita.

[16] Essa primeira aparição de Gimli, filho de Glóin, é uma alteração feita a lápis, mas não muito depois.

[17] No relato anterior sobre os presentes no Conselho (p. 488), os três conselheiros de Valfenda são Erestor, chamado de "um Elfo", e "dois outros parentes de Elrond, daquele povo meio-élfico a quem os Elfos chamavam de filhos de Lúthien" – o que parece, entretanto, implicar que Erestor também era parente de Elrond.

[18] Em SA (p. 346), Galdor, que aqui é o precursor de Legolas, é o nome do Elfo dos Portos Cinzentos enviado em missão por Círdan. *Galdor* ainda não era o nome do pai de Húrin e Huor; no *Quenta Silmarillion* ele ainda se chamava *Gumlin*.

[19] A primeira referência aos Pântanos Mortos.

[20] Meu pai colocou entre colchetes a passagem que vai de "Desde então, tenho usado sapatos" até "feridos de alguma forma", e escreveu na margem (com um ponto de interrogação) que deveria ser revelado mais tarde que Troteiro tinha pés de madeira. Essa é a primeira aparição da história de que foi Troteiro quem encontrou Gollum (na versão de "História Antiga" na terceira fase, p. 395, Gandalf ainda diz a Frodo que ele próprio havia encontrado Gollum em Trevamata); e a experiência de Troteiro em Mordor, várias vezes mencionada ou sugerida (ver pp. 280, 460), é explicada ao mesmo tempo.

[21] Escrito na margem desse parágrafo: "Cativeiro de Gandalf".

[22] Ver pp. 151–2.

[23] Uma forma anterior dessa passagem faz Gandalf responder a Elrond: "Eu sabia da existência dele. Mas tinha me esquecido. Devo ir vê-lo assim que houver uma oportunidade." Isso foi alterado – no momento em que o texto foi escrito – para a passagem que apresentei, na qual Gandalf diz que ele chegou mesmo a visitar Tom Bombadil após o ataque a Cricôncavo – a primeira aparição de uma ideia que será encontrada novamente, embora o encontro de Gandalf e Bombadil nunca (infelizmente!) tenha alcançado forma narrativa. Cf. a passagem isolada nas pp. 267–8, onde Gandalf diz em Valfenda: "Por que não pensei em Bombadil antes! Se ao menos ele não estivesse tão longe, eu voltaria imediatamente para consultá-lo." Ver também p. 427 e a nota 11. – Gandalf não menciona Odo aqui, e fica claro no final deste capítulo que o personagem foi retirado da narrativa em Valfenda (ver pp. 502, 505).

[24] Na versão da terceira fase de "Na Estalagem do Pônei Empinado", ainda fica claro que Tom Bombadil era conhecido por visitar a taverna em Bri (p. 413).

[25] Nos rascunhos iniciais dessa passagem, meu pai escreveu: "e, por fim, viria em pessoa; e as Cousas-tumulares iriam", riscando essas últimas palavras enquanto escrevia e alterando-as para: "e, mesmo em seu próprio terreno, Tom Bombadil, sozinho, não poderia resistir ileso a esse ataque". – "Senhor do Anel" foi grafado originalmente como "Senhor dos Anéis", mas alterado imediatamente.

[26] *Erestor* é uma alteração de *Glorfindel*, o qual, por sua vez, é uma alteração de *Elrond*. Ver p. 489.

[27] Esta resposta a Erestor foi atribuída primeiro a Gandalf, pois Erestor lhe dirigiu a pergunta: "Consegues resolver esse enigma, Gandalf?". Ao que Gandalf respondeu: "Não! Não consigo. Mas posso escolher, se desejas que eu escolha." A passagem foi então alterada imediatamente para a forma já apresentada.

[28] Em *O Hobbit*, Thráin não era o pai de Thrór, mas seu filho. Essa é uma questão complexa que será discutida no Vol. VII.

[29] Nas masmorras de Dol Guldur, em Trevamata, segundo SA (p. 383).

[30] Quando essa passagem foi escrita pela primeira vez, Glóin diz que as mensagens de Mordor ofereceram aos Anãos "um anel"; e que eles receberam ofertas de paz e amizade se conseguissem obter o anel de Bilbo, ou mesmo dizer onde ele poderia ser encontrado. Conforme o texto foi alterado posteriormente, suas palavras se aproximam do que ele conta em SA (p. 348); e a história no primeiro rascunho do Conselho (p. 491), segundo a qual os Anãos ainda possuíam alguns de seus antigos Anéis, Dáin tinha um deles e Sauron estava exigindo que os devolvessem, já foi abandonada.

[31] Ver p. 459, no final do esquema narrativo §2.

[32] O capítulo "O Conselho de Elrond" em SA (Livro II, capítulo 2) termina aqui.

[33] "Troteiro também seria útil" foi alterado para "Troteiro também será essencial"; e, provavelmente ao mesmo tempo, meu pai escreveu na margem: "Troteiro está ligado ao Anel". Essa alteração vem, portanto, de um momento ligeiramente posterior, quando ele estava chegando à concepção da natureza de Aragorn e sua ancestralidade. Ver nota 34.

[34] Troteiro, é claro, ainda era um hobbit. Na margem, meu pai escreveu ao lado dessa passagem: "Corrigir isso. Apenas Troteiro é de uma raça antiga" (ou seja, Troteiro é um Númenóreano, mas Boromir não).

24

O Anel Vai para o Sul

Como eu disse, esta próxima etapa da história foi escrita de modo contínuo no mesmo texto da primeira versão de "O Conselho de Elrond". Após a descrição do astro vermelho no Sul (SA, p. 391), há o título "O Anel Vai para o Sul", mas nenhum novo número de capítulo, e a numeração das páginas não recomeça.

Apresento agora o texto dessa primeira versão de "O Anel Vai para o Sul" (que se estende um pouco até o capítulo seguinte de SA, 2.4, "Uma Jornada no Escuro"). Trata-se de um manuscrito excepcionalmente difícil, e também difícil de representar. Creio que ele *não* se baseou em quaisquer notas ou esboços preliminares, exceto em uma passagem,[1] e que meu pai o escreveu *ab initio* como uma narrativa completa; e, sendo assim, é notável o quanto de seu texto sobreviveu até a forma final, apesar das diferenças radicais – já que Troteiro ainda era o hobbit Peregrin e nem o Anão nem o Elfo estavam presentes. A comitiva, como já foi observado, consistia em Gandalf, Boromir e cinco hobbits — ainda que um deles, é verdade, não fosse nenhum hobbit inexperiente do Condado.

Meu pai escreveu quase tudo à tinta, mas o fez de modo extremamente rápido (ainda que, com paciência – e alguma ajuda do texto de SA – todas as palavras, exceto algumas, possam ser decifradas), tão rápido que muitas vezes deixava de lado o que tinha escrito, mas rejeitado, enquanto avançava para um novo fraseado ou formulação; e a expressão é muitas vezes rudimentar e inacabada. Posteriormente, ele revisou o texto a lápis, mas a grande maioria dessas alterações corresponde, tenho certeza, a uma época muito próxima da escrita original, e algumas delas comprovadamente estão nessa categoria. Outras, muito poucas, são certamente posteriores e introduzem referências a Gimli e Legolas que são cronologicamente e estruturalmente irrelevantes. Existem também algumas alterações com tinta vermelha, mas essas se referem apenas a alguns nomes de lugares.

No texto aqui publicado, adoto alterações a lápis que parecem certamente "precoces": poucas afetam a narrativa em qualquer aspecto importante, e, onde o fazem, o texto original é fornecido nas notas. As notas são, aqui, parte integrante da representação do manuscrito.

O Anel Vai para o Sul

Quando Frodo já estava havia cerca de quinze dias em Valfenda, e novembro já tinha uma semana ou mais,[2] os batedores começaram a voltar. Alguns tinham ido para o norte até os Vales-do-Riacho-escuro,[3] e outros para o sul, quase até o Rio Via-rubra. Alguns atravessaram as montanhas, tanto pela Passo Alto quanto pelo Portão dos Gobelins (Annerchin), e pela passagem nas nascentes do Rio de Lis. Esses foram os últimos a retornar, pois haviam descido para as Terras-selváticas até os Campos de Lis,[4] e isso ficava muito longe de Valfenda, mesmo para os Elfos mais velozes. Mas nem eles nem aqueles que receberam a ajuda das Águias perto do Portão dos Gobelins[5] ficaram sabendo de qualquer notícia – exceto que os lobos selvagens chamados wargs estavam se reunindo de novo e caçavam mais uma vez entre as Montanhas e Trevamata. Nenhum sinal dos Cavaleiros Negros tinha sido achado – exceto, nas rochas abaixo do Vau, os corpos de quatro [*escrito em cima*: vários] cavalos afogados e [?uma] longa capa negra, retalhada e esfarrapada.

"Nunca se sabe", disse Gandalf, "mas parece que os Cavaleiros foram dispersos – e tiveram de dar um jeito de achar o caminho de volta a Mordor. Nesse caso, ainda vai demorar muito até que a caçada recomece. E terão de voltar aqui para achar o rastro – se formos afortunados e cuidadosos, e eles não obtiverem notícias sobre nós no caminho. Agora é melhor sairmos o mais rápido e o mais silenciosamente possível."

Elrond concordou e os advertiu para que viajassem durante o crepúsculo e no escuro sempre que possível, e permanecessem escondidos, quando pudessem, no auge da luz do dia. "Quando a notícia chegar a Sauron", disse ele, "sobre a derrota dos Nove Cavaleiros, ele ficará cheio de grande raiva. Quando a caçada recomeçar, será muito maior e mais voraz."

"Há ainda mais Cavaleiros Negros, então?", perguntou Frodo.

"Não! Existem apenas nove Espectros-do-Anel. Mas, quando saírem afora de novo, temo que tragam uma hoste de coisas malignas em seu séquito e espalhem seus espiões por todas as terras. Até mesmo quanto ao céu acima de vós deveis vos acautelar ao seguir viagem."

Chegou um dia frio e cinzento de meados de novembro.[6] O vento Leste voava através dos ramos nus das árvores e fervilhava nos abetos das colinas. As nuvens apressadas estavam baixas e não se via o sol. Quando as sombras tristonhas do início da noite começaram a cair, os aventureiros se aprestaram para partir. Suas despedidas foram todas feitas perto da lareira no grande salão, e aguardavam apenas Gandalf, que ainda estava na casa trocando algumas palavras finais em particular com Elrond. A comida extra, as roupas e outros itens necessários foram carregados em dois pôneis de patas confiáveis. Os próprios viajantes seguiriam a pé; pois seu curso percorreria terras onde havia poucas estradas e os caminhos eram acidentados e difíceis. Mais cedo ou mais tarde, teriam de atravessar as Montanhas. Além disso, viajariam, na maior parte do tempo, no crepúsculo ou no escuro.[7] Sam estava ao lado dos dois pôneis de carga, sugando os dentes e fitando melancolicamente para a casa – seu desejo de aventura estava na maré baixa. Mas naquela hora nenhum dos hobbits tinha ânimo para a jornada – havia algo gelado em seus corações, e um vento frio em seus rostos. Um clarão de fogo saía pelas portas abertas; luzes brilhavam em muitas janelas, e o mundo lá fora parecia vazio e frio. Bilbo, encolhido em seu manto, estava em silêncio na soleira da porta ao lado de Frodo. Troteiro estava sentado, de cabeça inclinada até os joelhos.[8]

Finalmente Elrond saiu com Gandalf. "Agora, adeus!", exclamou. "Que a bênção dos Elfos e Homens e de todos os povos livres vá convosco. E que estrelas alvas brilhem sobre vossa jornada!"

"Boa… boa sorte!", disse Bilbo, gaguejando um pouco (talvez por causa do frio). "Não acho que você consiga escrever um diário, Frodo, meu rapaz, mas vou esperar um relato completo quando você voltar. E não demore muito: já vivi mais do que esperava. Adeus!"

Muitos outros da casa de Elrond estavam nas sombras, observando sua partida, dizendo-lhes adeus com vozes suaves. Não houve risos, nem canções ou música. Por fim, em silêncio, deram-lhes as costas e, conduzindo seus pôneis, desvaneceram rapidamente na escuridão que se fechava.

Atravessaram a ponte e, fazendo curvas, subiram devagar pelas trilhas longas e íngremes que saíam do vale partido de Valfenda, chegando finalmente às altas charnecas, cinzentas e informes sob as estrelas enevoadas. Então, com um último olhar para as luzes da Última Casa Hospitaleira, seguiram em frente noite adentro.

No Vau, deixaram a estrada oeste que atravessava o Rio; e, virando à esquerda, seguiram por trilhas estreitas em meio às terras acidentadas. Estavam indo para o Sul. O propósito deles era manter esse curso por muitas milhas e dias do lado oeste das Montanhas Nevoentas. A região era muito mais selvagem e difícil do que no verde vale do Grande Rio, nas Terras-selváticas, do lado leste da cordilheira, e seu avanço seria muito mais lento; mas daquele modo esperavam escapar da atenção de inimigos. Os espiões de Sauron raramente tinham sido vistos até então nas regiões do oeste; e as trilhas eram pouco conhecidas, a não ser da gente de Valfenda. Gandalf andava na frente e com ele ia Troteiro, que conhecia essa região até no escuro. Boromir vinha atrás, na retaguarda.

A primeira parte da jornada foi tristonha e sombria, e Frodo pouco recordou dela, exceto pelo vento frio. Ele soprou gelado das montanhas a leste durante muitos dias sem sol, e nenhuma roupa parecia capaz de repelir seus dedos invasivos. Estavam bem equipados com roupas quentes que receberam em Valfenda, e tinham gibões e mantos forrados com pelos, bem como muitos cobertores, mas raramente se sentiam aquecidos, quer andando, quer parados. Dormiam inquietos durante o meio do dia, em alguma depressão do terreno, ou ocultos sob os espinheiros emaranhados que cresciam em grandes moitas naquelas paragens. No final da tarde, eram acordados e faziam sua refeição principal: geralmente fria e sem graça e com pouca conversa, pois raramente arriscavam acender uma fogueira. À tardinha prosseguiam de novo, o mais diretamente para o sul que conseguiam.

No começo parecia aos hobbits que estavam se arrastando como caracóis e não chegavam a lugar nenhum; pois a cada dia o terreno tinha exatamente a mesma aparência que no dia anterior. Contudo, o tempo todo, as montanhas que ao sul de Valfenda se curvavam para o oeste iam ficando mais próximas. Cada vez mais não encontravam caminhos e tinham de fazer curvas largas para evitar lugares íngremes, matagais ou pântanos de maus bofes e traiçoeiros. A terra se revolvia em colinas áridas e fundos vales repletos de águas turbulentas.

Mas, depois de passarem cerca de dez dias na estrada, o tempo melhorou. O vento de repente se desviou para o sul. As nuvens que fluíam depressa levantaram-se e derreteram e o sol saiu.

Veio um amanhecer ao final de uma longa e cambaleante marcha noturna. Os viajantes alcançaram uma crista baixa coroada de antigos pés de azevinhos, cujos troncos pálidos e estriados pareciam ter sido formados a partir da própria rocha das colinas. Suas bagas brilhavam vermelhas à luz do sol nascente. Longe no sul, Frodo viu as formas indistintas das montanhas, que agora pareciam se deitar na frente do caminho da comitiva. À esquerda daquela cordilheira distante, um pico alto se erguia como um dente: havia neve em sua ponta, mas a sua falda ocidental, nua, brilhava avermelhada na luz crescente.

Gandalf, parado ao lado de Frodo, espiou por baixo da mão. "Viemos bem", disse. "Chegamos às bordas da região chamada Azevim: muitos Elfos viviam aqui outrora, em dias mais felizes. Percorremos oitenta léguas,[9] no mínimo, e marchamos mais rápido que o inverno vindo do Norte. Agora o terreno e o tempo serão mais amenos – mas quem sabe ainda mais perigosos."

"Com perigo ou não, um nascer do sol de verdade é muito bem-vindo", disse Frodo, jogando o capuz para trás e deixando a luz da manhã brincar em seu rosto.

"Montanhas à frente!", exclamou Faramond. "Parece que viramos para o leste."

"Não, foram as montanhas que viraram", disse Gandalf.[10] "Você não se lembra do mapa de Elrond em Valfenda?"

"Não, não o observei com muito cuidado", admitiu o hobbit. "Frodo tem uma cabeça melhor para coisas desse tipo."

"Bem, qualquer um que observasse o mapa", disse Gandalf, "veria que ao longe fica Taragaer, ou Chifre-rubro,[11] – aquela montanha com a lateral vermelha. As Montanhas Nevoentas se dividem ali e entre seus braços fica a terra[12] de Caron-dûn, o Vale Vermelho.[13] Nosso caminho fica ali: sobre o Passo Vermelho de Cris-caron,[14] sob a lateral de Taragaer, entrando em Caron-dûn e descendo o Rio Via-rubra[15] – até o Grande Rio, e..." Ele parou de falar.

"Sim, e depois aonde?", perguntou Merry.

"Ao final da jornada – no fim", respondeu Gandalf. "Mas, primeiro, rumo à floresta perene de Fangorn, no meio da qual corre o Grande Rio.[16] Mas não olharemos muito adiante. Contentemo-nos de que a primeira etapa foi cumprida em segurança. Acho que vamos descansar aqui o dia inteiro. Há um ar sadio em Azevim. Muito mal precisa acontecer em uma região para que ela se esqueça dos Elfos por completo, se alguma vez eles lá habitaram."

Naquela manhã fizeram fogo em uma baixada funda oculta por dois grandes azevinhos, e o jantar foi mais alegre do que tinha sido desde que haviam deixado a casa de Elrond. Depois, não se apressaram a ir para a cama, pois tinham a noite toda para dormir e não pretendiam prosseguir até o anoitecer do dia seguinte. Apenas Troteiro estava mal-humorado e inquieto. Depois de um tempo, ele deixou a comitiva e perambulou pela crista, olhando para as terras a sul e a oeste. Voltou e ficou olhando para eles.

"Qual é o problema?", perguntou Merry. "Sente falta do vento leste?"

"Não mesmo", respondeu Troteiro. "Mas sinto falta de algo. Conheço Azevim bastante bem e já estive aqui em muitas estações do ano. Ninguém mora na região agora, mas muitas outras coisas vivem aqui, ou costumavam viver aqui – especialmente aves. Mas agora está muito silencioso. Consigo sentir. Não há ruído algum num raio de milhas, e as vozes de vocês parecem fazer o chão ecoar. Não consigo entender por quê."

Gandalf ergueu os olhos rapidamente. "Mas qual você *acha* que é o motivo disso?", perguntou. "Há algo mais do que a surpresa em ver um grupo inteiro de hobbits (para não falar de Boromir e de mim) onde pessoas aparecem tão raramente?"

"Espero que seja isso", disse Troteiro. "Mas tenho uma sensação de vigilância e de medo que nunca tive aqui antes."

"Muito bem! Sejamos mais cuidadosos", disse Gandalf. "Se trouxemos um Caminheiro conosco, é melhor prestar atenção nele — especialmente se o Caminheiro for Troteiro, como já percebi antes. Existem algumas coisas que mesmo um mago experiente não percebe. É melhor pararmos de conversar agora, descansarmos em silêncio e organizarmos a vigilância."

Era a vez de Sam de montar a primeira guarda, mas Troteiro se juntou a ele. Os outros logo adormeceram, um a um. O silêncio aumentou até o próprio Sam conseguir senti-lo. A respiração dos que dormiam podia ser ouvida claramente. O balançar da cauda de um pônei e os movimentos ocasionais das patas dele se tornaram ruídos altos. Sam parecia ouvir suas juntas rangendo quando se ajeitava ou se mexia. Acima de tudo pairava um céu azul enquanto o sol viajava, alto e luzente. As últimas nuvens derreteram. Mas ao longe, no sudeste, uma mancha escura cresceu e se dividiu, voando como fumaça para o norte e para o oeste.

"O que é isso?" disse Sam em um sussurro para Troteiro. O hobbit mais velho não respondeu, pois fitava o céu atentamente, mas logo Sam pôde ver por si mesmo o que era. As nuvens eram bandos de aves voando a grande velocidade, dando piruetas e descrevendo círculos, atravessando toda a região como se estivessem em busca de alguma coisa.

"Deite-se no chão, imóvel", chiou Troteiro, puxando Sam para a sombra de um pé de azevinho – pois um regimento de aves havia se separado do bando ocidental e voltado, voando baixo, bem acima da crista onde os viajantes estavam deitados. Sam pensou que eram uma espécie de corvo de grande tamanho. Ao passarem por cima, ouviu-se um grasnido rouco.

Só depois que eles tinham quase sumido ao longe é que Troteiro se mexeu. Foi, então, acordar Gandalf.

"Regimentos de corvos negros estão voando de um lado para outro sobre Azevim", disse. "Não são nativos deste lugar. Não sei o que estão procurando – é possível que algum problema esteja acontecendo lá no sul: mas acredito que estão espionando a região. Também acho que vi falcões voando mais alto no céu. Isso explicaria o silêncio.[17] Deveríamos seguir viagem de novo esta noite. Receio que Azevim não seja mais segura para nós: está sendo vigiada."

"E, nesse caso, o Passo Vermelho também está, e não sei como podemos atravessá-lo sem ser vistos", completou Gandalf. "Mas pensaremos nisso quando chegarmos mais perto. Sobre sair daqui esta noite: receio que você tenha razão."

"Ainda bem que não deixamos nossa fogueira fazer muita fumaça", observou Troteiro. "Já estava apagada (eu acho) antes de os pássaros chegarem. Não deve ser acesa de novo."

"Ora, se isso não é decepcionante!", lamentou Faramond. Tinha recebido a notícia assim que acordou (no final da tarde): nada de fogueira e andar outra vez à noite. "Eu estava esperando uma boa refeição esta noite, alguma coisa quente. Tudo por causa de um bando de corvos!"

"Bem, pode continuar esperando", ironizou Gandalf. "Pode ser que haja muitos banquetes inesperados pela frente! Pessoalmente, gostaria de fumar um cachimbo de tabaco com conforto e pés mais quentes. No entanto, pelo menos de uma coisa temos certeza: ficará mais quente à medida que avançarmos para o sul."

"Quente demais, já estou até vendo!", comentou Sam com Frodo. "Mas eu é que ficaria feliz em ver aquela Montanha de Fogo, e ver também o fim da estrada lá na frente, por assim dizer. Achei que ela poderia ser esse Chifre-rubro, ou seja lá qual for o nome, até que o Sr. Gandalf explicou que não era." Os mapas não diziam nada a Sam, e todas as distâncias naquelas terras estranhas pareciam tão vastas que ele estava totalmente desorientado.

Os viajantes permaneceram escondidos durante todo aquele dia. As aves passavam de vez em quando; mas, à medida que o sol poente se tornava vermelho, sumiram em direção ao sul.[18] Pouco depois, o grupo partiu novamente; e virou agora um pouco para o leste em direção ao pico de Taragaer, que ainda brilhava em um tom vermelho-escuro ao longe. Frodo pensou no aviso de Elrond sobre vigiar até mesmo o céu acima deles, mas o céu agora estava claro e vazio, e, uma a uma, estrelas brancas surgiram enquanto os últimos raios do pôr-do-sol iam sumindo.

Guiados por Troteiro e Gandalf, como de costume, encontraram uma boa trilha. Parecia a Frodo, até onde ele conseguia imaginar na escuridão crescente, o resto de uma antiga estrada que outrora corria, larga e bem planejada, desde a agora deserta região de Azevim até a passagem debaixo de Taragaer. Uma lua crescente se erguia sobre as montanhas e lançava uma luz pálida que era útil – mas que não foi bem recebida por Troteiro ou Gandalf. Brilhou só um pouco e os deixou à mercê das estrelas.[19] À meia-noite, já estavam caminhando havia uma hora ou mais desde a primeira parada. Frodo continuou olhando para o céu, em parte por causa de sua beleza, em parte por causa das palavras de Elrond. Repentinamente viu ou sentiu uma sombra passando diante das estrelas – como se elas desaparecessem e brilhassem novamente. Teve um calafrio.

"Você viu alguma coisa?", perguntou a Gandalf, que estava bem na sua frente.

"Não, mas senti, o que quer que fosse", respondeu o mago. "*Pode* não ser nada, só um fiapo de nuvem fina." Não parecia muito satisfeito com sua própria explicação.[20]

Nada mais aconteceu naquela noite. A manhã seguinte estava ainda mais luminosa do que antes, mas o vento estava voltando para o leste, e o ar ficou frio. Durante mais três noites eles marcharam, subindo sempre, e cada vez mais devagar, à medida que sua estrada serpenteava pelas colinas, e as montanhas ficavam cada vez mais próximas. Na terceira manhã, Taragaer se ergueu diante deles, um pico imenso, encimado de neve como prata, mas com flancos íngremes e nus, de um vermelho mortiço como se estivessem manchados de sangue.

Havia um quê de escuro no ar, e o sol estava lívido. O vento agora estava indo em direção ao Norte. Gandalf fungou e olhou para trás. "O inverno está lá atrás", disse ele baixinho a Troteiro. "Os picos atrás de nós estão mais brancos do que eram."

"E esta noite", continuou Troteiro, "estaremos no alto, a caminho do passo vermelho de Cris-caron. O que você acha do nosso trajeto agora? Se não formos vistos naquele lugar estreito – e não formos atocaiados por algum mal, como seria fácil de acontecer lá – o clima pode se revelar um inimigo igualmente ruim."[21]

"Não creio que nenhuma parte do nosso curso seja boa, como você bem sabe, Mestre Peregrin", retrucou Gandalf. "Mesmo assim, temos que continuar. Não adianta nada tentarmos atravessar mais ao sul, entrando na terra de Rohan. Os Reis-de-cavalos estão há muito tempo a serviço de Sauron."[22]

"Não, eu sei disso. Mas há um caminho... só que não *atravessando* Cris-caron, e disso você está bem ciente."

"Claro que estou. Mas não vou nos arriscar a segui-lo, até ter certeza de que não há outro caminho. Vou pensar na situação enquanto os outros descansam e dormem."[23]

No final da tarde, antes de serem feitos os preparativos para a jornada, Gandalf falou com os viajantes. "Chegamos agora à nossa primeira dificuldade e dúvida séria", disse. "A passagem que deveríamos tomar fica lá em cima" – acenou na direção de Taragaer: agora seus flancos estavam escuros e tristonhos, pois o sol havia se posto, e a cabeça da montanha estava coberta por uma nuvem cinzenta. "Levaremos pelo menos duas marchas para chegar perto do topo do passo. Devido a certos sinais que vimos recentemente, temo que o lugar possa estar sendo vigiado ou guardado; e, de qualquer forma, Troteiro e eu temos dúvidas sobre como vai estar o tempo, com este vento. Mas temo que devamos continuar. Não podemos voltar ao inverno; e, mais ao sul, os passos estão sob guarda. Esta noite devemos avançar o máximo que pudermos."

Os corações dos viajantes se desanimaram com essas palavras. Mas apressaram os preparativos e partiram no melhor ritmo que puderam. A caminhada era pesada.[24] A estrada sinuosa e cheia de curvas tinha sido abandonada havia muito tempo e em alguns pontos estava bloqueada por pedras caídas, por cima das quais tiveram grande dificuldade de encontrar uma maneira de conduzir os pôneis de carga.[25] A noite tornou-se mortalmente escura sob as grandes nuvens; um vento doloroso fazia redemoinhos entre as rochas. À meia-noite, já haviam escalado até os joelhos das grandes montanhas e subiam diretamente debaixo de uma encosta, com uma ravina profunda, cuja presença inferiam, mas não enxergavam, à sua direita. De repente, Frodo sentiu toques suaves e frios no rosto. Estendeu o braço e viu flocos de neve brancos pousarem em sua manga. Em pouco tempo eles estavam caindo rapidamente, girando em todas as direções, entrando nos seus olhos e enchendo todo o ar. Mal se podiam ver as formas escuras de Gandalf e Troteiro alguns passos à frente.

"Não gosto disso", disse Sam, ofegante, logo atrás. "Neve é até bom numa bela manhã, vista da janela; mas eu gosto de estar na cama enquanto ela cai." Na verdade, a neve caía muito raramente na maior parte do Condado, exceto nas charnecas da Quarta Norte. Ocasionalmente, em janeiro ou fevereiro, aparecia uma fina camada branca, mas logo sumia, e só raramente nos invernos frios ocorria uma nevasca de verdade – o suficiente para fazer bolas de neve.

Gandalf parou. Frodo pensou, ao passar por ele, que ele já parecia quase um boneco de neve. A neve pintava de branco seu capuz e seus ombros curvados, e já estava ficando espessa no chão aos pés deles.

"Que negócio ruim!", reclamou o mago. "Nunca achei que havia risco disso e deixei a neve de fora dos meus planos. Raramente ela cai tão ao sul assim, exceto nos picos altos, e aqui não estamos nem na metade do caminho até a passagem alta. Fico me perguntando se o Inimigo não tem nada a ver com isso. Ele tem estranhos poderes e muitos aliados."

"É melhor reunirmos todo o grupo", disse Troteiro. "Não vamos querer perder ninguém numa noite como esta."

Por um tempo, pelejaram para prosseguir. A neve se tornou uma nevasca cegante e logo atingiu a altura dos joelhos em alguns lugares. "Vai ficar mais alta que a minha cabeça logo", assustou-se Merry. Faramond estava se arrastando e precisava da ajuda que Merry e Sam podiam lhe dar. Frodo sentia as próprias pernas feito chumbo a cada passo.

De repente, ouviram sons estranhos: podiam ser apenas truques do vento crescente nas frestas e sulcos das rochas, mas soavam como gritos roucos e uivos de risadas ásperas. Então pedras começaram a cair, girando como folhas ao vento e se chocando contra o caminho e as rochas de ambos os lados. Vez por outra ouviam, na escuridão, um ribombo abafado quando um grande rochedo descia rolando estrepitosamente, vindo de alturas ocultas na escuridão acima.

O grupo parou. "Não podemos avançar mais esta noite", disse Troteiro. "Quem quiser que chame isso de vento, mas eu digo que são vozes, e essas pedras estão mirando em nós, ou pelo menos no caminho."

"Eu chamo de vento", respondeu Gandalf; "mas isso não torna o resto do que disseste falso. Nem todos os serviçais do Inimigo têm corpos, ou braços e pernas."[26]

"O que podemos fazer?", perguntou Frodo. Seu coração de repente lhe falhou, e ele se sentiu sozinho e perdido na escuridão e na neve, sob a zombaria dos demônios das montanhas.

"Parar aqui ou voltar", respondeu Gandalf. "No momento estamos protegidos pelo paredão alto à nossa esquerda e por uma ravina profunda à direita. Mais acima, há um vale largo e raso, e a estrada passa no fundo de duas longas encostas. Dificilmente atravessaríamos sem sofrer danos, mesmo descontando a neve."[27]

Depois de algum debate, eles recuaram para um local por onde tinham passado pouco antes de a neve cair. Lá o caminho passava sob um penhasco baixo e saliente. Estava voltado para o sul, e eles esperavam que isso lhes desse alguma proteção contra o vento. Mas as rajadas, em redemoinhos, vinham de ambos os lados, e a neve caía mais espessa do que nunca. Ajuntaram-se com as costas contra o paredão. Os dois pôneis pararam, abatidos mas pacientes, diante deles, e serviam como uma espécie de anteparo, mas em pouco tempo a neve já estava na altura da barriga dos animais e continuava subindo. Os hobbits, agachados atrás dos pôneis, estavam quase enterrados. Uma grande sonolência se apossou de

Frodo, e ele se sentia afundando depressa em um sonho morno e nebuloso. Pensava que um fogo lhe aquecia os dedos dos pés e, das sombras, ouvia a voz de Bilbo falando. "Não achei grande coisa o seu diário", ouviu-o dizer. "(Tempestade de) neve em 2 de dezembro:[28] não havia necessidade de voltar para relatar isso."

De repente, sentiu ser violentamente chacoalhado e voltou dolorosamente ao estado desperto. Boromir o erguera do chão. "Esta neve será a morte dos hobbits, Gandalf", disse ele. "Temos de fazer algo."

"Dá-lhes isto", disse Gandalf, remexendo na mochila que estava ao seu lado e tirando um recipiente de couro. "Só um pouco – para cada um de nós. É muito precioso: um dos licores de Elrond, e eu não esperava ter de usá-lo tão cedo."

Assim que Frodo engoliu um pouco do potente licor, sentiu uma nova força no coração, e a pesada sonolência abandonou seus membros. Os demais se refizeram com a mesma rapidez.

Boromir se esforçou então para limpar a neve e criar um espaço livre sob o paredão rochoso. Vendo que suas mãos e pés eram ferramentas lentas e que sua espada não era muito melhor, pegou um pedaço da lenha que carregavam em um dos pôneis, para o caso de precisarem de fogo em lugares onde não havia madeira. Amarrou-o bem e enfiou um bastão no meio, de modo que parecia um grande malho; mas ele o usou como aríete para empurrar a neve fofa para trás, até que ela se amontoasse numa parede diante deles e não pudesse ser empurrada para mais longe. Por ora, as coisas pareciam melhores, e no pequeno espaço aberto os viajantes ficavam de pé e davam passadas curtas, batendo os pés para manter os membros acordados. Mas a neve continuou a cair implacavelmente; e ficou claro que provavelmente eles seriam todos enterrados nela de novo antes do fim da noite.[29]

"Que tal uma fogueira?", disse Troteiro de repente. "Quanto a nos denunciar: pessoalmente acho que nosso paradeiro é bastante bem conhecido ou já adivinhado – por alguém."

Em desespero, decidiram acender uma fogueira, se pudessem, mesmo que isso significasse sacrificar todo o combustível que tinham consigo. Era difícil até mesmo para Gandalf acender a lenha molhada naquele lugar ventoso. Os métodos comuns eram inúteis, embora cada um dos viajantes tivesse isca e pedra. Haviam trazido algumas pinhas de abeto e pequenos feixes de grama seca para acender, mas nenhum fogo queria pegar neles, até que Gandalf enfiou seu cajado no material e fez brotar uma grande faísca de chama azul e verde.

"Bem, se algum inimigo estiver observando", comentou o mago, "isso vai denunciar a *minha* presença. Esperemos que outros olhos estejam tão cegos pela tempestade quanto os nossos. Mas, de qualquer forma, o fogo é uma coisa boa de se ver." A lenha agora ardia alegremente e abria um círculo de claridade ao seu redor, no qual os viajantes se juntaram, um pouco mais encorajados; mas, olhando ao redor, Gandalf viu olhos ansiosos revelados pelas chamas dançantes. A lenha queimava depressa, e a neve ainda não diminuía.

"A luz do dia logo aparecerá", disse Gandalf, com o máximo de bom humor que pôde, mas acrescentou: "se alguma luz do dia conseguir atravessar as nuvens de neve."

O fogo enfraqueceu e o último feixe foi jogado sobre ele. Troteiro se levantou e olhou para a escuridão acima deles. "Acredito que está diminuindo", observou ele. Por um longo tempo os outros olharam para os flocos que vinham ...... da escuridão, revelando-se por um momento, brancos à luz do fogo; mas eles não conseguiam ver muita diferença. Depois de certo intervalo, porém, ficou claro que Troteiro estava certo. Os flocos de neve tornaram-se cada vez mais raros. O vento diminuiu. A luz do dia começou a crescer, cinza pálida e difusa. Então a neve cessou por completo.

À medida que a luz aumentava, ela revelava um mundo disforme ao redor deles. Os lugares altos estavam ocultos nas nuvens (que ameaçavam despejar ainda mais neve), mas, abaixo deles, podiam ver colinas brancas imprecisas, cúpulas e vales nos quais a trilha por onde tinham passado parecia completamente perdida.

"Quanto antes nos movimentarmos e descermos novamente, melhor", disse Troteiro.[30] "Ainda há mais neve para cair aqui!" Mas, por mais que todos desejassem descer outra vez, era mais fácil falar do que conseguir. A neve ao redor do grupo já tinha alguns pés de profundidade: até o pescoço dos hobbits ou, em alguns lugares, acima de suas cabeças; e ainda estava macia. Se tivessem trenós ou sapatos de neve do norte, teriam sido de pouca utilidade. Gandalf mal conseguia avançar mesmo com o esforço, mais parecido com nadar (e escavar) do que com caminhar. Boromir era o mais alto do grupo: tinha cerca de seis pés de altura, além dos ombros largos. Avançou um pouco para testar o caminho. A neve, em todo lugar, subia até acima dos seus joelhos, e em muitos pontos ele afundou até a cintura. A situação parecia bastante desesperadora.

"Vou descer, se puder", disse ele.[31] "Pelo que pude discernir do nosso curso na noite passada, o caminho parece virar à direita, contornando uma projeção rochosa lá embaixo. E, se me lembro direito, um ou dois oitavos de milha abaixo da curva, deveríamos chegar a um espaço plano no topo de uma encosta comprida e íngreme – foi um trajeto muito difícil na subida. De lá talvez eu consiga ter uma visão melhor e uma ideia de como está a neve mais para baixo." Ele avançou lentamente e, depois de um tempo, desapareceu na curva.

Demorou quase uma hora até que ele voltasse, cansado, mas com algumas notícias encorajadoras. "Há um monte de neve profundo do outro lado da curva, e quase fui soterrado nele; mas depois disso a neve diminui rapidamente. No topo da encosta, não passa da altura dos tornozelos e só está salpicada no chão de lá para baixo: ou assim parece."

"Pode estar salpicada mais abaixo", grunhiu Gandalf; "mas não foi só salpicada aqui em cima. Até a neve parece ter mirado especificamente em nós."

"Como *nós* vamos chegar à curva?", perguntou Troteiro.

"Não sei!", respondeu Boromir. "É uma pena que Gandalf não consiga produzir chama suficiente para derreter uma trilha para nós."

"Imagino que seja uma pena mesmo", retrucou Gandalf; "mas até eu preciso de alguns materiais com os quais trabalhar. Posso acender o fogo, mas não alimentá-lo. Queres um dragão, não um mago."

"Na verdade, acho que um dragão domesticado seria mais útil, no momento, do que um mago selvagem", disse Boromir com uma risada que não apaziguou Gandalf de forma alguma.

"No momento, no momento", ecoou o mago. "Mais tarde, veremos. Tenho idade suficiente para ser ancestral de teu bisavô – mas ainda não estou senil. Será bem feito para ti se encontrares um dragão selvagem."[32]

"Bem, bem! *Quando as cabeças estão perplexas, os corpos precisam trabalhar*, como dizem no meu país", contemporizou Boromir. "Temos de tentar abrir caminho à força. Coloquemos a gente pequena nos pôneis, dois deles em cada. Levarei o menor; tu vais atrás, Gandalf, e eu irei na frente."

Imediatamente, começou a livrar os pôneis de suas cargas. “Voltarei para buscá-las quando abrirmos uma passagem”, disse. Frodo e Sam estavam montados num dos pôneis, Merry e Troteiro no outro. Então, pegando Faramond, Boromir avançou.

Lentamente, foram escavando o caminho à frente. Demorou algum tempo para chegar à curva, mas conseguiram sem contratempos. Depois de uma breve parada, continuaram a labuta até a beira do monte de neve. De repente, Boromir tropeçou em alguma pedra oculta e caiu de cabeça. Faramond, no ombro dele, foi lançado na neve profunda e desapareceu. O pônei atrás empinou e depois caiu também, derrubando Frodo e Sam no monte. Troteiro, entretanto, conseguiu conter o segundo pônei.

Por alguns momentos, tudo era confusão. Mas Boromir se levantou, sacudindo a neve do rosto e dos olhos, e foi até a cabeça do pônei que afundava e escoiceava. Quando o colocou de pé novamente, foi resgatar os hobbits que haviam desaparecido em buracos profundos na neve fofa. Pegando primeiro Faramond e depois Frodo, abriu caminho pelo restante da neve e os colocou de pé mais adiante. Então voltou para pegar o pônei e Sam. “Segui agora a minha trilha!”, gritou para os três membros restantes da comitiva. “O pior já passou!”

Finalmente, todos chegaram ao topo da longa encosta. Gandalf fez uma reverência para Boromir. “Se falei de modo irritado”, disse, “perdoa-me. Mesmo o mago mais sábio não gosta de ver seus planos darem errado. Graças aos céus pela simples força e pelo bom senso. Somos gratos a ti, Boromir de Ond.”[33]

Observaram a cena do lugar alto onde estavam. A luz do dia estava agora com a máxima força possível, levando em conta as nuvens pesadas. Muito abaixo, e além da região acidentada que se afastava do sopé da encosta, Frodo pensou poder ver o vale por onde tinham começado a escalada na noite anterior. Suas pernas doíam e sua cabeça ficava tonta ao pensar na longa e dolorosa descida novamente. Lá longe, abaixo dele, mas ainda bem acima das colinas mais baixas, viu muitas manchas negras se mexendo no ar. “As aves de novo”, disse ele em voz baixa, apontando.

“Não há como evitar isso agora”, resignou-se Gandalf. “Quer sejam boas ou más, ou nada tenham a ver conosco, devemos descer imediatamente.” O vento soprava forte novamente sobre o passo escondido pelas nuvens atrás deles; e alguns flocos de neve já estavam caindo devagar.

Era fim de tarde, e a luz cinzenta já estava diminuindo rapidamente quando voltaram ao acampamento da noite anterior. Estavam cansados e com muita fome. As montanhas estavam veladas no crepúsculo crescente, cheio de neve: mesmo ali, no sopé das colinas, a neve caía suavemente. As aves haviam desaparecido.

Não tinham combustível para fazer fogo e se aqueceram o máximo que puderam com todas as peles e cobertores sobressalentes. Gandalf ministrou mais um gole do licor a cada um deles. Depois de comerem, o mago convocou um conselho.

"É claro que não podemos prosseguir esta noite", disse. "Todos nós precisamos de um bom descanso, e acho melhor ficarmos aqui até amanhã ao anoitecer."

"E quando partirmos, para onde devemos ir?", perguntou Frodo. "Não adianta tentar ir pelo passo novamente; mas você mesmo disse ontem à noite, neste mesmo local, que não poderíamos cruzar agora os passos mais ao norte por causa do inverno, nem os mais ao sul por causa da presença de inimigos."

"Não há necessidade de me lembrar disso", retrucou Gandalf. "A escolha agora é entre continuar nossa jornada – por qualquer estrada que seja – ou retornar a Valfenda."

Os rostos dos hobbits revelavam de um jeito bem claro o prazer que sentiam diante da simples menção de retornar a Valfenda. O rosto de Sam se iluminou visivelmente, e ele olhou para seu patrão. Mas Frodo parecia aflito.

"Eu gostaria de voltar a Valfenda", reconheceu ele. "Mas isso não seria voltar atrás também quanto a tudo que foi dito e decidido lá?", perguntou.

"Sim", respondeu Gandalf. "Nossa viagem já estava atrasada, talvez por tempo demais. Depois do inverno, seria um bocado vã. Se retornarmos, isso significará o cerco de Valfenda e, provavelmente, sua queda e destruição."

"Então precisamos prosseguir", disse Frodo suspirando, e Sam afundou no abatimento outra vez. "Precisamos prosseguir – se houver algum caminho a seguir."

"Sim, há, ou pode haver", respondeu Gandalf. "Mas não falei dele a você antes, e nem sequer pensei nisso enquanto havia esperança de atravessar o passo de Cris-caron. Pois não é um caminho agradável."

"Se for pior do que o passo de Cris-caron, deve ser realmente um bocado terrível", disse Merry. "Mas é melhor você nos falar dele agora."

"Já ouviu falar das Minas de Moria, ou o Precipício Negro?",[34] perguntou Gandalf.

"Sim", respondeu Frodo. "Acho que sim. Parece que me lembro de Bilbo falando sobre elas há muito tempo, quando me contou histórias sobre anãos e gobelins. Mas não tenho ideia de onde ficam."

"Não ficam muito longe daqui", disse o mago. "Ficam nestas montanhas. Foram construídas pelos Anãos do clã de Durin há muitas centenas de anos, quando elfos viviam em Azevim e havia paz entre as duas raças. Naqueles tempos antigos, Durin morava em Caron-dûn, e havia comércio no Grande Rio. Mas os Gobelins – orques ferozes[35] em grande número – expulsaram-nos depois de muitas guerras, e a maioria dos anãos que escaparam foi para o Norte. Tentaram muitas vezes recuperar essas minas, mas, até onde sei, nunca tiveram sucesso. O rei Thrór foi morto lá depois de fugir de Valle quando o dragão chegou, como você deve se lembrar das histórias de Bilbo. Como Glóin nos contou, os anãos de Valle acham que Balin veio para cá, mas nenhuma notícia chegou da parte dele."[36]

"Como as minas [do] Precipício Negro podem nos ser úteis?", perguntou Boromir. "Parece um nome de mau agouro."

"De fato é, ou passou a ser", respondeu Gandalf. "Mas é preciso trilhar o caminho que a necessidade escolhe. Se houver orques nas minas, isso será ruim para nós. Mas a maioria dos gobelins das Montanhas Nevoentas foi destruída na Batalha dos Cinco Exércitos na Montanha Solitária. Há uma chance de que as minas ainda estejam desertas. Existe até uma chance de que haja anãos ali, e de que Balin viva em segredo em algum salão profundo. Se alguma dessas possibilidades for verdadeira, então poderemos atravessar. Pois as minas passam por baixo deste braço ocidental das montanhas. Os túneis de Moria eram antigamente os mais famosos do mundo setentrional. Havia dois portões secretos no lado oeste, embora a entrada principal ficasse no leste, voltada para Caron-dûn.[37] Passei direto por eles há muitos anos, quando procurava Thrór e Thráin. Mas nunca mais o fiz desde então – nunca desejei repetir a experiência."[38]

"E eu não desejo passar pela experiência nem uma só vez", disse Merry. "Nem eu", resmungou Sam.

"Claro que não", disse Gandalf. "Quem desejaria? Mas a questão é: vocês vão me seguir, se eu me arriscar isso?"

Durante algum tempo, ninguém respondeu. "A que distância ficam os portões ocidentais?", perguntou Frodo, por fim.

"Cerca de dez[39] milhas ao sul de Cris-caron", disse Troteiro.

"Então você conhece Moria?", indagou Frodo, olhando para ele com surpresa.

"Sim, eu conheço algo das minas", disse Troteiro em voz baixa. "Estive lá uma vez, e a lembrança é maligna; mas, se quiser saber, sempre fui a favor de tentar esse caminho, em vez de seguir por um passo aberto.[40] Seguirei Gandalf – embora o tivesse seguido com mais disposição se conseguíssemos ter chegado ao portão de Moria com mais sigilo."

"Bem, vamos lá", pediu Gandalf. "Eu não colocaria essa escolha diante de vocês se houvesse alguma esperança em outros caminhos, ou alguma esperança na retirada. Vão tentar passar por Moria ou voltar para Valfenda?"

"Temos de arriscar a passagem pelas Minas", disse Frodo.

Como já disse, é notável como a estrutura da história foi substancialmente alcançada logo no início, embora as diferenças nas *dramatis personae* sejam tão grandes. É realmente muito curioso que, antes mesmo de meu pai ter escrito o primeiro rascunho completo de "O Conselho de Elrond", ele tenha decidido que a Comitiva deveria incluir um Elfo e um Anão (p. 490), como parece agora tão natural e inevitável, e ainda assim, em "O Anel Vai para o Sul", temos apenas Gandalf e Boromir e cinco hobbits (ainda que um deles seja Troteiro, o mais extraordinariamente viajado e experiente de seu povo).

Mas, como acontece muitas vezes na história de *O Senhor dos Anéis*, grande parte dos escritos mais antigos foi mantida, por exemplo, nos detalhes dos diálogos e, contudo, esses diálogos aparecem, mais tarde, deslocados para novos contextos, atribuídos a diferentes personagens e adquirindo nova ressonância à medida que o "mundo" e sua história crescem e se expandem. Um exemplo notável é citado na nota 8, ponto em que, no texto original, "Troteiro estava sentado, de cabeça inclinada até os joelhos" enquanto esperavam para partir de Valfenda, enquanto em SA o texto diz "Aragorn estava sentado de cabeça inclinada até os joelhos; *só Elrond sabia plenamente o que aquela hora significava para ele*". A questão que se apresenta é: qual seria a verdadeira relação entre Troteiro = Peregrin Boffin e Passolargo = Aragorn?

Obviamente não seria verdade dizer apenas que havia um papel a ser desempenhado na história e que, inicialmente, esse papel foi desempenhado por um Hobbit, mas depois ficou com um Homem. Em casos individuais, vistos de forma restrita, sem o contexto mais amplo, isso pode parecer uma afirmação suficiente ou quase suficiente: a ação necessária ou fixa era a de que o companheiro de Sam Gamgi sussurrasse "Deite-se no chão, imóvel" e o puxasse para a sombra de um pé de azevinho (p. 517, SA, p. 405). Mas isso diz muito pouco. Eu estaria inclinado a pensar que a figura original (a pessoa misteriosa que encontra os hobbits na estalagem de Bri) foi capaz de se desenvolver em diferentes direções sem perder elementos importantes de sua "identidade" como personagem reconhecível – mesmo que a escolha de uma ou outra direção levasse a "identidades" históricas e raciais bastante diferentes na Terra-média. Portanto, Troteiro não sofreu simplesmente uma troca de Hobbit para Homem – embora tal mudança pudesse ocorrer no caso do Sr. Carrapicho com pouquíssima perturbação. Em vez disso, ele foi potencialmente Aragorn por muito tempo; e, quando meu pai decidiu que Troteiro *era* Aragorn, e *não* Peregrin Boffin, sua estatura e sua história mudaram totalmente, mas grande parte do Troteiro "indivisível" permaneceu em Aragorn e determinou sua natureza.

Também pode-se pensar que, na história da tentativa de passar por Cris-caron, Troteiro sofre uma diminuição em relação ao papel que desempenhou na narrativa da viagem de Bri a Valfenda, na qual, embora seja um hobbit, pertence a uma categoria totalmente separada dos outros, como líder sábio e engenhoso, de grande experiência, em quem repousa toda a esperança deles. Agora, nessas circunstâncias físicas, e ao lado de Boromir, ele é um dos membros indefesos da "gente pequena", como diz Boromir, a ser colocado num pônei. É claro que essa questão não pode ser abordada sem uma análise retrospectiva; se Troteiro continuasse de fato a ser um hobbit em *O Senhor dos Anéis*, ela não apareceria. Contudo, considerações nesse sentido podem ter sido um elemento na decisão sobre ele que meu pai tomaria em breve.

NOTAS

[1] Uma página isolada, certamente dessa época, fornece um esboço preliminar da passagem que começa aproximadamente em "À medida que a luz aumentava", na p. 523. A letra está no limite extremo da legibilidade, escrita com um lápis rápido que agora muito desbotado.

A luz cinzenta cresceu revelando um mundo ... de neve no qual mal se via o caminho por onde haviam subido. A neve já não caía, mas o céu ameaçava que mais estava por vir.

"Quanto mais cedo nos mexermos e começarmos a descer, melhor", disse Gandalf. Foi mais fácil falar do que fazer. Hobbits. Um em cada viagem. [*Riscado*: Boromir carrega Frodo (... fardo precioso).] Boromir e Gandalf vão em frente e examinam o caminho. Em alguns lugares, Boromir desaparecia quase até o pescoço. Eles começaram a se desesperar porque a neve estava macia. . . . . Com muito trabalho, tinham descido apenas 1/4 de milha e estavam todos ficando exaustos. Mas de repente descobriram que a neve estava menos espessa – "até isso parece ter mirado especialmente em nós", disse Gandalf. Boromir avançou e voltou relatando que era [?logo só branco]. Por fim, quando o dia amanheceu, voltaram a lugares quase sem neve.

G. indica o local de onde tinham partido na noite anterior. Conselho. O que se deve fazer. Moria.

A página continua com alguns esquemas preliminares da cena do lado de fora do Portão Oeste de Moria; ver a p. 544.

2 Foram inseridas datas nas margens dessa frase: "7 nov. ?" e "10–11 nov."; além disso, "quinze dias" foi alterado para "3 semanas" e "uma semana ou mais" para "quase 2 semanas".

3 Depois de "até" meu pai escreveu primeiro *Dimbar*, talvez querendo dizer "*Dimbar* nos Vales-do-Riacho-escuro". O nome *Dimbar* tinha aparecido no *Quenta Silmarillion* (V.311), referindo-se à terra vazia entre os rios Sirion e Mindeb.

Para o presente uso de *Vale(s)-do-Riacho-escuro* (ao norte de Valfenda), ver a p. 444. Quando o nome *Vale-do-Riacho-escuro* foi transferido para o sul e para o outro lado das Montanhas Nevoentas, ele foi substituído no norte por *Valegris*, e esse nome foi escrito mais tarde, a lápis, no presente texto.

4 Esta é a primeira ocorrência dos nomes (Rio) *de Lis* e Campos *de Lis*. O rio tinha sido indicado no Mapa das Terras-selváticas em *O Hobbit*, com terrenos pantanosos em sua confluência com o Grande Rio, sugerindo uma região onde cresceria a planta chamada "lis".

No final da página há uma nota que se aplica aos nomes nesta passagem: "Esses nomes são apresentados [à maneira dos] com tradução feita pelos Hobbits. As formas verdadeiras eram *Tum Dincelon*; *Arad Dain* (*Annerchin*); *Crandir* Via-rubra; e *Palathrin* (*Palath* = Lis)." *Tum Dincelon* é *Vale-do-Riacho--escuro*, na acepção original (nota 3). Não entendo a referência a "*Arad Dain (Annerchin)*". Meu pai escreveu primeiro *Tar* e riscou a palavra antes de escrever *Arad*. Para os nomes do Rio Via-rubra, ver a nota 15. Nas *Etimologias*, a palavra Noldorin *palath* = "superfície" (V.461).

[5] Cf. o Mapa das Terras-selváticas em *O Hobbit*; "Portão Gobelim e Ninhal."

[6] De acordo com *O Conto dos Anos* no SdA (Apêndice B), a Comitiva deixou Valfenda em 25 de dezembro.

[7] Essa passagem foi reescrita várias e várias vezes, e é impossível interpretar a sequência com precisão: mas está claro que meu pai inicialmente imaginou a Comitiva montada, com o "grande cavalo castanho" de Boromir, o cavalo branco de Gandalf e sete pôneis, cinco para os cinco hobbits e dois animais de carga (ver nota 25). Numa etapa intermediária, só Boromir estava a pé: "Havia pôneis para todos os hobbits montarem onde a estrada permitia, e Gandalf, é claro, tinha seu cavalo; mas Boromir caminhava a pé, como viera. Os homens de sua raça não andavam a cavalo." O texto apresentado é certamente a formulação final nesta fase e, obviamente, é diferente daquele em SA (p. 398), em que o único animal de carga era o pônei de Bill Samambaia, a quem Sam chamava de Bill.

[8] Cf. SA, p. 398: "Aragorn estava sentado de cabeça inclinada até os joelhos; só Elrond sabia plenamente o que aquela hora significava para ele". Ver a p. 528.

[9] Esta é a primeira ocorrência do termo *Azevim*; mas o nome élfico *Eregion* não aparece. Nas *Etimologias* (V.429), o nome élfico de Azevim é *Regornion*. – Em SA (p. 402), Gandalf diz que eles percorreram 45 léguas, mas isso foi em linha reta: "apesar de nossos pés terem caminhado muitas longas milhas a mais".

[10] Veja a Nota sobre Geografia, pp. 539–40.

[11] Na primeira ocorrência, o nome da "montanha do chifre vermelho" foi substituído repetidas vezes: primeiro foi *Bliscarn*, depois *Carnbeleg* ou *Chifre-rubro*, depois *Taragaer* (ver *Etimologias*, V.415); também escritos nas margens da página estão os nomes *Caradras* = *Chifre-rubro* e *Rhascaron*. Todos esses nomes aparecem no mapa feito na mesma época (p. 537). Na ocorrência seguinte, *Carnbeleg* foi substituído por *Taragaer* e, posteriormente, o nome escrito inicialmente foi *Caradras*, substituído por *Taragaer* e, finalmente, *Taragaer*. Uso *Taragaer* o tempo todo, por ser aparentemente o nome preferido nesta fase. Mudanças feitas à tinta vermelha em algum momento posterior trouxeram o termo *Caradras* de volta.

[12] Sobre a divisão das Montanhas Nevoentas em um braço oriental e um braço ocidental, ver a Nota sobre Geografia, p. 538. Meu pai escreveu aqui primeiro "o grande vale", e a palavra substituta é provavelmente, mas não certamente, "terra".

[13] O nome do vale era, de início, *Carndoom, o Vale Vermelho*; em cima estava escrito *Carondûn* e *Doon-Caron*, mas esses termos foram riscados. Em outra parte desta página temos *Narodûm* = *Vale Vermelho*; e o nome no texto foi corrigido em tinta vermelha para *Vale-do-Riacho-escuro*: *Nanduhiriath* (em SA, *Nanduhirion*). Sobre a acepção anterior de *Vale-do-Riacho-escuro*, ver a nota 3. Nas ocorrências subsequentes, o nome é *Carndoom*, *Caron-doom*, *Caron-dûn*, *Dûn Caron* e, por último, o nome foi substituído em tinta vermelha por *Vidrágua no Vale-do-Riacho-escuro* (nota 37). Entre essas formas, todas com o significado de "Vale Vermelho", escolhi arbitrariamente *Caron-dûn* para ser a forma que se repete no texto.

[14] O nome do passo foi grafado pela primeira vez como *Criscarn*, com *Cris-caron* como alternativa rejeitada; em ocorrências subsequentes ambos aparecem, mas com preferência a *Cris-caron* (também *Cris-carron*, *Cris Caron*), que adoto. O termo *Escada do Riacho-escuro* o substitui duas vezes em tinta vermelha, na presente passagem, desta maneira: "acima do passo que foi [*leia-se* é] chamado de Escada-do-Riacho-escuro (*Pendrethdulur*) sob a lateral de Caradras." O passo, mais tarde, foi chamado de Portão do Chifre-vermelho, sendo a Escada-do-Riacho-escuro a descida do passo no lado leste; cf. nota 21. Sobre *Pendrethdulur* cf. *Etimologias*, V.461, *pendrath* "passagem ladeira acima ou abaixo, escadaria".

[15] O Rio Via-rubra, mais tarde Veio-de-Prata, foi mencionado em um esboço datado de agosto de 1939 (p. 472) e, em sua ocorrência no início do capítulo, recebe o nome élfico *Crandir* (nota 4). Aqui, acima do nome traduzido, estão escritas as designações *Rathcarn* (riscada); *Rathcarn; Nenning* (riscada); e *Caradras ou Via-rubra.* Escrito na margem também está o nome *Narosîr* = Via-rubra. Nessa época, *Nenning* ainda não havia aparecido em *O Silmarillion* e nos *Anais de Beleriand* como o nome do rio em Beleriand, a oeste de Narog, que ainda era chamado de *Eglor*. Em tinta vermelha, foi inserido o nome *Celebrin* (*Celebrant* em SA). O rio é denominado *Caradras* no mapa dessa época (p. 537).

[16] No esquema narrativo apresentado na p. 506, afirma-se que Beleghir, o Grande Rio, dividia-se em muitos canais na Floresta de Fangorn. Ver o mapa, p. 537.

[17] Embora em SA (p. 405) Aragorn diga que viu falcões voando alto, ele não afirma, como Troteiro aqui, "Isso explicaria o silêncio".

[18] *em direção ao sul*: alteração de *norte* feita a lápis.

[19] Nesse momento, era 28 de novembro (já que depois disso eles caminharam durante três noites e tentaram passar por Cris-caron em 2 de dezembro, pp. 519, 522). Nas notas sobre as fases da Lua (encontradas no verso de uma página da seção anterior deste manuscrito), meu pai forneceu as seguintes datas, mostrando que na noite do dia 28 a Lua estava em quarto crescente:

Quarto minguante	*Lua Nova*	*Quarto crescente*	*Lua cheia*
18 de setembro	25 de setembro	2 de outubro	10 de outubro
17 de outubro	24 de outubro	31 de outubro	8 de novembro
15 de novembro	22 de novembro	29 de novembro	7 de dezembro

[20] Esse incidente foi mantido em SA, mas não foi explicado. Os Nazgûl Alados ainda não tinham cruzado o Rio (*As Duas Torres* pp. 734, 861).

[21] Conforme o texto escrito à tinta, e antes que mudanças a lápis produzissem a passagem apresentada, Gandalf dizia: "O inverno ficou para trás. Há neve chegando. Na verdade, já chegou. Os picos lá atrás estão mais brancos do que

eram." A resposta de Troteiro é a mesma, mas ele termina dizendo: "podemos ser apanhados por uma nevasca antes de cruzarmos totalmente o passo." Na margem, meu pai escreveu: "? Cortar profecia da neve – deixar acontecer de repente." Ele riscou isso, mas a passagem alterada faz com que a ameaça de neve pareça menos certa.

As palavras "a caminho do passo vermelho de Cris-caron" foram substituídas com tinta vermelha por "a caminho da Escada-do-Riacho-escuro"; ver a nota 14.

[22] Meu pai escreveu aqui, de início (fazendo emendas para chegar ao texto apresentado no momento da escrita): "Mas temos de continuar, e temos de cruzar as montanhas aqui ou voltar. As passagens mais ao sul estão muito distantes e estão todas sob guarda faz vários anos – elas levam direto para o país dos [Homens-sem-barba Mani Aroman >] Cavaleiros." No trecho reescrito, a referência às passagens mais ao sul foi removida, mas reaparece um pouco depois: "mais ao sul, os passos estão sob guarda" (cf. SA, p. 407: "Mais ao sul não há passos, até que se chegue ao Desfiladeiro de Rohan").

Antes de o nome *Rohan* ser alcançado, vários outros foram escritos: *Thanadar, Ulthanador, Borthendor, Orothan*[*ador*]. Depois de *Rohan* está escrito: [= *Rochan*(*dor*) = Terra-dos-cavalos). Esse é, sem dúvida, o ponto em que surgiu o nome *Rohan*. Cf. as *Etimologias*, V.467: quenya *rokko*, noldorin *roch*, cavalo.

Um rabisco na margem parece alterar "Os Reis-de-cavalos estão há muito tempo a serviço de Sauron" para "Rohan, onde vivem os Reis-de-cavalos ou Senhores-de-cavalos". Cf. SA, p. 407: "Agora quem sabe a que lado servem os marechais dos Senhores-de-cavalos?".

[23] Na história original, Troteiro era favorável à travessia de Moria e Gandalf queria seguir pelo passo; em SA (p. 407), é Aragorn que quer seguir pelo passo.

[24] Essa passagem, a partir de "Troteiro e eu temos dúvidas sobre como vai estar o tempo", é uma versão reescrita a lápis de uma passagem muito mais longa na qual Gandalf introduziu nesse ponto o tema de Moria. O mago diz:

> "Troteiro acha que provavelmente seremos pegos por uma forte tempestade de neve antes de atravessarmos [ver nota 21]. Acho que teremos de tentar mesmo assim. Mas há outro caminho, ou costumava haver. Não sei se você já ouviu falar das Minas de Moria ou do [Abismo >] Precipício Negro?

Gandalf então descreve Moria; e depois disso o texto original continua:

> Os corações dos viajantes pesaram com suas palavras. Todos eles teriam votado de imediato em favor do frio e dos perigos do passo alto, e não em favor das profundezas negras de Moria. Mas Gandalf não pediu que votassem. Depois de um silêncio, disse: "Não há necessidade de pedir que vocês decidam. Eu sei qual caminho escolheriam e escolho a mesma coisa. Vamos tentar ir pelo passo."

A introdução de Moria foi adiada para depois de a Comitiva ter sido forçada a recuar da passagem pela tempestade de neve; e as palavras de Gandalf sobre o tema reaparecem lá em forma bastante semelhante (ver p. 527 e nota 38). A segunda ocorrência da passagem está à tinta e é parte integrante do capítulo.

[25] "pôneis de carga" é uma emenda a lápis de "cavalos e pôneis"; ver nota 7. Mas, quando os viajantes param sob o penhasco saliente, a referência aos "dois pôneis" (p. 521) está no texto conforme escrito inicialmente.

[26] Essa frase foi marcada com uma interrogação e colocada entre colchetes no momento da escrita. Mais tarde, meu pai escreveu aqui: "Nem todas as coisas malignas pertencem a Sauron", e "Os falcões" (referindo-se presumivelmente aos falcões que Troteiro viu acima de Azevim e disse que eram a explicação do silêncio, p. 517); e na margem do texto: "Gimli diz que Caradras tinha um mau nome mesmo nos dias em que Sauron tinha pouca importância" (ver SA, p. 410).

[27] Na redação inicial (mas imediatamente rejeitada) do texto, o conteúdo desses diálogos (a partir de "'Não podemos avançar mais esta noite', disse Troteiro. 'Quem quiser que chame isso de vento…'") era mais condensado e atribuído inteiramente a Gandalf.

[28] Na mesma passagem em SA, a data é 12 de janeiro; a Comitiva havia deixado Valfenda em 25 de dezembro e, portanto, tinha passado dezenove noites no ermo. Mas na história original a viagem era mais curta: "depois de passarem cerca de dez dias na estrada, o tempo melhorou" (p. 515), enquanto SA (p. 401) diz "uma quinzena".

[29] Essa frase substituiu (provavelmente de imediato) o seguinte: "Mas a neve continuou a cair implacavelmente e, por fim, Gandalf teve de admitir que ser soterrado pela neve era, naquele momento, o principal perigo." Quanto às palavras *teve de admitir*, cf. notas 23 e 30.

[30] "Troteiro" foi alterado a lápis para "Gandalf". No contexto da história, nesse estágio, Troteiro seria o mais propenso a dizer isso (ver notas 23 e 29), mas, no rascunho preliminar fornecido na nota 1, quem está falando é Gandalf.

[31] Meu pai escreveu aqui: "Boromir conhece a neve das Montanhas Negras. Ele é um montanhista nato"; mas riscou a frase. No esboço apresentado na p. 506, afirma-se que a Floresta de Fangorn se estendia até as Montanhas Negras (alteração de Montanhas Azuis, que são mencionadas no mapa dessa época).

[32] Mudanças a lápis alteraram os falantes nessa passagem, mas acredito que sejam posteriores. A pergunta "Como *nós* vamos chegar à curva?" é tirada de Troteiro e atribuída a Merry (provavelmente porque meu pai decidiu que Troteiro era um Homem), que prossegue dizendo: "É uma pena que Gandalf não consiga produzir chama suficiente para derreter uma trilha para nós"; e é Merry, e não Boromir, quem faz o comentário sobre um dragão domesticado e um mago selvagem. Mas como posteriormente é a Boromir que Gandalf pede desculpas pela sua irritabilidade, essas mudanças foram casuais e não totalmente

integradas à narrativa. Nessa época ou mais tarde, a observação sobre Gandalf derreter a neve para formar um caminho foi transferida para Legolas (cf. SA, p. 413), e esse é obviamente um acréscimo estruturalmente irrelevante, como aquele relativo a Gimli na nota 26.

33 A descida da Comitiva pela neve profunda foi inicialmente contada de forma bem diferente, embora a versão apresentada tenha substituído a outra antes de ser concluída. Como foi escrito inicialmente, Gandalf cedeu imediatamente a Boromir (depois de "Será bem feito para ti se encontrares um dragão selvagem") e, como ele já parecia cansado, deu-lhe mais um gole do licor de Elrond. Boromir deveria carregar cada hobbit separadamente (cf. o esboço preliminar na nota 1) e começa com Frodo; no ponto de acúmulo de neve, ele tropeça em uma pedra escondida e Frodo, jogado na neve profunda, desaparece, mas Boromir "logo o achou de novo". Sam é derrubado em seguida ("ele tinha desaprovado profundamente o fato de que seu mestre (com o Anel) iria ficar sozinho e fora de alcance no caso de qualquer perigo repentino"). Boromir fica então cansado demais para repetir a subida e a descida mais três vezes, e essa versão termina com anotações apressadas contando que Troteiro, Faramond e Merry foram colocados nos pôneis, enquanto Gandalf, mais atrás, e Boromir, à frente, carregando a bagagem, "esforçaram-se para descer, arrastando e empurrando os pôneis para a frente".

Meu pai então escreveu: "Ou alterar tudo acima", e propôs que toda a Comitiva descesse junta. Na segunda versão, apresentada no texto, ele deixou de mencionar que Boromir voltou mais uma vez para trazer a bagagem. A história em SA é totalmente diferente, já que Troteiro se tornou Aragorn.

34 *Moria* é traduzida como "Precipício Negro" na primeira ocorrência rejeitada dessa passagem (nota 24). Uma nota isolada numa parte anterior do manuscrito diz "*Moria* = Precipício Negro", com a etimologia *yagō, ia*; aqui, "Precipício" é uma alteração de alguma outra palavra que não consigo interpretar. Cf. as *Etimologias*, V.487, raiz YAG "voragem, abertura", onde *Moria* é traduzido como "Abismo Negro".

35 Esse não é o primeiro uso da palavra *Orques* nos manuscritos de SdA: Gandalf refere-se a "orques e gobelins" entre os serviçais do Senhor Sombrio, pp. 265, 449; cf. também pp. 234, 395. Mas a raridade do uso nessa fase é notável. A palavra *Orque* remonta aos *Contos Perdidos* e foi difundida em todos os escritos subsequentes de meu pai. Nos *Contos Perdidos* os dois termos foram usados como equivalentes, embora às vezes aparentemente distintos (ver II.433, verbete *Gobelins*). Uma pista pode ser encontrada em uma passagem que ocorre tanto no *Quenta* anterior quanto no posterior (IV.100, V.276): "De gobelins podem ser chamados, *mas em dias antigos eles eram fortes e temíveis.*" Nesse estágio, parece que os "Orques" devem ser considerados um tipo mais temível de "Gobelim"; assim, no esboço preliminar de "As Minas de Moria" (p. 542), Gandalf diz que "há gobelins – de tipos muito malignos, maiores que

o normal, *orques reais*." Aliás, é notável que na primeira edição de *O Hobbit* a palavra *Orques* seja usada apenas uma vez (no final do Capítulo 7, "Acomodações Esquisitas"), enquanto na versão publicada de SdA a palavra *gobelins* quase nunca é usada.

[36] Estranhamente, isso não está de modo algum de acordo com o que Glóin dissera em Valfenda (p. 484): "Durante muitos anos as coisas correram bem, e a colônia prosperou; havia comércio mais uma vez entre Moria e a Montanha, e muitas ofertas de prata foram enviadas a Dáin."

[37] É aqui que foi feita a emenda, à tinta vermelha, com os nomes *Vidrágua no Vale-do-Riacho-escuro* (nota 13). Essa é a primeira aparição do lago no Vale do Riacho-escuro; no mapa dessa época ele está marcado e leva o nome de *Espelhágua*.

[38] O relato de Gandalf sobre Moria aqui difere da forma anterior (ver nota 24) apenas porque nesse ponto há uma menção a Durin, à paz entre Elfos e Anãos, e aos Orques (ver nota 35) – a versão rejeitada refere-se apenas a gobelins. Nessa versão, afirma-se que os anãos de Caron-dûn "enviavam suas mercadorias pelo Grande Rio".

[39] "dez" alterado a lápis para "20". Em SA (p. 422) Gandalf diz: "Havia uma porta a sudoeste de Caradhras, a umas quinze milhas a voo de corvo, e quem sabe vinte a passo de lobo."

[40] Ver nota 23. Na margem há uma anotação, provavelmente feita no momento da redação do manuscrito: "Troteiro foi capturado lá." Isso contrasta com o que foi dito anteriormente, no Conselho de Elrond (p. 495): "Foi assim que Frodo descobriu como Troteiro havia rastreado Gollum enquanto este vagava para o sul, através da Floresta de Fangorn e passando pelos Pântanos Mortos, até que ele próprio foi capturado e aprisionado pelo Senhor Sombrio."

Nota sobre a Geografia e o Mapa contemporâneo

O mapa extremamente rápido, rudimentar e agora surrado reproduzido na p. 537 pode ser atribuído com total certeza, creio eu, à época da redação original deste capítulo. Foi a primeira representação que meu pai fez da Terra-média ao sul do Mapa das Terras-selváticas em *O Hobbit* – o qual ele tinha diante de si, como mostram os cursos dos rios.

Indo de Norte a Sul no mapa, temos a *Carrocha* no topo; e *Lis* (Rio) e *Campos de Lis* (ver p. 512 e nota 4). *Azevim* é citado pelo nome e marcado de modo rudimentar com uma linha tracejada; e os nomes (riscados) à direita das montanhas são *Taragaer, Caradras* (com a forma final *Caradras* ao lado a lápis), *Carnbeleg e Rhascarn* (ver nota 11). O passo é chamado de *Riacho-escuro*, com (provavelmente) *Cris-caron* riscado (nota 14); e *Espelhágua*

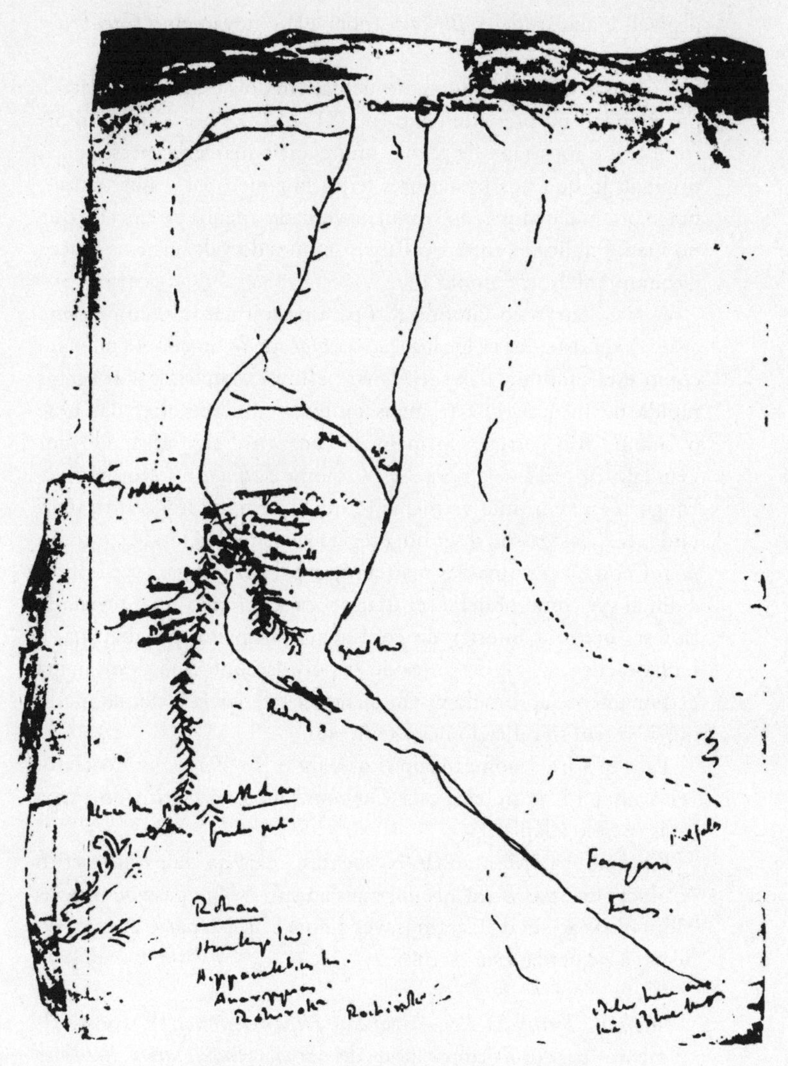

O mapa mais antigo das terras ao sul do
Mapa das Terras-selváticas em *O Hobbit*

está marcado, sendo a primeira ocorrência do nome (ver nota 37). A oeste da lagoa *Moria* está marcada; embaixo estão dois nomes ilegíveis e abaixo deles *Bliscarn* (nota 11) e novamente *Carnbeleg*, todos riscados.

A divisão das Montanhas Nevoentas em dois braços aqui, citada por Gandalf no presente texto (pp. 515, 527) e por Gimli em SA (p. 402), é mostrada de forma muito mais marcante nesse mapa original do que nos posteriores feitos por meu pai – nos quais o braço oriental é mostrado como, na verdade, menos extenso do que no meu, publicado em SdA. Para os nomes do vale entre os braços das montanhas, ver a nota 13.

A vasta curva do Grande Rio para oeste (marcado como *volta grande*) já existe, mas a localização da *Floresta de Fangorn* (a maneira como está escrita a palavra *Floresta* é um exemplo da letra mais rápida de meu pai) seria, mais tarde, totalmente alterada. Que o Grande Rio corria pelo meio de Fangorn é algo afirmado por Gandalf (pp. 515–6 e nota 16). O nome *Belfalas* no Nordeste de Fangorn está em tinta vermelha (o único item escrito assim); mais tarde, Belfalas passou a ser uma região costeira de Gondor, e como *falas* ("costa") era uma das mais antigas palavras élficas (ver I.305), é difícil ver como poderia ser usada para se referir a uma região de floresta bem no interior do continente. Suspeito que meu pai a tenha escrito na página antes ou depois da confecção desse mapa extremamente apressado e sem qualquer referência a ele, de modo que não tem significado nesse contexto.

Para os vários nomes propostos para o rio *Via-rubra* no texto, ver a nota 15; entre eles está *Caradras*, que está escrito no mapa (mas riscado a lápis).

Cortando as Montanhas Nevoentas, mais ao sul, está escrito "Colocar esse passo em *Rohan*, mais ao sul" (sobre passagens pelas Montanhas ao sul de Caradras, ver a nota 22). Na parte inferior do mapa, à esquerda, está escrito:

> "*Rohan. Terra dos Reis-de-cavalos Hipanaletianos* ... [possivelmente *rn* como abreviação de *reino*] *Anaxipianos Rohiroth Rochiroth.*" Os termos *Hipanaletianos* e *Anaxipianos* ("Senhores--de-cavalos") são surpreendentes.

No canto direito há o seguinte: *Abaixo estão as Mts. Azuis.* Podemos comparar isso com as palavras de Gandalf no primeiro esboço de "O Conselho de Elrond" (p. 490): "o Gigante Barbárvore, que assombra a Floresta entre o Rio e as *Montanhas do Sul*"; com o esquema apresentado na p. 506, no qual se afirma que a Floresta de Fangorn chega perto das Montanhas *Azuis* (> *Negras*); e com a nota rejeitada ao presente texto na qual se dizia que Boromir "era um montanhista nato" das *Montanhas Negras* (nota 31).

É preciso analisar uma questão sobre a linha seguida pelas Montanhas Nevoentas. Nesse texto original, afirma-se (p. 514), tal como em SA (p. 401), que ao sul de Valfenda as montanhas se curvavam para oeste; e isso está mostrado no Mapa das Terras-selváticas em *O Hobbit.* Pode-se ver que, se a linha das montanhas, no ponto onde sai desse mapa, a alguma distância ao sul das nascentes do Lis, continuar sem se curvar mais para oeste, uma trilha que segue para o sul a partir do Vau de Valfenda atingirá a cadeia de montanhas em algum lugar próximo de Caradhras. Na verdade, é exatamente isso que aparece nos três mapas de meu pai que mostram toda a extensão das Montanhas Nevoentas. Em dois deles as montanhas correm em linha reta, aproximadamente a partir da latitude de Valfenda (como também no meu mapa publicado em SdA); em um deles (o mais antigo), a linha se curva ligeiramente para oeste, partindo de algum ponto ao norte de Azevim; mas em todos os três uma linha traçada para o sul a partir do Vau deve cortar as montanhas num ângulo agudo na região de Azevim, simplesmente porque a linha das montanhas segue o caminho sul-sudoeste.

Portanto, é curioso que o esboço do mapa original aqui discutido não esteja realmente de acordo com o texto original (p. 515). Os viajantes partiram do Vau para o sul; e, nas fronteiras de Azevim, "longe no sul, Frodo viu as formas indistintas das montanhas, que agora pareciam se deitar na frente do caminho da comitiva. À esquerda daquela cordilheira distante, um pico alto se erguia como um dente": era Taragaer, o Chifre-vermelho (Caradhras). E, quando Faramond diz que achava que eles deviam ter virado para o leste, já que as montanhas estavam agora à sua frente, Gandalf responde dizendo que não, as montanhas é que tinham virado. Mas, no mapa antigo, uma linha traçada para o sul a partir do Vau atingiria as montanhas apenas ao sul de Moria e do Passo Vermelho; e isso ocorre porque meu pai dobrou a linha das montanhas quase diretamente para o sul, na região de Azevim, de modo que o curso do Vau e a linha das montanhas se tornaram quase paralelos. Isso, possivelmente, não é mais do que uma consequência da velocidade e da falta de capricho com que o mapa foi feito – ele não passava de um guia rudimentar; mas é curioso que a linha pontilhada que marca a rota dos viajantes na verdade vire fortemente para sudeste em direção à passagem – como Faramond pensava que tinha acontecido!

Barbara Strachey, escrevendo sobre essa questão em *Journeys of Frodo* (Mapa 17), observa: "As montanhas se curvavam para oeste à medida que avançavam; mais acentuadamente, na minha opinião, do que aparece nos mapas da Terra-média, especialmente ao sul do Passo do Chifre-vermelho. Frodo disse que elas pareciam 'se interpor no caminho que a Comitiva estava trilhando'" (SA, p. 401). Isso é discutível; mas a questão é reforçada pela resposta de Gandalf a Pippin, que disse que eles deviam ter virado para o leste: "Não, mas enxerga-se mais longe à luz límpida. *Além desses picos* [isto é, as Montanhas de Moria] *a cordilheira se vira para o sudoeste*" (SA, p. 402). Em nenhum dos mapas do meu pai há uma mudança na direção da principal cadeia montanhosa ao sul de Caradhras. Mas todos mostram algum grau de extensão montanhosa para oeste a partir da cadeia principal no ponto onde o Glanduin desce em direção ao Griságua: uma muito leve em um desses mapas (e assim representada no meu mapa em SdA), outra mais marcada em um segundo mapa, e no terceiro (o mais antigo) chegando a ser uma virtual divisão da cordilheira, com um amplo braço de montanhas correndo para sudoeste. No mapa detalhado, com giz colorido, que fiz em 1943 (ver p. 251), essa é novamente uma característica fortemente marcada.* Pode ser que Gandalf estivesse se referindo a isso.

A esse respeito, pode ser mencionado que, no meu mapa publicado em SdA, as alturas montanhosas mostradas estendendo-se da cordilheira principal em direção ao oeste a norte de Azevim são muito exageradas em relação ao que meu pai pretendia: "em torno do sopé da cadeia principal revolvia-se uma terra cada vez mais ampla de colinas áridas e fundos vales repletos de águas turbulentas" (SA, p. 401).

*O mapa aqui citado como "o mais antigo" (cf. também pp. 251–3) é o mapa de trabalho detalhado original de meu pai para *O Senhor dos Anéis* (no qual o meu mapa de 1943 foi baseado). Esse mapa será estudado no Vol. VII.

25

As Minas de Moria

Tenho poucas dúvidas de que o primeiro rascunho deste capítulo foi escrito continuando diretamente a partir do final de "O Anel Vai para o Sul", tanto a partir de evidências internas quanto externas (a natureza do manuscrito). Mas há também um "Esboço do capítulo das Minas de Moria" de duas páginas, muito interessante, o qual, creio, precedeu imediatamente a escrita do capítulo propriamente dito. Esse "Esboço" é extremamente difícil de ler, e algumas palavras do texto só podem ser inferidas.

As aventuras deles devem ser diferentes das que ocorrem na Montanha Solitária. Túneis que levam a todas as direções, subindo e descendo abruptamente. escadaria. abismos. barulho de água na escuridão.

Gandalf guiado principalmente pelo senso geral de direção. Eles tinham trazido um feixe de tochas em caso de necessidade, 2 cada. Gandalf não quer usá-los até que seja necessário. Faísca fraca de seu cajado. Glamdring não brilha, portanto não há gobelins por perto.

Quão longe ir. Quanto tempo vai demorar. Gandalf calcula pelo menos 2 dias, talvez mais. Pensar em passar uma noite (ou duas!) em Moria os aterroriza. Frodo sente o pavor crescer. Talvez suas aventuras com o Anel o tenham deixado sensível. Enquanto outros mantêm o ânimo com conversas esperançosas, ele sente a certeza do mal se apoderando dele, mas não diz nada. Ele imagina constantemente que está ouvindo o barulho de pés de [alguma criatura] atrás – [?esse] é Gollum, como se comprova muito depois.

Eram cerca de dez horas da manhã quando eles entraram. Descansaram pouco. Continuaram (com duas paradas) até ficarem cansados demais para ir muito mais longe. Chegaram a um arco escuro que levava a três passagens, todas seguindo para a mesma direção geral, mas a esquerda para baixo, a direita para cima, o centro (aparentemente) no mesmo nível. Gandalf não consegue escolher: não se lembra do lugar.

Eles passam a noite em uma pequena câmara (quase como uma sala da guarda vigiando as entradas) logo à esquerda [?deles]. Um buraco profundo à direita. Uma pedra solta cai. Vários minutos até ouvirem um barulho dela chegando ao fundo. Depois disso, alguns deles imaginam um eco distante de pequenas batidas em intervalos (como sinais?). Mas nada mais acontece naquela noite. Gandalf dorme pouco tentando escolher o caminho. [?No final] escolhe o lado direito para cima. Eles seguem por quase 8 horas sem contar paradas.[1]

Chegam a uma grande câmara. Porta na parede [sul]. Luz fraca – uma chaminé [?alta ?enorme] semelhante a tubulação inclinada para cima. Ao longe, um brilho de luz do dia. O brilho cai sobre uma grande mesa quadrada de pedra [*escrito em cima*: um túmulo].

Há outra porta na parede oeste [*escrito em cima*: leste]. Há lanças e espadas e [? caídas e quebradas] perto de ambas as portas.

O lampejo de luz mostra letras esculpidas. Aqui jaz Balin, filho de Burin, Senhor de Moria. Nos recessos há baús e algumas espadas e escudos. Baús vazios, exceto um. Ali está um livro com alguns escritos dos anãos.

O livro conta como Balin chegou a Moria. Depois a letra muda e conta como ele morreu — de [?uma] flecha que veio de surpresa. Depois, como os "inimigos" invadiram os portões do leste. Não podemos sair pelos portões do oeste por causa do "habitante da água". Breve relato do cerco. O último rabisco diz "eles estão chegando".

Acho que é melhor irmos embora, disse Gandalf. Naquele momento, ouve-se um ruído semelhante a um grande estrondo lá embaixo. Então um barulho terrível, como uma trompa, ecoou indefinidamente. Gandalf salta para a porta. Barulho como pés de gobelim.

Gandalf solta um clarão ofuscante e grita Quem vem aí? Ondas de ..... risadas - e algumas vozes graves.

Gandalf diz que há gobelins – de tipos muito malignos, maiores que o normal, orques reais.[2] Também certamente algum tipo de trol os está liderando.

Plano de defesa. Eles se reúnem na porta leste. Mas a porta [sul] está entreaberta apoiada com cunhas. Um grande braço e ombro aparecem perto da ..... porta. Gandalf corta com Glamdring. Frodo esfaqueia o pé com Ferroada. Grito horrível. As flechas assobiam pela fenda.

Orques saltam para dentro, mas são mortos.

[?Estrondo] quando grandes pedras atingiram a porta.

Eles saem correndo pela porta leste – que abre para fora – e a batem. [?Fogem] por um túnel longo e largo. O barulho logo mostra que a porta leste foi derrubada. Perseguidores estão atrás deles.

Aqui vem a perda de Gandalf.

A lápis, na margem do relato do ataque à câmara, está escrito:

Orque com cota de malha negra salta para dentro e ataca Frodo com uma lança – ele é salvo pela armadura-élfica e abate o orque.

Esse é um exemplo muito marcante de uma importante passagem narrativa de *O Senhor dos Anéis* no exato momento em que surgiu. Aqui, como em outros lugares, muitos dos elementos mais essenciais estavam presentes desde o princípio: a bifurcação de três caminhos, a dúvida de Gandalf, a sala da guarda, a pedra que caiu e as batidas subterrâneas que se seguiram, a câmara do túmulo de Balin, a escrita no livro, o trol e muito mais. A ideia de que Gollum deveria segui-los em Moria foi proposta no esquema apresentado na p. 506: "Gollum deve reaparecer em ou depois de Moria. Frodo ouve um tamborilar de pés."

A espada de Gandalf, *Glamdring* (Martelo-do-inimigo), que ele tirou do covil dos trols e que (como Elrond lhe disse) "o rei de Gondolin certa vez usou", agora reaparece, vinda de *O Hobbit*.

Aqui, o pai de Balin (Fundin em *O Hobbit*, tal como em SdA) é surpreendentemente chamado de Burin; esse nome de anão (presente no idioma nórdico antigo) já havia sido atribuído ao filho de Balin nos primeiros rascunhos de "O Conselho de Elrond" (pp. 488, 490) antes de ele ser substituído por Gimli, filho de Glóin (p. 494).

A história de que Bilbo deu Ferroada e sua "cota de malha élfica" a Frodo antes de ele deixar Valfenda (SA, p. 395) passou a fazer parte da narrativa no esboço apresentado na p. 490.

Essa não é a primeira referência à perda de Gandalf; ver p. 473 e, para o primeiro esboço desse acontecimento, ver p. 563.

Esse "Esboço" começa quando a Comitiva já está dentro de Moria. Para a história da chegada do grupo ao Portão Oeste e da abertura da porta parece haver apenas o seguinte texto a título de esquema preparatório (embora o "habitante da água" diante do Portão Oeste apareça no "Esboço", p. 542, nas palavras do livro encontrado na câmara do túmulo de Balin). Esse texto foi escrito ao mesmo tempo que o esboço da descida do Passo Vermelho na neve (pp. 529–30, nota 1).

Os portões ocidentais de Moria são portões dos anãos (fechados como a Montanha Solitária); mas podem ser abertos não em um horário definido, mas por meio de um encantamento [?especial ?de fala]. Gandalf sabe ou [pensa] que deve ser um dos [?três] na língua antiga – pois os Elfos de Azevim criaram o encantamento.

Arbustos de azevinho crescem diante desses portões. Então Gandalf percebe que é um encantamento-élfico.

Apresento agora o primeiro rascunho do texto do capítulo. Foi numerado desde o início como "14", presumivelmente porque meu pai decidiu que "O Anel Vai para o Sul" era um capítulo separado e, portanto, deveria ser numerado como "13", embora ele nunca tenha escrito esse número no manuscrito. Minha descrição do texto de "O Anel Vai para o Sul" (pp. 511–2) pode ser repetida aqui ainda mais enfaticamente. A escrita, novamente à tinta e não a lápis, é ainda mais rápida e mais frequentemente indecifrável, a quantidade de material rejeitado (muitas vezes não riscado) é ainda maior; muitas passagens são caóticas. Há também uma certa quantidade de correções a lápis, provavelmente feitas em momentos diferentes, e algumas delas obviamente relacionadas a um estágio posterior. Em um dos casos, meu pai fez uma inserção bastante cuidadosa à tinta, dizendo que Gimli pouco ajudou Gandalf a encontrar um caminho para atravessar Moria (cf. SA, p. 439), embora não tenha feito menção a Gimli em nenhum outro lugar. O texto é, portanto, difícil de interpretar e ainda mais difícil de representar.

Ver-se-á que toda a história do ataque dos Wargs na noite seguinte à descida da Comitiva do passo (SA, pp. 421–4) está ausente.

AS MINAS DE MORIA

No dia seguinte o tempo mudou outra vez, quase como se obedecesse às ordens de algum poder que já havia desistido da ideia de produzir neve, já que haviam recuado de Cris-caron. O vento virou para o sul durante a noite. De manhã estava virando para o oeste, e a chuva começava a cair. Os viajantes armaram uma tenda numa depressão protegida e permaneceram quietos durante todo o dia, até a tarde se aproximar do anoitecer.

Durante todo o dia, não ouviram nenhum som e não viram nenhum sinal de qualquer coisa viva. Assim que a luz começou a diminuir, partiram novamente. Ainda caía uma chuva fina, mas isso não os incomodou muito no início. Gandalf e Troteiro conduziram o grupo num desvio para longe das Montanhas, pois planejavam chegar a Moria pelo curso de um riacho que corria desde o sopé das colinas, não muito longe dos portões escondidos. Mas parecia que, de uma forma ou de outra, deviam ter se perdido no escuro, pois era uma noite escura sob um céu carregado. De qualquer forma, não atingiram o riacho, e a manhã os encontrou vagando e quase afundando em lugares úmidos e pantanosos cheios de poças vermelhas, pois havia muito barro nos pontos mais baixos do terreno.[3]

Um consolo parcial foi a mudança no tempo: as nuvens se dissiparam e a chuva parou. O sol começou a brilhar um pouco. Mas Gandalf estava atarantado com o atraso e decidiu prosseguir novamente durante o dia, depois de apenas algumas horas de descanso. Não havia aves no céu ou outros sinais ameaçadores. Eles seguiram direto de volta para as montanhas, mas tanto Gandalf quanto Troteiro ficaram muito intrigados por não terem conseguido encontrar o riacho.

Quando voltaram aos sopés e às encostas mais baixas, encontraram um curso d'água estreito num canal profundo; mas estava seco e agora não havia água entre [as] pedras avermelhadas do leito. Havia ainda, porém, algo como um caminho aberto na margem esquerda.

"É aqui que o riacho costumava correr, tenho certeza", disse Gandalf. "Sirannon, o Riacho-do-portão,[4] é como costumavam chamá-lo. De qualquer forma, nosso caminho vai seguir este curso." A noite agora estava caindo, mas, embora já estivessem cansados, especialmente os hobbits, Gandalf os instou a prosseguir.

"Você está pensando em subir ao topo das montanhas esta noite, a tempo de ver o amanhecer no comecinho?", perguntou Merry.

"Eu até pensaria nisso se houvesse alguma chance de conseguir!", disse Gandalf. "Mas ninguém é capaz de escalar as montanhas aqui. Os portões não estão no alto, mas em um determinado lugar próximo aos pés de um grande penhasco. Espero poder encontrá-lo – mas as coisas parecem estranhamente mudadas desde a última vez que estive aqui."

Antes de a noite avançar muito, a lua, agora faltando só dois dias para ficar cheia,[5] surgiu por entre as nuvens que se estendiam sobre os picos orientais e brilhou de modo inconstante sobre as terras ocidentais. Seguiram em frente, com os pés cansados tropeçando entre as pedras, até que de repente chegaram a uma parede de rocha com cerca de trinta pés de altura. Por cima do paredão caía um fio d'água, mas era evidente que a cascata outrora tinha sido muito mais forte. "Ah! Agora eu sei onde estamos!", gritou Gandalf. "É aqui que ficavam as Cachoeiras-da-escada. Eu me pergunto o que pode ter acontecido com elas. Mas, se estou certo, há uma escada cortada na pedra à esquerda: o caminho principal dá uma volta e sobe uma ladeira. Existe ou existiu um vale largo e raso acima das cataratas por onde corria o Sirannon."

Logo encontraram a escada e, seguido por Frodo e Troteiro, Gandalf subiu rapidamente. Quando chegaram ao topo, descobriram o motivo pelo qual o riacho secara.

A lua agora estava afundando para oeste. Brilhou intensamente por um tempo, e eles viram, estendido diante de seus pés, um lago escuro e imóvel, cintilando ao luar. O Riacho-do-portão fora represado e preenchera todo o vale. Apenas um fio de água escapava pelas antigas cachoeiras, pois o afluente principal do lago ficava agora na extremidade sul.[6]

Diante deles, sombrio e cinzento do outro lado da água escura, havia um penhasco. O luar brilhava pálido sobre ele, e o paredão parecia frio e ameaçador: uma barreira definitiva para qualquer passagem. Frodo não conseguiu ver nenhum sinal de portão ou entrada na pedra carrancuda.

"Esse caminho está bloqueado!", disse Gandalf. "Pelo menos até onde se pode ver à noite. Suponho que ninguém queira tentar atravessar a nado à luz da lua – ou de qualquer outra luz. Essa lagoa tem um aspecto doentio. Não sei quando foi feita ou por quê, mas acho que não foi para um bom propósito."

"Precisamos encontrar um meio de contornar pela trilha principal", disse Troteiro. "Mesmo que não houvesse lago, não conseguiríamos fazer nossos pôneis subirem a escada estreita."

"E, mesmo que conseguíssemos, eles não seriam capazes de entrar nas Minas", concordou Gandalf. "Nossa estrada sob as montanhas vai nos levar por caminhos onde eles não podem ir – mesmo que nós consigamos."

"Eu estava me perguntando se você tinha pensado nessa desvantagem", disse Troteiro. "Supus que sim, embora não tenha mencionado isso."

"Não havia necessidade de mencionar isso, até que fosse necessário", respondeu o mago. "Vamos levá-los o mais longe que pudermos. Resta saber se a [?outra] estrada também não está inundada: nesse caso, talvez não consigamos chegar aos portões."

"Se os portões ainda estiverem lá", observou Troteiro.

Não tiveram grande dificuldade em encontrar o caminho antigo. Ele se afastava das cachoeiras e serpenteava um pouco para o norte antes de virar novamente para o leste, e depois subia uma longa encosta. Quando chegaram ao topo, viram o lago à direita. O caminho contornava exatamente a borda dele, mas não estava submerso. Na maior parte, ficava logo acima da água; mas em certo local, na extremidade norte do lago, onde havia uma grande poça viscosa e estagnada, ele desaparecia num trecho curto, antes de se virar novamente para o sul, em direção ao sopé do grande penhasco.

Quando chegaram a esse ponto, Boromir avançou e descobriu que o caminho estava só ligeiramente submerso. Com cuidado, foram seguindo em fila única atrás dele. O chão era escorregadio e traiçoeiro; Frodo sentiu uma curiosa repulsa diante da mera sensação da água escura tocando seus pés.

Quando Faramond, o último do grupo, pisou em solo seco, ouviu-se um ruído baixo, um farfalhar seguido de um estalo, como se um peixe tivesse mexido a superfície imóvel da água. Virando-se rapidamente, eles enxergaram, ao luar, ondulações acentuadas [?por] sombras escuras: grandes anéis se alargavam para fora de algum ponto próximo ao centro da lagoa.[7] Pararam; e, naquele exato momento, a luz sumiu, enquanto a lua caía e desaparecia em nuvens baixas. Ouviu-se um leve barulho borbulhante no lago e depois silêncio.

Estava demasiado escuro para procurar a porta naquele vale mudado, e os viajantes passaram o resto da noite infelizes, sentando-se vigilantes entre o penhasco e a água escura que já não conseguiam ver. Nenhum deles dormiu mais do que por um período breve e inquieto.

Mas, com a manhã, o ânimo dos companheiros se recuperou. Lentamente, a luz alcançou o lago: sua superfície escura estava imóvel, sem ser perturbada por brisa nenhuma. O céu estava claro e, lentamente, o sol foi subindo acima das montanhas atrás deles e iluminou as terras ocidentais diante do grupo. Comeram um pouco e descansaram por algum tempo depois da noite de desânimo, até que o sol alcançou o sul e seus raios quentes se inclinaram para baixo, afastando as sombras da grande muralha atrás deles. Então Gandalf se levantou e disse que já era hora de começar a procurar os portões. A faixa de terra seca deixada pelo lago era bastante estreita, e o caminho os levou até a face do penhasco. Depois de terem percorrido quase uma milha em direção ao sul, toparam com alguns pés de azevinhos. Havia tocos e troncos mortos apodrecendo na água — restos de antigas moitas ou de uma sebe que outrora ladeara a estrada submersa que atravessava o vale inundado. Mas bem abaixo do penhasco, ainda vivas e fortes, havia duas árvores altas com grandes raízes que se estendiam da muralha até a beira d'água. Ao vê-las de longe do outro lado, sob a lua inconstante, Frodo pensara que eram meros arbustos sobre pilhas de pedras: mas agora elas se erguiam acima de sua cabeça: rijas, silenciosas, escuras, exceto pelos frutos aglomerados nelas: erguendo-se como sentinelas ou pilares no final de uma estrada.

"Bem, eis-nos aqui finalmente!", disse Gandalf. "É aqui que terminava o caminho-élfico saindo de Azevim. Os azevinhos foram plantados pelos elfos nos velhos tempos para marcar o fim de seus domínios – os portões do oeste foram feitos principalmente para seu uso no comércio com os anãos. Este é o fim do nosso caminho – e agora receio que devamos dizer adeus aos nossos pôneis. Os bons bichos iriam a quase qualquer lugar que lhes mandássemos; mas não creio que conseguiríamos fazê-los entrar nas passagens escuras de Moria. E, de qualquer forma, há atrás do portão oeste muitas escadas íngremes e muitos lugares difíceis e perigosos onde os pôneis não poderiam passar ou onde seriam um estorvo perigoso. Se quisermos atravessar, devemos viajar menos carregados. Muitas das coisas que trouxemos para enfrentar o mau tempo não serão necessárias lá dentro, nem quando chegarmos ao outro lado e virarmos para o sul."

"Mas certamente o senhor não vai deixar os pobres animais neste lugar abandonado, Sr. Gandalf!", protestou Sam, que gostava muito de pôneis.

"Não se preocupe, Sam! Eles encontrarão o caminho de volta com o tempo. Têm narizes mais sábios do que a maioria de sua espécie, e esses dois já retornaram para Elrond de lugares longínquos antes. Espero que sigam para o oeste e depois voltem para o norte, atravessando uma região onde possam encontrar grama."

"Eu ficaria mais feliz se pudesse conduzi-los de volta pelo pedaço inundado e descer até as velhas cachoeiras", disse Sam, "– eu meio que gostaria de dizer adeus e colocá-los na estrada, por assim dizer."

"Muito bem, pode fazer isso", contemporizou Gandalf. "Mas primeiro vamos descarregá-los e distribuir a bagagem que pretendemos levar."

Quando cada membro do grupo recebeu uma parte de acordo com seu tamanho – a maior parte dos alimentos e os odres de água –, o restante foi novamente guardado nos lombos dos pôneis. Em cada pacote, Gandalf colocou uma breve mensagem para Elrond, escrita em runas secretas, contando sobre a tempestade de neve e o desvio rumo a Moria.

Então Sam e Troteiro conduziram os pôneis para longe.

"Agora vamos dar uma olhada nos portões!", anunciou Gandalf.[8]

"Não vejo nenhum portão", disse Merry.

"Os portões dos anãos não foram feitos para serem vistos", explicou o mago. "Muitos são praticamente invisíveis, e seus próprios mestres não conseguirão encontrá-los se seu segredo for perdido. Mas os portões daqui não foram feitos para serem totalmente[9] secretos e, a não ser que esteja tudo inteiramente mudado, os olhos que sabem o que buscar podem descobrir os sinais. Vamos ver!"

Ele avançou até a parede do penhasco. Havia um espaço liso bem no meio da sombra das árvores, e sobre esse espaço Gandalf passava as mãos de um lado para outro, murmurando palavras a meia-voz. Depois deu um passo para trás. "Vede!", exclamou. "Podeis ver algo agora?" O sol brilhava na superfície do paredão e, enquanto os viajantes olhavam para ele, pareceu-lhes que, no lugar por onde a mão de Gandalf passara, linhas débeis apareciam, como finos veios de prata correndo pela pedra; a princípio, pareciam filamentos pálidos de teia de aranha, tão delgados que só podiam ser vistos intermitentemente onde o sol os alcançava; mas lentamente foram se alargando e seu desenho pôde ser adivinhado. No topo, tão alto quanto Gandalf conseguia alcançar, havia um arco de letras entrelaçadas em caracteres élficos; abaixo, parecia haver (embora o desenho estivesse, em alguns lugares, borrado e rompido) o contorno de uma bigorna e um martelo, e acima deles uma coroa e uma lua crescente. Mais claramente do que todo o resto, brilhavam pálidas três estrelas com muitos raios.[10]

"Esses são os emblemas de Durin e dos Elfos", explicou Gandalf. "Eles são feitos de alguma substância prateada que só é vista quando tocada por alguém que conhece certas palavras – à noite, sob a lua, é quando brilham mais intensamente.[11] Agora você pode ver que certamente encontramos o portão oeste de Moria."

"O que diz a escrita?", perguntou Frodo, que tentava decifrar a inscrição. "Pensei que conhecia as letras-élficas, mas não consigo ler estas, estão emaranhadas demais."

"As palavras estão na língua-élfica, não na linguagem comum", esclareceu Gandalf. "Mas não dizem nada de muita importância para nós. Certamente não revelam o encantamento de abertura, se é isso que você está pensando. Dizem apenas: As Portas de Durin, Senhor de Moria. Falai, amigos, e entrai. E embaixo, muito pequeno e agora fraco, está escrito: Narfi as fez.[12] Celebrimbor de Azevim desenhou estes sinais."

"O que quer dizer com 'falai, amigos, e entrai'?", perguntou Frodo.

"Isso é bem claro", respondeu Gandalf, " – se fordes amigos, dizei a senha e então a porta vai se abrir e podereis entrar. Alguns portões dos anãos se abrem apenas em horários especiais ou para pessoas específicas; e alguns têm chaves e fechaduras que são necessárias mesmo quando todas as outras condições são cumpridas. Nos dias de Durin, esses portões não eram secretos: normalmente ficavam abertos, e guarda-portões sentavam-se aqui. Mas, se estivessem fechados, qualquer pessoa que conhecesse as palavras de abertura poderia pronunciá-las e passar pelos portões."

"Você as conhece, então?"

"Não!", disse Gandalf.

Os outros pareceram surpresos e consternados – todos exceto Troteiro, que conhecia Gandalf muito bem. "Então de que adiantou nos trazer aqui?", perguntou Boromir, com ar irado.

"E como você entrou quando explorou as Minas, como nos contou agora há pouco?", indagou Frodo.

"A resposta à tua pergunta, Boromir", disse o mago, "é que não sei – ainda não sei. Mas veremos em breve; e", acrescentou, com um brilho nos olhos debaixo das sobrancelhas eriçadas, "podes começar a ser mal-educado quando realmente não adiantar nada: antes, não. Quanto à sua pergunta", continuou, voltando-se bruscamente para Frodo, "a resposta é óbvia: não entrei por aqui. Eu vim do Leste. Se lhe interessar, posso acrescentar que essas portas abrem *para fora* com um empurrão, mas nada pode abri-las para dentro. Podem ser puxadas para fora, ou ser quebradas se você tiver força suficiente."

"O que vai fazer então?", perguntou Merry,[13] que não ficou muito perturbado com as sobrancelhas eriçadas de Gandalf; e que, lá no fundo, esperava que as portas fossem impossíveis de abrir.

"Vou tentar achar as palavras de abertura. Outrora eu conhecia todas as fórmulas e encantamentos em qualquer idioma de elfos, anãos ou gobelins que já foram usados para tais finalidades. Ainda consigo me lembrar de duzentos ou trezentos sem quebrar a cabeça. Mas acho que apenas algumas tentativas serão necessárias. As palavras de abertura eram em élfico, como as palavras escritas – tenho certeza: pelos sinais nas portas, pelos pés de azevinho e por causa do uso para o qual a estrada e os portões foram originalmente feitos." Aproximou-se da rocha e tocou de leve, com o cajado, a estrela de prata que estava perto do meio dos emblemas, logo acima da coroa.

Annon porennin diragas venwed
diragath telwen porannin nithrad[14]

disse Gandalf. As letras prateadas desapareceram, mas a pedra cinzenta, agora sem inscrições, não se mexeu. Muitas e muitas vezes ele tentou outras fórmulas, uma após a outra, mas nada mais aconteceu. Então tentou palavras isoladas, pronunciadas em tons imperiosos, e finalmente (parecendo perder a cabeça) gritou Édro, édro*!* e depois *abra!* em todas as línguas que ele conseguia recordar. Então se sentou em silêncio.

Boromir tinha um sorriso largo no rosto, às costas dele. "Parece que vamos precisar daqueles pôneis de volta", disse em voz baixa. "Teria sido mais sábio ficar com eles até que os portões estivessem abertos."[15] Se Gandalf ouviu, não deu nenhum sinal disso.

De repente, no silêncio, Frodo ouviu um suave farfalhar e borbulhar na água[16] como na noite anterior, porém mais suave. Virando-se rapidamente, viu ondulações tênues na superfície do lago – e, ao mesmo tempo, viu que Sam e Troteiro, ao longe, [estavam] cruzando a parte inundada ao voltar. As ondulações na água pareciam estar se movimentando na direção deles.

"Não gosto deste lugar", disse Merry, que também tinha visto as ondulações. "Queria poder voltar para Valfenda, ou que Gandalf fizesse alguma coisa e a gente pudesse ir em frente – se for necessário mesmo."

"Estou com uma sensação estranha", disse Frodo lentamente, "– um pavor dos portões ou de alguma outra coisa. Mas não creio que Gandalf esteja derrotado: ele está colocando a cabeça para funcionar, imagino."

Parecia que Frodo estava certo; pois o mago de repente se pôs de pé com uma risada. "Achei!", gritou. 'É claro, é claro! Absurdamente simples… quando você pensa um pouco!" Erguendo o cajado, postou-se diante da rocha e disse em voz clara: *Mellyn!* (ou *Meldir!*)[17]

As três estrelas brilharam brevemente e se apagaram de novo. Então, silenciosamente, delineou-se uma grande porta, embora nem a mais fina rachadura ou dobradiça estivesse visível antes. Lentamente, a porta começou a girar para fora, pouco a pouco, até ficar encostada na parede.[18] Atrás dela, podia-se ver o começo de uma escadaria sombria, subindo para a escuridão lá dentro. Todo o grupo ficou de pé e fitou a cena, assombrado.

"Eu estava errado afinal", disse Gandalf. "A palavra de abertura estava inscrita ali o tempo todo. *Falai 'amigos' e entrai*, dizia a inscrição, e, quando pronunciei a palavra élfica para *amigos*, ela abriu. Bastante simples! E agora podemos entrar."

Mas, naquele momento, Frodo sentiu algo agarrar-lhe o tornozelo e caiu. No mesmo momento, Sam e Troteiro, que acabavam de voltar, deram um grito conforme chegavam correndo. Virando-se de repente, os outros viram que um braço longo, sinuoso como um tentáculo, projetava-se da margem escura do lago. Era pálido, verde-acinzentado e úmido: a extremidade com dedos segurava o pé de Frodo e o arrastava em direção à água.

Sam correu com uma faca em punho e abriu um corte no braço. Os dedos soltaram Frodo e Sam o arrastou consigo; mas imediatamente as águas do lago começaram a se agitar e a borbulhar, e mais vinte braços irrequietos surgiram, fazendo ondas, indo em direção aos viajantes como se fossem orientados por algo, nas profundezas, que conseguia vê-los a todos.

"Para o portal! Depressa! Escada acima!", gritou Gandalf, despertando-os do horror que os mantivera presos ao chão.

Foi por pouco. Gandalf fez todos entrarem e então saltou para dentro, colado com Troteiro, mas não tinha subido mais de quatro degraus quando os dedos rastejantes do habitante do lago alcançaram o penhasco.[19]

O mago fez uma pausa. Mas, se estava pensando em como fechar a porta, ou que palavra seria capaz de fazê-la se mexer de dentro, não houve necessidade. Pois os braços agarraram a porta e, com uma força terrível, fizeram-na virar. Com um eco estrondoso, a porta bateu atrás deles; e os companheiros pararam nas escadas, consternados, enquanto os sons de objetos sendo estraçalhados e derrubados vinham abafados do lado de fora, atravessando as pedras. Gandalf correu até a porta e empurrou . . . . e pronunciou as palavras . . . .;[20] mas, embora a porta gemesse, ela não se mexeu.

"Receio que a porta esteja bloqueada atrás de nós agora", disse ele. "Se meu palpite estiver correto, as árvores foram derrubadas na frente dela, e pedras foram roladas na direção da entrada. Sinto muito pelas árvores – elas eram belas e antigas e tinham . . . . . muito tempo.[21] Bem, agora só podemos continuar – não há mais nada a fazer.'

"Estou muito feliz por ter deixado aqueles pobres animais em segurança primeiro", lembrou Sam.

"Senti que algo maligno estava próximo", contou Frodo. "O que era aquilo, Gandalf?"

"Eu não saberia dizer", disse o mago, "não houve tempo suficiente para observar os braços. Todos pertencem a uma só criatura, eu diria, pela maneira como se movimentavam, mas isso é tudo que posso dizer. Algo que . . . . . arrastado, ou foi expulso das águas escuras debaixo do chão, eu acho. Há seres mais antigos e mais imundos do que gobelins nos lugares escuros do mundo." Ele não expressou em voz alta o incômodo pensamento de que o

Habitante do Lago não tinha agarrado justamente Frodo, entre todo o grupo, por acidente.[22]

Gandalf, então, foi em frente e fez com que seu cajado brilhasse de modo tênue, para evitar que eles se deparassem com perigos invisíveis no escuro. Mas a grande escadaria estava ilesa e incólume. Eram duzentos degraus, largos e rasos; e, no topo, viram que o chão diante deles estava nivelado.

"Vamos comer alguma coisa aqui no patamar, já que não conseguimos encontrar um refeitório", disse Frodo. Ele tinha se recuperado do terror do braço agarrador e estava sentindo uma fome incomum. A ideia era bem-vinda para todos. Depois de comerem, Gandalf deu-lhes novamente um gole do licor.

"Não vai durar muito mais tempo", disse ele, "mas acho que precisamos dele depois daquele negócio no portão. E precisaremos de tudo o que resta da bebida antes de atravessarmos Moria, a menos que tenhamos sorte. Cuidado para não esbanjar água também! Existem córregos e poços nas Minas, mas não devem ser tocados. Não teremos chance de encher nossas garrafas até chegarmos a Dunruin."[23]

"Quanto tempo vamos demorar para atravessar?", perguntou Frodo.

"Não sei", respondeu Gandalf. "Tudo depende. Mas, seguindo em frente (sem termos contratempos nem nos perdermos), devemos precisar de pelo menos três ou quatro marchas. Não pode haver menos de quarenta milhas entre as Portas-do-Oeste e o Portão-Leste em linha reta, e talvez não encontremos as passagens mais diretas."

Então descansaram – só um pouco, pois todos estavam ansiosos para terminar a jornada o mais rápido possível, e se dispunham, cansados como estavam, a ir em frente ainda várias horas. Não tinham lenha nem meios de fazer tochas e seriam obrigados a encontrar o caminho quase sempre no escuro.[24] Gandalf ia na frente, segurando na mão esquerda o cajado, cuja luz pálida era suficiente para mostrar o chão diante de seus pés. Na mão direita ele segurava a espada Glamdring, que tinha ficado com ele desde que fora descoberta no covil dos trols.[25] Nenhum brilho vinha dela – o que era algum conforto; pois, sendo uma antiga espada élfica antiga, ela brilhava com uma luz fria se gobelins estivessem por perto.

Ele os conduziu primeiro pela passagem em que haviam parado. À medida que a luz de seu cajado iluminava fracamente as aberturas escuras do caminho, outras passagens e outros túneis podiam ser vistos ou adivinhados: subindo, ou descendo abruptamente, ou virando de repente em cantos escondidos. Era muitíssimo desconcertante. Gandalf se guiava principalmente por seu senso de direção geral: e qualquer um que tivesse viajado com ele sabia que o mago nunca perdia essa capacidade, nem de dia, nem de noite, debaixo do chão ou acima dele: guiava-se melhor dentro de um túnel do que um gobelim, e tinha menos chance de se perder na mata do que um hobbit, e achava o caminho com mais segurança, atravessando uma noite tão negra quanto o Abismo, do que os gatos da Rainha Beruthiel.[26] Se não fosse assim, é mais do que duvidoso que o grupo tivesse percorrido uma milha sequer sem desastres. Pois não só havia muitas trilhas diferentes para escolher como também havia, em muitos lugares, buracos nas laterais do túnel e poços escuros onde se ouvia bem abaixo o gorgolejar da água. Fios de corda apodrecidos pendiam acima deles em guinchos quebrados. Havia precipícios e fissuras perigosas na rocha, e às vezes um precipício se abria bem no caminho do grupo. Um deles era tão largo que o próprio Gandalf quase tropeçou para dentro do buraco. Tinha uns bons dez pés de largura, e Sam tropeçou na hora de saltá-lo, e teria caído para trás na outra margem se Frodo não o tivesse agarrado pela mão e o [?puxado] para frente.

A marcha dos companheiros seguia lenta e começou a parecer interminável. Ficavam muito cansados; e, ainda assim, não havia alívio na ideia de parar em lugar algum. O ânimo de Frodo havia melhorado por algum tempo após escapar do monstro-d'água; mas agora uma profunda sensação de inquietude, que ia se transformando em pavor, tomava conta dele mais uma vez. Apesar de ter sido curado em Valfenda do golpe de punhal, é provável que aquela sombria aventura tivesse deixado uma marca, fazendo com que ele se tornasse especialmente sensível; e, de qualquer forma, era ele que carregava o Anel na corrente encostada em seu peito.[27] Sentia a certeza do mal à frente e do mal a segui-los. Mas nada dizia.

Os viajantes pouco falavam, e só em sussurros apressados. Não havia ruído senão o dos seus próprios pés. Se parassem por um instante, não ouviam absolutamente nada, a não ser, ocasionalmente, um som tênue de água escorrendo ou pingando. Apenas Frodo começou a ouvir, ou a imaginar que ouvia, algo diferente: semelhante ao leve bater de pés macios a segui-los. Nunca era alto ou próximo o suficiente para lhe dar certeza de que os ouvira; mas, uma vez iniciado, o som nunca parava, a menos que eles parassem. E não era um eco, pois, quando paravam (como acontecia de vez em quando), o som continuava por algum tempo e depois sumia.

Eram cerca de 10 horas da manhã quando entraram nas Minas.[28] Tinham avançado por muitas horas (com breves paradas) quando Gandalf teve sua primeira dúvida séria. Haviam chegado a um amplo arco escuro que se abria em três passagens: todas as três levavam para a mesma direção geral, o Leste, mas a passagem da esquerda parecia mergulhar para baixo, a da direita subir, enquanto o caminho do meio parecia seguir no mesmo nível (mas era muito estreito).

"Não tenho nenhuma lembrança deste lugar!", exclamou Gandalf, parado, com ar de incerteza, sob o arco. Ergueu o cajado na esperança de encontrar algumas marcas de orientação ou uma inscrição que pudesse ajudar. Mas não se via nada parecido.

"Estou cansado demais para escolher", disse ele, balançando a cabeça; "e imagino que todos estejais tão exaustos quanto eu, ou mais. É melhor pararmos aqui esta noite – se é que me entendeis. É claro que aqui dentro é noite sempre, mas lá fora acho que a noite já chegou. Já se passaram dez horas desde que deixamos o portão."[29]

Tatearam na escuridão em busca de um lugar onde pudessem descansar com alguma sensação de segurança. À esquerda do grande arco havia uma abertura inferior e, quando a exploraram mais de perto, descobriram que se tratava de uma porta de pedra semicerrada, mas que se abria facilmente com um leve empurrão. Mais além parecia haver uma câmara ou câmaras escavadas na rocha.

"Devagar, devagar!", advertiu Gandalf quando Merry e Faramond correram à frente, contentes por acharem um lugar onde podiam descansar com algum tipo de segurança. "Devagar! Vocês não sabem o que pode haver aí dentro. Eu vou primeiro."

Entrou com cautela, seguido pelos demais. "Aí está!", disse, apontando com o cajado para o meio do chão. Diante dos seus pés, viram um buraco redondo como a boca de um poço. Fios de corda apodrecidos jaziam na beirada e se estendiam para dentro da cova negra; havia fragmentos de pedra ao redor.

"Um de vocês poderia ter caído aí dentro e ainda estar esperando para chegar ao fundo", disse o mago a Merry. "Olhem para o chão na frente dos seus pés! Parece que esta era uma espécie de sala de guarda, feita para vigiar aquelas passagens", continuou ele. "O buraco, imagino, é um poço, e, sem dúvida, antes ficava coberto com uma tampa de pedra. Mas a tampa está quebrada agora, e é melhor vocês tomarem cuidado para não cair."

Sam[30] se sentia curiosamente atraído pelo poço; e, enquanto os outros improvisavam camas com cobertores nos cantos escuros do aposento, o mais longe possível do poço, ele engatinhou até a beira e espiou. Um ar gélido parecia subir até seu rosto, vindo das profundezas invisíveis. Movido por um impulso súbito, Sam tateou para achar uma pedra solta e a deixou cair.

Pareceu demorar quase um minuto antes que se ouvisse qualquer som; então, muito abaixo, houve um *plunc*, como se a pedra tivesse caído em água profunda, em um lugar cavernoso – um som muito distante, mas ampliado e repetido pela rocha oca.

"O que é isso?", exclamou Gandalf. Ficou aliviado quando Sam confessou o que fizera; mas estava furioso, e Sam podia ver seus olhos luzirem no escuro. "Sujeito tolo!", rosnou ele. "Esta é uma jornada séria, não uma excursão escolar para hobbits. Jogue-se lá dentro da próxima vez e não será mais incômodo. Agora fique quieto!"

Nada mais se ouviu durante vários minutos; mas então vieram das profundezas pancadas fracas, que paravam e ecoavam vagamente e, depois de um breve silêncio, repetiam-se. Aquilo se parecia estranhamente com algum tipo de sinal. Mas, depois de um tempo, as pancadas cessaram completamente e não foram mais ouvidas.

"Pode não ter nada a ver com aquela pedra", disse Gandalf; "e, de qualquer modo, pode não ter nada a ver conosco – mas é claro que pode ser qualquer coisa. Não faça nada assim novamente. Vamos esperar que consigamos descansar um pouco sem sermos perturbados. Você, Sam, pode fazer a primeira guarda. E fique perto da porta, bem longe do poço", grunhiu o mago, enrolando-se num cobertor.

Sam, infeliz, ficou sentado junto à porta na escuridão profunda, mas não parava de se virar, com medo de que alguma coisa desconhecida rastejasse para fora do poço. Desejou poder tapar o buraco, nem que fosse só com um cobertor; mas não ousou se aproximar da abertura, embora Gandalf parecesse estar roncando.

Na verdade, o mago não estava dormindo, e os roncos vinham de Boromir, que estava deitado ao lado dele. Gandalf estava pensando com afinco novamente, tentando recobrar todas as lembranças que podia de sua jornada anterior nas Minas e tentando se decidir sobre o curso que tomariam a seguir. Depois de cerca de uma hora, ele se levantou e foi até Sam.

"Enrole-se num cobertor e durma, meu rapaz!", disse ele em tom mais bondoso. "Você deve conseguir dormir, eu acho. Eu não consigo, por isso bem que posso ser a sentinela.'

"Eu sei qual é meu problema", murmurou. "Preciso de um cachimbo; e acho que vou arriscar acendê-lo." A última coisa que Sam viu antes de dormir foi a imagem do velho mago agachado no chão, protegendo um cavaco em brasa com as mãos enrugadas entre os joelhos. O lampejo, por um momento, mostrou seu nariz adunco e as baforadas de fumaça.

Foi Gandalf quem os acordou a todos. Ele tinha vigiado sozinho por cerca de seis horas e deixara os demais descansarem. "E, nesse meio-tempo, eu me decidi", anunciou. "Não gosto da sensação do caminho do meio, e não gosto do cheiro que vem do lado esquerdo – há ar fétido lá embaixo, ou então não sou um guia. Hei de tomar o caminho da direita – está na hora de começarmos a subir de novo."

Durante oito horas escuras, sem contar duas breves paradas, seguiram em marcha e não encontraram perigo, e nada ouviram e nada viram senão o débil brilho da luz do mago, balouçando como um fogo-fátuo diante deles. A passagem que haviam escolhido serpenteava subindo sempre, fazendo, até onde podiam julgar, grandes curvas e tornando-se cada vez mais larga. Em nenhum dos lados havia agora aberturas para outras galerias ou túneis, e o chão, embora áspero em muitos lugares, era sólido e sem buracos ou rachaduras. Eles avançaram com mais rapidez do que no dia anterior e devem ter percorrido cerca de vinte milhas ou mais, talvez quinze em linha reta para o leste. À medida que subiam, o ânimo de Frodo melhorou um pouco; mas ainda se sentia oprimido, e às vezes ainda ouvia ou imaginava ouvir atrás de si, permeando o tamborilar dos próprios pés, passadas que não eram um eco.

Eles tinham caminhado quase até o máximo que os hobbits podiam suportar sem descanso e sono, e todos pensavam em um lugar para passar a noite, quando de repente as paredes à direita e à esquerda sumiram. Pararam. Gandalf parecia muito satisfeito. "Acho que alcançamos as partes habitáveis", disse ele, "e não estamos muito longe do lado leste. Posso sentir uma mudança no ar e creio que estamos em um salão amplo. Acho que vou arriscar um pouco de luz."[31]

Ergueu o cajado, e por um breve instante o objeto chamejou feito um relâmpago. Grandes sombras saltaram e fugiram, e por um ou dois segundos eles viram um vasto teto muito acima de suas cabeças. Para todos os lados se estendia um enorme salão vazio com paredes retas e talhadas. Vislumbraram quatro entradas, arcos escuros nas paredes: um a oeste, por onde tinham vindo, outro diante deles, a leste, e um de cada lado. Então a luz se apagou.

"Isso é tudo a que me arriscarei no momento", sentenciou o mago. "Costumava haver grandes janelas no flanco da montanha, e poços que conduziam à luz e aos confins superiores das minas. Acho que é onde estamos. Mas agora é noite, e não poderemos ter certeza até de manhã. Se eu estiver certo, amanhã poderemos até ver a manhã espiando para dentro. Mas, enquanto isso, é melhor não prosseguirmos sem exploração. Ainda haverá um bom caminho a percorrer antes de atravessarmos – os Portões Leste estão num nível muito mais baixo do que este, e é um longo caminho a percorrer. Vamos descansar, se pudermos."

Passaram aquela noite no grande salão vazio, aninhados em um canto para fugir da corrente de ar – parecia haver um fluxo constante de ar gelado entrando pelo arco oriental. A vastidão e imensidão dos túneis e escavações encheram os hobbits de perplexidade.[32] "Deve ter existido uma baita tribo de anãos aqui em algum momento", comentou Sam; "e cada um deles tão ocupado quanto um texugo durante cem anos para fazer tudo isso – e cavando quase sempre na rocha dura também. Por que construíram tudo isso? Com certeza não moravam nesses buracos escuros?"

"Não por muito tempo", disse Gandalf;[33] "embora os mineiros muitas vezes passassem longos períodos debaixo da terra, creio eu. Encontraram metais preciosos e joias – muito abundantes nos primeiros tempos. Mas as minas eram mais conhecidas pelo metal que só era encontrado aqui em certa quantidade: prata-de-Moria, ou prata-vera, como alguns a chamam. *Ithil*[34] é como os Elfos a chamam, e ainda lhe dão valor maior que o do ouro.[35] É quase tão pesada quanto o chumbo e tão maleável quanto o cobre, mas os anãos conseguiam, por meio de algum segredo deles, torná-la tão dura quanto o aço. Supera a prata comum em tudo, exceto na beleza, e até nisso se iguala a ela. Na época, os senhores-anãos de Uruktharbun[36] eram mais ricos do que qualquer um dos Reis de Homens."

"Bem, *nós* não pusemos os olhos em nenhum tipo de prata desde que chegamos", resmungou Sam; "nem em quaisquer joias também. Nem em nenhum anão."

"Não creio que isso aconteça até que subamos mais[37] e nos aproximemos das entradas orientais", disse Gandalf.

"Espero mesmo que encontremos anãos, no fim das contas", disse Frodo. "Eu daria muito para ver o velho Balin. Bilbo gostava dele e ficaria encantado em ter notícias do amigo. Ele o visitou na Vila-dos-Hobbits uma vez, há muito tempo, mas isso foi antes de eu ir morar lá."

Mas essas palavras levaram seus pensamentos para longe da escuridão; e lembranças de Bolsão enquanto Bilbo ainda estava na casa encheram [?intensamente] a sua mente. Desejou de todo o coração estar lá, cortando a grama ou passando o tempo entre as flores, e jamais ter ouvido falar do Anel.[38] Era a vez de ele ficar de guarda. Quando o silêncio caiu e os outros foram pegando no sono, um a um, Frodo sentiu aquele estranho pavor a assediá-lo novamente. Mas, embora tentasse escutar algo incessantemente durante as horas lentas, até a troca da guarda, não ouviu nenhum som de passos. Só uma vez, bem longe, onde supôs que ficava o arco oeste, imaginou ter visto dois pontos pálidos de luz, quase como se fossem olhos luminosos. Teve um sobressalto: "Devo ter quase adormecido", pensou; "Estava à beira de um sonho." Esfregou os olhos e pôs-se de pé, e ficou parado, espiando no escuro, até ser rendido por Merry. Adormeceu depressa, mas depois de um tempo teve a impressão de que, em seu sonho, ouvia sussurros, e viu dois pálidos pontos de luz se aproximando. Despertou e percebeu que os outros estavam falando baixinho junto dele, e que uma luz fraca de fato lhe caía no rosto. Muito do alto, acima do arco oriental, através de uma abertura perto do teto, vinha um feixe de luz cinzenta. E, do outro lado do salão, através do arco norte, a luz também brilhava, fraca e distante.

Frodo se sentou. "Bom dia!", disse Gandalf. "Pois finalmente já é manhã de novo. Eu tinha razão, como vê. Antes que o dia de hoje termine, deveremos chegar ao Portão Leste e ver as águas de Helevorn, no Vale-do-Riacho-escuro, à nossa frente."[39]

Mesmo assim, o mago tinha algumas dúvidas quanto à posição exata deles – talvez estivessem muito ao norte ou ao sul dos

Portões. O arco oriental era a saída mais provável a ser escolhida, e a corrente de ar que passava por ele parecia prometer uma passagem que conduzia em pouco tempo ao exterior; mas, além da abertura, não havia nenhum vestígio de luz. "Se pelo menos eu conseguisse enxergar através dessas claraboias", disse o mago, "saberia melhor o que fazer. Podemos acabar vagando para a frente e para trás indefinidamente e simplesmente deixar passar a saída. É melhor explorarmos um pouco antes de começarmos. E vamos primeiro em direção à luz."

Passando sob o arco norte, eles percorreram um amplo corredor e, à medida que avançavam, o brilho da luz se intensificou. Depois de uma curva fechada, chegaram a uma grande porta à sua direita. Estava entreaberta, e depois dela havia uma grande câmara quadrada. Estava mal iluminada, mas, aos olhos deles, depois de tanto tempo no escuro, aquilo parecia uma luz quase ofuscante, e ficaram piscando ao entrar. Seus pés remexeram a poeira acumulada e tropeçaram em coisas caídas no chão, perto da porta, cujas formas de início não conseguiam distinguir.

Viram então que a câmara era iluminada por uma ampla claraboia no alto da parede oposta – ela se inclinava para cima e, bem no alto, uma nesga quadrada de céu podia ser vista na extremidade da abertura. A luz incidia diretamente sobre uma mesa no meio da câmara, um bloco quadrado de cerca de três pés de altura sobre o qual estava colocada uma grande laje de pedra esbranquiçada.

"Parece um túmulo!", [murmurou >] pensou Frodo, e avançou para observá-lo mais de perto com uma curiosa sensação de pressentimento. Gandalf veio depressa para seu lado. Na laje havia Runas profundamente entalhadas:[40]

BALIN, FILHO DE BURIN, SENHOR DE MORIA

Gandalf e Frodo se entreolharam. "Então ele está morto. De alguma forma, eu temia isso", disse o hobbit.

Embora o esquema narrativo da história da travessia de Moria continue bem além deste ponto (pp. 542–3), esse primeiro rascunho da narrativa parou aqui. Meu pai fez algumas anotações quase ilegíveis no restante da página em branco e, anos depois (quando, creio, a página acabou se separando do resto do capítulo: ver nota 40), ele as decifrou da seguinte maneira.

Balin, filho de *Burin*, foi alterado para Balin, filho de *Fundin*, tal como em *O Hobbit* (ver p. 543).

No final da narrativa está escrito a tinta, como em SA: "Gimli puxou o capuz sobre o rosto."

"Runas de ?Anãos"

"(eles) olham em volta e veem espadas quebradas e ?lâminas de machados e escudos fendidos"

"O ?livro pisoteado está manchado de sangue & jogado em um canto. Apenas parte dele pode ser lida. Balin foi morto em uma ?escaramuça no Vale do Riacho-escuro. Eles tomaram os portões eles estão vindo"

No verso da folha há um primeiro esboço rabiscado de uma "Página do Livro de Balin" (ver nota 40).

Pode ser que meu pai não sentisse naquele momento que havia chegado ao fim de um capítulo e pretendesse continuar a história; mas sabe-se, pelas suas próprias palavras no Prefácio à Segunda Edição (1966), em que expôs algumas recordações das etapas da escrita do livro, que parou por muito tempo precisamente nesse ponto. Ele diz ali, que no final de 1939, "o conto ainda não atingira o fim do Livro I" (e é claro que ele se referia ao Livro I de SA, e não ao Volume I de *O Senhor dos Anéis*); e que

> A despeito da treva dos cinco anos seguintes, descobri que, àquela altura, a história não podia ser totalmente abandonada e arrastei-me em frente, principalmente à noite, até me ver diante do túmulo de Balin em Moria. Ali detive-me por longo tempo. Foi quase um ano mais tarde que prossegui e, assim, cheguei a Lothlórien e ao Grande Rio no final de 1941.

Isso só pode significar que a história foi interrompida em Moria no final de 1940.

Parece impossível acomodar essas datas a outras evidências existentes sobre o assunto. Penso que é extremamente provável, e até virtualmente certo, que esses últimos capítulos, que fazem a história prosseguir desde Valfenda até Moria, correspondam à última parte de 1939; e, na verdade, meu pai disse, numa carta a Stanley Unwin datada de 19 de dezembro de 1939, que "nunca parou de trabalhar de fato" em *O Senhor dos Anéis* e que "chegou ao Capítulo 16" (*Cartas* n. 37). Os números dos capítulos nesta fase são, infelizmente, tão erráticos que as evidências que fornecem são muito difíceis de usar; mas, quando se observa que o número "15" foi escrito a lápis no manuscrito original de "O Conselho de Elrond", e que o capítulo que posteriormente continuou a história a partir do ponto onde o presente texto termina – originalmente chamado de "As Minas de Moria (ii)" e depois "A Ponte de Khazad-dûm" – recebe o número "17", parece provável que tenha sido a "As Minas de Moria" que meu pai se referiu na carta de dezembro de 1939. Em todo caso, o "Capítulo 16" não poderia de forma alguma ser um dos capítulos do Livro I em SA. Tenho certeza, portanto, de que – mais de um quarto de século depois – ele errou ao se lembrar do ano. Mas estaria fora de questão que ele errasse na lembrança de que "detive-me por longo tempo diante do túmulo de Balin em Moria". De qualquer forma, evidências internas sugerem que a "onda" de composição que levou a história do Conselho de Elrond até a câmara do túmulo de Balin chegou ao fim aqui. Todos os textos subsequentes se baseiam numa forma desenvolvida do Conselho e numa composição diferente da Comitiva do Anel.

É aí que esta história também faz uma pausa. Mas, antes de terminar, resta outro fragmento de esquema narrativo, presente na mesma página isolada que traz os esboços preliminares para a descida do Passo Vermelho (pp. 529–30, nota 1) e o encantamento que guardava o Portão Oeste Moria (p. 544). É, de fato, uma continuação do "Esboço do capítulo de Moria" apresentado em pp. 541–3, que termina com as palavras: "Perseguidores estão atrás deles. Aqui vem a perda de Gandalf." Escrita num rabisco fraco a lápis, o esquema é extremamente difícil de ler.

São perseguidos por gobelins e por um C[avaleiro] N[egro] [*escrito em cima*: um Balrog] depois de escaparem do Túmulo de Balin – chegam a uma ponte de pedra estreita que passa por cima de um abismo.

Gandalf volta e detém [?inimigo], eles cruzam a ponte, mas o C[avaleiro] N[egro] dá um salto para a frente e luta com Gandalf. A ponte racha debaixo deles, e a última coisa que veem é Gandalf caindo na abertura com o C[avaleiro] N[egro]. Um clarão de fogo e luz azul sai do abismo.

Tristeza deles. Troteiro agora guia grupo.

(É claro, que Gandalf deve reaparecer mais tarde – provavelmente queda não é tão funda quanto parecia. Gandalf empurra o

Balrog debaixo de si e assim . . . . e por fim seguindo o riacho subterrâneo no abismo ele encontrou a saída – mas não aparece até eles terem enfrentado muitas aventuras: não, de fato, até eles estarem nas [?fronteiras] de Mordor e o Rei de Ond estar sendo derrotado em batalha.)

Isso parece mostrar claramente que, muito antes que a história da queda de Gandalf da Ponte de Khazad-dûm fosse escrita, meu pai tinha total intenção de fazê-lo voltar.

NOTAS

[1] Até este ponto, o texto desse "Esboço" foi riscado, mas o resto dele não foi.

[2] Ver pp. 535–6, nota 35; e cf. a passagem correspondente em SA (p. 462), onde Gandalf diz: "Há Orques, muitíssimos. E alguns são grandes e malignos: Uruks negros de Mordor."

[3] Em SA (p. 425), a Comitiva seguia para o sul, na direção de Moria, durante o dia, e "vagava e escalava em um terreno árido de pedras vermelhas. Em nenhum lugar conseguiam ver o brilho da água ..."

[4] Meu pai escreveu primeiro aqui (alterando o trecho de imediato): "*Caradras dilthen* o Pequeno Via-rubra". Para o uso de *Caradras* como nome do rio Via--rubra (mais tarde, Veio-de-Prata), do outro lado das Montanhas, ver p. 532, nota 15.

[5] Era então a noite de 5 de dezembro, e a lua cheia surgiu no dia 7 (ver p. 432, nota 19).

[6] Essa frase foi posta entre colchetes, e as palavras finais, "de onde ouviam o som do despejar de água corrente", riscadas. Essas alterações são do momento da escrita do texto.

[7] Em inglês, o texto usa a palavra "pool", que poderia ter o significado de poça ou lago/lagoa, mas trata-se de uma clara referência ao lago, e não à poça na qual tinham acabado de pisar. O "leve barulho borbulhante" vem do "lago".

[8] A passagem inteira que começa com "Bem, eis-nos aqui finalmente!", na p. 548, até este ponto, é uma inserção feita num pedaço de papel, substituindo o seguinte no texto original:

> "Aqui está o portão", disse Gandalf. "É aqui que a estrada vinda de Azevim terminava, e os elfos plantaram essas árvores em dias antigos; pois os portões do oeste foram feitos principalmente para o uso deles, em seu comércio com os anãos."

A substituição certamente está ligada à escrita inicial do capítulo, pois a soltura dos pôneis, feita por Sam e Troteiro, é citada logo depois no texto em sua versão original.

[9] A palavra "totalmente" está entre colchetes.

[10] Em SA (p. 431), o martelo e a bigorna estão "encimados por uma coroa com sete estrelas" e "mais claramente que tudo o mais brilhava, no meio da porta, uma única estrela de muitos raios." O esboço original não menciona que as duas árvores portavam luas crescentes.

[11] Em SA, a inscrição nas portas é feita de *ithildin*, que só reflete a luz das estrelas e o luar (p. 431). Nesse esboço original, é claro, o esquema temporal é diferente – a cena acontece no meio do dia, não no começo da noite (ver a nota 28).

[12] Originalmente o texto diz: "Narfi fez as Portas".

[13] Merry substituiu Frodo, que substituiu Boromir; aparentemente, o texto diz, acerca de Boromir, que ele não ficou muito preocupado com as sobrancelhas eriçadas de Gandalf e que desejava secretamente que as portas pudessem continuar fechadas.

[14] Não consigo interpretar essas frases. Em SA (p. 434), a invocação de Gandalf quer dizer: "Portão élfico, abre-te agora para nós; entrada do Povo-Anão, ouve a palavra [*beth*] de minha língua."

[15] O texto dessa passagem, a partir de "Então se sentou em silêncio", dizia o seguinte conforme escrito originalmente:

> Apenas Troteiro parecia perturbado. Boromir estava dando um largo sorriso às costas do mago. Sam se arriscou a sussurrar no ouvido de Frodo: "Nunca vi o velho Gandalf sem saber o que dizer antes", disse. "Parece que *não é* para a gente atravessar esses portões, de algum modo."
>
> "Estou com uma sensação de pavor", respondeu Frodo, devagar, "ou dos portões ou de alguma outra coisa. Mas não acho que Gandalf esteja derrotado – ele está pensando para valer, imagino."

Mais tarde, a fala sussurrada de Sam para Frodo foi atribuída a Merry, com este acréscimo: "Ele não devia ter dispensado os pôneis até conseguir abrir os portões."

[16] Escrito a lápis aqui: "Som de lobos ao longe no mesmo momento que o remexer da água." Mas essa frase teria sido acrescentada quando o momento da entrada do grupo nas Minas tinha sido alterado; cf. SA, p. 434, e a nota 28.

[17] Essas palavras foram riscadas a lápis, e a forma *Melin* substituiu o termo anterior. Nas *Etimologias* (V.451), na raiz MEL, aparecem as palavras noldorin *mellon* e *meldir*, "amigo", e também o quenya *melin*, "querido".

[18] Em SA, há duas portas; e, apesar da porta única descrita aqui, a inscrição traz as palavras "As Portas de Durin"; Gandalf diz aos companheiros: "essas portas abrem para fora, mas nada pode abri-las para dentro. Podem ser puxadas para fora, ou ser quebradas ..."

[19] Conforme escrita originalmente (e sem ser riscada), essa passagem dizia: "Foi por pouco; Troteiro, que vinha por último, não tinha subido mais do que quatro degraus quando os braços da criatura na água apareceram, tateando e passando seus dedos pela parede".

[20] Na primeira dessas lacunas, o texto parece dizer *no*, ou possivelmente *com* (nesse caso, *cajado* foi omitido; cf. SA, p. 437, "golpeando as portas com o cajado"). Na segunda, a palavra se parece com *aberto* (talvez com o significado *de abertura*).

[21] A palavra ilegível não passa de uma série de ondulações; certamente não é *estiveram de pé*, a expressão em SA. Uma possibilidade distante é *sobreviveram*.

[22] O que o texto de fato diz aqui é " — não por acidente". A frase foi colocada entre colchetes assim que foi escrita, mas uma frase parecida ainda está presente em SA.

[23] *Dunruin* substituiu, aparentemente no momento da escrita, a palavra *Carondoom* (ver p. 531, nota 13). Mais tarde, *Vale-do-Riacho-escuro* foi inserido a lápis.

[24] Essa frase foi uma substituição (ao que tudo indica feita no momento da escrita; ver a nota 31) de: "Na confusão do ataque no Portão-oeste, alguns dos fardos e pacotes tinham sido deixados no chão; mas eles ainda tinham consigo um maço de tochas que tinham trazido em caso de necessidade, mas ainda não tinham usado".

[25] As palavras que vêm depois de *Glamdring* estão entre colchetes. Glamdring aparece no "Esboço" do capítulo; ver pp. 541–3.

[26] Essa frase foi alterada durante a escrita, com estágios sucessivos que não foram riscados: "do que qualquer gato que já existiu", "do que o gato de Benish Armon", "do que os gatos da Rainha [?Tamar >] Margoliantë Beruthiel" – esses dois nomes foram deixados na página.

[27] A passagem original que se segue aqui foi colocada entre colchetes e, mais tarde, riscada com lápis:

> Enquanto os outros tentavam melhorar o ânimo com conversas esperançosas e sussurravam perguntas acerca das terras [*riscado*: de Dunruin e Fangorn] além das montanhas, acerca do vale do Via--rubra, da floresta de Fangorn e do que havia depois, ele sentia a certeza ...

Isso deriva do "Esboço" do capítulo (ver p. 541).

[28] No "Esboço" (p. 541), afirma-se, tal como aqui, que "eram cerca de 10 horas da manhã" quando eles entraram nas Minas. Isso não corresponde ao que foi dito na p. 548, em que, quando "o sol *alcançou o sul*", Gandalf "se levantou e disse que já era hora de começar a procurar os portões", e o sol estava brilhando na face da encosta quando ele fez os sinais aparecerem. Isso sugere que a porta se abriu no começo da tarde. A frase no texto aqui foi alterada a lápis para "cinco da tarde", mas é difícil dizer a que forma da história isso se refere. Em SA estava completamente escuro – "as incontáveis estrelas se acenderam" – quando eles entraram nas Minas (p. 434) e, embora fosse no começo de dezembro, certamente foi depois das cinco da tarde. Algumas linhas depois no presente texto, entretanto, outra mudança no esquema temporal claramente traz o horário citado em SA; ver a nota 29.

[29] As palavras "a noite já chegou" foram trocadas a lápis por "a noite já está adiantada"; e a frase seguinte, que tinha sido colocada entre colchetes, foi riscada. Tal como foi escrito, o texto está de acordo com a afirmação de que eles entraram nas Minas por volta de dez da manhã – naquele momento seria mais ou menos 8h da noite (ver a nota 28). Com a alteração, o texto fica de acordo com o de SA, p. 441 ("lá fora a Lua tardia ruma para o oeste e a meia-noite passou").

[30] "Sam" substituiu "Merry" no momento da escrita, já que no fim desse episódio é Sam, que não foi trocado por Merry, que faz a primeira vigília como punição por ter jogado a pedra no poço.

[31] Essa passagem foi muito alterada durante a composição do texto. De início "Gandalf permitiu que duas tochas fossem acesas, para ajudar na exploração. A luz delas não revelou nenhum teto, mas era suficiente para mostrar que tinham chegado (como imaginaram) a um espaço amplo, alto e largo como um grande salão". Entretanto, o texto afirmou, por causa de uma mudança aparentemente feita durante a composição inicial (ver a nota 24), que eles não tinham tochas nem meios de fazê-las.

[32] A passagem de SA, p. 445 – de "Em toda a volta deles, deitados, pendia a escuridão" até "diante do verdadeiro pavor e assombro de Moria" – foi rascunhada primeiro na margem do manuscrito neste ponto, talvez logo depois da escrita do texto principal.

[33] "Gandalf" é uma emenda de "Troteiro" feita logo depois, e o mesmo vale para o diálogo na sequência.

[34] *Ithil* é uma alteração rápida, talvez imediata, de *Erceleb*.

[35] Essa passagem foi alterada no ato da escrita, e a forma original era:

> – muito abundantemente nos dias mais antigos, e especialmente a prata. A prata-de-Moria era (e ainda é) renomada; e muitos a consideravam uma preciosa

É aqui que o conceito do *mithril* emergiu pela primeira vez, embora o nome ainda não estivesse presente (ver a nota 34). A referência ao *mithril* em *O Hobbit* (Capítulo 13, "Fora de Casa") foi inserida na terceira edição de 1966; antes disso, o texto dizia: "Era de aço prateado e ornamentada com pérolas, e a acompanhava um cinto de pérolas e cristais." Isso foi alterado para: "Era de aço-de-prata, que os elfos chamavam de *mithril*, e a acompanhava um cinto de pérolas e cristais."

[36] Ao lado de *Uruktharbun* está escrito *Azanulbizâr*, termo que em SA é o nome anânico do Vale-do-Riacho-escuro. Se *Uruktharbun* é Moria (e a revisão seguinte desse texto traz a frase "os senhores-anânicos de Khazad-dûm"), *Azanulbizâr* pode ter sido pensado para substituir esse nome e se referia, de início, a Moria; por outro lado, meu pai talvez possa ter desejado citar os "senhores-anãos" como senhores do Vale-do-Riacho-escuro. Podemos mencionar que, nesse mesmo manuscrito, embora escrito num tipo de papel diferente e presumivelmente ligado a um estágio posterior, quando Gimli tinha se tornado um

dos membros da Comitiva, há uma folha com esboços iniciais da canção que o Anão canta em Moria; e nela temos os versos:

Quando Durin até Azanûl chegou,
o lago encontrou sem nome e o nomeou.[A]

Em notas escritas anos mais tarde (depois da publicação de *O Senhor dos Anéis*), meu pai observou que "a interpretação dos nomes dos Anãos (devido ao escasso conhecimento sobre o khuzdul) é, em larga medida, incerta, exceto pelo fato de que, já que essa região [isto é, Moria e o Vale-do-Riacho-escuro] era originalmente um lar dos Anãos, que recebeu seus nomes principalmente graças a eles, os nomes em sindarin e westron provavelmente, em sua origem, têm significados similares." Ele interpretou (com hesitação) o nome *Azanulbizar* como um termo que contém a raiz ZN "escuro, sombrio", ûl "correntezas" e *bizar* uma depressão ou vale, de modo que o todo significa "Vale das Correntezas Sombrias".

O nome *Khazad-dûm* já tinha aparecido no Quenta Silmarillion (V.326), onde era o nome da cidade anânica das Montanhas Azuis que os Elfos chamavam de *Nogrod*.

37 A palavra *subamos* aqui é estranha (e, mais tarde, meu pai colocou um ponto de interrogação ao lado dela), já que a afirmação de que os Portões Leste ficavam num nível muito inferior ao do grande salão onde eles estavam naquele momento é parte da composição original do texto.

38 Essa passagem foi preservada em SA (p. 448), mas lá os pensamentos de Frodo se voltam para Bilbo e para Bolsão por um motivo diferente – o momento que Gandalf menciona o colete de anéis de mithril. A prata-de-Moria tinha acabado de surgir (nota 35), e a conexão com a cota de malha de Bilbo ainda não tinha sido feita.

39 No capítulo anterior, o nome *Vale-do-Riacho-escuro* aparece como uma correção (p. 531, nota 13), junto com a primeira menção do lago no vale, ali designado *Vidrágua*; *Espelhágua* é o nome que aparece no mapa reproduzido na p. 537. O nome élfico *Helevorn* (nas *Etimologias*, V.441, traduzido como "vidro-negro") atribuído a ele aqui tinha aparecido no *Quenta Silmarillion* como o nome do lago em Thargelion ao lado do qual vivia Cranthir, filho de Fëanor. Nenhum outro nome élfico para o Espelhágua está registrado nos escritos publicados, mas, nas anotações citadas na nota 36, meu pai disse que o nome sindarin, não apresentado em SdA, na verdade era *Nen Cenedril* "Lago Espelho". Traduzindo *Kheled-zâram* como "provavelmente 'lagoa-de-vidro'", ele observou: "*kheled* certamente era uma palavra anânica para 'vidro' e parece ser a origem do termo sindarin *heleð*, 'vidro'. Cf. Lago *Hele(ð)vorn* perto das regiões dos Anãos a norte de Dor Caranthir [Thargelion]: o termo significavidro negro' e provavelmente também é uma tradução de um nome anânico (dado pelos Anãos: o mesmo provavelmente vale para a região de Moria) tal como *Narag-zâram* (o fato de que NRG era

a raiz khuzdul para a palavra 'negro' pode-se ver no nome de Mordor dado pelos Anãos: *Nargûn*)."

40 Quando o manuscrito deste capítulo foi achado em meio aos papéis de meu pai, ele terminava no pé de uma página, com as palavras "uma grande laje de pedra esbranquiçada" na p. 561. Eu tinha concluído que foi aqui que meu pai interrompeu o capítulo, até que, alguns dias antes da data em que o texto deste livro deveria ir para o prelo, topei da forma mais inesperada possível com mais uma página, começando com as palavras "'Parece um túmulo!', pensou Frodo", a qual evidentemente tinha sido separada do resto do capítulo muito tempo atrás, por conta das inscrições. Era, é claro, tarde demais para reproduzi-las neste livro, mas um relato sobre os alfabetos rúnicos, conforme meu pai os concebia nessa época, e sobre a escrita no túmulo de Balin e no Livro de Mazarbul, será publicado, espero no Volume VII.

Pode-se notar aqui, entretanto, que foi nesse ponto que meu pai decidiu abandonar as runas do inglês antigo (ou "do Hobbit") e usar as runas verdadeiras de Beleriand, que já existiam em forma desenvolvida. A inscrição no túmulo (*Balin, Filho de Burin, Senhor de Moria*) inicialmente foi escrita usando as runas do inglês antigo e depois, imediatamente abaixo, em "Angerthas", duas vezes, com as mesmas palavras, mas com runas que diferem em certos detalhes.

Na parte de trás dessa página recém-descoberta e, conforme acho, muito provavelmente datando da mesma época, há um esquema feito a lápis de modo muito grosseiro de uma "Página do Livro de Balin", em runas que representam o inglês grafado foneticamente, que diz o seguinte:

> Expulsamos os Orques d(o) ... guarda .... (p)rimeiro salão. Matamos muitos sob o forte sol no vale. Flói foi morto por uma flecha .... Fizemos .... Ocupamos o vigésimo-primeiro salão de ...... extremidade norte. Ali há .... poço está .... (B)alin estabeleceu sua cadeira na câmara de Mazarbul .... Balin é Senhor de Moria ....

E, no canto inferior direito da página, rasgado e separado do resto do texto, está o nome *Kazaddûm.*

Índice Remissivo

Este Índice foi feito seguindo as mesmas diretrizes que estão presentes nos volumes anteriores, mas a extrema instabilidade dos nomes neste livro, especialmente entre os hobbits, revelou-se um empecilho, como há de mostrar a observação dos verbetes ligados ao sobrenome *Tûk*. A complexidade do material a ser indexado mal permite uma apresentação coerente.

Certos nomes aparecem constantemente ao longo do livro e, onde foi possível, reduzi os blocos mais intimidadores de referências usando a palavra *passim* para indicar que um nome está faltando apenas em uma única página aqui e ali numa série longa.

As formas das palavras foram padronizadas, e não levei em conta as inúmeras variantes de capitalização, hifenização e separação de elementos que ocorrem nos textos.

Nomes que aparecem nas reproduções de páginas dos manuscritos originais não foram indexados.

Poemas Originais

2. Da Vila-Dos-Hobbits até a Ponta do Bosque

[A] p. 65:

The Road goes ever on and on
down from the Door where it began:
before us far the Road has gone,
and we come after it, who can;
pursuing it with weary feet,
until it joins some larger way,
where many paths and errands meet,
and whither then? – we cannot say.

[B] p. 72:

The Road goes ever on and on
Down from the door where it began.
Now far ahead the Road has gone,
And we must follow if we can,
Pursuing it with weary feet,
Until it joins some larger way,
Where many paths and errands meet.
And whither then? We cannot say.

[C] pp. 76–7:

Upon the hearth the fire is red,
Beneath the roof there is a bed;
But not yet weary are our feet,
Still round the comer we may meet
A sudden tree or standing stone
That none have seen, but we alone.
Tree and flower and leaf and grass,
Let them pass! Let them pass!
Hill and water under sky,
Pass them by! Pass them by!

Still round the comer there may wait
A new road or a secret gate,
And even if we pass them by,
We still shall know which way they lie,
And whether hidden pathways run
Towards the Moon or to the Sun.

Apple, thorn, and nut and sloe,
Let them go! Let them go!
Sand and stone and pool and dell,
Fare you well! Fare you well!

Home is behind, the world ahead,
And there are many paths to tread
Through shadow to the edge of night,
Until the stars are all alight.
Then world behind and home ahead,
We'll wander back to fire and bed.
Mist and twilight, cloud and shade,
Away shall fade! Away shall fade!
Fire and lamp and meat and bread,
And then to bed! And then to bed!

[D] p. 79:

Snow-white! Snow-white! O Lady clear!
O Queen beyond the Western Seas!
O Light to us that wander here
Amid the world of woven trees!

Gilthoniel! O Elbereth!
Clear are thy eyes and cold thy breath!
Snow-white! Snow-white! We sing to thee
In a far land beyond the Sea.

O Stars that in the Sunless Year
With shining hand by her were sown,
In windy fields now bright and clear
We see your silver blossom blown!

O Elbereth! Gilthoniel!
We still remember, we who dwell
In this far land beneath the trees,
Thy starlight on the Westem Seas.

[E] p. 88:

Home is behind, the world ahead,
And there are many paths to tread;
And round the corner there may wait
A new road or a secret gate,
And hidden pathways there may run
Towards the Moon or to the Sun.
Apple, thorn, &c.

Down hill, up hill walks the way
From sunrise to the falling day,
Through shadow to the edge of night,
Until the stars are all alight; &c.

[F] p. 89:

O Elbereth! O Elbereth!
O Queen beyond the Western Seas!
O Light to him that wandereth
Amid the world of woven trees!

O Stars that in the Sunless Year
Were kindled by her silver hand,
That under Night the shade of Fear
Should fly like shadow from the land!

O Elbereth! Gilthonieth!
Clear are thy eyes, and cold thy breath! &c.

4. Para a Fazenda de Magote e a Terra-dos-Buques

[A] p. 117:

Ho! ho! ho! To my bottle I go
To heal my heart and drown my woe.
Rain may fall and wind may blow,
And many miles be still to go,
But under the elm-tree I will lie
And let the clouds go sailing by!

Ho! ho! ho! —

[B] p. 125:

O Water warm and water hot!
O Water boiled in pan and pot!
O Water blue and water green,
O Water silver-clear and clean,
Of bath I sing my song!
O praise the steam expectant nose!
O bless the tub my weary toes!
O happy fingers come and play!
O arms and legs, you here may stay,
And wallow warm and long!
Put mire away! Forget the clay!
Shut out the night! Wash off the day!
In water lapping chin and knees,
In water kind now lie at ease,
Until the dinner gong!

[C] p. 126:

As I was sitting by the way,
I saw three hobbits walking:
One was dumb with naught to say,
The others were not talking.

'Good night!' I said. 'Good night to you!'
They heeded not my greeting:
One was deaf like the other two.
It was a merry meeting!

[D] p. 130: *Bless the water O my feet and toes!*
Bless it O my ten fingers!
Bless the water, O Odo!
And praise the name of Marmaduke!

[E] pp. 134–5: *Bless the water, O my feet and toes!*
Praise the bath, O my ten fingers!
Bless the water, O my knees and shoulders!
Praise the bath, O my ribs, and rejoice!
Let Odo praise the house of Brandybuck,
And praise the name of Marmaduke for ever.

5. A Floresta Velha e o Voltavime

[A] p. 146: *think not of hearth that lies behind*
but set your hearts on distant hills
beyond the rising of the sun.
The journey is but new begun,
the road goes ever on before
past many a house and many a door
over water and under wood

[B] pp. 147–8: *(Said I)*
'Ho! Tom Bombadil
Whither are you going
With John Pompador
Down the River rowing?'

(Said he)
'Through Long Congleby,
Stoke Canonicorum,
Past King's Singleton
To Bumby Cocalorum –

To call Bill Willoughby
Whatever he be doing,
And ax Harry Larraby
What beer he is a-brewing.'

(And he sang)
'Go, boat! Row! The willows are a-bending,
reeds are leaning, wind is in the grasses.
Flow, stream, flow! The ripples are unending;
green they gleam, and shimmer as it passes.

Run, fair Sun, through heaven all the morning,
rolling golden! Merry is our singing!
Cool the pools, though summer be a-burning;
in shady glades let laughter run a-ringing!'

6. Tom Bombadil

[A] p. 157: *Ho! Tom Bombadil Whither do you wander?*
Up, down, near or far? Here, there, or yonder?
By hill that stands, wood that grows, and by the water falling,
Here now we summon you! Can you hear us calling?

7. A Cousa-Tumular

[A] pp. 165–6: *He knows Tom Bombadil, and Tom's name will help you.*
Say 'Tom sent us here' and he will treat you kindly.
There you can sleep sound, and afterwards the morning
Will speed you upon your way. Go now with my blessing!
Keep up your merry hearts, and ride to meet your fortune!

8. Chegada a Bri

[A] pp. 181–2: THE ROOT OF THE BOOT

A troll sat alone on his seat of stone,
And munched and mumbled a bare old bone;
And long and long he had sat there lone
And seen no man nor mortal –
Ortal! Portal!
And long and long he had sat there lone
And seen no man nor mortal.

Up came Tom with his big boots on;
'Hallo!' says he, 'pray what is yon?
It looks like the leg o' me nuncle John
As should be a-lyin' in churchyard.
Searchyard, Birchyard! etc.

'Young man,' says the troll, 'that bone I stole;
But what be bones, when mayhap the soul
In heaven on high hath an aureole
As big and as bright as a bonfire?
On fire, yon fire!'

Says Tom: 'Odds teeth! 'tis my belief,
If bonfire there be, 'tis underneath;
For old man John was as proper a thief
As ever wore black on a Sunday –
Grundy, Monday!

But still I doan't see what is that to thee,
Wi' me kith and me kin a-makin' free:
So get to hell and ax leave o' he,
Afore thou gnaws me nuncle!
Uncle, Buncle!'

In the proper place upon the base
Tom boots him right – but, alas! that race
Hath a stonier seat than its stony face;
So he rued that root on the rumpo,
Lumpo, Bumpo!

Now Tom goes lame since home he came,
And his bootless foot is grievous game;
But troll's old seat is much the same,
And the bone he boned from its owner!
Donor, Boner!

[B] p. 182:

In the proper place upon the base
Tom boots him right – but, alas! that race
Hath as stony a seat as it is in face,
And Pero was punished by Podex.
Odex! Codex!

[C] pp. 184–6:

THE CAT AND THE FIDDLE,
or
A Nursery Rhyme Undone and its Scandalous Secret Unlocked

They say there's a little crooked inn
Behind an old grey hill,
Where they brew a beer so very brown
The man in the moon himself comes down,
And sometimes drinks his fill.

And there the ostler has a cat
That plays a five-stringed fiddle;
Mine host a little dog so clever
He laughs at any joke whatever,
And sometimes in the middle.

They also keep a hornéd cow,
'Tis said, with golden hooves –
But music turns her head like ale,
And makes her wave her tufted tail,
And dance upon the rooves.

But O! the rows of silver dishes
And the store of silver spoons:
For Sunday there's a special pair,
And these they polish up with care
On Saturday afternoons.

The man in the moon had drunk too deep,
The ostler's cat was totty,
A dish made love to a Sunday spoon,
The little dog saw all the jokes too soon,
And the cow was dancing-dotty.

The man in the moon had another mug
And fell beneath his chair,
And there he called for still more ale,
Though the stars were fading thin and pale,
And the dawn was on the stair.

Then the ostler said to his tipsy cat:
'The white horses of the Moon,
They neigh and champ their silver bits,
For their master's been and drowned his wits,
And the Sun'll be rising soon –

Come play on your fiddle a hey-diddle-diddle,
A jig to wake the dead.'
So the cat played a terrible drunken tune,
While the landlord shook the man in the moon:
''Tis after three,' he said.

They rolled him slowly up the hill
And bundled him in the moon,
And his horses galloped up in rear,
And the cow came capering like a deer,
And the dish embraced the spoon.

The cat then suddenly changed the tune,
The dog began to roar,
The horses stood upon their heads,
The guests all bounded from their beds,
And danced upon the floor.

The cat broke all his fiddle-strings,
The cow jumped over the moon,
The little dog howled to see such fun,
In the middle the Saturday dish did run
Away with the Sunday spoon.

The round moon rolled off down the hill,
But only just in time,
For the Sun looked up with fiery head,
And ordered everyone back to bed,
And the ending of the rhyme.

10. O Ataque ao Topo do Vento

[A] pp. 226–8:

The leaves were long, the grass was thin,
The fall of many years lay thick,
The tree-roots twisted out and in,
The rising moon was glimmering.
Her feet went lilting light and quick
To the silver flute of Ilverin:
Beneath the hemlock-umbels thick
Tinúviel was shimmering.

The noiseless moths their wings did fold,
The light was lost among the leaves,
As Beren there from mountains cold
Came wandering and sorrowing.
He peered between the hemlock leaves
And saw in wonder flowers of gold
Upon her mantle and her sleeves,
And her hair like shadow following.

Enchantment took his weary feet,
That over stone were doomed to roam,
And forth he hastened, strong and fleet,
And grasped at moonbeams glistening.
Through woven woods of Elvenhome
They fled on swiftly dancing feet,
And left him lonely still to roam,
In the silent forest listening.

He heard at times the flying sound
Of feet as light as linden leaves,
Or music welling underground
In the hidden halls of Doriath.
But withered were the hemlock sheaves,
And one by one with sighing sound
Whispering fell the beechen leaves
In the wintry woods of Doriath.

He sought her ever, wandering far
Where leaves of years were thickly strewn,
By light of moon and ray of star
In frosty heavens shivering.
Her mantle glistened in the moon,
As on a hill-top high and far
She danced, and at her feet was strewn
A mist of silver quivering.

When winter passed she came again,
And her song released the sudden spring,

Like rising lark, and falling rain,
And melting water bubbling.
There high and clear he heard her sing,
And from him fell the winter's chain;
No more he feared by her to spring
Upon the grass untroubling.

Again she fled, but clear he called:
Tinúviel, Tinúviel.
She halted by his voice enthralled
And stood before him shimmering.
Her doom at last there on her fell,
As in the hills the echoes called;
Tinúviel, Tinúviel,
In the arms of Beren glimmering.

As Beren looked into her eyes
Within the shadows of her hair
The trembling starlight of the skies
He saw there mirrored shimmering.
Tinúviel! O elven-fair!
Immortal maiden elven-wise,
About him cast her shadowy hair
And white her arms were glimmering.

Long was the way that fate them bore
O'er stony mountains cold and grey,
Through halls of iron and darkling door
And woods of night-shade morrowless.
The Sundering Seas between them lay
And yet at last they met once more,
And long ago they passed away
In the forest singing sorrowless.

11. Do Topo-do-Vento ao Vau

[A] p. 247: *Huan came and bore a leaf,*
of all the herbs of healing chief,
that evergreen in woodland glade
there grew with broad and hoary blade

14. Retorno à Vila-dos-Hobbits

[A] p. 300: *The Road goes ever on and on*
Down from the Door where it began.
Now far ahead the Road has gone,
And I must follow if I can,
Pursuing it with weary feet,
Until it joins some larger way,

Where many paths and errands meet.
And whither then? I cannot say.

15. História Antiga

[A] p. 320:

One Ring to rule them all, One Ring to find them,
One Ring to bring them all, and in the darkness bind them.

[B] p. 321:

Three rings for the Elven-kings under the sky,
Seven for the Dwarf-lords in their halls of stone,
Nine for Mortal Men doomed to die,
One for the Dark Lord on his dark throne
In the Land of Mor-dor where the shadows lie.
One Ring to rule them all, One Ring to find them,
One Ring to bring them all, and in the darkness bind them,
In the land of Mor-dor where the shadows lie.

[C] p. 325:

What has roots that nobody sees,
Is higher than trees,
Up, up it goes,
And yet never grows?

[D] p. 333:

Nine for the Elven-kings under moon and star,
Seven for the Dwarf-lords in their halls of stone,
Three for Mortal Men that wander far,
One for the Dark Lord on his dark throne
In the Land of Mor-dor where the shadows are.
One Ring to rule them all, One Ring to find them,
One Ring to bring them all and in the darkness bind them
In the Land of Mor-dor where the shadows are.

[E] p. 333:

Twelve for Mortal Men doomed to die,
Nine for the Dwarf-lords in their halls of stone,
Three for the Elven-kings of earth, sea, and sky,
Oue for the Dark Lord on his dark throne.

18. Mais uma Vez, da Terra-dos-Buques até o Voltavime

[A] pp. 371–2:

Farewell! farewell, now hearth and hall!
Though wind may blow and rain may fall,
We must away ere break of day
Far over wood and mountain tall.

The hunt is up! Across the land
The Shadow stretches forth its hand.
We must away ere break of day
To where the Towers of Darkness stand.

With foes behind and foes ahead,
Beneath the sky shall be our bed,

Until at last the Ring is cast
In Fire beneath the Mountain Red.
We must away, we must away,
We ride before the break of day.

23. Na Casa de Elrond

[A] p. 508: *There was a meny messenger,*
a passenger, a mariner,
he built a boat and gilded her
and silver oars he fashioned her . . .

25. As Minas de Moria

[A] p. 568: *When Durin came to Azanul*
and found and named the nameless pool.

Este livro foi impresso em 2024, pela Ipsis, para a HarperCollins Brasil.
A fonte usada no miolo é Garamond corpo 10. O papel do miolo é
pólen bold 70 g/m^2 e o da capa é couchê 150 g/m^2.

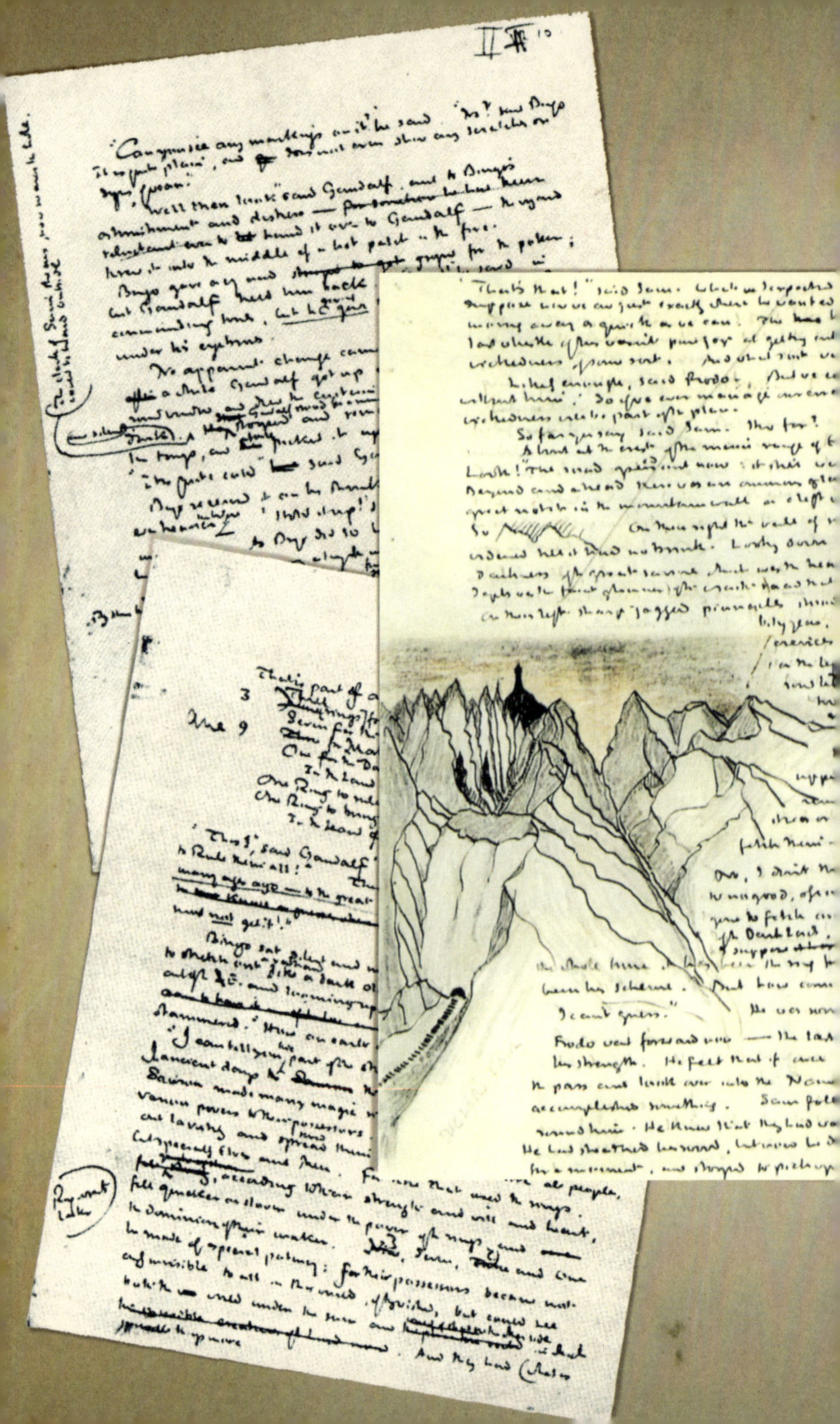